ACCESO GRATIS a la Lectura en la Nube

Para visualizar el libro electrónico en la nube de lectura envíe junto a su nombre y apellidos una fotografía del código de barras situado en la contraportada del libro y otra del ticket de compra a la dirección:

ebooktirant@tirant.com

En un máximo de 72 horas laborales le enviaremos el código de acceso con sus instrucciones.

CONSTITUCIÓN Y PANDEMIA. EL ESTADO ANTE LA CRISIS SANITARIA

CONSTITUCIÓN Y PANDEMIA. EL ESTADO ANTE LA CRISIS SANITARIA

ANA CARMONA CONTRERAS
BLANCA RODRÍGUEZ RUIZ

tirant lo blanch
Valencia, 2022

© Ana Carmona Contreras
Blanca Rodríguez Ruiz

© TIRANT LO BLANCH
EDITA: TIRANT LO BLANCH
C/ Artes Gráficas, 14 - 46010 - Valencia
TELFS.: 96/361 00 48 - 50
FAX: 96/369 41 51
Email:tlb@tirant.com
www.tirant.com
Librería virtual: www.tirant.es
DEPÓSITO LEGAL: V-2323-2022
ISBN: 978-84-1130-442-9
MAQUETA: Disset Ediciones

Si tiene alguna queja o sugerencia, envíenos un mail a: atencioncliente@tirant.com. En caso de no ser atendida su sugerencia, por favor, lea en www.tirant.net/index.php/empresa/politicas-de-empresa nuestro procedimiento de quejas.

Responsabilidad Social Corporativa: http://www.tirant.net/Docs/RSCTirant.pdf

Índice

El papel de los parlamentos durante los estados de emergencia constitucionales provocados por la pandemia

CARLOS VIDAL PRADO

El gobierno ante situaciones de emergencia

ANTONIO PORRAS NADALES

La gestión de la pandemia en clave territorial: Estado autonómico y crisis sanitaria

ANA CARMONA CONTRERAS

Estado de alarma y derechos fundamentales ante la pandemia de la COVID-19. Presupuestos teóricos para el enjuiciamiento constitucional

GERMÁN M. TERUEL LOZANO

La limitación de los derechos fundamentales en el contexto del Estado de Alarma

ANTONIO ARROYO GIL

Estado de alarma y libertad religiosa

ABRAHAM BARRERO ORTEGA

Sobre el *efecto contagio* de la excepcionalidad sanitaria o cómo ha afectado la de los Estados miembros a los principios de funcionamiento de la Unión Europea

MIRYAM RODRÍGUEZ-IZQUIERDO SERRANO

COVID-19 y suspensión del Convenio Europeo de Derechos humanos: ¿una necesidad?

FERNANDO ÁLVAREZ-OSSORIO MICHEO

Prefacio

La pandemia causada por el virus SARS-CoV-2 generó a principios de 2020 un contexto de intensa crisis de salud pública que ha dominado, alterándolas, nuestras vidas en estos dos últimos años. Con la finalidad de paliar los efectos devastadores derivados del virus, así como para controlar sus avances, los Estados se han visto constreñidos a articular medidas excepcionales que han dejado sentir sus efectos sobre un amplio elenco de derechos fundamentales, con la libertad de circulación a la cabeza, además de en el funcionamiento de las instituciones públicas y en el ejercicio del poder a escala territorial. En el caso de España, el Gobierno de la nación recurrió en tres ocasiones (dos en todo el territorio nacional, y una localizada exclusivamente en parte del territorio de la Comunidad de Madrid) al estado de alarma. Es el primero de los estados excepcionales que contempla el artículo 116.1 de nuestra Constitución y es el que, según el artículo 4 b) de la ley que los desarrolla (la ley orgánica 4/1981, de los estados de alarma, excepción y sitio), puede ser declarado cuando se produzcan "alteraciones graves de la normalidad" cuyo origen se encuentre en la concurrencia de "crisis sanitarias, tales como epidemias y situaciones de contaminación graves".

Los tres estados de alarma operativos en el arco temporal referido han mostrado trazos configuradores muy diversos en lo que a sus enfoques y medidas reguladoras se refiere, poniendo de manifiesto tanto la versatilidad de dicho instrumento excepcional como la falta de parámetros de referencia para su aplicación a una situación de crisis sanitaria hasta entonces ignota, pero que mantuvo rasgos sustancialmente análogos a lo largo del tiempo. El primer estado de alarma (declarado el 14 de marzo de 2020 y en vigor hasta el 21 de junio de ese año) dejó en evidencia un intenso espíritu centralizador, que concentró en la esfera del Ejecutivo estatal el grueso de la capacidad decisional para hacer frente a la pandemia. Consecuentemente, la sanidad, una competencia de titularidad autonómica -dejando a salvo la coordinación y las bases, que corresponden al Estado (artículo 149.1.6 CE)- abandonó su ámbito "natural" para pasar a ser gestionada en primera y determinante persona por la esfera central. Asimismo, ante la gravedad de la situación, con el virus descontrolado y la curva de contagios en ascenso continuo, se optó por introducir severas restricciones de derechos fundamentales, muy señaladamente de la libertad de circulación, implantando un estricto confinamiento domiciliario de la población como regla general, si bien dejando a salvo un nutrido elenco de excepciones. Como inevitable efecto inducido, también quedó afectado el ejercicio de otros derechos individuales directamente conectados con aquella y cuyo ejercicio la requiere, tales como el de reunión y manifestación, la educación o la libertad religiosa. Mención especial, por su extraordinaria relevancia institucional, merece el derecho de sufragio, en juego en las elecciones en las Comunidades Autónomas del País Vasco y Galicia: ambas fueron suspendidas, pese a la ausencia de normativa que contemplase tal eventualidad, ante la gravedad de la situación epidemiológica concurrente en las fechas de su convocatoria, y dada la imposibilidad por parte de los responsables públicos de garantizar su desarrollo en condiciones sanitarias idóneas y seguras.

En el segundo estado de alarma operativo en todo el territorio nacional (declarado el 25 de octubre de 2021 y prorrogado hasta el 9 de mayo de 2021), la filosofía asumida por el Ejecutivo marca un decidido contrapunto con el modus operandi apenas aludido. En primer lugar, se abandona el precedente espíritu centralista, según se desprende de la atribución a los presidentes de las Comunidades Autónomas la condición de "autoridades delegadas competentes" del Gobierno. Dicha condición trae aparejada un importante perfil sustantivo, puesto que les confiere la potestad para aplicar las medidas restrictivas de derechos fundamentales contempladas por los decretos de declaración y prórroga de la alarma. Además, y en segundo lugar, las medidas excepcionales ahora previstas son significativamente menos invasivas de los derechos fundamentales que las contempladas con anterioridad. Así, frente a la precedente normativa completa y específica en materia de limitación de derechos, ahora se decide rebajar la intensidad de las restricciones, eludiendo el confinamiento domiciliario general y apostando por los cierres perimetrales de zonas geográficas y la limitación del número de personas en reuniones en reuniones, tanto en domicilios como en espacios públicos. Se opta, asimismo, por establecer que las limitaciones contempladas resultan meramente "posibles", esto es, susceptibles de ser aplicadas o no por las Comunidades Autónomas en función de las circunstancias epidemiológicas existentes en sus respectivos territorios. La única excepción a tal aproximación posibilista es la referida a la limitación de la libertad deambulatoria en horario nocturno -el denominado "toque de queda"-, que es de aplicación preceptiva en todo el territorio nacional durante la vigencia del estado de alarma. A las autoridades autonómicas únicamente compete la facultad de adelantar o retrasar su inicio o su finalización dentro de las franjas horarias contempladas.

En este contexto de decidido impulso a la materialización efectiva del principio de cogobernanza (que en la primera alarma se limitó al terreno de lo meramente simbólico) se procede a situar en el centro de la dinámica de cooperación-coordinación entre el Estado y las Comunidades Autónomas al Consejo Interterritorial del Sistema Nacional de Salud, dotándolo de un protagonismo inédito en la etapa precedente. Al hilo de la configuración descentralizada de la alarma surge también otra cuestión, dotada de indudable relevancia constitucional (y a la que el Tribunal Constitucional va a enfrentarse), como es la relativa al ejercicio del control parlamentario sobre la acción gubernamental en sede autonómica. Así es porque en el esquema operativo propuesto son precisamente los Ejecutivos regionales los llamados a determinar las medidas específicamente adoptadas. Consecuentemente, son éstos los que deben responder ante sus respectivos parlamentos, sometiéndose al preceptivo control. El Congreso de los diputados, pues, queda despojado de la función fiscalizadora que la Constitución le atribuye, dado que el Gobierno, al haber delegado a los presidentes autonómicos la capacidad decisional y de gestión, se limita únicamente a "informar" a la Cámara sobre la situación existente.

Otro rasgo distintivo de esta nueva etapa de excepcionalidad, también conectada con el control que corresponde a la Cámara Baja, alude a la articulación temporal de las prórrogas. Si en la anterior, éstas se sucedieron con una cadencia de 15 días, concediéndose hasta en 6 ocasiones, ahora se aplica un planteamiento diametralmente opuesto, puesto que solo se solicitó una prórroga por un plazo de seis meses. Elementos determinantes de cara a justificar expresamente la solución escogida fueron no solo la gravedad de la situación sanitaria derivada de la pandemia de Covid-19, sino también la concurrencia de otras enfermedades que muestran una importante dimensión estacional (como la gripe o las afecciones del aparato respiratorio) y que se incrementan exponencialmente en los meses de otoño e invierno con una climatología más adversa. Junto a tales motivos de índole sanitaria aludidos por el Gobierno en el decreto de prórroga no cabe, sin embargo, ignorar otra causa, ésta de naturaleza política, que justifica implícitamente la extensión de ésta. Se trata de la voluntad del Ejecutivo de esquivar el efecto de progresiva erosión y debilitamiento experimentado con ocasión de las sucesivas prórrogas obtenidas en la primera alarma y que quedó patente en la pérdida paulatina de apoyos en el Congreso.

Si el contexto de excepcionalidad sanitaria provocó una situación de alta complejidad social y económica, la activación de la excepcionalidad jurídica a la que nos hemos referido sucintamente nos situó en un escenario que, en términos constitucionales, encierra una complejidad propia. Su análisis centra el objeto de esta obra. La misma tiene su origen en unas jornadas celebradas en la Universidad de Sevilla entre los días 1 y 4 de diciembre de 2020, organizadas por el Departamento de Derecho Constitucional. En ellas analizamos desde tal perspectiva las cuestiones suscitadas por la excepcionalidad jurídica de la alarma. Partiendo de una imprescindible reflexión sobre el sentido constitucional del derecho de excepción, las jornadas ofrecieron un recorrido a través de su aplicación durante la crisis sanitaria, articulando un riguroso debate sobre su incidencia en el funcionamiento de las instituciones y la producción normativa, su influencia sobre la distribución territorial del poder, la constitucionalidad de las restricciones impuestas a distintos derechos fundamentales, así como sobre el papel del derecho de la Unión Europea y de la jurisprudencia del Tribunal Europeo de Derechos Humanos en la materia.

Esas reflexiones están en el origen de este libro. El proceso de elaboración de las contribuciones escritas ha sido laborioso, sobre todo por la mutabilidad del escenario jurídico analizado. De ahí que su publicación se haya prolongado en el tiempo, de tal guisa que estando próximo a lo que iba a ser su primer "final" (julio de 2021) el Tribunal Constitucional hizo acto de presencia e irrumpió en escena con su sentencia 148/2021, referida a la primera alarma y declarándola contraria a la Constitución. En dicho momento, con nuestros planes de cierre desbaratados, abrimos una fase de prórroga a fin de incorporar las importantes novedades derivas de la resolución del Tribunal. Una prórroga que se prolongó más allá de lo inicialmente previsto cuando en octubre se publicó la sentencia 183/2021, en la que la segunda alarma a escala nacional también mereció la rotunda reprobación del Alto Tribunal. El giro experimentado por la valoración constitucional de la pandemia tras las resoluciones del máximo intérprete de la Constitución transformó profundamente la hoja de ruta de buena parte de los análisis iniciales realizados, lo que exigió una nueva aproximación a buena parte de los temas analizados. El resultado obtenido tras un largo y complejo proceso de gestación es una monografía en la que se incorpora una visión tan integral y rigurosa como actualizada del estado jurídico-constitucional de la cuestión en nuestro ordenamiento. Pasen y lean.

ANA CARMONA CONTRERAS
BLANCA RODRÍGUEZ RUÍZ
Sevilla 1 de junio de 2022

El Derecho de excepción y la pandemia de COVID-19

MIGUEL ÁNGEL PRESNO LINERA[1]

Catedrático de Derecho Constitucional
Universidad de Oviedo

---

[1] Me he ocupado antes de estas cuestiones en «Estado de alarma y sociedad del riesgo global» en Atienza Macías, E. y Rodríguez Ayuso, J. F., (coord.), *Las respuestas del Derecho a las crisis de salud pública*, Dykinson, Madrid, 2020, pp. 15-28; en «Teoría y práctica de los derechos fundamentales en tiempos de COVID-19», *Revista Administración & Cidadanía*, EGAP, Vol. 15, núm. 2/2020, https://egap.xunta.gal/revistas/AC/article/view/4643/7201 y en «El estado de alarma en crisis», *Revista de las Cortes Generales*, nº 111, 2021, pp. 129-197; en el blog *El derecho y el revés* (https://presnolinera.wordpress.com/) he publicado diversos comentarios, desde el 8 de marzo de 2020, sobre la aplicación del Derecho de excepción a la crisis sanitaria del COVID-19; véanse, asimismo, las entradas de Francisco Velasco Caballero en su blog https://franciscovelascocaballeroblog.wordpress.com/ De gran interés el seguimiento realizado por Álvarez García, V.; Arias Aparicio, F. y Hernández Díez, E., *Lecciones jurídicas para la lucha contra una epidemia*, Iustel, Madrid, 2020, y la información disponible en https://forocsyj.com/coronavirus-the-law/; también de Álvarez García, *2020, el año de la pandemia de la COVID-10*, Iustel, Madrid, 2021; con carácter general, es de gran utilidad toda la información recogida por el profesor Cotino Hueso en el Observatorio Derecho Público y Constitucional y Covid-19 (https://www.uv.es/derechos/): para una panorámica bibliográfica mucho más completa https://derechocovid.com/publicaciones-post-covid/ Para una perspectiva comparada son de gran interés las publicaciones disponibles en https://www.comparativecovidlaw.it/ y https://verfassungsblog.de/category/debates/covid-19-and-states-of-emergency-debates/; centrados en la Unión Europea https://fra.europa.eu/en/themes/covid-19 y http://www.sidiblog.org/2020/03/24/forum-covid-19-diritto-internazionale-e-diritto-dellunione-europea; en Estados Unidos https://blogs.loc.gov/law/2020/03/coronavirus-resource-guide/?loclr=bloglaw; sobre COVID-19 y prisiones https://covid19prisons.wordpress.com/ Entre los trabajos, en lengua castellana sobre las respuestas comparadas, Kölling, M., «Las instituciones democráticas y los derechos fundamentales en tiempos de Covid-19» en Alemania en Biglino Campos, P. y Durán Alba, J. F. *Los efectos horizontales de la COVID sobre el sistema constitucional*, Colección Obras colectivas, Zaragoza: Fundación Manuel Giménez Abad. DOI: https://doi.org/10.47919/FMGA.OC20.0020; Alcaraz, H., «El estado de emergencia sanitaria en Francia ¿elogio de la excepción?», *Los efectos horizontales de la COVID sobre el sistema constitucional*,... DOI: https://doi.org/10.47919/FMGA.OC20.0023 y Mastromarino, A., «La respuesta a la emergencia Covid-19: el caso italiano», *Los efectos horizontales de la COVID sobre el sistema constitucional*,... https://doi.org/10.47919/FMGA.OC20.0024

1. EL ORIGEN DE LA LEY ORGÁNICA 4/1981 COMO INSTRUMENTO DE EXCEPCIÓN FRENTE A LAS CRISIS SANITARIAS

Como es sabido, pocos meses después del intento de golpe de estado de 23 de febrero de 1981 se publicó la Ley Orgánica 4/1981, de 1 de junio, de los estados de alarma, excepción y sitio (LOEAES), que desarrolla el artículo 116 de la Constitución española (CE), no especialmente concreto en lo que respecta al estado de alarma.

Esa norma había empezado su andadura parlamentaria en el mes de septiembre de 1979 como Proyecto de Ley Orgánica de seguridad ciudadana que, según su "Memoria"/Preámbulo suponía "un importante cambio en relación con la Ley de Orden Público de 1959 y criterios inspiradores de la misma, al conjugar la nueva normativa la defensa de las instituciones con el fortalecimiento de los sistemas de garantía de las libertades públicas". El Capítulo III era el dedicado a la regulación de los estados de alarma, excepción y sitio, dando cumplimiento, según la Memoria

> "a lo dispuesto en el artículo 116 de la Constitución... Insiste el precepto citado en la exigencia de concretar los efectos de las respectivas declaraciones, lo que constituye una clara referencia, por lo que respecta a los estados de excepción y sitio, al artículo 55 de la propia Constitución, cuyo párrafo 1 determina expresamente, por vía enumerativa y con carácter excluyente, los derechos fundamentales y las libertades públicas que podrán ser suspendidos cuando se produzca la declaración de dichos estados.

Sin embargo, aunque la Constitución española, frente al criterio mantenido por otros textos constitucionales recientes -como la Ley Federal de Bonn o la Constitución italiana de 1947- haya seguido la línea de recoger en su propio articulado los mecanismos de defensa extraordinaria de las instituciones públicas y, a pesar de que, como elemento equilibrante o compensador haya sido muy precisa y minuciosa en la determinación de las competencias y procedimientos para la declaración de los estados de alarma, excepción y sitio, ha sido realmente sobria en la definición de los conceptos y en la concreción del contenido de los tres estados extraordinarios, respecto a los cuales apenas hace otra cosa que mencionar sus nombres...

Nos referiremos a este proyecto legislativo solo en lo relativo al estado de alarma para constatar el notable cambio que experimentó a lo largo de su tramitación parlamentaria y que tiene mucho que ver con el alcance de la declaración de ese estado en situaciones de crisis sanitarias como la generada por la COVID-19. La Memoria del Proyecto decía lo siguiente en relación con la terminología y el pretendido alcance del estado de alarma:

> "La denominación del estado de alarma, aunque coincidente con una de las usadas en la Ley de Orden Público de 28 de julio de 1933, responde ahora a una realidad distinta: el estado de alarma de la ley republicana es homólogo propiamente del estado de excepción, según la concepción de la Ley de 1959, y según el proyecto que ahora se presenta. *El proyecto, en su concepción del estado de alarma sigue muy de cerca al proyecto de Ley de Modificación de la Ley de Orden Público, tramitado durante el pasado año, recogiendo, en la enumeración de los supuestos determinantes de su declaración, además de las alteraciones del orden público: las catástrofes, calamidades o desgracias públicas; epidemias* o situaciones de contaminación grave; paralización de servicios públicos esenciales y situaciones de desabastecimiento de productos de primera necesidad.

Se trata fundamentalmente de eventos en los que peligra la seguridad o la salud de las personas, o se encuentra en riesgo grave el mantenimiento de las condiciones físicas necesarias para el desenvolvimiento de la vida de la colectividad.

Por ello, el conjunto de medidas para cuya adopción se faculta a las Autoridades gubernativas, aparte de la lógica concentración de atribuciones administrativas, tiende, de una parte, con carácter positivo, a la movilización de personas y recursos materiales, *para asegurar la protección, asistencia y seguridad de las personas, bienes y lugares afectados*, y, de otra parte, con carácter negativo, a controlar o limitar, con la misma finalidad, el movimiento de personas y vehículos y el consumo de artículos o servicios de primera necesidad (todas las cursivas son nuestras).

En el articulado se incluían los supuestos que podrían dar lugar a la declaración del estado de alarma:

> El Gobierno, en uso de las facultades que le otorga el apartado 2 del artículo 116 de la Constitución, podrá declarar el estado de alarma en todo o parte del territorio nacional cuando concurran situaciones como las siguientes:
>
> a) Alteraciones del orden o de la seguridad ciudadana cuando su restablecimiento no se pueda conseguir mediante el uso de las potestades ordinarias de la Autoridad gubernativa.
>
> b) Catástrofes, calamidades o desgracias públicas, tales como terremotos, inundaciones, incendios urbanos y forestales o accidentes de gran magnitud.
>
> c) *Crisis sanitarias, tales como estados epidémicos y situaciones de contaminación grave.*
>
> d) Paralización de servicios públicos esenciales.
>
> e) Situaciones de desabastecimiento de productos de primera necesidad".

En el Dictamen de la Comisión Constitucional del Congreso sobre, entonces, la "Ley Orgánica de los Estados de Alarma, Excepción y Sitio", publicado en el Boletín de la Cámara el 14 de abril 1981, desapareció la letra a) del Proyecto originario, que era la que contemplaba la declaración del estado de alarma ante "alteraciones del orden o de la seguridad ciudadana". Se desvinculó el estado de alarma de la cuestión del orden público y así se propuso en el Dictamen de la Comisión de la misma fecha aunque se mantuvo el carácter ejemplificativo de los supuestos: "...cuando concurran situaciones como las siguientes..."

Fue en el Pleno del Congreso de 23 de abril de 1981 cuando las causas ejemplificativas pasaron a ser taxativas y el texto adquirió la redacción que hoy sigue vigente:

> "El Gobierno, en uso de las facultades que le otorga el artículo 116, 2, de la Constitución, podrá declarar el estado de alarma en todo o parte del territorio nacional, cuando se produzca alguna de las siguientes alteraciones graves de la normalidad:
>
> a) Catástrofes, calamidades o desgracias públicas, tales como terremotos, inundaciones, incendios urbanos y forestales o accidentes de gran magnitud.

b) Crisis sanitarias, tales como epidemias y situaciones de contaminación graves.

c) Paralización de servicios públicos esenciales para la comunidad, cuando no se garantice lo dispuesto en los artículos 28,2, y 37,2, de la Constitución, y concurra alguna de las demás circunstancias o situaciones contenidas en este artículo.

d) Situaciones de desabastecimiento de productos de primera necesidad".

No cabe, por tanto, la declaración del estado de alarma en el contexto de un problema de orden público y ello porque, como explica el profesor Cruz Villalón, el legislador efectuó una «despolitización» del estado de alarma, dejándolo al margen de las situaciones de desorden público o conflictividad social, para destinarlo a combatir las catástrofes naturales o tecnológicas (añadiríamos nosotros sanitarias)[2].

---

[2]   Cruz Villalón, P., «El nuevo Derecho de excepción (Ley Orgánica 4/1981, de 1 de junio)», *Revista Española de Derecho Constitucional*, n° 2, 1981, pp. 93-128, y *Estados excepcionales y suspensión de garantías*, Tecnos, Madrid, 1984; también, entre otros, Fernández Segado, F., «La Ley Orgánica de los estados de alarma, excepción y sitio», *Revista de derecho político*, n° 11, 1981, pp. 83-116; López Garrido, D., *Estados de alarma, excepción y sitio. Trabajos parlamentarios*, Cortes Generales, Madrid, 1984; Torres Muro, I., «Art. 116. Los estados excepcionales", Casas, M. E. y Rodríguez-Piñero, M., *Comentarios a la Constitución española. XXX aniversario*, Fundación Wolters Kluwer, Madrid, 2009, pp. 1814 ss.; Requejo Rodríguez, P., «La suspensión de los derechos fundamentales», en F. Bastida y Otros *Teoría general de los derechos fundamentales en la Constitución española de 1978*, Tecnos, Madrid, 2004, pp. 222-235, y «Art.55. De la suspensión de los derechos y libertades», en Casas y Rodríguez-Piñero *Comentarios a la Constitución española. XXX aniversario,...*, pp. 1201 ss.; Aba Catoira, A., «El estado de alarma en España», *Teoría y Realidad Constitucional*, n° 28, 2011, pp. 305-334; Pérez Sola, N., «Los estados de alarma, excepción y sitio: la primera declaración del estado de alarma en aplicación de las previsiones constitucionales», *Constitución y democracia. Ayer y hoy: libro homenaje a Antonio Torres del Moral*, Universitas, Madrid, 2021, Vol. 2, pp. 1539-1556; Solozábal Echavarría, J. J., «Algunas consideraciones constitucionales sobre el estado de alarma»,..., *Los Efectos Horizontales de la COVID sobre el sistema constitucional*, https://doi.org/10.47919/FMGA.OC20.0002; Garrido López, C., «La naturaleza bifronte del estado de alarma y el dilema limitación-suspensión de derechos», *Teoría y Realidad Constitucional*, n° 46, 2020, pp. 371-402; Garrido López, C. (coordinador), *Excepcionalidad y Derecho: el estado de alarma en España*, Fundación Giménez Abad, Zaragoza, 2021; Carmona Contreras, A. M., «El estado de alarma y la emergencia sanitaria Covid-19: un análisis des-

Y es que en la Ley Orgánica 4/1981 no se habla de «orden público» hasta que no se llega al estado de excepción y ello implica que no hay un paso intermedio –estado de alarma– entre el "orden" y el "desorden" públicos sino que se pasa directamente de la situación de normalidad al estado de excepción, sin que quepan situaciones intermedias más o menos ambiguas. Dispone al respecto el artículo 13 de la LOEAES: "Cuando el libre ejercicio de los derechos y libertades de los ciudadanos, el normal funcionamiento de las instituciones democráticas, el de los servicios públicos esenciales para la comunidad, *o cualquier otro aspecto del orden público*, resulten tan gravemente alterados que el ejercicio de las potestades ordinarias fuera insuficiente para restablecerlo y mantenerlo, el Gobierno, de acuerdo con el apartado tres del artículo ciento dieciséis de la Constitución, podrá solicitar del Congreso de los Diputados autorización para declarar el estado de excepción" (la cursiva es nuestra)[3].

2. LA DECLARACIÓN DE TRES ESTADOS DE ALARMA PARA HACER FRENTE A LA PANDEMIA DE COVID-19

De acuerdo con el primer párrafo del Preámbulo del Real Decreto 463/2020, de 14 de marzo, por el que se declaró el estado de

---

de la perspectiva constitucional», Rodríguez Ramos, M. J. y Gómez Muñoz, J. M. (eds.), *Nuevos escenarios del sistema de relaciones laborales derivados del COVID19*, Bomarzo, Albacete, 2021, pp. 29-64; Ridao, J., *Derecho de crisis y Estado autonómico. Del estado de alarma a la cogobernanza en la gestión de la COVID-19*, Marcial Pons, Madrid, 2021.

[3] En esta misma línea pueden recordarse las palabras, durante su intervención parlamentaria, del entonces senador Fernando Morán: "No se trata de etapas, de escalas en una escalera con intensidad diferente del mismo proceso; se trata de situaciones cualitativamente distintas; el estado de alarma para unas situaciones que vienen de hechos naturales o sociales que ocurren en la historia; el estado de excepción para situaciones que afectan al orden público y que es previsible que no puedan atajarse por los medios ordinarios; y el estado de sitio ante procesos que afecten al orden constitucional"; Diario de Sesiones del Senado, nº 105, 1981, disponible (a 11 de septiembre de 2021) en http://www.congreso.es/public_oficiales/L1/SEN/DS/PL/PS0105.PDF

alarma para la gestión de la situación de crisis sanitaria ocasionada por COVID-19,

> "la Organización Mundial de la Salud elevó el pasado 11 de marzo de 2020 la situación de emergencia de salud pública ocasionada por el COVID-19 a pandemia internacional. La rapidez en la evolución de los hechos, a escala nacional e internacional, requiere la adopción de medidas inmediatas y eficaces para hacer frente a esta coyuntura. Las circunstancias extraordinarias que concurren constituyen, sin duda, una crisis sanitaria sin precedentes y de enorme magnitud tanto por el muy elevado número de ciudadanos afectados como por el extraordinario riesgo para sus derechos".

En el segundo punto del Preámbulo del Real Decreto 926/2020, de 25 de octubre, por el que se declaró el estado de alarma para contener la propagación de infecciones causadas por el SARSCoV-2 se expone:

> "...en el momento actual en España, al igual que en la mayoría de países europeos, se registra una tendencia ascendente en el número de casos. Este incremento se ha traducido en un aumento importante de la Incidencia Acumulada en catorce días, hasta situarse, con fecha 22 de octubre, en 349 casos por 100.000 habitantes, muy por encima de los 60 casos por 100.000 habitantes que marca el umbral de alto riesgo de acuerdo a los criterios del Centro Europeo para la Prevención y Control de Enfermedades... En este contexto, con niveles muy preocupantes de los principales indicadores epidemiológicos y asistenciales, se deben considerar diferentes medidas de control de la transmisión que permitan reducir las incidencias actuales, revertir la tendencia ascendente y evitar alcanzar el nivel de sobrecarga que experimentó el sistema sanitario durante la primera ola de la pandemia..."

Entre uno y otro se aprobó el Real Decreto 900/2020, de 9 de octubre, por el que se declaró el estado de alarma para responder ante situaciones de especial riesgo por transmisión no controlada de infecciones causadas por el SARS-CoV-2, que se aplicó a 9 municipios de la Comunidad de Madrid y que se justificó con, entre otros, los siguientes argumentos:

> "... Teniendo en cuenta que... la autoridad judicial no ha ratificado la medida referida a la limitación de la entrada y salida de personas de los municipios afectados, única medida contemplada en Orden 1273/2020, de 1 de octubre, de la Consejería de Sanidad susceptible de ratificación o autorización judicial por limitar o restringir derechos fundamentales, resulta necesario ofrecer una cobertura jurídica puntual e inmediata que

resulte suficiente para continuar con la aplicación de esta medida, ante la grave situación epidemiológica existente en los municipios afectados y con el fin de evitar el riesgo que se ocasionaría en caso de no ser posible continuar con su aplicación..."

Parece claro, a nuestro entender, y al margen de lo que luego se dirá sobre la Sentencia del Tribunal Constitucional (STC) 148/2021, de 14 de julio, que se han dado los presupuestos de hecho previstos en el genérico "Derecho de excepción" -Ley Orgánica 4/1981- para declarar el estado de alarma en los tres supuestos en los que se aprobó en el año 2020; también nos parece que no se daba el 14 de marzo, y no se ha dado con posterioridad, el presupuesto que podría justificar la declaración del estado de excepción: "el libre ejercicio de los derechos y libertades de los ciudadanos, el normal funcionamiento de las instituciones democráticas, el de los servicios públicos esenciales para la comunidad, o cualquier otro aspecto del orden público" no estuvieron "tan gravemente alterados que el ejercicio de las potestades ordinarias fuera insuficiente para restablecerlo y mantenerlo" (artículo 13)[4]. En suma, la declaración de los sucesivos estados de alarma puede considerarse acertada en el sentido de correlación entre la medida adoptada y el presupuesto práctico que exigía su aprobación[5].

---

[4]   Sobre las diferentes posturas doctrinales, Garrido López, C., «La naturaleza bifronte del estado de alarma y el dilema limitación-suspensión de derechos», *Teoría y Realidad Constitucional*, nº 46, 2020, pp. 371-402, que realiza una amplia panorámica del "Derecho de excepción" en *Decisiones excepcionales y garantía jurisdiccional de la Constitución*, Marcial Pons, Madrid, 2021.

[5]   En el mismo sentido se pronunció el Consejo de Estado en su Dictamen 615/2020, de 25 de octubre, sobre el Proyecto de Real Decreto por el que se declara el estado de alarma para contener la propagación de infecciones causadas por el SARS-CoV-2: "... Las situaciones de epidemia constituyen por su propia naturaleza una alteración grave de la normalidad y no afectan al orden público democrático. Precisamente por ello, el legislador incluyó a las crisis sanitarias en general y a las epidemias en particular entre los supuestos de hecho que justifican la declaración del estado de alarma. Ciertamente, no cabe descartar en hipótesis que una determinada epidemia, en unión con factores de otra naturaleza -sociales, económicos o políticos-, pudiera llegar a ocasionar graves alteraciones del orden público democrático, en el sentido constitucionalmente exigido para la declaración del estado de excepción. Pero tal situación en modo alguno concurre en la epidemia actual provocada por el coronavirus-19". Para una perspectiva de los tres estados de alarma, Pomed Sánchez, L., «Algunas notas sobre los sucesivos estados de alarma declarados en 2020», en Tudela Aranda, J. (coordinador),

Encuentro más discutible, también en el plano práctico, alguna de las medidas adoptadas en el Real Decreto 463/2020, cuyo artículo 7, titulado "Limitación de la libertad de circulación de las personas" dispuso, en su punto 1, que

> "durante la vigencia del estado de alarma las personas únicamente podrán circular por las vías o espacios de uso público para la realización de las siguientes actividades, que deberán realizarse individualmente, salvo que se acompañe a personas con discapacidad, menores, mayores, o por otra causa justificada: a) Adquisición de alimentos, productos farmacéuticos y de primera necesidad. b) Asistencia a centros, servicios y establecimientos sanitarios. c) Desplazamiento al lugar de trabajo para efectuar su prestación laboral, profesional o empresarial. d) Retorno al lugar de residencia habitual. e) Asistencia y cuidado a mayores, menores, dependientes, personas con discapacidad o personas especialmente vulnerables. f) Desplazamiento a entidades financieras y de seguros. g) Por causa de fuerza mayor o situación de necesidad. h) Cualquier otra actividad de análoga naturaleza…"

Y es que la LOEAES distingue entre "limitaciones", propias del estado de alarma, y "prohibiciones", características del estado de excepción: habla respecto al primero (art. 11) de, entre otras medidas, "a) Limitar la circulación o permanencia de personas o vehículos en horas y lugares determinados… c)) Limitar o racionar el uso de servicios o el consumo de artículos de primera necesidad"; en relación con el segundo permite, entre otras opciones, "prohibir la circulación de personas y vehículos en las horas y lugares que se determine" (art. 20.1); "prohibir la celebración de reuniones y manifestaciones…" (art. 22.1) y "prohibir las huelgas y la adopción de medidas de conflicto colectivo…" (art. 23).

En esta línea, el Tribunal Constitucional (TC) había dicho que "… los efectos de la declaración del estado de alarma se proyectan… en el establecimiento de determinadas limitaciones o restricciones" (STC 83/2016, de 28 de abril, FJ 8). Pues bien, si atendemos a las concretas medidas impuestas en la práctica con la entrada en vigor del Decreto 463/2020, no parece haber diferencia entre su intensidad y las prohibiciones propias de un estado de excepción, no como en teoría podría

---

Estado autonómico y COVID-19: un ensayo de valoración general, …, pp. 177-199.

alcanzar dicho estado, sino tal y como ha articulado la cuestión el legislador orgánico. Estamos, pues, ante una teórica limitación formal de la libertad de circulación que, de hecho, implica una prohibición general de la citada libertad y es que, en palabras de Santamaría Pastor, "limitar es *restringir* parcial y excepcionalmente, *no prohibir todo*, salvo excepciones"[6].

Por ello, esas previsiones generan dudas con la configuración que, como hemos dicho, se dio a la L. O. 4/1981, en la que el legislador se decantó, pudiendo hacer otra cosa, por una serie de medidas que en el caso del estado de alarma deberían ser, en principio, menos gravosas que las realmente adoptadas bajo su amparo en el Decreto 463/2020. El juicio de proporcionalidad sobre las mismas no puede hacerse al margen de los propios límites que ha preestablecido el legislador orgánico[7].

---

[6]   Santamaría Pastor, J. A. «Notas sobre el ejercicio de las potestades normativas en tiempos de pandemia», en Blanquer Criado, D., *COVID-19 y Derecho Público (durante el estado de alarma y más allá)*, Valencia: Tirant lo Blanch, Valencia, 2020, pp. 207-240, y Alegre Ávila, J. M. y Sánchez Lamelas, A., «Nota en relación a la crisis sanitaria generada por la actual emergencia vírica», 2020, http://www.aepda.es/AEPDAEntrada-2741-Nota-en-relacion-a-la-crisis-sanitaria-generada-por-la-actual-emergencia-virica.aspx, y «La jurisdicción contencioso-administrativa ante la crisis vírica: análisis de algunos pronunciamientos jurisprudenciales y apuntes doctrinales», en *Akademía. Revista internacional y comparada de derechos humanos*, nº especial, 2021, pp. 121-172.

[7]   Sobre estas cuestiones Requejo Rodríguez, «La suspensión de los derechos fundamentales»,…, y Aláez Corral, B., «El concepto de suspensión general de los derechos fundamentales», *La defensa del estado: actas del I Congreso de la Asociación de Constitucionalistas de España* (coord. por López Guerra, L. y Espín Templado, E.), Tirant lo Blanch, Valencia, 2004, pp. 233-246.
En el sentido aquí defendido, Pomed Sánchez, L., «Algunas notas sobre los sucesivos estados de alarma declarados en 2020»,…, pp. 182 ss.; en un sentido contrario, el Consejo de Estado, en el citado Dictamen 615/2020, concluyó que "no cabe duda… de que esas medidas restrictivas o limitativas pueden alcanzar la intensidad que sea necesaria para el fin que se proponen, siempre y cuando quepa concluir -en un juicio de proporcionalidad- que son adecuadas y necesarias para luchar contra la epidemia. El grado de la restricción o limitación de derechos estará en función de la gravedad de la epidemia y de las medidas que resulten oportunas para ponerla fin. De este modo, es posible adoptar, dentro del estado de alarma, medidas restrictivas o limitativas que comporten un alto grado de afectación de los derechos fundamentales y libertades públicas".

Cabe recordar que, conforme a la STC 94/1993, de 22 de marzo, "las medidas que repercuten sobre la libre circulación de las personas deben fundarse en una Ley, y aplicarla en forma razonada y razonable (STC 85/1989, FJ 3)" (F. 4) y que (STC 146/2006, de 8 de mayo, FJ 2) "constituye doctrina de este Tribunal que una medida de ese tipo debe sujetarse a parámetros de proporcionalidad en relación con la preservación de otros derechos o bienes constitucionales. Ha de tratarse así de una medida útil y necesaria para la protección de un bien constitucionalmente importante", algo que se reitera en la STC 84/2013, de 11 de abril, FJ 6.

Como es obvio, no entramos aquí a valorar si las medidas limitativas de la libertad de circulación eran las mejores para contener la epidemia pero, además de aplicarse de forma razonada y razonable, "deben fundarse en una Ley" y nos parece discutible, cuando menos, que en el caso que nos ocupa tengan un fundamento claro en la L. O. 4/1981, máxime teniendo en cuenta la obligación iusfundamental de interpretar la normativa aplicable en el sentido más favorable para la efectividad de los derechos fundamentales (STC 17/1985, de 5 de marzo, FJ 4) y, lo que no debe olvidarse, las posibles consecuencias sancionadoras que el incumplimiento de las citadas prohibiciones ha venido ocasionando[8].

Tampoco el Defensor del Pueblo entendió que existieran motivos para cuestionar la constitucionalidad: "el confinamiento generalizado, masivo, largo en el tiempo, constituye, por su propia naturaleza, una severa restricción de lo que pueden hacer las personas en su vida cotidiana. Y afecta, como no podía ser de otra manera, al ejercicio de los derechos fundamentales". Sin embargo, advierte de que, a juicio de la Institución "en modo alguno significa -o significó durante el estado de alarma- la suspensión de determinados derechos fundamentales, como sostienen muchos de los comparecientes, sino una limitación de su ejercicio. Sí se hubiese aplicado el estado de excepción, como consideran algunos peticionarios, sí se habrían suspendido esos derechos." El titular de la institución reconoce que durante el estado de alarma algunos derechos se vieron intensamente afectados pero señala que "una interpretación conjunta de la Constitución y de la LOAES permite concluir que se limitan derechos, pero no se suspenden". Así, recuerda que esta distinción "no es baladí". "La limitación modula el ejercicio de los derechos, la suspensión los elimina".
https://www.defensordelpueblo.es/noticias/constitucionalidad-estado-alarma/

8   Véanse los trabajos de Nogueira López, A., «Confinar el coronavirus. Entre el viejo Derecho sectorial y el Derecho de excepción», *El Cronista del Estado Social y Democrático de Derecho "Coronavirus... y otros problemas"*, nº 86/87, 2020,

A este respecto, parece que encaja mucho mejor en la teoría de la L. O. 4/1981 la práctica de las medidas limitativas de la libertad de circulación "en horario nocturno" previstas en el Real Decreto 926/2020, pues se trata, efectivamente, de restringir la libertad deambulatoria en unas horas determinadas: "durante el periodo comprendido entre las 23:00 y las 6:00 horas, las personas únicamente podrán circular por las vías o espacios de uso público para la realización de las siguientes actividades..."[9]

En segundo lugar, la aplicación "práctica" del estado de alarma ha evidenciado su poca funcionalidad cuando se decreta para un ámbito

---

pp. 22-31; Amoedo Souto, C., «Vigilar y castigar el confinamiento forzoso. Problemas de la potestad sancionadora al servicio del estado de alarma sanitaria», *El Cronista del Estado Social y Democrático de Derecho "Coronavirus... y otros problemas"*, nº 86/87, pp. 66-77; Cotino Hueso, L., «Los derechos fundamentales en tiempos del coronavirus. Régimen general y garantías y especial atención a las restricciones de excepcionalidad ordinaria», *El Cronista del Estado Social y Democrático de Derecho "Coronavirus... y otros problemas"*, nº 86/87, 2020, pp. 88-101, y «Confinamientos, libertad de circulación y personal, prohibición de reuniones y actividades y otras restricciones de derechos por la pandemia del Coronavirus», *Diario La Ley*, nº 9608, 2020, Sección Doctrina; sobre los factores asociados al incumplimiento de estas previsiones, Gómez-Bellvís, A. B., «La disuasión penal en el estado de alarma: Sobre la eficacia de la amenaza del castigo de la desobediencia al confinamiento», *InDret Criminología Revista para el Análisis del Derecho*, nº 4, 2020.

[9]   a) Adquisición de medicamentos, productos sanitarios y otros bienes de primera necesidad.
b) Asistencia a centros, servicios y establecimientos sanitarios.
c) Asistencia a centros de atención veterinaria por motivos de urgencia.
d) Cumplimiento de obligaciones laborales, profesionales, empresariales, institucionales o legales.
e) Retorno al lugar de residencia habitual tras realizar algunas de las actividades previstas en este apartado.
f) Asistencia y cuidado a mayores, menores, dependientes, personas con discapacidad o personas especialmente vulnerables.
g) Por causa de fuerza mayor o situación de necesidad.
h) Cualquier otra actividad de análoga naturaleza, debidamente acreditada.
i) Repostaje en gasolineras o estaciones de servicio, cuando resulte necesario para la realización de las actividades previstas en los párrafos anteriores.
2. La autoridad competente delegada correspondiente podrá determinar, en su ámbito territorial, que la hora de comienzo de la limitación prevista en este artículo sea entre las 22:00 y las 00:00 horas y la hora de finalización de dicha limitación sea entre las 5:00 y las 7:00 horas.

territorial pequeño, incluso a grandes ciudades (Madrid) o conurbaciones, como ha ocurrido con el Decreto 900/2020, que vinculó a los municipios de Alcobendas, Alcorcón, Fuenlabrada, Getafe, Leganés, Madrid, Móstoles, Parla y Torrejón de Ardoz.

Este estado de alarma, como cualquier otro, exigió el decreto acordado en Consejo de Ministros y dar cuenta al Congreso de los Diputados, a quien no llegó a pedírsele la prórroga. Es verdad que la L. O. 4/1981 permite (artículo 7) que la Autoridad competente pueda ser, por delegación del Gobierno, "el Presidente de la Comunidad Autónoma cuando la declaración afecte exclusivamente a todo o parte del territorio de una Comunidad", pero no necesariamente es así -en el caso que nos ocupa la autoridad competente fue el Gobierno- y, en cualquier caso, esa eventual delegación no elude el acuerdo inicial del Gobierno ni la intervención del Congreso de los Diputados. Además, durante la vigencia del estado de alarma, corresponde al Gobierno suministrar al Congreso la información que le sea requerida y, asimismo, le dará cuenta de los decretos que dicte durante la vigencia del estado de alarma en relación con éste (artículo 8). Finalmente, y admitiendo que será conveniente escuchar al Presidente de la Comunidad Autónoma afectada en los debates parlamentarios sobre la prórroga del estado de alarma y las medidas por las que debe regirse, la decisión última corresponde a la Cámara Baja y el Gobierno conserva buena parte del protagonismo.

No es ajena a esta posible disfuncionalidad que la Ley Orgánica 4/1981 se aprobara cuando el Estado autonómico español estaba comenzando a desarrollarse -aún no se habían aprobado la mayoría de los Estatutos de Autonomía- y muchas de las cuestiones susceptibles de afectación por un estado de alarma (sanidad, protección civil, medio ambiente, consumo…) son ahora competencia, en buena parte, de las Comunidades Autónomas.

En esta línea, el Decreto 926/2020 sí atendió al modelo territorial español a la hora de articular el haz de medidas aprobadas para contener la pandemia: por una parte, "en cada comunidad autónoma y ciudad con Estatuto de autonomía, la autoridad competente delegada será quien ostente la presidencia de la comunidad autónoma o ciudad con Estatuto de autonomía, en los términos establecidos en este real decreto" (artículo 2.2); en segundo lugar (artículo 2.3), estas autoridades competentes delegadas quedaron habilitadas para dictar, por delegación del Gobierno de la Nación, las órdenes, resoluciones y disposiciones para la aplicación de lo previsto en los artículos 5 a 11, preceptos que contenían el grueso de las medidas a adoptar. Incluso, "la autoridad competente delegada en cada comunidad autónoma o ciudad con Estatuto de autonomía podrá, en su ámbito territorial, a la vista de la evolución de los indicadores sanitarios, epidemiológicos, sociales, económicos y de movilidad, previa comunicación al Ministerio de Sanidad y de acuerdo con lo previsto en el artículo 13, modular, flexibilizar y suspender la aplicación de las medidas previstas en los artículos 6, 7 y 8, con el alcance y ámbito territorial que determine. La regresión de las medidas hasta las previstas en los mencionados artículos se hará, en su caso, siguiendo el mismo procedimiento" (artículo 10).

Es discutible, no obstante, que en nuestro marco constitucional quepa atribuir a las Comunidades Autónomas la capacidad para acordar, incluso como autoridad delegada, la restricción de entradas en el respectivo territorio (artículos 6 y 9), máxime si eso implica, como prevé el segundo párrafo del artículo 9.1, una afectación al régimen de fronteras[10].

Otro aspecto potencialmente problemático en la práctica del Derecho de excepción propio del estado de alarma es el relativo al control parlamentario: como es sabido, se trata de una competencia exclusiva del Congreso de los Diputados conforme al artículo 116.2 CE: "el estado de alarma será declarado por el Gobierno mediante decreto acordado en Consejo de Ministros por un plazo máximo de quince días, dando cuenta al Congreso de los Diputados, reunido inmediatamente al efecto y sin cuya autorización no podrá ser prorrogado dicho plazo". Es decir, el Congreso no declara el estado de alarma pero debe ser informado de inmediato y es esa Cámara la única que puede prorrogarlo. A este respecto, la Ley Orgánica 4/1981 prevé (art. 1.4) que "la declaración de los estados de alarma, excepción y sitio no

---

[10]   "La medida prevista en el artículo 6 no afecta al régimen de fronteras. Sin perjuicio de lo anterior, en el caso de que dicha medida afecte a un territorio con frontera terrestre con un tercer Estado, la autoridad competente delegada lo comunicará con carácter previo al Ministerio del Interior y al Ministerio de Asuntos Exteriores, Unión Europea y Cooperación".

interrumpe el normal funcionamiento de los poderes constitucionales del Estado"; que (art. 6.1) el estado de alarma "solo se podrá prorrogar con autorización expresa del Congreso de los Diputados, que en este caso podrá establecer el alcance y las condiciones vigentes durante la prórroga"; que (art. 8) "el Gobierno dará cuenta al Congreso de los Diputados de la declaración del estado de alarma y le suministrará la información que le sea requerida. El Gobierno también dará cuenta al Congreso de los Diputados de los decretos que dicte durante la vigencia del estado de alarma en relación con éste".

Por su parte, el Reglamento del Congreso dispone (art. 162) que

> "1. Cuando el Gobierno declarase el estado de alarma, remitirá inmediatamente al Presidente del Congreso una comunicación a la que acompañará el Decreto acordado en Consejo de Ministros. De la comunicación se dará traslado a la Comisión competente, que podrá recabar la información y documentación que estime procedente. 2. Si el Gobierno pretendiere la prórroga del plazo de quince días a que se refiere el artículo 116, 2 de la Constitución, deberá solicitar la autorización del Congreso de los Diputados antes de que expire aquél. 3. Los Grupos Parlamentarios podrán presentar propuestas sobre el alcance y las condiciones vigentes durante la prórroga hasta dos horas antes del comienzo de la sesión en que haya de debatirse la concesión de la autorización solicitada. 4. El debate tendrá lugar en el Pleno y se iniciará con la exposición por un miembro del Gobierno de las razones que justifican la solicitud de prórroga del estado de alarma y se ajustará a las normas previstas para los de totalidad. 5. Finalizado el debate se someterán a votación la solicitud y las propuestas presentadas. De la decisión de la Cámara se dará traslado al Gobierno".

Así pues, se atribuye a los Grupos Parlamentarios la facultad de formular propuestas sobre la extensión del estado de alarma y las normas vigentes durante el mismo, que, en todo caso, se someterán a votación, cuyo resultado vinculará al Gobierno.

La Constitución veta una hipotética disolución del Congreso y garantiza su funcionamiento al prescribir (art. 116.5) que "no podrá procederse a la disolución del Congreso mientras estén declarados algunos de los estados comprendidos en el presente artículo, quedando automáticamente convocadas las Cámaras si no estuvieren en período de sesiones. Su funcionamiento, así como el de los demás poderes constitucionales del Estado, no podrán interrumpirse durante la vigencia de estos estados". Además, insiste en que "la declaración de los estados de alarma, de excepción y de sitio no modificarán el principio de responsabilidad del Gobierno y de sus agentes reconocidos en la Constitución y en las leyes" (art. 116.6).

En suma, y en el contexto de un sistema parlamentario que está diseñado para mantener apuntalado al Gobierno de turno, cabe ejercer -y debe ejercerse- el control político del Gobierno durante la vigencia del estado de alarma. Durante el mismo se celebrarán las sesiones del Pleno para, en su caso, la convalidación de los Decretos-leyes aprobados, así como para debatir la prórroga y sus eventuales condiciones. También tendrán lugar las sesiones de control que se consideren oportunas en las diferentes Comisiones[11].

No obstante, hay, al menos, dos cuestiones sobre las que convendría reflexionar: una de ellas es la eventualidad de un número importante de diputados pueda ver afectada su salud y eso le impida el ejercicio normal de sus funciones, como así ha ocurrido en los últimos meses. Por eso no estaría de más que los reglamentos parlamentarios se reformasen para atender mejor unas circunstancias como las presentes. Una opción, entre otras, es articular legislativa y reglamentariamente la sustitución temporal, por enfermedad, de los cargos representativos[12].

La segunda cuestión tiene que ver con la ausencia de previsiones constitucionales y legales sobre la eventual duración de las prórrogas del estado de alarma, lo que implicaría que, en principio, fuese posible, si así lo acuerda la mayoría parlamentaria, una prórroga de varios meses -la prórroga del estado de alarma instaurado por el Decreto 926/2020 fue de seis meses según el acuerdo del Congreso de los Diputados de 29 de octubre-, lo que no parece facilite el ejercicio, con consecuencias inmediatas, del control por parte de la oposición sobre

---

[11]   Sobre estas cuestiones, Dueñas Castrillo, A.I., «Las relaciones Parlamento-Gobierno durante el estado de alarma por covid-19», en Biglino Campos, P. y Durán Alba, J. F., *Los efectos horizontales de la COVID sobre el sistema constitucional*, Colección Obras colectivas, Fundación Manuel Giménez Abad, Zaragoza, 2020, DOI: https://doi.org/10.47919/FMGA.OC20.0004

[12]   Nos ocupamos de la posible configuración de la sustitución temporal en Presno Linera, M. A./Ortega Santiago, C., *La sustitución temporal de los representantes políticos*, CEPC, Madrid, 2009.

el alcance de unas disposiciones que pueden limitar de manera intensa derechos fundamentales.

Finalmente, otra de las, a mi juicio, "disfunciones" prácticas del estado de alarma como instrumento para garantizar determinados derechos fundamentales tiene que ver con el control jurisdiccional del Decreto que acuerda tal estado y de sus eventuales prórrogas. Como se recordará, el primer estado de alarma en España se implantó por medio del Real Decreto 1673/2010, de 4 de diciembre, por el que se declaró el estado de alarma para la normalización del servicio público esencial del transporte aéreo, que fue impugnado jurisdiccionalmente: si partimos de que la declaración del estado de alarma se realiza mediante Decreto del Consejo de Ministros no parecería descabellado entender que cabe un control de su legalidad por la Sala de lo Contencioso-Administrativo del Tribunal Supremo (TS); sin embargo esta vía fue descartada de raíz por el propio TS con ocasión de los recursos presentados por los controladores aéreos: en siete autos dictados entre 2011 y 2012 (AATS 857/2011, de 10 de febrero; 2985/2011, de 9 de marzo; 3816/2011, de 5 de abril; 5696/2011 y 5698/2011, de 30 de mayo; 6821/2011, de 8 de junio; y 6197/2012, de 1 de junio) ese Tribunal estimó que la declaración del estado de alarma no es un ejercicio de la potestad reglamentaria que le atribuye al Gobierno el artículo 96 CE, sino de la competencia constitucional, diferente, regulada en artículo 116.2 CE.

Esta doctrina fue asumida por el Tribunal Constitucional (TC), primero por mayoría (Auto 7/2012, de 13 de enero) y luego por unanimidad (STC 83/2016, de 28 de abril), al entender que aunque formalizada mediante decreto del Consejo de Ministros, la decisión de declarar el estado de alarma, dado su contenido normativo y efectos jurídicos, queda configurada en nuestro ordenamiento como una decisión o disposición con rango o valor de ley[13].

---

[13]   Sobre esta STC véanse los comentarios de Álvarez Vélez, M. I., «Sistema de fuentes del Derecho y estado de alarma: la STC 83/2016, de 28 de abril», *Asamblea: revista parlamentaria de la Asamblea de Madrid*, nº 34, 2016, pp. 325-340, y Garrido López, C., «Naturaleza jurídica y control jurisdiccional de las decisiones constitucionales de excepción», *Revista Española de Derecho Constitucional*, nº 110, 2017, pp. 43-73.

Y a esta doctrina fue acogida de nuevo, en su Auto de 4 de mayo de 2020, por el TS al resolver el recurso en el que, en forma directa, "se impugna el Real Decreto 463/2020 de 14 de marzo por el que se declara el estado de alarma para gestión de la pandemia ocasionada por infección del acrónimo COVID-19, así como el Real Decreto 476/2020, de 27 de marzo, el Real Decreto 4870/2020, de 10 de abril y el Real Decreto 463/2020, que establecen sus prórrogas, así como -en lo que se denomina ampliación- el Real Decreto 492/2020, de 24 de abril, que lo prorroga por tercera vez".

Este Auto, que recuerda la anterior jurisprudencia tanto del TS como del TC, insiste (FJ 4) en que

> "la posibilidad de control en estos casos corresponde, sin duda alguna, al Tribunal Constitucional en ejercicio de sus competencias de control de la constitucionalidad de las leyes y normas con rango de ley, como declaró el mismo al considerar que "aunque formalizada mediante decreto del Consejo de Ministros, la decisión de declarar el estado de alarma, dado su contenido normativo y efectos jurídicos, debe entenderse que queda configurada en nuestro ordenamiento como una decisión o disposición con rango o valor de ley. Y, en consecuencia, queda revestida de un valor normativo equiparable, por su contenido y efectos, al de las leyes y normas asimilables cuya aplicación puede excepcionar, suspender o modificar durante el estado de alarma"(STC 83/2016, de 28 de abril, FJ 10).

No obstante, en ese fundamento jurídico y en el siguiente, se añade,

> Lo que se acaba de expresar no excluiría que en aquellas situaciones en las que, no se haya producido la dación de cuenta al Congreso o no haya recaído la autorización de prórroga parlamentaria que exige el artículo 116.2 CE, la forma de decreto que revista la declaración de alarma pudiera recobrar su relieve a efectos de nuestro control jurisdiccional. Aunque el decreto de declaración de la alarma proceda del Gobierno como órgano constitucional, su control correspondería a esta Sala, como permite el artículo 2 a) de la LJCA, respecto de lo que en nuestra jurisprudencia hemos denominado conceptos judicialmente asequibles" (por todas, sentencia de 20 de noviembre de 2013 o sobre los hechos determinantes. La declaración "argumentativa de la STC 83/2016 que se ha transcrito no lo impide en cuanto ha sido formulada por el Tribunal Constitucional al resolver un recurso amparo (STC 83/2016) y no en sede de tribunal de control de constitucionalidad de las leyes.

La falta de jurisdicción sobre decretos de declaración del estado de alarma se refiere únicamente a la norma de declaración y a sus prórrogas pero no a los decretos o disposiciones que acompañen a dicha declaración o que se dicten durante su vigencia o en relación con la misma (artículo 8.2 Ley 4/1981, de 1 de junio) ni tampoco respecto de sus actos de aplicación. Así lo dispone en forma expresa el artículo 3.1 de la Ley orgánica 4/1981, de 1 de junio, y lo estableció ya en su momento el Auto de la Sección Séptima de esta Sala de 30 de mayo de 2011, que admitió a trámite el recurso en cuanto se dedujo contra el Real Decreto 1611/2010, de 3 de diciembre, por tratar una actuación con alcance y significación diferente a la declaración del estado de alarma y a la solicitud y autorización de su prórroga. Sobre dicha impugnación recayó posteriormente la sentencia de 22 de abril de 2015".

En consecuencia, solo a través del recurso y de la cuestión de inconstitucionalidad (eventualmente de una autocuestión) pueden enjuiciarse en términos generales el decreto que declara el estado alarma y sus eventuales prórrogas.

3.   LA STC 148/2021, DE 14 DE JULIO, QUE RESOLVIÓ EL RECURSO DE INCONSTITUCIONALIDAD INTERPUESTO CONTRA EL REAL DECRETO 463/2020, DE 14 DE MARZO

El 14 de julio se hizo público el largo tiempo esperado fallo del TC sobre el recurso de inconstitucionalidad interpuesto por más de cincuenta diputados del grupo parlamentario Vox contra el Real Decreto 463/2020, de 14 de marzo (arts. 7, 9, 10 y 11) y varias normas que lo modificaron o lo prorrogaron. La decisión del TC fue adoptada por seis votos contra cinco[14].

---

[14]   Pueden leerse unos primeros comentarios a la STC en el blog de Velasco, P.: https://franciscovelascocaballeroblog.wordpress.com/2021/07/28/problemas-argumentales-en-la-stc-sobre-el-estado-de-alarma-i/ y https://franciscovelascocaballeroblog.wordpress.com/2021/07/29/problemas-argumentales-de-la-stc-sobre-el-estado-de-alarma-ii-cual-es-el-contenido-minimo-de-la-libre-circulacion-en-una-situacion-excepcional/; también los de Doménech, G., https://almacendederecho.org/la-conversion-del-estado-de-alarma-cn-un-estado-de-excepcion y García-Manzano, P., https://almacendederecho.org/las-dos-logi-

Como explica la STC, el recurso de inconstitucionalidad se fundamentó en la supuesta vulneración de los artículos 55.1 y 116 CE y en lo previsto por la LOAES. Se denunciaron, además, otras infracciones singulares en relación con determinados preceptos constitucionales: (i) los artículos 19 (libertad de circulación), 17 (libertad personal), 21 (derecho de reunión y manifestación) y 25 (principio de legalidad sancionadora), en conexión con el art. 10.1 CE (reconocimiento de la dignidad humana), por el art. 7; (ii) vulneración del artículo 27 CE (derecho a la educación), imputable al art. 9; (iii) vulneración de los arts. 35 (derecho al trabajo) y 38 (derecho a la libertad de empresa) CE, cuya conculcación se reprocha al artículo 10; y (iv) vulneración del art. 16 CE (derecho a la libertad religiosa) en conexión con el artículo 10.1 CE, que se atribuye a los artículos 7 y 11 del mismo Real Decreto. E

El TC aclara, en primer lugar, que no supone un obstáculo para dar respuesta al recurso que las medidas hayan perdido su vigencia hace meses por haber finalizado el estado de alarma. La sola circunstancia del transcurso del período durante el que aquéllas rigieron no hace que el recurso de inconstitucionalidad pierda su objeto, pues dicha solución implicaría abrir un inadmisible ámbito de inmunidad del poder frente a la Constitución. Siendo eso cierto, no nos ofrece dudas que la respuesta del TC sobre un recurso con tanta relevancia llega demasiado tarde.

En segundo lugar, el TC recuerda algo que hemos comentado antes: que los reales decretos del Gobierno por los que se declara o se prorroga el estado de alarma son actos con rango o valor de ley; por este motivo, su impugnación solo es posible ante el propio TC y no, por ejemplo, ante el Tribunal Supremo. En consecuencia, el TC inadmite el recurso en la parte que se refiere a una norma reglamentaria del Ministerio de Sanidad que impuso medidas excepcionales en relación con los velatorios y ceremonias fúnebres.

No deja de llamar la atención, en tercer lugar, que los recurrentes no discutan la concurrencia del presupuesto que permite declarar el estado de alarma ni, por tanto, la procedencia de la declaración efec-

cas-del-estado-de-alarma-comentario-a-la-stc-148-2021-de-14-de-julio (disponibles a 11 de septiembre de 2021).

tuada por el Real Decreto 463/2020. Aunque consideren inconstitucionales algunas de las medidas acordadas, no está en cuestión esta decisión, a la que no se atribuye tacha alguna de inconstitucionalidad; en palabras del TC, la procedencia de la declaración del estado de alarma no se ha cuestionado sino solo la validez de algunas medidas acordadas al amparo del mismo, de forma que su análisis se limitará a examinar la constitucionalidad de éstas, teniendo en cuenta lo previsto en la CE y en la LOEAES.

El TC comienza explicando que la declaración de un estado de alarma no permite la suspensión de derechos fundamentales, algo que podría hacerse bajo los estados de excepción y sitio (arts. 55.1 y 116.3 y 4 CE). Sí permite "la adopción de medidas que pueden suponer limitaciones o restricciones" a su ejercicio. A continuación, trata de diferenciar los conceptos "limitación" y "suspensión" de los derechos fundamentales, señalando que el primero es el género y el segundo la especie, de forma que toda suspensión es una limitación, pero no toda limitación implica una suspensión. Más adelante añade que la suspensión parece configurarse como una cesación, aunque sea temporal, del ejercicio del derecho y de las garantías que protegen los derechos (constitucional o convencionalmente) reconocidos. En consecuencia, el TC adopta una concepción material de suspensión, al entenderla como una limitación muy intensa de un derecho fundamental, y no una concepción formal conforme a la cual sería una derogación (provisional) de la norma iusfundamental (desconstitucionalización). En nuestra opinión, limitación y suspensión de derechos fundamentales no guardan una relación de género y especie sino que son conceptos distintos.

A continuación el TC va analizando la constitucionalidad de los concretos preceptos recurridos: en primer lugar, resuelve que el artículo 7, que impuso la prohibición de circular salvo en ciertos casos justificados (confinamiento), no vulneró los artículos 17 y 25 CE, pues no afectó a la libertad personal ni a los derechos y garantías en materia sancionadora. A diferente conclusión llegó, sin embargo, respecto del derecho a la libertad de circulación (art.19 CE): el estado de alarma -entiende el TC- planteó la posibilidad de circular no como regla, sino como excepción doblemente condicionada por su finalidad ("únicamente… para la realización" de ciertas actividades más o menos tasadas) y sus circunstancias ("individualmente", de nuevo salvo excepciones). Se configura así una restricción de este derecho que es, a la vez, general en cuanto a sus destinatarios, y de altísima intensidad en cuanto a su contenido y eso excede, a juicio del Tribunal, lo que la LOAES permite hacer: "limitar la circulación o permanencia... en horas y lugares determinados": art. 11, letra a)]. Y, siguiendo ese concepto material de suspensión previamente ofrecido, considera que una norma que prohíbe circular a todas las personas, por cualquier sitio y en cualquier momento, salvo en los casos expresamente considerados como justificados, supone una suspensión del derecho a la libertad de circulación, algo no permitido bajo el estado de alarma. Pero no solo la libertad de circulación resultó vulnerada según la mayoría, sino también la libertad de residencia, pues resultó constreñida al lugar que tuviera dicho carácter en el momento de entrada en vigor del estado de alarma (FJ 5).

Finalmente, descarta el TC que se haya vulnerado la libertad de reunión y manifestación del artículo 21 CE; tampoco se lesionaron las libertades que garantizar el funcionamiento de partidos políticos y sindicatos ni el derecho fundamental al ejercicio de los cargos políticos representativos (art. 23 CE).

A continuación (FJ 8), la STC se ocupa del artículo 9 del Decreto, que impuso "medidas de contención en el ámbito educativo y de la formación" y concluye que la suspensión de la asistencia personal de los estudiantes a los centros educativos contó con fundamento suficiente en la LOAES y no resultó desproporcionada, por lo que tal decisión no fue inconstitucional.

En el FJ 9 el TC responde a la petición de inconstitucionalidad del artículo 10, que contempla "Medidas de contención en el ámbito de la actividad comercial, equipamientos culturales, establecimientos y actividades recreativas, actividades de hostelería y restauración, y otras adicionales". Los recurrentes entendieron que vulneraba los derechos al trabajo y a la libertad de empresa (artículos 35 y 38 CE) aunque el TC descarta de inmediato que resultara afectado el derecho al trabajo, pues no garantiza la realización de cualquier actividad sino elegir libremente profesión u oficio.

Para el TC no hay duda de que algunas de las reglas del artículo 10 limitaron de forma muy intensa y carácter temporal el libre mantenimiento de la actividad empresarial en algunos de los sectores directamente concernidos pero contaron con fundamento en la LOAES y no resultaron desproporcionadas. Sin embargo, la introducción de un apartado 6 de este artículo 10 por el Real Decreto 465/2020, de 17 de marzo, que modificó el 463/2020, que apoderaba al titular de un departamento ministerial para reducir los márgenes previamente fijados en los que esa libertad se mantenía, resulta inconstitucional. Dicha habilitación permitió, en definitiva, que la libertad de empresa fuera limitada más allá de lo previsto en los apartados 1, 3 y 4 del Real Decreto sin la correspondiente dación de cuentas al Congreso de los Diputados, garantía de orden político de la que no cabe en modo alguno prescindir.

Finalmente (FJ 11), el TC estudia la constitucionalidad del art. 11 ("Medidas de contención en relación con los lugares de culto y con las ceremonias civiles y religiosas") y concluye que no se produjo vulneración del derecho a la libertad religiosa por condicionar la asistencia a lugares de culto y a ceremonias religiosas "a la adopción de medidas organizativas consistentes en evitar aglomeraciones" y en posibilitar determinada distancia entre asistentes.

La última parte de la STC es la relativa a los efectos que se derivan de las declaraciones de inconstitucionalidad aunque el TC la inicia con una extensa consideración sobre cosas que no parecen proceder en ese momento: el debate sobre el debate de alarma en el proceso constituyente, la aceptación por los recurrentes de que procedía el estado de alarma, incluso una apelación encubierta a reformas normativas y, finalmente, lo que parece un salto argumental para concluir que la situación pandémica "hubiera permitido justificar la declaración de un estado de excepción atendiendo a las circunstancias realmente existentes, más que a la causa primera de las mismas; legitimando, con ello, incluso la adopción de medidas que impliquen una limitación radical o extrema (suspensión, en los términos razonados en el FJ 5) de los derechos aquí considerados". Como el propio TC había sostenido al inicio de la sentencia, su labor consistía nada más que en analizar la constitucionalidad de las medidas impugnadas no, como parece hacer al final, en decir lo que el Gobierno debería o podría haber hecho.

Por lo que a los efectos en sentido estricto se refiere, se permiten revisar los procesos penales o contencioso-administrativos sanciona-

dores derivados de la aplicación de las normas declaradas inconstitucionales si dichas normas fueron el fundamento único de la sanción
y la revisión supone una reducción de la pena o de la sanción o una
exclusión, exención o limitación de la responsabilidad (por ejemplo,
las multas impuestas por quebrantar el confinamiento). La inconstitucionalidad declarada, sin embargo, no servirá por sí misma para
plantear reclamaciones de responsabilidad patrimonial a las administraciones públicas.

A la decisión de la mayoría del Tribunal se formularon cinco votos
particulares discrepantes, que coinciden en considerar constitucionales las medidas adoptadas al entender que no se ha producido una
auténtica suspensión de derechos fundamentales y no cabía, en consecuencia, declarar un estado de excepción.

4. LA STC 168/2021, DE 5 DE OCTUBRE, QUE ENJUICIÓ LA SUSPENSIÓN DE LOS PLAZOS POR LA MESA DEL CONGRESO DE LOS DIPUTADOS DURANTE EL ESTADO DE ALARMA

Poco antes de cerrar estas páginas se hizo pública la STC 168/2021
en la que se declaró que la suspensión de los plazos por la Mesa del
Congreso durante el estado de alarma impidió la función de control
al Gobierno. La decisión fue tomada por 6 votos contra 4 y estimó
el recurso de amparo interpuesto por 52 diputados del Grupo Parlamentario VOX en el Congreso contra el Acuerdo de la Mesa de 19 de
marzo de 2020 que decidió suspender desde ese día el cómputo de los
plazos reglamentarios que afectaban a las iniciativas que se encontraban en tramitación en la Cámara hasta que la Mesa levantara la suspensión. También se impugnaba el Acuerdo de la Mesa de 21 de abril
de 2020, que desestimó la solicitud de reconsideración presentada por
el Grupo Parlamentario VOX.

En las líneas siguientes comentaré, de manera crítica y breve, los
argumentos que fundamentan la decisión, no sin antes señalar, primero, la tardanza, también en esta ocasión, en resolver un recurso de amparo presentado 17 meses antes, el 11 de mayo de 2020, y, segundo,
la tendencia del TC a elaborar sentencias innecesariamente extensas,
donde se reiteran argumentos que, se compartan o no, están claros

desde el principio pero que aparecen una y otra vez a lo largo de un texto que, este caso, llega a las 50 páginas.

Compartimos la existencia de una especial trascendencia constitucional del recurso, pues, como se dice en el FJ 2, "la denuncia de los recurrentes se localiza temporalmente en el curso de una situación excepcional de estado de alarma que no ha sido hasta ahora objeto de nuestro enjuiciamiento. A partir de ahí empezaría nuestra crítica que, en bastantes puntos, coincide con la formulada en los 3 votos particulares firmados por los 4 magistrados discrepantes.

En primer lugar, en la STC parece que se está abordando un control abstracto de la constitucionalidad de la decisión de la Mesa de la Cámara y no un recurso de amparo sobre la posible vulneración de un concreto derecho fundamental -el del ejercicio del cargo público representativo- a resultas de una decisión de dicho órgano del Congreso de los Diputados; a este respecto (FJ 3A) se insiste en que "no puede quedar, pues, paralizada o suspendida, ni siquiera transitoriamente, una de las funciones esenciales del Poder Legislativo como es la del "control político" de los actos del Gobierno. Además, el Congreso de los Diputados, en cuanto que es la única cámara constitucionalmente habilitada para hacer efectiva la exigencia de responsabilidad política por la actuación del Gobierno, en relación con las iniciativas y medidas que éste pueda adoptar y aplicar durante aquel período de vigencia, en ningún caso puede dejar de desempeñar esa función; ni siquiera por propia iniciativa de alguno de sus órganos internos, pues el Congreso de los Diputados ostenta una responsabilidad exclusiva para con el diseño constitucional del Estado de derecho, que le obliga a estar permanentemente atento a los avatares que conlleve la aplicación del régimen jurídico excepcional que comporta la vigencia y aplicación de alguno de aquellos estados declarados..."

Añade la STC (FJ 3B) que "en el estado de alarma, el ejercicio del derecho de participación política de los diputados del Congreso debe estar, en todo caso, garantizado y, de modo especial, la función de controlar y, en su caso, exigir al Gobierno la responsabilidad política a que hubiera lugar, haciéndolo a través de los instrumentos que le reconoce el Título V CE y mediante el procedimiento que establezca el Reglamento de la Cámara para cada caso", lo que es, obviamente, cierto pero no solo en el estado de alarma: también en los estados de excepción y sitio, pues el derecho reconocido en el artículo 23.2 no es susceptible de ser suspendido en ningún caso (artículos 55.1 y 116.5 CE: "No podrá procederse a la disolución del Congreso mientras estén declarados algunos de los estados comprendidos en el presente artículo, quedando automáticamente convocadas las Cámaras si no estuvieren en período de sesiones. Su funcionamiento, así como el de los demás poderes constitucionales del Estado, no podrán interrumpirse durante la vigencia de estos estados"). Es importante destacar, por lo que se dirá más adelante, esta prohibición de interrumpir el funcionamiento de "todos" los poderes constitucionales del Estado y no solo del Congreso de los Diputados.

Insiste la STC en el artículo 108 CE, conforme al cual "el Gobierno responde solidariamente en su gestión política ante el Congreso de los Diputados", pero siendo evidente tal responsabilidad solidaria ante el Congreso -cámara que lleva a cabo la investidura del Presidente del Gobierno y puede destituirle aprobando una moción de censura o rechazando una cuestión de confianza- eso no implica que el Gobierno y/o concretos Ministros estén exentos del control por parte del Senado (artículos 66, 110 y 111 CE); tampoco que sea poco relevante la función de "control jurisdiccional" sobre los actos del Gobierno que corresponde a los Tribunales ordinarios y al propio Tribunal Constitucional.

Sostiene la STC (FJ 4B) que "… no podemos tomar como referentes de nuestro enjuiciamiento los términos de comparación que ofrece la letrada de las Cortes respecto de lo que otros órganos e instituciones del Estado (entre ellos, este Tribunal) hubieran acordado en las mismas fechas sobre la suspensión de plazos en la tramitación de sus respectivos procedimientos. Tal argumentación carece de eficacia suasoria en la medida en que esta Cámara, como hemos dicho anteriormente, es el único órgano constitucional, integrado en el Poder Legislativo, que asume las exclusivas funciones de ser informada de la declaración inicial del estado de alarma y de autorizar las prórrogas sucesivas, así como de realizar un efectivo control, a través de aquel mecanismo autorizatorio, de la gestión del Gobierno durante el período de estado de alarma".

El Congreso es, efectivamente, la única cámara que es informada del estado de alarma y debe autorizar las prórrogas pero no es el único órgano que debe controlar al Gobierno durante dicho estado: como ya se ha apuntado, lo puede hacer también el Senado y lo deben hacer, en el plano jurisdiccional, los tribunales: el artículo 116.6 CE dispone que "la declaración de los estados de alarma, de excepción y de sitio no modificarán el principio de responsabilidad del Gobierno y de sus agentes reconocidos en la Constitución y en las leyes", algo en lo que insiste la Ley Orgánica 4/1981, de 14 de junio, reguladora de los estados de alarma, excepción y sitio (LOEAES): "los actos y disposiciones de la Administración Pública adoptados durante la vigencia de los estados de alarma, excepción y sitio serán impugnables en vía jurisdiccional de conformidad con lo dispuesto en las leyes" (artículo 3.1).

Más adelante (FJ 5B), la STC concluye que la decisión de la Mesa objeto de impugnación supuso, de hecho, una "suspensión" del derecho fundamental al ejercicio del cargo público representativo, algo que, se dice, "sobrepasa los límites del estado de alarma"; habría que añadir: y de los estados de excepción y sitio. Y, producida tal suspensión, "el juicio de proporcionalidad no es, por los razonamientos expuestos, el canon apropiado para el enjuiciamiento constitucional de la cuestión que ahora se dilucida".

Nos parece sorprendente esta afirmación y la sorpresa aumenta porque, leyendo lo que luego dice la STC, la argumentación peca de incoherencia. A nuestro juicio, y en primer lugar, cualquier medida que se adopte con ocasión de la declaración de un estado de crisis, incluida la suspensión de un derecho fundamental, debe ser "necesaria, adecuada y proporcional" a la finalidad que pretende, es decir, y por emplear las palabras de la LOEAES, "las medidas a adoptar en los estados de alarma, excepción y sitio, así como la duración de los mismos, serán en cualquier caso las estrictamente indispensables para asegurar el restablecimiento de la normalidad. Su aplicación se realizará de forma proporcionada a las circunstancias" (artículo 1.2).

Pero es que, además, en la propia STC que niega el uso del principio de proporcionalidad se dice, más adelante, que "la citada Cámara disponía de medios alternativos para asegurar la continuidad de su funcionamiento durante la vigencia del estado de alarma, por lo que aquel argumento no puede justificar la decisión de interrumpir temporalmente la actividad parlamentaria de la Cámara. En definitiva, si bien es conforme con la Constitución aquel objetivo de preservar la vida y la salud de los propios parlamentarios y del personal del Congreso, la decisión de suspender el cómputo de los plazos de la tramitación de toda clase de iniciativas parlamentarias, sin excepción alguna, y sin haber establecido un margen temporal de duración o, al menos, acordado unos mínimos criterios que delimitaran las atribuciones de la Mesa en orden a levantar aquella suspensión, dejándola a su libre discrecionalidad, resulta contrario a una de las funciones más caracterizadas del trabajo parlamentario como es la del control político del Gobierno y, respecto del Congreso de los Diputados, también de la exigencia de responsabilidad política (arts. 66.2 y 108 CE)"; en otras palabras, se está diciendo que no se cumplió la segunda de las exigencias del principio de proporcionalidad: que la medida sea la menos onerosa para alcanzar el fin perseguido con la limitación. Ya puestos, me parecería más adecuada una estimación del amparo basada en la "desproporcionalidad", por excesiva, de la medida adoptada.

Sostiene también la mayoría que apoya la STC que no sirven para desvirtuar sus conclusiones la celebración, durante la vigencia del Acuerdo de suspensión, de "dos sesiones de trabajo en los días 30 de marzo y 7 de abril de 2020, en las que procedió a realizar calificaciones de iniciativas parlamentarias de los diferentes grupos (preguntas para respuesta oral en Comisión, para respuesta escrita, solicitudes de informe al Gobierno y de comparecencia de miembros del Gobierno), así como el Gobierno también contestó a las solicitudes del Congreso (respuestas escritas y contestaciones a solicitudes de informes). Asimismo, se destaca que la Junta de Portavoces celebró sesiones los días 18 de marzo y 7 de abril de 2020; que, también, hubo sesiones plenarias los días 18 y 25 de marzo y 9 de abril de 2020 y que la Comisión de Sanidad y Consumo se reunió, igualmente, los días 26 de marzo y 2 de abril de 2020, en las que se abordaron cuestiones relacionadas con la situación de crisis sanitaria causada por la pandemia por coronavirus, que había motivado la declaración del estado de alarma".

Para la mayoría, "la rotundidad de los términos en que se expresó el texto del Acuerdo impugnado y el carácter absoluto de la suspensión acordada, impide ahora aplicar la doctrina establecida en la STC 173/2020, toda vez que la interrupción temporal de su tramitación tenía una vocación de generalidad y afectaba a todas las que los parlamentarios recurrentes hubieran registrado para su tramitación y debida resolución"; más adelante, remata su argumentación diciendo "si los ahora recurrentes han acudido a esta sede de amparo constitucional, denunciando no haber podido ejercitar su función parlamentaria de control del Ejecutivo es porque las iniciativas que registraron en la Cámara para controlar la acción del Gobierno (alegan que en número superior a 1600) no fueron tramitadas hasta que, en su caso, quedó alzada la suspensión. No compete a ellos la carga de tener que acreditar cuáles fueron las concretas iniciativas registradas y no tramitadas durante la suspensión acordada, ni tampoco valorar a este Tribunal el contenido y alcance de aquellas, sino a la propia Cámara ofrecer, de contrario, argumentos y elementos de convicción que permitan acreditar que aquellas iniciativas fueron debidamente atendidas, tramitadas y resueltas con decisión de aceptación o de rechazo a su debido tiempo".

En nuestra opinión, el Congreso de los Diputados y el Senado, junto con los tribunales ordinarios y el TC, deben seguir funcionando durante la vigencia de un estado de alarma; en el caso del Congreso su especial función en este ámbito exige que se mantenga especialmente activo en todo lo que tenga que ver con la declaración y prórroga de dicho estado, igual que sería exigible la máxima actividad al Tribunal Constitucional en los recursos directamente conectados con dicho estado de crisis, pero habría que ver, a efectos de estimar el recurso de amparo que se juzga, qué concretas iniciativas de los recurrentes no pudieron ser tramitadas a resultas de la decisión de la Mesa: ¿las 1.600? ¿también las que se habían promovido antes de la declaración del estado de alarma? ¿ninguna de esas 1600 "alegadas" fue tratada durante las reuniones de diferentes órganos de la Cámara que se celebraron durante la suspensión objeto de recurso? Más en general, ¿se invierte la carga de la prueba a la hora de resolver si ha habido lesión efectiva de un derecho fundamental?

5.   CONCLUSIONES

En el Derecho español tenemos una Ley orgánica, la 4/1981, para, en teoría, garantizar los derechos fundamentales en los casos de graves crisis sanitarias de alcance general (estado de alarma) y, al mismo tiempo, establecer limitaciones, incluidas las de alcance general, al ejercicio de algunos de los derechos fundamentales en los términos previstos en el artículo 11. Sin embargo, la aplicación práctica de esta norma ha evidenciado que aunque es una Ley clara en sus premisas puede ser insuficiente en sus previsiones actuales para hacer frente de manera eficaz a una pandemia como la que hemos venido padeciendo el último año y medio.

De los tres decretos de estado de alarma que han vigentes entre marzo de 2020 y mayo de 2021 el que mejor parece ajustarse a las disposiciones contenidas en la Ley Orgánica 4/1981 es el acordado por medio del Real Decreto 926/2020, pues restringe, efectivamente, la libertad deambulatoria en unas horas determinadas: "durante el periodo comprendido entre las 23:00 y las 6:00 horas, las personas únicamente podrán circular por las vías o espacios de uso público para la realización de las siguientes actividades..."

En segundo lugar, la aplicación "práctica" del estado de alarma ha evidenciado su poca funcionalidad cuando se decreta para un ámbito territorial pequeño, incluso para grandes ciudades (Madrid) o conurbaciones, como ha ocurrido con el Decreto 900/2020, que exigió el acuerdo en Consejo de Ministros y dar cuenta al Congreso de los Diputados, a lo que se suma la poco comprensible ausencia de delegación en la Presidencia de la Comunidad Autónoma. Como ya se ha dicho, no es ajena a esta disfuncionalidad que la Ley Orgánica 4/1981 se aprobara cuando el Estado autonómico español estaba comenzando a desarrollarse y muchas de las cuestiones susceptibles de afectación por un estado de alarma (sanidad, protección civil, medio ambiente, consumo...) son ahora competencia, en buena parte, de las Comunidades Autónomas.

En tercer término, la STC 148/2021, largo tiempo esperada, va, a mi juicio, más allá de lo debido: creo que podría haber declarado la inconstitucionalidad parcial del Decreto 463/2020 pero no porque se declarara un estado de alarma en lugar de un estado de excepción sino porque declarándose el estado de alarmar -el único para el que se daba el presupuesto exigido por la LOEAES- alguna de las medidas previstas fue más allá de lo permitido para dicho estado.

Finalmente, en lo que respecta a la ausencia de previsiones constitucionales y legales sobre la eventual duración de las prórrogas del estado de alarma, nos parece que la también esperada STC 168/2021 no da una respuesta adecuada y que sería muy oportuna una reforma del ordenamiento vigente para corregir esa carencia.

6.   BIBLIOGRAFÍA

Aba Catoira, A., «El estado de alarma en España», *Teoría y Realidad Constitucional*, n° 28, 2011, pp. 305-334.

Aláez Corral, B., «El concepto de suspensión general de los derechos fundamentales», *La defensa del estado: actas del I Congreso de la Asociación de Constitucionalistas de España* (coord. por López Guerra, L. y Espín Templado, E.), Tirant lo Blanch, Valencia, 2004, pp. 233-246.

Alcaraz, H., «El estado de emergencia sanitaria en Francia ¿elogio de la excepción?», Biglino Campos, P. y Durán Alba, J. F., *Los efectos horizontales de la COVID sobre el sistema constitucional*, Colección Obras colectivas, Fundación Manuel Giménez Abad, Zaragoza, 2020, DOI: https://doi.org/10.47919/FMGA.OC20.0023

Alegre Ávila, J. M./Sánchez Lamelas, A., «Nota en relación a la crisis sanitaria generada por la actual emergencia vírica», http://www.aepda.es/AEPDAEntrada-2741-Nota-en-relacion-a-la-crisis-sanitaria-generada-por-la-actual-emergencia-virica.aspx, 2020.

Alegre Ávila, J. M./Sánchez Lamelas, A., «La jurisdicción contencioso-administrativa ante la crisis vírica: análisis de algunos pronunciamientos jurisprudenciales y apuntes doctrinales», *Akademía. Revista internacional y comparada de derechos humanos*, número especial, 2021, pp. 121-172

Álvarez García, V.; Arias Aparicio, F. y Hernández Díez, E., *Lecciones jurídicas para la lucha contra una epidemia*, Iustel, Madrid, 2020.

Álvarez Vélez, M. I., «Sistema de fuentes del Derecho y estado de alarma: la STC 83/2016, de 28 de abril», en *Asamblea: revista parlamentaria de la Asamblea de Madrid*, n° 34, 2016, pp. 325-340.

Amoedo Souto, C. «Vigilar y castigar el confinamiento forzoso. Problemas de la potestad sancionadora al servicio del estado de alarma sanitaria», *El Cronista del Estado Social y Democrático de Derecho "Coronavirus… y otros problemas"*, n° 86/87, 2020, pp. 66-77.

Bilbao Ubillos, J.M., «La libertad de reunión y manifestación en tiempos de pandemia», Biglino Campos, P. y Durán Alba, J. F., *Los Efectos Horizontales de la COVID sobre el sistema constitucional*, Colección Obras colectivas, Fundación Manuel Giménez Abad, Zaragoza, 2020, DOI: https://doi.org/10.47919/FMGA.OC20.0013

Carmona Contreras, A. M., «El estado de alarma y la emergencia sanitaria Covid-19: un análisis desde la perspectiva constitucional», Rodríguez Ramos, M. J. y Gómez Muñoz, J. M. (eds.), *Nuevos escenarios del sistema de relaciones laborales derivados del COVID19*, Bomarzo, Albacete, 2021, pp. 29-64.

Cotino Hueso, L., «Los derechos fundamentales en tiempos del coronavirus. Régimen general y garantías y especial atención a las restricciones de excepcionalidad ordinaria», *El Cronista del Estado Social y Democrático de Derecho "Coronavirus... y otros problemas*, n° 86/87, 2020, pp. 88-101.

Cotino Hueso, L, «Confinamientos, libertad de circulación y personal, prohibición de reuniones y actividades y otras restricciones de derechos por la pandemia del Coronavirus», *Diario La Ley*, 9608, 2020, Sección Doctrina.

Cruz Villalón, P., «El nuevo Derecho de excepción (Ley Orgánica 4/1981, de 1 de junio) », *Revista Española de Derecho Constitucional*, n° 2, 1981, pp. 93-128.

Cruz Villalón, P., *Estados excepcionales y suspensión de garantías*, Tecnos, Madrid, 1984.

De la Quadra-Salcedo Janini, T., «Estado Autonómico y lucha contra la pandemia», Biglino Campos P. y Durán Alba, J. F., *Los efectos horizontales de la COVID sobre el sistema constitucional*, Colección Obras colectivas, Fundación Manuel Giménez Abad, Zaragoza, 2020, DOI: https://doi.org/10.47919/FMGA.OC20.0005

Doménech Pascual, G., *La conversión del estado de alarma en un estado de excepción*, https://almacendederecho.org/la-conversion-del-estado-de-alarma-en-un-estado-de-excepcion

Dueñas Castrillo, A.I., «Las relaciones Parlamento-Gobierno durante el estado de alarma por covid-19», Biglino Campos, P. y Durán Alba, J. F., *Los efectos horizontales de la COVID sobre el sistema constitucional*, Colección Obras colectivas, Fundación Manuel Giménez Abad, Zaragoza, 2020, DOI: https://doi.org/10.47919/FMGA.OC20.0004

Fernández Segado, F., «La Ley Orgánica de los estados de alarma, excepción y sitio», *Revista de derecho político*, n° 11, 1981, 83-116.

García-Manzano, P., *Las dos lógicas del estado de alarma (comentario a la STC 148/2021, de 14 de julio)*, https://almacendederecho.org/las-dos-logicas-del-estado-de-alarma-comentario-a-la-stc-148-2021-de-14-de-julio

Garrido López, C., «Naturaleza jurídica y control jurisdiccional de las decisiones constitucionales de excepción», en *Revista Española de Derecho Constitucional*, n° 110, 2017, pp. 43-73.

Garrido López, C., «La naturaleza bifronte del estado de alarma y el dilema limitación-suspensión de derechos», *Teoría y Realidad Constitucional*, n° 46, 2020, pp. 371-402.

Gómez-Bellvís, A. B., «La disuasión penal en el estado de alarma: Sobre la eficacia de la amenaza del castigo de la desobediencia al confinamiento», en *InDret Criminología Revista para el Análisis del Derecho*, nº 4, 2020, DOI 10.31009/InDret.2020.i4.08

Kölling, M., «Las instituciones democráticas y los derechos fundamentales en tiempos de Covid-19 en Alemania», Biglino Campos, P. y Durán Alba, J. F., *Los efectos horizontales de la COVID sobre el sistema constitucional*, Colección Obras colectivas, Fundación Manuel Giménez Abad, Zaragoza, 2020, DOI: https://doi.org/10.47919/FMGA.OC20.0020

López Garrido, D., *Estados de alarma, excepción y sitio. Trabajos parlamentarios*, Cortes Generales, Madrid, 1984.

Mastromarino, A., «La respuesta a la emergencia Covid-19: el caso italiano», Biglino Campos, P. y Durán Alba, J. F., *Los efectos horizontales de la COVID sobre el sistema constitucional*, Colección Obras colectivas, Fundación Manuel Giménez Abad, Zaragoza, 2020, DOI: https://doi.org/10.47919/FMGA.OC20.0024

Nogueira López, A., «Confinar el coronavirus. Entre el viejo Derecho sectorial y el Derecho de excepción», *El Cronista del Estado Social y Democrático de Derecho "Coronavirus... y otros problemas*, nº 86/87, 2020, pp. 22-31.

Pérez Sola, N., «Los estados de alarma, excepción y sitio: la primera declaración del estado de alarma en aplicación de las previsiones constitucionales», *Constitución y democracia. Ayer y hoy: libro homenaje a Antonio Torres del Moral*, Universitas, Madrid, Vol. 2, 2012, pp. 1539-1556.

Presno Linera, M. Á., «Estado de alarma y sociedad del riesgo global», Rodríguez, J. F. y Atienza, E., *Las respuestas del Derecho a las crisis de salud pública*, Dykinson, Madrid, 2020, pp. 15-28.

«Teoría y práctica de los derechos fundamentales en tiempos de COVID-19», *Revista Administración & Cidadanía, EGAP*, Vol. 15, nº 2/2020, https://egap.xunta.gal/revistas/AC/article/view/4643/7201.

«El estado de alarma en crisis», *Revista de las Cortes Generales, nº 111*, 2021, pp. 129-197.

Requejo Rodríguez, P, «La suspensión de los derechos fundamentales», F. Bastida y Otros *Teoría general de los derechos fundamentales en la Constitución española de 1978*, Tecnos, Madrid, 2004, pp. 222-235.

Requejo Rodríguez, P., «Art.55. De la suspensión de los derechos y libertades», Casas Baamonde, M. E., y Rodríguez-Piñero, M., *Comentarios a la Constitución española. XXX aniversario*, Madrid: Fundación Wolters Kluwer, 2009, pp. 1201 ss.

Ridao, J., *Derecho de crisis y Estado autonómico. Del estado de alarma a la cogobernanza en la gestión de la COVID-19*, Marcial Pons, Madrid, 2021.

Santamaría Pastor, J. A., «Notas sobre el ejercicio de las potestades normativas en tiempos de pandemia», Blanquer Criado, D., *COVID-19 y Dere-*

cho Público (durante el estado de alarma y más allá), *p*Tirant lo Blanch, Valencia, 2020, pp. 207-240.

Solozábal Echavarría, J. J., «Algunas consideraciones constitucionales sobre el estado de alarma», Biglino Campos, P. y Durán Alba, J. F., *Los Efectos Horizontales de la COVID sobre el sistema constitucional*, Colección Obras colectivas, Fundación Manuel Giménez Abad, Zaragoza, 2020, https://doi.org/10.47919/FMGA.OC20.0002

Torres Muro, I., «Art. 116. Los estados excepcionales», Casas, M. E. Rodríguez-Piñero, M., *Comentarios a la Constitución española. XXX aniversario*, Fundación Wolters Kluwer, Madrid, 2009, pp. 1814 ss.

Velasco Caballero, F., *Problemas argumentales en la SCT sobre el estado de alarma (I)*, https://franciscovelascocaballeroblog.wordpress.com/2021/07/28/problemas-argumentales-en-la-stc-sobre-el-estado-de-alarma-i/

Velasco Caballero, F., *Problemas argumentales en la SCT sobre el estado de alarma (II)*, *https://franciscovelascocaballeroblog.wordpress.com/2021/07/29/problemas-argumentales-de-la-stc-sobre-el-estado-de-alarma-ii-cual-es-el-contenido-minimo-de-la-libre-circulacion-en-una-situacion-excepcional/*

El estado de alarma y las instituciones representativas[1]

JOSÉ MARÍA MORALES ARROYO
Catedrático de Derecho Constitucional
Universidad de Sevilla

SUMARIO: 1. Introducción. 2. Un estado de alarma en unas Cortes políticamente fraccionadas. 3. La teórica preponderancia de la institución representativa. 4. La producción y la agenda legislativa. 5. La estabilidad gubernamental. 6. Unas conclusiones definidas por la prudencia. 7. Epílogo: Y entonces llegó el Tribunal Constitucional. Bibliografía citada

1.　INTRODUCCIÓN

Tan global como la propia pandemia ha resultado la prueba de estrés a la que la crisis sanitaria está sometiendo en todos los estados, no sólo a las poblaciones, sino también a las propias instituciones políticas. En una situación perfecta para hacer frente a tal desafío se precisaban, como mínimo, unas instituciones sólidas y un modelo de estado social consolidado, al menos, en tres de sus pilares básicos: la educación, la sanidad y los asuntos sociales. Aun, aceptando que ningún Estado se encontraba preparado para afrontar una crisis sanitaria de este volumen y profundidad, salvo, quizás, los países habituados a sufrir periódicamente pruebas de esta naturaleza, lo cierto es que, en la mayoría de los estados, incluido España, los recortes en políticas sociales e inversión en investigación científica habían sido muy intensos, como consecuencia de la crisis económica que arrancó en 2008

---

[1]　Este trabajo mantiene los elementos esenciales de la exposición realizada el 01/12/2020, dentro de las Jornadas organizadas por el Departamento de Derecho Constitucional de la Universidad de Sevilla bajo el título de *Constitución y Pandemia*.

y que se ha tratado de superar predominantemente con políticas de estabilidad presupuestaria y de recortes en el gasto[2]. Las consecuencias generales de tales decisiones políticas habían sido, de un lado, un debilitamiento del sistema sanitario y asistencial y, de otro lado, un cuestionamiento de la legitimidad de los sistemas políticos.

Con ese panorama de partida, resultan más comprensibles fenómenos como que la semana última del mes de enero de 2021, el primer Ministro italiano, Giuseppe Conte presentase su dimisión al Presidente de la República. Tras la misma, además de los intrincados juegos de estrategia de la política italiana, se encontraba la gestión de la crisis sanitaria por las autoridades que, como en otros países, mantenía en tensión a las instituciones desde febrero de 2020, y, sobre todo, el enconado debate sobre las fórmulas que debieran seguirse para la distribución de los fondos de recuperación que en algún momento llegarían desde las instituciones europeas. En clave política la crisis alcanzaba una especial relevancia porque el episodio afectaba al Gobierno del considerado tercer país de la Unión Europea y porque afectaba a un modelo parlamentario en el que la crisis y la sustitución se ha verificado dentro de los cauces propios de tal régimen.

Por su parte, en el casillero de los modelos presidenciales se contaban experiencias como la perdida electoral de la presidencia de los Estados Unidos por el candidato que se presentaba a la reelección, las sucesivas crisis solventadas por el Presidente de la República brasileña con los reiterados cambios en el Ministerio de Salud, que llegó a dirigir un militar sin conocimientos en medicina ni epidemias, o la más reciente –del 7 de abril- en el Gobierno de Paraguay, que ha llevado a la sustitución de los titulares en cuatro ministerios, incluyendo el de Salud.

Todos los países han recurrido a soluciones bastante parecidas, soportadas y amparadas en modelos diferenciados de Derecho cons-

---

[2]   Por reflejar un ejemplo singular en el caso español, el Instituto de Salud Carlos III, en el que se encuadra el Centro Nacional de Epidemiología, vio reducida su dotación presupuestaria entre 2008 y 2018 en casi cien mil euros (367.246,84 €–271.239,18 €, cantidad ésta repetida en 2019 y 2020 como consecuencia de las prórrogas presupuestarias) y en un 17,47 por ciento su personal (de 1138 trabajadores en diversas categorías a 869). Datos extraídos de *Instituto de Salud Carlos III. Memoria-2018* (Madrid: Ministerio de Ciencia, Innovación y Universidades, 2019), pp. 9 ss.

titucional o legal de excepción. Con independencia del origen de la habilitación normativa, un rasgo en el que coinciden las acciones derivadas del derecho de excepción es el de habilitar para la búsqueda de soluciones de una forma preponderante a los ejecutivos –Presidencias y Gobiernos-, desplazando las instituciones representativas a un discreto segundo plano[3]. A ello se debe añadir que, de una parte, los campos sobre los que se actúa durante una crisis sanitaria exigen acometer medidas de dirección estratégica y de gestión en las que se combinan las actuaciones de administraciones de diferente naturaleza (nacionales, territoriales y locales; administración institucional y corporativa) y, de otro lado, las competencias constitucionales y la forma de proceder parlamentaria encuentran dificultades para descender continuadamente a procesos decisionales tan concretos.

La primera cuestión, por tanto, a la que debe darse respuesta, además de si el Derecho constitucional de excepción se encuentra preparado para ello, es sobre qué se debe pedir y esperar de una institución representativa durante el desarrollo temporal de una situación atípica derivada de una crisis sanitaria de esta naturaleza y con tal alcance. Evidentemente, el reconocimiento que las necesidades inmediatas de actuación se centran en la gestión, no pueden llevar a desplazar a las instituciones parlamentarias a la categoría de meros órganos de ratificación y de vigilancia de la acción gubernamental; sobre todo, entre otras razones, cuando se ha comprobado que las acciones escogidas para la contención de la pandemia han necesitado en su eficacia una

---

[3]   Por continuar en el mismo espacio, la preponderancia del ejecutivo central ha sido señalada como uno de los problemas en el proceso de decisión dentro de la experiencia italiana. A modo de ejemplo y teniendo presente la inmediatez de los comentarios y los hechos se pueden consultar la encuesta realizada por la Asociación científica Gruppo di Pisa, en la publicación Tardi, Rolando [cur.] (2020): "Emergenza Covid e organi costituzionali", que ha visto la luz a través de la revista *Il Forum (Forum sull'emergenza)*, núm. 4 (https://www.gruppodipisa.it/images/rivista/pdf/Il_Forum_-_Emergenza_Covid_e_organi_costituzionali.pdf; consultado el 22/04/2021); así como, Villaschi, Pietro (2021): "Seconda ondata Covid-19: È tempo per un Parlamento in *Smart working*? Riflessioni a partire dalla proposta di riforma dal Regolamento della Camera", en *La Rivista "Gruppo di Pisa"*, núm. 1, pp. 100-120; y Ruggeri, Antonio (2021): "Le trasformazioni istituzionale nel tempo dell'emergenza", en *Consulta online*, núm. 1, pp. 238-257.

correlativa y discutida restricción de derechos individuales y colectivos, garantizados en la Constitución y las leyes.

Una vez se tenga claro el rol de la institución parlamentaria en este contexto de crisis, habrá que tomar las medidas necesarias para su más efectiva consecución. A este respecto, la experiencia comparada ha demostrado que las instituciones representativas no estaban preparadas para trabajar con regularidad durante unos estados de anormalidad constitucional derivados de una crisis sanitaria que limitaba la movilidad y las reuniones personales[4]. La naturaleza de los parlamentos como órganos colegiados se identifica por la actividad presencial propia del debate público y la inmediatez con el objeto de la decisión que conlleva el acuerdo mayoritario a través de la votación de sus miembros[5]. La incapacidad para llegar a la sede de la institución y la imposibilidad material de la reunión en el hemiciclo

---

[4] A este respecto resultan de interés la revisión de los informes internacionales mencionados por Piedad García-Escudero en su reciente publicación (2020), "La ductilidad del Derecho parlamentario en tiempos de crisis: Actividad y funcionamiento de los Parlamentos durante el estado de alarma por Covid-19", en *Teoría y Realidad Constitucional*, núm. 46, pp. 272-273. La crisis sanitaria ha obligado a adaptaciones forzosas de las prácticas de todos los parlamentos, incluido el Parlamento de Gran Bretaña; al respecto puede consultarse la obra colectiva *Parliaments and tha Pandemic*, editado por Study Parliment Group en enero de 2021 (se puede localizar en https://studyofparliamentgroup.org/2021/01/08/parliaments-and-the-pandemic-new-spg-publication/; consultado el 23/04/2021); y la entrada de Natzier, David: "Covid-19 and Commons procedure: Back to the future?", del 30 de marzo de 2021 en el blog *The Constitution Unit* (https://constitution-unit.com/2021/03/30/covid-19-and-commons-procedure-back-to-the-future/; consultado el 23/04/2021).

[5] El ejemplo más claro sobre la importancia de la inmediatez, sucesión y separación entre el debate y la votación, como reclamaba Bentham en el Capítulo XVI de sus *Tácticas parlamentarias*, lo encontramos en lo ocurrido con la convalidación del Decreto-Ley 36/2020, a través de la votación celebrada en el Congreso de los Diputados el 28 de enero de 2021, en el que la votación telemática con anticipación del sufragio por el Grupo Parlamentario de VOX permitió, a la postre, superar el trámite parlamentario, cuando resultaba hipotéticamente más coherente por la trayectoria de esa fuerza política, que en un debate terminado con votación presencial hubiese llevado a sus parlamentarios a un cambio del sentido de su voto, porque con ello hubiera puesto en bastantes apuros al Gobierno [*Diario de Sesiones, Congreso de los Diputados (Pleno)*, núm. 74, de 28 de enero de 2021, p. 100].

se encontraría seguramente entre las pesadillas propias de cualquier institución representativa.

Por anticipar una respuesta a la primera de las preguntas desde la perspectiva constitucional española de las Cortes Generales, durante un estado de alarma declarado ante una crisis sanitaria de naturaleza pandémica se requiere, de un lado, un reforzamiento de aquellas especiales competencias de autorización, seguimiento y control de las medidas gubernamentales, conforme a las específicas exigencias del artículo 116.2 de la CE. Pero, también, de otro lado, que no desfallezca en el ejercicio de sus competencias constitucionales y continúe garantizando la estabilidad gubernamental, legislando ordinaria y presupuestariamente y efectuando un control político continuado del resto de la acción pública (art. 66.2 CE), con la garantía constitucional de la continuidad en su funcionamiento (art. 116.5 CE) y, evidentemente, condicionando sus objetivos por la situación constitucional de emergencia y la necesidad de superar la crisis sanitaria y sus consecuencias en el más breve tiempo.

En el bloque en el que se sitúa este trabajo se irán dando respuestas por diversos especialistas a las dudas que plantean los diversos perfiles del rol institucional de las Cortes en el desarrollo de los sucesivos estados de alarma declarados. Estas páginas, por su parte, se centrarán prioritariamente en la descripción de las dificultades ambientales y estructurales con las que ha venido lidiando el Parlamento español y cómo ha incidido ello en las relaciones entre el Gobierno y las Cortes Generales, o, más correctamente, entre el Gobierno y el Congreso de los Diputados.

2. UN ESTADO DE ALARMA EN UNAS CORTES POLÍTICAMENTE FRACCIONADAS

Las dificultades comunes de las instituciones representativas se podían acentuar en el caso concreto del Congreso de los Diputados, como órgano especialmente llamado en los estados de excepción constitucional a asumir las tareas de control, revisión y aprobación de las medidas tomadas singularmente para hacer frente a la pandemia. Tras el fracaso de la XIII Legislatura, la singularidad del Congreso en la XIV Legislatura viene marcada por el resultado de las elecciones de

10 de noviembre de 2019, que habían permitido la constitución de una Cámara de composición muy fragmentada y que, apenas antes de declararse el primer estado de alarma acababa de dejar vía libre, el 7 de enero de 2020, a la constitución del primer Gobierno de coalición dentro de la experiencia constitucional moderna[6].

Las experiencias históricas de modelos parlamentarios en situaciones de pluralismo representativo fragmentado, desde los estudios que se iniciaran con el clásico trabajo de Colliard[7], habían señalado como tendencia el alumbramiento de situaciones de preponderancia de la voluntad del Parlamento a la hora de marcar la dirección política del Estado. En esos periodos, la toma de decisiones requiere con carácter general un continuo proceso de acuerdo, tanto dentro de la coalición gubernamental, como entre las fuerzas que sustentan al gobierno y los invitados necesarios[8]. En definitiva. la estabilidad y la continuidad del Gobierno va a depender de su capacidad para lograr consensos.

La entrada de nuestro país el 14 de marzo de 2020 (Real Decreto 463/2020) en el primero de los estados de alarma declarado por motivos sanitarios se realizaba en los inicios de una Legislatura en la que se iba a poner a prueba por primera vez a nivel nacional un gobierno de coalición integrado con dos fuerzas políticas, que para la aprobación de acuerdos parlamentarios precisaba del concurso variable del voto de otros grupos políticos. Para tener una clara visión de la situa-

---

[6]   El Presidente fue investido en segunda votación con 167 votos a favor, 165 en contra y 18 abstenciones (*DSCD, Pleno*, núm. 4, de 7 de enero de 2020, pp. 23-30). Fue apoyado por diputados de 7 fuerzas políticas distintas y necesitó además la abstención de otras 2 fuerzas parlamentarias. Sobre las peculiaridades de ese Gobierno y su formación, cfr. Delgado Sotillos, Irene (2020): "La formación de Gobiernos en sistemas multipartidistas. La paradoja del caso español", en *Teoría y Realidad Constitucional*, núm. 45, pp. 261-290.

[7]   *Los regímenes parlamentarios contemporáneos* (Barcelona: Blume, 1981). Para los sistemas presidenciales y semipresidenciales resulta de interés la lectura de Reniu, Josep Mª y Albala, Adrián (2012): "Los gobiernos de coalición y su incidencia sobre los presidencialismos latinoamericanos", en *Revista de Estudios Políticos*, núm. 155, pp. 101-150.

[8]   "La construcción de acuerdos políticos -tomen o no forma de un gobierno de coalición- permiten hacer evidentes con más fuerza los valores democráticos y contribuyen al desarrollo de una actuación política más claramente vinculada a dichos valores", Reniu, Josep Mª (2020): "Formación y caída de los gobiernos en España", en *Nueva Revista de cultura, política y arte*, núm. 173, pp. 82-83.

ción, en el Congreso de los Diputados habían obtenido representación 21 fuerzas políticas.

Número de Partidos con presencia en el congreso por legislaturas

LEGISLATURA	PARTIDOS
I Legislatura	14
II Legislatura	12 (PSC computado por separado)
III Legislatura	14 (PSC computado por separado)
IV Legislatura	17 (PSC, UPN y PP/CG por separado)
V Legislatura	14 (PSC computado por separado)
VI Legislatura	15 (PSC, UPN y IC computados por separado)
VII Legislatura	12 (IC computada por separado)
VIII Legislatura	14 (IC y UPN computados por separado)
IX Legislatura	12 (PSC y UPN computados por separado)
X Legislatura	14
XI Legislatura	9
XII Legislatura	8
XIII Legislatura	17 (PSC, NA+, PP-Foro y dos variaciones territoriales de Podemos computadas por separado)
XIV Legislatura	21 (PSC, NA+, PP-Foro y dos variaciones territoriales de Podemos computadas por separado)

Elaboración propia con datos extraídos de la página https://www.congreso.es/

Se trata, además, de un Congreso de los Diputados en el que tan sólo 5 partidos o fuerzas electorales contaban con una representación situada por encima del 5 por ciento de los escaños y, de esas, tan sólo 2 partidos conseguían una representación por encima del 20 por ciento de los diputados.

Fuerzas políticas con más de un 5 % de escaños en el Congreso

Primera legislatura: 3 Partidos
Segunda legislatura: 2 Partidos
Tercera legislatura: 4 Partidos
Quinta legislatura: 3 Partidos
Sexta legislatura: 2 Partidos
Séptima legislatura: 3 Partidos
Octava legislatura: 2 Partidos
Novena Legislatura: 2 Partidos
Décima Legislatura: 2 Partidos (CiU se queda en un 4,57)
Undécima Legislatura: 4 Partidos (2 por encima 20 %)
Duodécima Legislatura: 4 Partidos (3 por encima 20%)
Treceava Legislatura: 5 (1 por encima del 20%)
Catorceava Legislatura: 5 (2 por encima del 20%)

Elaboración propia con datos extraídos de la página https://www.congreso.es/

Los dos principales partidos en cuanto al número de escaños controlan el 49,67 por ciento (211 sobre 350 diputados), computando los 2 diputados electos por la lista Navarra Suma (NA+)[9], y entre el Gobierno y el principal partido en la oposición se consolidaba una engañosa distancia de algo más de 21 puntos.

Estos son los datos de la fragmentación que presenta el Congreso de los Diputados, cuando se tiene que erigir en el principal garante del desarrollo de los estados de alarma. Sobre él van a confluir las dos tendencias anteriormente referidas: la preponderancia natural del órgano representativo sobre los gobiernos en esquemas de coalición, pastoreando parlamentos fragmentados y la tendencia constitucional y legislativa a reforzar la posición del Congreso de los Diputados en situaciones de crisis.

---

[9]   Porcentaje de escaños ocupados por dos principales partidos: Primera Legislatura: 82,57 %; Segunda Legislatura: 88,28 % (309/350); Tercera Legislatura: 82,57 %; Quinta Legislatura: 80,29 %; Sexta Legislatura: 85,15 %: Séptima Legislatura: 84,86 % (308/350); Octava Legislatura: 91.14 %; Novena Legislatura: 92,27 % (323/350); Décima Legislatura: 84,57 % (296/350); Undécima Legislatura: 51,03 % (210/350); Duodécima Legislatura: 56,37 % (219/350); Treceava Legislatura: 46,11 % (191/350) con resultados NA+; Catorceava Legislatura: 49,67 % (211/350) con los votos de NA+ (datos extraídos de la página https://www.congreso.es/).

Además de este fraccionamiento iniciático, que creaba importantes incertidumbres sobre el papel de la institución representativa durante el desarrollo de la pandemia y durante la práctica de los estados excepcionales, se añadían otros problemas estructurales al sistema político español que podían condicionar su correcto funcionamiento ante los retos a los que debía enfrentarse. Por un lado, la tendencia hacia el cesarismo entre los partidos, tanto los tradicionales como los ya no tan nuevos, y, de otro lado, la polarización, como fenómenos ambos que objetivamente pueden dificultar los consensos y alterar el *continuum* de las formas de relación entre las Cortes Generales y el Gobierno.

Por último, en este *revuelto panorama* no podían desecharse otra serie de problemas estructurales que afectaban al funcionamiento de nuestra institución representativa y que la pandemia y el estado de alarma *no han hecho más que dejarlos más rápidamente al descubierto*. Sin ser exhaustivos, ya que serán objeto de tratamiento de otros trabajos de esta obra, se deben mencionar las sesiones absurdas de control en el Pleno de la Cámara, que desvirtúan semana a semana los anhelos constituyentes cristalizados en el mandato del art. 111 de la Constitución; el vuelco del intenso trabajo parlamentario al ámbito de las comisiones, sin un esfuerzo paralelo por visibilizar ante la opinión pública el desarrollo de sus trabajos; la escandalosa preponderancia de la legislación de urgencia gubernamental; los bloqueos en los acuerdos sobre el nombramiento parlamentario de autoridades; la descompensada estructura administrativa de las Cámaras, entre otros problemas; constituían ya por sí mismos una cuestionable realidad con anterioridad a la declaración de los estados de alarma.

Este catálogo de condicionantes ofrece ciertas claves que nos pueden permitir comprender mejor los temas relacionados con la experiencia parlamentaria que abordaremos a partir de este momento.

3. LA TEÓRICA PREPONDERANCIA DE LA INSTITUCIÓN REPRESENTATIVA

La centralidad del Congreso de los Diputados en el marco del estado de alarma exige de la Cámara que, al tiempo que de manera continuada ejerza las funciones que la Constitución asigna a las

Cortes Generales, dedique una especial atención a la situación que ha originado la declaración de la excepcionalidad y al paquete de medidas adoptado por las autoridades mientras se encuentre vigente. Especialmente, si se tiene presente los riesgos para los derechos constitucionales que se derivan de las medidas tomadas en el estado excepcional relacionadas con la pandemia y papel que debe asumir la representación del conjunto de los ciudadanos en la vigilancia de los abusos contra los derechos y libertades, incluso aunque no exista una reserva constitucional de ley.

Como se apuntaba al principio, ante esta situación de exceso de competencias se encuentran parlamentos, de entrada, cuya organización convierten en disfuncional parte de su gestión. La institución no se encuentra preparada para trabajar bajo las condiciones de un estado de alarma decidido para hacer frente a una pandemia[10].

Las limitaciones de movilidad y los riesgos de contagio provocaron que, de inicio, se procediese a la suspensión de la actividad parlamentaria del Congreso de los Diputados desde el 12 de marzo de 2020. En cumplimientos de las obligaciones derivadas de la declaración a partir del 14 de marzo del estado de alarma, el Presidente del Gobierno procede a informar al Congreso en una sesión con 20 diputados. El 19 de marzo, un Acuerdo de la Mesa de la Cámara admite el voto telemático para aquellos diputados que lo soliciten, forzando los límites del art. 82.2 del Reglamento del Congreso de los Diputados. Algo que, junto a otras advertencias, se incluye en un Informe de la Secretaría General de la Cámara de 25 de marzo en el que se concluye la imposibilidad de la participación telemática en las sesiones de los órganos de la Cámara, ya que se carece del soporte técnico que lo garantice y por los problemas derivados de la fundamentación de las Sentencias 19/2019 y 45/2019 del Tribunal Constitucional.

El 25 de abril se convalidan hasta 5 Decretos-Ley y se procede a acordar la prórroga del estado de alarma. Ya el 7 de abril se había de-

---

[10]   José Tudela propone en la presentación de la obra colectiva *El Parlamento ante el Covid-19* (Zaragoza: Fundación Giménez Abad, 2020), además de ciertas acciones de reforma, la creación de una comisión o ponencia que estudie la organización y el funcionamiento de las instituciones parlamentarias para la búsqueda de soluciones que encajen con un Parlamento del siglo XXI, se encuentre o no ante una situación de tan excepcional naturaleza (pp. 5-16).

cidido el regreso a la celebración de sesiones de control con limitación de asistentes, desarrollando la primera el 15 de abril y derivándose de ello la vuelta a una cierta normalidad parlamentaria[11]. Normalidad que incluye no sólo la asunción de las tareas de seguimiento y control de las actuaciones durante el estado de alarma, sino también el regreso a los trabajos ordinarios de contenido legislativo y de control.

De partida llama la atención, que pese al papel que intenta conceder la legislación sobre los estados excepcionales al Congreso de los Diputados, cuando el Real Decreto 463/2020 define las actividades esenciales y dispone medidas para garantizar su continuidad, no considere entre las mismas la acción continuada del Congreso, y que "tal olvido" no fuese solventado por la propia Cámara, a través de un incremento inteligente de su actividad. Al menos, se agradece que en el proceso de "normalización" de sus tareas no recurriese a *soluciones imaginativas* como la de valorar la sustitución de la Asamblea en Pleno por la Diputación Permanente[12].

No obstante, la agenda de la Cámara se ha vinculado en exceso a las necesidades gubernamentales. El régimen de votaciones imprescindibles para el mantenimiento de estado de alarma, así como la convalidación de la actividad legislativa de urgencia del propio Gobierno,

---

[11]   Sobre los problemas de los Parlamentos para actuar en la situación de crisis sanitaria y restricciones de movilidad pueden consultarse los trabajos recogidos en J Tudela Aranda (ed.): *El Parlamento ante la COVID-19, cit.*; especialmente, para las Cortes Generales, el trabajo firmado por García-Escudero, Piedad: "Actividad y funcionamiento de las Cortes Generales durante el estado de alarma por Covid-19" (pp.18-27). Y también, García de Enterría Ramos, Andrea y Navarro Mejía, Ignacio (2020): "La actuación de las Cortes Generales del estado de alarma para la gestión del COVID-10", en *Revista de las Cortes Generales*, 108, pp. 245-288.

[12]   Como sucedió en el Parlamento de Andalucía, que, mediando inicialmente informe favorable de la Junta de Portavoces, la Mesa decidió convocar a la Diputación Permanente para sustituir la acción y el proceso de decisión del plenario de la Cámara. Ante las quejas de algunos grupos, se desechó una solución de legalidad dudosa, pese a que fue avalada con un informe de los letrados de la Cámara; cfr. Carrasco, Manuel, "El Parlamento ante la pandemia de la Covid-19. El caso del Parlamento de Andalucía", en *El Parlamento ante la COVID-19, cit.*, pp. 29 ss. Y García-Escudero, Piedad: "La ductilidad del Derecho parlamentario en tiempos de crisis: Actividad y funcionamiento de los Parlamentos durante el estado de alarma por Covid-19", *cit.*, pp. 286 ss.

han condicionado la actividad parlamentaria en una dirección que no parece fuese la reclamada por el art. 116 CE, ni por la Ley Orgánica 4/1981. Las decisiones, eso sí, tienen justificación si se valora que se toman en una situación de necesidad, con un importante amparo en el principio constitucional de autorganización de las propias Cámaras y con el apoyo inicial de todas las fuerzas representadas en el cuerpo legislador[13].

Una vez superado el primer estado de alarma, en la segunda ocasión que se recurre a esta situación con carácter general en octubre de 2020[14], la experiencia entre marzo y junio había permitido al Congreso de los Diputados abordar el ejercicio de sus competencias en mejores condiciones, casi en una situación de normalidad. Se han mantenido las sesiones con presencia incompleta de los diputados y con votación telemática anticipada en aquellos asuntos que lo han permitido.

Pero, sorprendentemente, con el consentimiento de la propia Cámara, que en la primera prórroga apenas modifica el texto inicial del Real Decreto 926/2020, se han limitado las situaciones de control de las medidas gubernamentales para combatir la pandemia y su eficacia durante el desarrollo del nuevo estado de alarma. En concreto, el art. 14 del Real Decreto 956/2020, conforme a la redacción resultado de la Resolución del Congreso de los Diputados 29/10/2020 por la que se autoriza la prórroga del estado de alarma mantiene que,

> El Presidente del Gobierno solicitará su comparecencia ante el Pleno del Congreso de los Diputados, **cada dos meses**, para dar cuenta de los datos y gestiones del Gobierno de España en relación a la aplicación del Estado de Alarma.
>
> El Ministro de Sanidad solicitará su comparecencia ante la Comisión de Sanidad y Consumo del Congreso de los Diputados, con periodicidad **mensual**, para dar cuenta de los datos y gestiones correspondientes a su departamento en relación a la aplicación del Estado de Alarma.

---

[13] Como resulta conocido, un sector del Congreso de los Diputados se separó del consenso inicial y terminó presentando el recurso de amparo núm. 2109/2020, que ha sido resuelto a través de la STC 168/2021, de 5 de octubre).

[14] Real Decreto 926/2020, de 25 de octubre (*BOE*, núm. 282, de 25 de octubre de 2020).

Asimismo, trascurridos **cuatro meses** de vigencia de esta prórroga, la conferencia de presidentes autonómicos podrá formular al Gobierno una propuesta de levantamiento del Estado de Alarma, previo acuerdo favorable del Consejo Interterritorial del Sistema Nacional de Salud a la vista de la evolución de los indicadores sanitarios, epidemiológicos, sociales y económicos[15].

El control se vuelve rutinario y temporalmente fijado en un estado de alarma que se diseña para una duración de 6 meses (hasta el día 9 de mayo de 2021), como si la realidad no resultase cambiante en todo ese periodo de tiempo; salvo que se interpretase como una garantía mínima de rendición de cuentas a partir de la cual el Congreso goza de libertad para forzar más comparecencia. Aunque no fue esa la interpretación seguida y el mínimo normativo funcionó como el estándar máximo para las competencias. A ello se une desde una perspectiva discutible, de un lado, el papel que se confiere a entes predominantemente ejecutivos (la Conferencia de Presidentes y el Consejo Interterritorial del Sistema Nacional de Salud) en el seguimiento y levantamiento del estado de alarma, obviando a la institución representativa; y, de otro lado, al proceso de *externalización del control* político en 17 parlamentos autonómicos y asambleas de las ciudades autónomas, en la medida que las autoridades delegadas son el titular del Ministerio de Sanidad y los ejecutivos de las Comunidades Autónomas[16]. Con independencia de que la delegación en las Presidencias de los ejecutivos de los entes autonómicos se pueda ajustar mejor a los fundamentos propios del funcionamiento actual de nuestro Estado Autonómico, el Congreso de los Diputados carece de facultades para hacer comparecer ante sus órganos a esas autoridades con la finalidad de conocer y controlar la adecuación y eficacia de las medidas tomadas en sus respectivos territorios al amparo de la cobertura jurídica que facilita la declaración y la prórroga del estado de alarma; control

---

[15] En el momento de revisión de este trabajo el Tribunal Constitucional ha publicado a través de su página WEB (Nota de Prensa 10/11/2021) la Sentencia de 27 de octubre de 2021, con la que se procede a resolver el recurso de inconstitucionalidad núm. 5342/2020 planteado contra diversas partes de los Reales Decretos por los que se declara el estado de alarma de octubre de 2020 y de su prórroga, así como los votos particulares firmados por cuatro Magistrados (STC 183/2021).

[16] Art. 2 RD 926/2020, de 25 de octubre.

que, por otro lado, ridículamente se ha limitado a ciertas autoridades nacionales y en comparecencias temporalmente fijas[17].

Los parlamentos de las comunidades autónomas a su criterio pueden o no realizar un control efectivo sobre sus gobiernos y no tienen deber de transmitir al Congreso de los Diputados noticia de la actividad desarrollada en este sentido, así como tampoco información sobre los resultados obtenidos a partir del ejercicio de la actividad de control.

Esa cadena de decisiones supone una importante *limitación* o *renuncia* a las facultades de control del Congreso de los Diputados sobre el desarrollo de los estados de alarma que, como se indicaba, parece no encajar con el mandato que se deriva del art. 116 de la Constitución. Salvo que de una manera laxa se considere a las comparecencias previstas para el control gubernamental durante el estado de alarma instrumentos que conviven y no excluyen cualquiera de las otras vías de control que se encuentren a disposición de los miembros de la Cámara. El riesgo, como se puede en parte comprobar, consistía en que prevaleciese la tendencia propia de nuestro modelo parlamentario a hacer coincidir la idea de control mínimo con la de control único, impidiendo el uso de otros instrumentos de control gubernamental más allá de los consignados en los Decretos de alarma.

Por último, más complicado se presentaba la construcción de una interpretación conforme al art. 116 de la CE con el desarrollo legislativo vigente para permitir el encaje constitucional de las reglas previstas para derivar el control de las actuaciones de las autoridades autonómicas al ámbito competencial de las instancias parlamentarias territoriales.

---

[17] Por lo demás, conforme la teoría de la delegación, las autoridades delegadas podrían, en su caso, responder ante la autoridad delegante por ejercicio de las facultades delegadas. Algo, que en el contexto del estado de alarma y conforme a la literalidad del Real Decreto de 25 de octubre se considera bastante improbable y, en todo caso, hubiese supuesto una rendición de cuenta entre ejecutivos bastante peculiar en el marco de nuestro modelo de descentralización autonómica.

4.   LA PRODUCCIÓN Y LA AGENDA LEGISLATIVA

También en el marco del procedimiento legislativo ciertas disfunciones estructurales previas han venido a perjudicar el desarrollo de la función constitucional de legislar.

De inicio, una especialista en el tema como GARCÍA-ESCUDERO, viene advirtiendo desde hace bastante tiempo que el procedimiento utilizado para crear la ley debe ser objeto de evaluación y de reforma, respetando los parámetros constitucionalmente fijados para conseguir hacerlo más eficiente. Las líneas maestras del procedimiento legislativo se diseñaron en los años 80 y tienen clara inspiración en la estructura y funcionamiento de unas instituciones representativas decimonónicas con mucho tiempo y poca carga legislativa, que compaginaban con unas limitadas facultades de control y sin instrumentos de impulso.

Tal carga de partida se complica cuando cambia el espectro partidista dentro de la composición de la Cámara. La vida parlamentaria se había simplificado porque la combinación del sistema electoral y las preferencias de los electores habían ido reduciendo el número de partidos con capacidad para formar Gobierno. La simplificación, apoyada en la disciplina de partido, se trasladaba al interior de la Cámara gracias a la preponderancia de los grupos parlamentarios en la estructura y el desarrollo de sus funciones. Ese equilibrio se ha ido alterando a medida que se ha verificado en la sociedad una fragmentación partidista que ha construido de manera refleja un parlamentarismo atomizado; de ello surge como hipótesis elemental, que en el contexto de un Congreso de los Diputado más fragmentado y polarizado se torne más compleja la tramitación parlamentaria de los textos legislativos[18].

El panorama para el ejercicio de la labor legislativa no se podía considerar el mejor cuando el Congreso operaba en un contexto de

---

[18]   Para una visión de conjunto del problema, cfr. García-Escudero, Piedad (2018): "Un nuevo Parlamento fragmentado para los 40 años de la Constitución", en *Revista de Derecho Político*, núm. 96, pp. 67-98; y, aunque más centrado en la expcriencia del parlamentarismo autonómico, Carrasco, Manuel (2020): "Legislar en parlamentos fragmentados. El caso de las Comunidades Autónomas", en *Revista de las Cortes Generales*, núm. 109, pp. 293-326.

normalidad institucional; en consecuencia, resultaba bastante complicado que mejorase y fuese más eficiente durante los estados de alarma.

Si abordamos el análisis de la actividad legisladora, como un síntoma que ofrece una cierta explicación de las relaciones entre el Parlamento y el Gobierno en el contexto de la pandemia, puesto que otro trabajo en esta obra se dedica específicamente al estudio de la producción legislativa de los años 2020 y 2021, se constata que la tendencia al abuso de la legislación gubernamental de urgencia se ha acentuado durante los periodos en los que han estado vigentes los estados de alarma. El exceso de legislación gubernamental se ha convertido en una pauta que no se ha moderado una vez que ha finalizado la situación de excepción constitucional[19].

En el estricto campo de la acción legislativa y si excluimos a los decretos relacionados con la declaración y la continuidad del estado de alarma, se comprueba que en el año 2020 se han aprobado 3 leyes orgánicas, 11 leyes ordinarias, incluyendo la de presupuestos, 39 decretos-leyes y 1 decreto legislativo[20]. La evidente desproporción, con independencia de la idoneidad de su emisión y constitucionalidad de sus contenidos, podría justificarse en el contexto del discurrir de un estado de alarma que requiere medidas rápidas para hacer frente a la pandemia; en otros términos, la extraordinaria y urgente necesidad resulta *a priori* sencilla de justificar en el contexto de una crisis sanitaria, social y económica de la naturaleza que justifica la situación de excepción[21].

Dos de tales decretos-leyes se dictaron antes de declarar el estado de alarma y 18 de ellos entre los días 14 de marzo y 21 de junio. En el periodo del año 2020 sin estado de alarma, es decir, entre junio y oc-

---

[19]　En momento de actualizar estas líneas, a lo largo del año 2021 hasta el 18 de noviembre se habían aprobado 24 leyes (9 de ellas orgánicas) y 26 decretos leyes.

[20]　El Decreto-Ley 27/2020, de 4 de agosto, de medidas financieras, de carácter extraordinario y urgente, aplicables a las Entidades Locales, no fue convalidado.

[21]　La falta de justificación general y singular de la extraordinaria y urgente necesidad se localiza en la base de la argumentación de las Sentencias del Tribunal Constitucional de 111/2021, de 13 de mayo, y de 110/2021, de 13 de mayo, que, respectivamente, han llevado a la declaración de inconstitucionalidad y nulidad de las disposiciones adicionales 6ª y 7ª, transitoria 2ª y final 1ª del DL 15/2020, de 21 de abril, y Disposición adicional 2ª del DL 8/2020, de 17 de junio. No obstante, los efectos de la primera se las sentencias se difieren al 01/01/2022.

tubre, se aprobaron 9 de ellos, y otros 8 entre los meses de octubre y diciembre. Sin entrar a fondo en las heterogéneas materias reguladas, se puede considerar que relacionados con la crisis sanitaria se encuentran claramente justificados 29 de las normas de urgencia, mientras que 4 de ellas se refieren a materias que directamente no recogen medidas para hacer frente a las consecuencias de la pandemia[22].

El exceso de producción normativa de urgencia pierde justificación a medida que se produce la normalización institucional, el regreso de las Cortes a una cierta normalidad funcional y, por supuesto, una vez que se ha levantado el estado de alarma. Como se apuntaba en este tema con el perjuicio que se causa a la potestad legislativa de las Cortes se mantiene la nefasta inercia de periodos anteriores[23].

En el año 2021, hasta el fin del estado de alarma, fijado para el 9 de mayo, se han promulgado 6 leyes orgánicas, 6 leyes y 8 decretos-leyes, de los que 7 tiene conexión evidente con la crisis derivada del COVID-19[24].

Trasladando al siguiente apartado las opiniones sobre las mayorías necesarias para la aprobación de la diferente legislación por su eventual conexión con la estabilidad gubernamental, conviene mencionar dos cuestiones de cierta importancia en el ejercicio de esta función constitucional por las Cortes Generales.

Por un lado, durante el año 2020, en *26 ocasiones* el Pleno del Congreso de los Diputados, una vez convalidado el decreto-ley sometido a su votación, *decidió continuar su tramitación como proyecto de ley*. Mientras que, en 2021, las 5 convalidaciones de decretos leyes realizadas hasta principios del mes de mayo se han acompañado de

---

[22] En este grupo se incluyen los decretos 12/2020, 28/2020, 29/2020 y 38/2020 porque su regulación trasciende la situación transitoria derivada de la crisis sanitaria, aunque el recurso a esta categoría normativa no se pueda desligar del todo de la situación excepcional.

[23] Resultan conocidos los datos de los años 2018, con el cambio de Gobierno, y 2019, con procesos electorales. En 2018 se aprueban 28 decretos-leyes, frente a 5 leyes orgánicas y 11 leyes; y, en 2019, 18 decretos leyes, 3 leyes orgánicas y 5 leyes.

[24] Queda fuera de este grupo el Decreto-Ley 7/2021, de 27 de abril, por el que se transponen disposiciones de la Unión Europea sobre diferentes materias; salvo que cínicamente se sugiera que se ha recurrido a tal vehículo porque la situación de excepcionalidad impide la transposición normativa por cauces ordinarios.

acuerdos para la tramitación legislativa de la norma gubernamental de urgencia. La tramitación parlamentaria de los decretos permite a las Cámaras legislativas en cierta medida recuperar su capacidad de enmienda, debate y aprobación de las normas generales, lo que, en un Parlamento fragmentado, dónde el consenso se presenta esencial para tomar decisiones no supone poca potestad. El efecto positivo de esta estrategia legisladora siempre queda condicionado a que la decisión de la tramitación parlamentaria no sea un instrumento fraudulento para blindar constitucionalmente el contenido de la disposición de urgencia y a que el texto legislativo no se quede bloqueado en los vericuetos del procedimiento parlamentario[25].

Por otro, la dependencia del Congreso de la agenda gubernamental se complica cuando, como ha ocurrido en 2020, el Consejo de Ministro no ha aprobado hasta el 8 de septiembre el Plan de Acción normativa para ese año. El documento comienza con la justificación gubernamental por el retraso en la aprobación de dicho Plan, como consecuencia de tener que dedicar sus esfuerzos a hacer frente a la crisis sanitaria, dentro y fuera del estado de alarma[26]. La falta de impulso gubernamental ha creado un vacío que no ha sido aprovechado

---

[25]   Por señalar un ejemplo de este tipo de prácticas, el Proyecto de Ley de medidas urgentes extraordinarias para hacer frente al impacto económico y social del COVID-19 (procedente del Real Decreto-ley 8/2020, de 17 de marzo), se encuentra en la Comisión de Asuntos Económicos y Transformación Digital del Congreso de los Diputados, en la que se tramita con competencia plena y *urgente* desde el 30 de marzo de 2020; se ha ampliado desde entonces en 39 ocasiones el plazo para la presentación de enmiendas; desde el 15 de abril de 2021, el plenario del órgano disponía de un informe para el debate y aprobación. No obstante, de manera definitiva se ha decidido el 15 de junio de 2021 por el órgano subsumir esta norma en otro texto legislativo en tramitación, el "Proyecto de Ley de medidas urgentes para hacer frente al impacto económico y social del COVID-19 y apoyar la reactivación económica", en fase de Informe dentro de la Comisión de Asuntos Económicos y transformación Digital del Congreso de los Diputados, que actúa con competencia plena y lo tramita conforme al procedimiento de *urgencia* (https://www.congreso.es/busqueda-de-iniciativas?p_p_id=iniciativas&p_p_lifecycle=0&p_p_state=normal&p_p_mode=view&_iniciativas_mode=mostrarDetalle&_iniciativas_legislatura=XIV&_iniciativas_id=121%2F000060)

[26]   Se puede consultar el documento en https://transparencia.gob.es/transparencia/dam/jcr:7df7e523-7a89-47b2-8428-71e6fa878f8f/PAN-2020.pdf (Consultado por última vez el 09/05/2021)..

por las Cámaras legislativas de las Cortes Generales. Al contrario, ha propiciado una situación de "legislatura congelada", que no ha alcanzado una cierta normalidad hasta el último tercio del año 2020 o hasta mediados del año 2021, según como se vaya desarrollando la actividad institucional. Una vez que el Gobierno ha definido sus objetivos legislativos y traslada al Congreso de los Diputados las iniciativas legislativas comienza el auténtico proceso de negociación parlamentaria de los textos legislativos, pues se presume que las fuerza coaligadas han alcanzado un consenso sobre su contenido.

Desde una perspectiva parlamentaria surgen dudas acerca de si tras la vuelta a la normalidad se inicia una especie de nueva legislatura, condicionada por los nuevos parámetros que se derivan de la crisis sanitaria, social y económica y en la que el Gobierno se encuentra condicionado a la consecución de objetivos diferentes a los que se expusieron en el proceso de investidura de enero de 2020. Si el alcance de la confianza otorgada el 7 de enero al candidato a la Presidencia del Gobierno ha quedado obsoleta o se ha desgastado hasta hacer irreconocibles o inconciliables los objetivos de la acción gubernamental, resultaría recomendable que el Gobierno se sometiera a una cuestión de confianza, conforme a los trámites de los arts. 112 y 114 de la Constitución, y con ello renovar su crédito parlamentario. En el marco del parlamentarismo clásico sería lo apropiado; aunque resulta bastante improbable que, tras un balance de réditos y riesgos, el Gobierno actual explore tal camino para garantizar su base de legitimidad.

Esta propuesta deriva a la exposición al tratamiento del tema de la estabilidad del Gobierno de coalición, valorada desde los apoyos recibidos en votaciones parlamentarias relevantes durante el estado de alarma, al que dedicaremos algunas reflexiones en el siguiente apartado.

5. LA ESTABILIDAD GUBERNAMENTAL

Los antecedentes sobre la estabilidad del Gobierno surgido tras las elecciones de 10 de noviembre de 2019 no eran muy halagüeños. La disolución de las Cortes por el Gobierno surgido de la moción de censura de 1 de junio de 2018 ante la imposibilidad de tramitar un proyecto presupuestario y la fracasada investidura de junio de 2019 dentro de la frustrada XIII Legislatura no suponían los mejores precedentes para garantizar la continuidad de un Gobierno, cuya configuración inicial, como se ha advertido, requirió del concurso no sólo de los votos de los diputados de los partidos que integran la coalición, sino además el apoyo de fuerzas externas y abstenciones estratégicas[27].

Apenas al mes de haberse constituido comienzan los problemas sanitarios que llevan a la declaración del estado de alarma el 14 de marzo de 2020. Por lo tanto, unas instituciones surgidas en un contexto político complicado tienen que funcionar en el marco de una anormal realidad como consecuencia de la situación pandémica y de los instrumentos constitucionales a los que se recurre para superarlos.

La superación de la crisis requería un acercamiento y una unidad del arco parlamentario que se rompe de una manera clara el 6 de mayo de 2020, en la votación de la cuarta prórroga del estado alarma, lo que termina creando una nueva condición de estrés para el Gobierno de coalición y sus cada vez más valiosos apoyos externos.

No obstante, pese a que un sector relevante de las fuerzas representadas en el Congreso de los Diputados decidiera utilizar los acuerdos parlamentarios relacionados con el combate de la crisis sanitaria más visibles como instrumentos de oposición, si valoramos de una manera desprejuiciada el tracto histórico se puede considerar que el Gobierno se ha acabado manifestando bastante estable y ha conseguido en cada ocasión dentro del Congreso de los Diputados apoyos suficientes para superar diferentes votaciones, hasta el extremo de aprobar una Ley de presupuesto[28], tras varios años de prórrogas presupuestarias.

Las prórrogas de los diferentes estados de alarma se han ido aprobando en tiempo y siempre superando el límite psicológico de la ma-

---

[27] Cfr. Azpitarte, Miguel. (2020): "Formar Gobierno. Crónica política y legislativa de 2019", en *Revista Española de Derecho Constitucional*, núm. 118, especialmente pp. 146 a 163. Y, Delgado Sotillos, I.: "La formación de Gobiernos en sistemas multipartidistas. La paradoja del caso español", *cit.*, pp. 283 ss. Para el análisis de la moción de censura y su resultado se recomienda la lectura de Delgado Ramos, David (2019): "Teoría y práctica de la moción de censura. Notas críticas a partir de una experiencia reciente", *Revista General de Derecho Constitucional*, núm. 29.

[28] La Ley 11/2020, de 30 de diciembre. El rechazo de las enmiendas de devolución se hizo con una votación de 150 votos a favor, 198 votos en contra y ninguna abstención.

yoría absoluta de los miembros del Congreso de los Diputados. Incluso se aprobó el 29 de octubre de 2020 con 194 votos, el 56 % de los miembros de la Cámara, la cuestionable prórroga por 6 meses del estado de alarma declarado el 25 de octubre, que, como se comentaba con anterioridad, supuso una importante autolimitación de las facultades parlamentarias de control político sobre la acción gubernamental durante el desarrollo del estado de excepción[29].

Prórrogas parlamentarias del Estado de alarma

Prórroga	Votos	Porcentaje sobre voto emitido
Primera prórroga de marzo	Si: 321 No: 0 Abstención: 28 No vota: 1	91,98 % 0 % 8,02 %
Segunda prórroga de abril	Si: 270 No: 54 Abstención: 25 No vota: 1	77,36 % 15,47 % 7,16 %
Tercera prórroga de abril	Si: 269 No: 60 Abstención: 16 No vota: 5	77,97 % 17,39 % 4,64 %
Cuarta prórroga de mayo	Si: 178 No: 75 Abstención: 97 No vota: 0	50,86 % 21,43 % 27,71 %
Quinta prórroga de mayo	Si: 177 No: 162 Abstención: 11 No vota: 0	50,57 % 46,29 % 3,14 %
Sexta prórroga de junio	Si: 177 No: 155 Abstención: 18 No vota: 0	50,57 % 44,29 % 5,14 %

---

[29]   Real Decreto 956/2020, de 3 de noviembre, una vez obtenida la mencionada autorización del Congreso de los Diputados a través de la Resolución de 29 de octubre de 2020

Primera prórroga de octubre	Si: 194 No: 53 Abstención: 99 No vota: 4	56,07 % 15,32 % 28,61 %

Fuente: Congreso de los Diputados. Elaboración propia

Por otro lado, salvo el tropiezo con el Decreto-Ley 27/2020, de 4 de agosto, en el resto de las ocasiones los decretos-leyes aprobados por el Gobierno desde enero de 2020 se han ido convalidando con mayorías suficientes y, para gran parte de ellos, el Pleno del Congreso de los Diputados ha decidido por amplia mayoría su tramitación como proyecto de ley conforme a lo dispuesto en el art. 86.3 de la Constitución.

Sin intentar extraer conclusiones equivocas, porque cada Decreto-ley posee unas características singulares por el momento en el que se presenta y el contenido regulatorio que incluye, se puede comprobar que en 7 ocasiones en el año 2020 los decretos fueron convalidados con el apoyo de más de 300 votos; en 18 ocasiones con el apoyo de más de 200 votos, 8 de ellas por encima de los 280 votos; y en 11 ocasiones con un apoyo de diputados por encima de la mayoría absoluta. Tan sólo en dos ocasiones fueron mayoría simples las que permitieron la convalidación (los Decretos-Leyes 11/2020 y 36/2020) y en una vez la norma gubernamental no obtuvo votos suficientes para ser convalidada.

Si de los datos de la convalidación nos trasladamos a los datos referentes a los supuestos en los que se ha acordado la tramitación del texto como proyecto de ley, los resultados también resultan interesantes. Por los motivos que fuesen, bien por convencimiento o conveniencia de la mayoría parlamentaria, bien por convertir en virtud la necesidad de la convalidación, bien por presión, lo cierto es que en 21 ocasiones se ha acordado la tramitación legislativa del Decreto-ley con el apoyo de más de 300 votos, en 4 ocasiones se ha acordado con apoyos por encima de la mayoría absoluta y sólo en una ocasión se decidió por mayoría simple. La opción por la tramitación legislativa una vez convalidado, como se apuntó, supone la recuperación de una cierta capacidad funcional para las Cortes Generales en materia legislativa y, también, un limitado triunfo del Congreso de los Diputados sobre el Gobierno, incluso aunque en ciertas ocasiones no se trate más que una maniobra gubernamental, apoyada en su mayoría parlamentaria, para conseguir la regularidad constitucional de algunas normas del articulado del decreto una vez aprobado como ley.

La valoración de los datos del año 2020 revisados desde una perspectiva global llevan a entender que la discrepancia de los grupos de la oposición a la hora de permitir la legislación desde la acción gubernamental no se presenta de una manera tan nítida y que, por lo tanto, la polarización mediática no se reproduce en similares términos en la concreta actuación legisladora.

Sin embargo, partiendo de tales ideas, se comienza comprobar cómo el panorama durante el año 2021 parece por los resultados de las votaciones que comienza a rotar en la dirección de una mayor polarización y desacuerdo en este campo. Como se indicaba, en este año se han dictado 8 decretos-leyes dentro del periodo de tiempo en el que continuó el estado de alarma declarado, de los que 5 han pasado por los trámites parlamentarios con anterioridad a la finalización del ultimo estado de alarma. De ellos, sólo 1 ha sido convalidado con más de 300 votos y otro por encima de los 280 votos; mientras que 2 de los tres restantes han sido convalidados con apoyos por encima de la mayoría absoluta y el último en una ajustada votación de 168 frente a 163 votos[30]. En cuanto a la decisión de su tramitación como proyecto de ley, en 4 ocasiones esta opción ha sido apoyada por más de 300 diputados y, de nuevo, en una ocasión por una ajustada mayoría de 175 a 170, en la que las fuerzas de la oposición impusieron a la mayoría gubernamental la tramitación como proyecto de ley el decreto convalidado[31].

La conclusión más clara, y teniendo presente lo que auguran los indicios más recientes, sería que las votaciones relacionadas con los decretos-leyes no han llegado a erosionar la estabilidad de un gobierno que iniciaba su andadura con importantes problemas para conci-

---

[30] En concreto, el Real Decreto-ley 3/2021, de 2 de febrero, por el que se adoptan medidas para la reducción de la brecha de género y otras materias en los ámbitos de la Seguridad Social y económico.

[31] Esto ha ocurrido con el Real Decreto-ley 2/2021, de 26 de enero, de refuerzo y consolidación de medidas sociales en defensa del empleo, como ya sucediera el año anterior con los Decretos-Leyes 8/2020, 12/2020 y 13/2020.

tar mayorías de consenso, tanto por el fraccionamiento, como por la composición política de Cámara, y la polarización que aparentemente se ha alumbrado en los discursos públicos. Sin olvidar que el desgaste que supone para un Gobierno la aprobación de un decreto-ley siempre es mucho menor que el que se produciría a través de una larga tramitación parlamentaria y la negociación continuada de un texto legislativo.

Mayorías en convalidación de los Decretos-Leyes (2020)

Texto	Votos convalidación Si/No/Abstención	Votos Tramitación Ley Si/No/Abstención
DL 1/2020, 14 de enero	289/0/49	-
DL 2/2020, 21 de enero	291/0/55	-
DL 3/2020, 4 de febrero	185/136/18	335/0/4
DL 4/2020, 18 de febrero	207/52/91	329/18/5
DL 5/2020, 25 de febrero	208/1/141	186/157/6
DL 6/2020, 10 de marzo	342/2/6	-
DL 7/2020, 12 de marzo	341/3/6	-
DL 8/2020, 17 de marzo	290/54/6	179/164/6
DL 9/2020, 27 de marzo	188/138/21	305/36/6
DL 10/2020, 29 de marzo	194/139/14	302/38/7
DL 11/2020, 31 de marzo	171/2/174	303/36/8
DL 12/2020, 31 de marzo	209/53/88	172/169/9
DL 13/2020, 7 de abril	258/1/91	184/160/6
DL 14/2020, 14 de abril	342/0/8	-
DL 15/2020, 21 de abril	204/52/96	341/2/6
DL 16/2020, 28 de abril	178/161/10	346/2/1
DL 17/2020, 5 de mayo	182/50/115	342/4/1
DL 18/2020, 12 de mayo	295/0/55	350/0/0
DL 19/2020, 26 de mayo	289/0/60	344/0/5
DL 20/2020, 29 de mayo	297/0/52	341/1/7
DL 21/2020, 9 de junio	265/77/3	337/7/2
DL 22/2020, 16 de junio	275/70/2	-
DL 23/2020, 23 de junio	188/1/158	-

DL 24/2020, 26 de junio	288/0/59	343/1/2
DL 25/2020, 3 de julio	201/1/145	344/1/1
DL 26/2020, 7 de julio	188/52/107	344/1/1
DL 27/2020, 4 de agosto	156/193/0	-
DL 28/2020, 22 de septiembre	293/1/54	339/7/1
DL 29/2020, 29 de septiembre	196/141/10	-
DL 30/2020, 29 de septiembre	345/1/2	-
DL 31/2020, 29 de septiembre	187/154/7	-
DL 32/2020, 3 de noviembre	312/1/29	-
DL 33/2020, 3 de noviembre	236/18/87	-
DL 34/2020, 17 de noviembre	199/53/94	336/7/3
DL 35/2020, 22 de diciembre	228/5/54	345/1/2
DL 36/2020, 30 de diciembre	170/126/52	346/1/1
DL 37/2020, 22 de diciembre	198/146/4	344/1/2
DL 38/2020, 29 de diciembre	327/0/21	249/94/5
DL 39/2020, 29 de diciembre	314/17/16	340/5/2

Fuente: Congreso de los Diputados. Elaboración propia[32]

6. UNAS CONCLUSIONES DEFINIDAS POR LA PRUDENCIA

La provisionalidad de cualquier afirmación en el contexto en el que nos encontramos se deriva de la incertidumbre y el desconocimiento sobre el tiempo de duración de la crisis sanitaria y, por tanto, sobre la duración de la necesidad de recurrir a medidas extraordinarias desde el Derecho Público para hacer frente a sus efectos, incluidas nuevas declaraciones de estados excepcionales.

---

[32] Los cinco decretos leyes convalidados dentro del periodo de alarma en el año 2021 se tramitarán como proyecto de ley: DL 1/2021, 19 de enero convalidado 188 votos positivos, 154 votos negativos y 8 abstenciones (tramitado por 341 votos positivos, 4 negativos y 5 abstenciones); DL 2/2021, 26 de enero, 295/52/1 (175/170/4); DL 3/2021, 2 de febrero, 168/163/16 (343/3/0); DL 4/2021, 9 de marzo, 346/0/1 (336/7/6): y DL 5/2021, 12 de marzo, 177/59/113 (345/0/4).

En lo referente al papel de las instituciones representativas implicadas en el estado de alarma se comprueba que el modelo deambula-
ba sobre unas líneas cuestionables con respecto al papel del Congreso
de los Diputados y, en todo caso, la crisis sanitaria y el instrumento
elegido para superarla han tenido el efecto de dejar más al descubierto sus problemas organizativos y funcionales; un panorama que
ha devenido más confuso tras las recientes resoluciones del Tribunal
Constitucional. La naturaleza de órgano colegiado de actuación pública por sí misma, como se ha comprobado en el marco comparado,
no resultaba la mejor credencial para que los parlamentos actuasen
eficazmente en una situación de bloqueo de la movilidad y de limitación de las facultades de reunión.

No obstante, la obsolescencia inicial se ha ido corrigiendo con el
recurso a instrumentos técnicos similares que han paliado los problemas de la reunión física y han garantizado la libre emisión del voto
para la toma de acuerdos. En todo caso, las medidas se han demostrado insuficientes para permitir el pleno rendimiento en el ejercicio
de sus funciones a los diferentes órganos parlamentarios y afectan
de una manera especial al principio de inmediatez entre el debate y
el acuerdo, dando como resultado en ocasiones una distorsión de la
voluntad real de la Cámara y sus órganos.

La búsqueda de soluciones para tales distorsiones y la consecución
de la devolución de un papel relevante a las instituciones parlamentarias requieren una reflexión y una revisión de las reglas de funcionamiento parlamentarias a largo plazo, con soluciones eficaces con un
horizonte más lejano que la mera superación de la crisis sanitaria y
sus consecuencias.

Pese a lo quebradizo y disperso de los apoyos parlamentarios con
los que se inicia la andadura del Gobierno, envuelto en una crisis
constitucional sin precedentes y con una aparente falta de apoyo de
las principales fuerzas de la oposición en un contexto de anormalidad institucional, el Gobierno ha sido capaz de conseguir apoyos
parlamentarios que han garantizado sus estabilidad hasta el extremo
de negociar un texto presupuestario en el marco de unos estados de
alarma intermitentes que han requerido la toma de medidas no necesariamente amables para todas las fuerzas políticas implicadas. La
excepcionalidad ha funcionado como un elemento material de ines-

tabilidad, pero al mismo tiempo de un acicate para la obtención de consensos sobre medidas que quizás fuesen objeto de mayor discusión y rechazo en una situación de normalidad. Por esa impresión de "legislatura congelada", como consecuencia de organizar todos los esfuerzos institucionales para la lucha contra la pandemia, se puede considerar, en cierto modo, que no se ha asistido al despliegue de la máxima virtualidad de un parlamento fraccionado a la hora de recuperar todo su potencial; también, porque, quizás, la actuación de un Congreso en plenitud, perturbando la continuidad de la acción de Gobierno, hubiera podido ser objeto de rechazo e incomprensión por el conjunto de los ciudadanos.

Habrá que esperar, por tanto, a que se produzca una vuelta a la normalidad sanitaria para conocer si las fuerzas políticas representadas en las Cámaras de las Cortes Generales desean recurrir a su haz competencial hasta sus últimas consecuencias para colocar al Parlamento en un lugar de centralidad política que apenas si ha rozado en escasos periodos de nuestra historia constitucional reciente. Aun cuando resulte conocido que el proceso de obtención de consensos con frecuencia se articula a través de negociación y acuerdos entre partidos fuera del Parlamento, que con posteriormente son convalidados a través de decisiones en el interior de las Cámaras de las Cortes Generales.

En lo que respecta al problema del abuso en el recurso gubernamental a aprobar normas de urgencia con rango de ley, como resulta de conocimiento generalizado, se trata de una perversa desviación de nuestro sistema político con respecto al diseño constitucional que se había consolidado con anterioridad a la crisis sanitaria y a la declaración del estado de alarma. Sobre ello han alertado todos los especialistas que se han acercado al estudio del fenómeno y han coincidido en que su solución es complicada y debe proceder de diferentes fuentes como un control más estricto del Congreso de los Diputados de la concurrencia de los elementos del supuesto de hecho que habilita constitucionalmente al Gobierno para su emisión, lo que puede ser algo más factible en una Cámara con la actual composición; también, resultaría conveniente esperar un control más riguroso por parte del Tribunal Constitucional de los elementos constitucionales que permiten su emisión; así como la sugerida mejora de un procedimiento legislativo diseñado a principio de los años ochenta en un contexto político bastante alejado del actual.

Mientras convergen esas fuerzas, la experiencia durante los años 2020 y 2021 del uso de esta categoría normativa por el Gobierno y la participación del Congreso de los Diputados en su continuidad han permitido verificar que la situación de crisis sanitaria y sus consecuencias han concedido una cierta habilitación tácita para su uso y que el disenso parlamentario en torno a la convalidación de los decretos-leyes y, eventualmente, su tramitación como proyectos de ley no ha sido tan acentuado como la teatralización que nuestra vida política suele transmitir.

Por último, resulta tan llamativo como preocupante, en este contexto de pandemia y estado de alarma con las implicaciones autonómicas que ha dejado al descubierto su aplicación desde el inicio de la denominada "desescalada" y, especialmente, en el contexto del estado de alarma declarado en octubre de 2020, la inactividad de la constitucionalmente catalogada como Cámara de "representación territorial", el Senado[33]. La justificación, como en el caso del Congreso de los Diputados, del cierre inicial de la Cámara ante la falta de mecanismos para el trabajo y la votación telemática pudieron tener peso en los primeros momentos del estado de alarma. Pero, su ausencia, una vez consolidada la excepcionalidad y desde el mes de abril hasta el día de hoy, tiene una muy difícil justificación y supone una nueva oportunidad perdida por parte del Senado a la hora de adquirir una personalidad singularizada y un cierto reconocimiento ante la opinión pública.

7.   EPÍLOGO: Y ENTONCES LLEGÓ EL TRIBUNAL CONSTITUCIONAL

En la cuestionable tradición consolidada por nuestra justicia constitucional de pronunciarse con cierto retraso, desde julio hasta el momento de redactar estas líneas, el Tribunal Constitucional ha comen-

---

[33]   Cfr. para el primer estado de alarma, García-Escudero, Piedad: "Actividad y funcionamiento de las Cortes Generales durante el estado de alarma por el Covid-19", *cit.*, pp. 23-24.

zado a resolver algunas cuestiones que se le han planteado a través de diversas vías sobre la regularidad de los actos de declaración y de prórroga de los estados de alarma, así como de algunas de las medidas tomadas a su amparo.

La primera de las resoluciones, la STC 148/2021, de 14 de julio, ha resuelto un *recurso de inconstitucionalidad* planteado contra el Real Decreto 463/2020, de 14 de marzo (arts. 7, 9, 10 y 11), por el que se declaró el estado de alarma para la gestión de la situación de crisis sanitaria ocasionada por el COVID-19; el Real Decreto 465/2020, de 17 de marzo, por el que se modificó el anterior; los Reales Decretos 476/2020, de 27 de marzo; 487/2020, de 10 de abril, y 492/2020, de 24 de abril, por los que se prorrogó el estado de alarma declarado por el Real Decreto 463/2020; y Orden SND/298/2020, de 29 de marzo, por la que se establecieron medidas excepcionales en relación con los velatorios y ceremonias fúnebres para limitar la propagación y el contagio por el COVID-19. El contenido de la respuesta incluida en esta resolución presenta limitada relevancia para los temas tratados en este texto y, con seguridad, será objeto de mejor valoración dentro de los trabajos que en esta obra se han dedicado a la afectación de los derechos constitucionales durante los estados de alarma.

En cambio, las resoluciones posteriores, un *recurso de amparo* planteado contra la decisión de la Mesa del Congreso de los Diputados de 19 de marzo de 2020[34] y contra el Acuerdo de la propia Mesa de 20 de abril de 2020, rechazando el recurso de reconsideración planteado por varios diputados contra la primera, y un *recurso de inconstitucionalidad* planteado contra el Real Decreto 926/2020, de 25 de octubre y las resolución parlamentaria de prórroga por cuestiones relacionadas con el tiempo de duración del estado de alarma, las medidas de control previstas y la delegación de competencias para su aplicación, afectan a algunas de las valoraciones realizadas a lo largo de estas páginas.

La Sentencia en recurso de amparo ha procedido a la anulación de los acuerdos la Mesa del Congreso de los Diputados porque, desde la perspectiva de la mayoría del Tribunal Constitucional, impidieron de manera absoluta durante un periodo de tiempo indeterminado de ori-

---

[34]   *BOCG, CD*, serie D, núm. 57, de 24 de marzo de 2020.

gen el ejercicio de las facultades de control de los diputados y grupos parlamentarios, lo que afecta al *ius in officium* de los mismos en los términos garantizados por el art. 23.2 de la CE. Ello, valorado desde una perspectiva abstracta, supone una evidente contravención de los arts. 66.2 y 116.5 de la Constitución. El fallo, como en sentencias anteriores similares[35], ha reconocido la lesión de los derechos constitucionales del art. 23 CE y ha anulado las resoluciones de la Mesa del Congreso, sin fijar reglas para el restablecimiento en los derechos de los reclamantes; es decir, ha emitido una sentencia "meramente declarativa".

Sin dedicar un excesivo espacio al comentario de esta resolución, en la medida que desde una perspectiva genérica e hipotética cualquiera puede coincidir con el sentido del fallo, pues resulta evidente que una suspensión de la actividad de la Cámara afecta al papel institucional de la misma e impide el ejercicio de sus facultades a diputados y grupos[36], singularmente mientras se encuentra declarado un estado excepcional de los definidos por la Constitución[37], resultan preocupantes algunos elementos resueltos u omitidos por el Tribunal.

---

[35]　Al respecto cfr. nuestro trabajo *El conflicto parlamentario ante el Tribunal Constitucional* (Madrid: CEPC, 2008), pp. 157 ss.

[36]　"De ese modo, el Congreso de los Diputados, por medio de sus órganos, grupos parlamentarios o de los propios diputados individualmente considerados, ante este tipo de situaciones excepcionales, ha de seguir ejercitando esas funciones, en cuanto que forman parte del núcleo esencial del *ius in officium*. Este derecho adquiere, si cabe, una mayor intensidad y necesidad de protección durante la vigencia de aquellos estados porque, en esa garantía fiscalizadora de la labor del Gobierno, queda depositada la salvaguarda del equilibrio de poderes que es propio del Estado de Derecho. *Y, precisamente para preservar y facilitar el ejercicio de este derecho en toda su intensidad, el Congreso dispone de la autonomía reconocida por el art. 72 CE para habilitar los medios personales y materiales necesarios a fin de que aquella función no cese*" (STC 168/2021, FJ 3,B *in fine*; subrayado nuestro).

[37]　"La declaración del estado de alarma, como la de cualquiera de los otros dos estados, no puede en ningún caso interrumpir el funcionamiento de ninguno de los poderes constitucionales del Estado y, en consecuencia, de las Cortes Generales (art. 116.5 CE). No puede quedar, pues, paralizada o suspendida, ni siquiera transitoriamente, una de las funciones esenciales del Poder Legislativo como es la del "control político" de los actos del Gobierno. Además, el Congreso de los Diputados, en cuanto que es la única cámara constitucionalmente habilitada para hacer efectiva la exigencia de responsabilidad política por la actuación del Go-

En primer lugar, los reclamantes alegan que la lesión de sus derechos se deriva de que durante el periodo de suspensión de la actividad y de los plazos se les impidió presentar iniciativas de control parlamentario e impulsar los trámites de otras iniciativas que se encontraban ya presentadas; calculaba en su demanda que hasta 1600 iniciativas en el periodo de suspensión de actividad del Congreso. La lesión del derecho por el rechazo o dificultad de la tramitación de las iniciativas deben justificarse de manera suficiente para garantizar la apertura del proceso de amparo. La propia competencia del Tribunal Constitucional en el proceso de amparo depende de que no se trate de una lesión hipotética del ejercicio del cargo representativo. El órgano judicial no requiere a los demandantes evidencias sobre qué concretas iniciativas se vieron afectadas por la decisión de la Mesa de la Cámara. Sino que, en sentido opuesto, reconoce la trascendencia constitucional de la demanda[38] e invierte la carga de la prueba[39]. En este contexto, y a mayor gloria de la objetivación del recurso de amparo constitucional,

---

bierno, en relación con las iniciativas y medidas que este pueda adoptar y aplicar durante aquel período de vigencia, en ningún caso puede dejar de desempeñar esa función; ni siquiera por propia iniciativa de alguno de sus órganos internos, pues el Congreso de los Diputados ostenta una responsabilidad exclusiva para con el diseño constitucional del Estado de Derecho, que le obliga a estar permanentemente atento a los avatares que conlleve la aplicación del régimen jurídico excepcional que comporta la vigencia y aplicación de alguno de aquellos estados declarados" (STC 168/2021, FJ 3,A *in fine*).

[38] FJ 2.

[39] "Además, durante la vigencia del período de suspensión al que se contrae este recurso, fueron otras muchas las cuestiones suscitadas, relacionadas o no con la epidemia que asolaba en aquellas fechas nuestro país (seguridad pública, trabajo, asistencia social, residencias de mayores, etc.), de las que eran competentes otros ministerios del Gobierno, que no consta que hayan recibido respuesta. Si los ahora recurrentes han acudido a esta sede de amparo constitucional, denunciando no haber podido ejercitar su función parlamentaria de control del Ejecutivo es porque las iniciativas que registraron en la Cámara para controlar la acción del Gobierno (alegan que en número superior a 1600) no fueron tramitadas hasta que, en su caso, quedó alzada la suspensión. No compete a ellos la carga de tener que acreditar cuáles fueron las concretas iniciativas registradas y no tramitadas durante la suspensión acordada, ni tampoco a este tribunal valorar el contenido y alcance de aquellas, sino a la propia Cámara ofrecer, de contrario, argumentos y elementos de convicción que permitan acreditar que aquellas iniciativas fueron debidamente atendidas, tramitadas y resueltas con decisión de aceptación o de rechazo a su debido tiempo" (STC 168/2021, FJ 5).

crea una situación de *prueba diabólica* en la que la carga de probar qué iniciativas no se vieron afectadas porque los demandantes no las llegaron a presentar como consecuencia de que la decisión de la Mesa se lo impedía corresponde en exclusiva a la Cámara. La solución a este laberinto lógico se despacha con la afirmación de que la lesión del *ius in officium* se derivaba con carácter general del hecho de que la decisión impeditiva de la Cámara *per se* impedía temporalmente todo ejercicio del cargo público representativo. En ocasiones parece que, a fuerza de dar un contenido objetivo a la respuesta ofrecida por el amparo en el contexto de nuestra justicia constitucional, el órgano comienza a olvidar la efectiva lesión de un derecho en los términos que le requiere el art. 41 de su propia Ley Orgánica.

En segundo lugar, esa última afirmación se conectaba con la argumentación sobre la imposibilidad de utilizar el criterio de la proporcionalidad para valorar la adecuación de la medida como idónea para evitar riesgos para la salud y la vida de todos los parlamentarios y trabajadores de la Cámara. En este sentido, el Tribunal entiende que la decisión de la Cámara afecta de manera absoluta a los derechos constitucionales y le reprocha que no haya buscado medidas alternativas que hiciesen menos graves la restricción de los mismos[40]. En este sentido, el considerar que la medida no era idónea para proteger los bienes de la vida y la salud de diputados y trabajadores supone una afirmación llamativa. En todo caso el test de la proporcionalidad hubiese exigido un mayor rigor en la valoración de la necesidad de la medida. Pero, evidentemente, ello ya dentro de la esfera del propio test de proporcionalidad. Aquí de nuevo la resolución con un criterio excesivamente formalista exige a la institución parlamentaria más de lo que estaba en su mano en ese momento conseguir. De hecho, cuando los medios técnicos se materializaron se regresó a una cierta normalidad.

A este respecto, como afirmaba el maestro Bobbio al referirse a los mandatos de las normas, una norma jurídica nunca puede exigir una conducta imposible; como, por ejemplo, requerir que los sujetos dejen de cumplir la ley de la gravedad. Para el Congreso de los Diputados en ese primer periodo del estado de alarma, decretado por una situa-

---

[40]   STC 168/2021, FJ 5.

ción pandémica, el mantener una actividad sobre cauces de normalidad resultaba imposible. En el marco de su autonomía organizativa y de funcionamiento, constitucionalmente garantizada (arts. 66.3 y 72 CE), iría ajustando su actividad a las nuevas circunstancias a medida que contaba con los instrumentos técnicos que de una manera adecuada garantizasen el cumplimiento de sus funciones conforme a los principios constitucionales, que están más allá de los estrictos términos de los arts. 66 y 116 de la CE[41]. Como se ha apuntado la inmediatez en el debate y la votación supone un principio estructurante para el funcionamiento de cualquier órgano parlamentario. El garantizar la continuidad de la actividad parlamentaria, al tiempo que las reglas definitorias de un órgano colegiado de naturaleza parlamentaria, debía dejarse a la valoración de la propia Cámara. De hecho, el Tribunal reconoce al Congreso de los Diputados esa capacidad, ejercida a partir de la autonomía constitucional, para con posterioridad denegársela, dando con ello un paso más en la deconstrucción de su propia doctrina de los *interna corporis acta*.

Por lo que hace a la STC 183/2021, de 27 de octubre, en lo que al objeto de este trabajo interesa y sin entrar en el análisis del alcance interpretativo que pueda suponer la atribución de naturaleza de "bloque de constitucionalidad" al art. 116 y la Ley Orgánica 4/1981, los FF JJ 8 y 9 han declarado inconstitucional el art. 2 del Real Decreto 956/2020 de prórroga del estado de alarma en lo referente al periodo de 6 meses de duración del mismo, así como por conexión las referencias a los plazos de comparecencia para el control del Presidente del Gobierno y del titular del Ministerio de Sanidad del art. 14. Mientras que el FJ 10 ha procedido a considerar contrario al bloque competencial propio del estado de alarma fijado por la Ley Orgánica 4/1981

---

[41]   A modo de ejemplo, Martínez-Elipe recordaba cómo durante la Primera Legislatura se dejaba sin efecto el cumplimiento de la art. 111 de la CE y se obviaban las sesiones de control semanales porque las Cortes se encontraban a un importante ritmo de trabajo legislativa como consecuencia del necesario desarrollo legislativo de la propia Constitución ("Caracterización y fuentes del Derecho parlamentario", en *Boletín de Legislación Extranjera*, num. 54-57, 1986, pp. 7-8 y 48 ss.). En esa ocasión, aunque regía otra doctrina constitucional sobre el acercamiento dc la justicia constitucional al control de los *interna corporis acta*, no aparecieron fuerzas políticas que deslealmente excitasen al Tribunal con una demanda de amparo.

en desarrollo del art. 116 CE la delegación de competencias realizada por los Reales Decretos 926/2020 y 956/2020 en las autoridades autonómicas y de las ciudades autónomas.

El rechazo de la prórroga de seis meses no se sustenta en un reproche de desproporcionalidad o en una eventual contradicción con lo dispuesto en la Ley Orgánica sobre estados excepcionales, que nada establece al respecto, sino en la insuficiencia del control sobre aquellas cuestiones que el Congreso debería haber verificado, al entendimiento del Tribunal, en el momento parlamentario de la autorización de la prórroga y no hizo por falta de información desde el Gobierno o por falta de celo en la Cámara. Se acepta que las justificaciones de los elementos de la situación para la declaración del estado de alarma sí se presentaron y valoraron suficientemente en la actuación parlamentaria. Pero, el excesivo periodo de tiempo imposibilitaba al Congreso de los Diputados la reversión del estado declarado (competencia exclusivamente gubernamental) y una adecuada valoración de las medidas tomadas por el ejecutivo durante ese amplio plazo de actuación.

En cuanto a la cuestión de la delegación en las autoridades autonómicas (Presidentes de las comunidades y ciudades autónomas), entiende que supone una dejación de competencias no permitida por la Ley Orgánica 4/1981, que viene a reservar las facultades de decisión en el desarrollo de un estado de alarma al Gobierno y al Congreso de los Diputados.

Una valoración de conjunto de estas resoluciones permite concluir que subyace en sus argumentos y resultados una tendencia o intención evidente por reforzar el papel del Congreso de los Diputados y de las Cortes, en general, durante el desarrollo del estado de alarma, incluso contra la propia voluntad del órgano legislativo. Se aborda y concluye la regularidad o irregularidad del comportamiento de las instituciones legislativas por su suficiencia.

En la primera de ellas, el Tribunal concluye que la decisión de la Mesa de la Cámara resulta inadecuada y lesiona derechos constitucionales porque las medidas que tomó para permitir la continuidad del ejercicio de sus funciones durante los primeros días del estado de alarma declarado en marzo no son suficientemente garantistas; es decir, falla en su contra, no porque no hiciera nada, sino porque para el órgano de la justicia constitucional no llega al límite mínimo para garantizar *todo* el catálogo de facultades que *hipotéticamente* podrían de desempañar diputados y grupos durante el estado de alarma. Para los magistrados de la mayoría no supone una excusa aceptable que, en aquellos momentos, con los instrumentos de los que disponía, no pudiera ofrecer otras soluciones.

En la segunda, parte de reconocer, de un lado, la insuficiencia de la Ley Orgánica a la hora de fijar criterios sobre plazos de duración de la situación de excepcionalidad, medidas a tomar, criterios para valorar las medidas gubernamentales y alcance de la definición de las autoridades delegadas y los límites de su actuación, y, de otro lado, de la capacidad de decisión parlamentaria a partir del principio constitucional de autonomía organizativa y de funcionamiento para terminar considerando que la Cámara ejerce sus competencias de una manera incompleta y, de nuevo, insuficiente. Esta última Sentencia termina recogiendo una serie de criterios de necesario cumplimiento, pero no recogidos en la Ley Orgánica, que de facto parece querer marcar el futuro camino en la reforma de nuestra legislación de excepcionalidad constitucional.

En fin, no ha escrito el Tribunal Constitucional español en su pasado sus mejores páginas en aquellas resoluciones que han optado por declaraciones de inconstitucionalidad por insuficiencia. Por lo tanto, iniciar el debate de la reforma de las Ley reguladora de los estados excepcionales y proceder a actualizar la Ley Orgánica 4/1981 se vuelve a considerar el camino más sólido y garantista para devolver su regulación y práctica a los postulados de la seguridad jurídica y, en ese contexto, reforzar con una decisión democrática la posición del Congreso de los Diputados durante el desenvolvimiento de los estados excepcionales y, de paso, situar ese supuesto "bloque de constitucionalidad" de la excepcionalidad en el contexto de un Estado fuertemente descentralizado.

8. BIBLIOGRAFÍA

Azpitarte Sánchez, M.: "Formar Gobierno. Crónica política y legislativa de 2019", en *Revista Española de Derecho Constitucional*, núm. 118 (2020), pp. 141-165.

Carrasco Durán, M.: "Legislar en parlamentos fragmentados. El caso de las Comunidades Autónomas", en *Revista de las Cortes Generales*, núm. 109 (2020), pp. 293-326.

Colliard, J.C.: *Los regímenes parlamentarios contemporáneos* (Barcelona: Blume, 1981).

Delgado Ramos, D.: "Teoría y práctica de la moción de censura. Notas críticas a partir de una experiencia reciente", *Revista General de Derecho Constitucional*, núm. 29 (2019).

Delgado Sotillos, I.: "La formación de Gobiernos en sistemas multipartidistas. La paradoja del caso español", en *Teoría y Realidad Constitucional*, núm. 45 (2020), pp. 261-290.

García-Escudero Márquez, P.: "Un nuevo Parlamento fragmentado para los 40 años de la Constitución", en *Revista de Derecho Político*, núm. 96 (2018), pp. 67-98.

García-Escudero Márquez, P.: "La ductilidad del Derecho parlamentario en tiempos de crisis: Actividad y funcionamiento de los Parlamentos durante el estado de alarma por Covid-19", en *Teoría y Realidad Constitucional*, núm. 46 (2020), pp. 271-308.

García de Enterría Ramos, A. y Navarro Mejía, I.: "La actuación de las Cortes Generales del estado de alarma para la gestión del COVID-10", en *Revista de las Cortes Generales*, 108 (2020), pp. 245-288.

Martínez-Elipe, L.: "Caracterización y fuentes del Derecho parlamentario", en *Boletín de Legislación Extranjera*, núm. 54-57, 1986.

Morales Arroyo, J.M.: *El conflicto parlamentario ante el Tribunal Constitucional*. Madrid: CEPC, 2008.

Natzier, D.: "Covid-19 and Commons procedure: Back to the future?", del 30 de marzo de 2021 en el blog *The Constitution Unit* (https://constitution-unit.com/2021/03/30/covid-19-and-commons-procedure-back-to-the-future/)

Reniu, J.M. y Albala, A.: "Los gobiernos de coalición y su incidencia sobre los presidencialismos latinoamericanos", en *Revista de Estudios Políticos*, 155 (2012), pp. 101-150.

Reniu, J.M.: "Formación y caída de los gobiernos en España", en *Nueva Revista de cultura, política y arte*, núm. 173 (2020), pp. 82-97.

Ruggeri, A.: "Le trasformazioni istituzionale nel tempo dell'emergenza", en *Consulta online*, núm. 1 (2021), pp. 238-257.

Study Parliment Group: *Parliaments and tha Pandemic*, enero 2021 (Se puede localizar en https://studyofparliamentgroup.org/2021/01/08/parliaments-and-the-pandemic-new-spg-publication/).

Tardi, R. (cur.): "Emergenza Covid e organi costituzionali", que ha visto la luz a través de la revista *Il Forum (Forum sull'emergenza)*, núm. 4 (2020)

(https://www.gruppodipisa.it/images/rivista/pdf/Il_Forum_-_Emergenza_
Covid_e_organi_costituzionali.pdf).

Tudela Aranda, J. (ed.): *El Parlamento ante el Covid-19* (Zaragoza: Fundación Giménez Abad, 2020).

Villaschi, P.: "Seconda ondata Covid-19: È tempo per un Parlamento in
Smart working? Riflessioni a partire dalla proposta di reforma dal Regolamento della Camera", en *La Rivista "Gruppo di Pisa"*, núm. 1 (2021),
pp. 100-120.

Mairena del Aljarafe, 23 de noviembre de 2021

El papel de los parlamentos durante los estados de emergencia constitucionales provocados por la pandemia[1]

CARLOS VIDAL PRADO
Catedrático de Derecho Constitucional
Universidad Nacional de Educación a Distancia

Sumario: 1. Frenos y contrapesos entre los poderes en situaciones de emergencia. 2. El parlamento no puede verse reducido a un rol secundario, sino que debe incrementar la intensidad de su control. 3. Lo sucedido en España en la primera declaración de estado de alarma de 2020. ¿Parálisis de la actividad parlamentaria? 4. Presencialidad de la actividad parlamentaria. Alternativas. 5. Bibliografía.

1. FRENOS Y CONTRAPESOS ENTRE LOS PODERES EN SITUACIONES DE EMERGENCIA

Si la publicidad es esencial en una democracia, la sujeción del Parlamento a este principio, y la garantía que ello supone para los ciudadanos, es el correlato lógico. A ese principio de publicidad llamó

---

[1] Este texto tiene su origen en una intervención realizada en la Universidad de Sevilla el 1 de diciembre de 2020. La versión escrita para la publicación se terminó el 31 de mayo de 2021. Cuando el texto se encontraba en proceso de edición, se conoció la Sentencia del Tribunal Constitucional de 18 de octubre de 2021, resolviendo el recurso planteado por el Grupo Parlamentario VOX en el Congreso, y declarando que la decisión de la Mesa hizo cesar temporalmente la tramitación de las iniciativas parlamentarias de los recurrentes, lesionando su derecho a la participación política (art. 23.2 CE). Como consecuencia de ello, se han incluido algunas mínimas referencias a la sentencia, que en este momento está disponible en la página web del Tribunal: https://www.tribunalconstitucional.es/NotasDe-PrensaDocumentos/NP_2021_094/2020-2109STC.pdf

Schmitt "espíritu del parlamentarismo"[2], y fue analizado en los primeros años de nuestra democracia por De Vega[3], reivindicando que la publicidad está en la base de la democracia moderna y llevando a cabo un examen (histórico y actual) de su relevancia. La publicidad asegura que se conozcan los motivos y las circunstancias que determinan la toma de decisiones, y puesto que éstas son producto de los debates y discusiones parlamentarios, debe garantizarse su conocimiento por parte de los ciudadanos. "Si el Parlamento actúa como un órgano público es porque, previamente, se ha configurado como un órgano deliberante"[4].

Esa publicidad es esencial también para comprobar cómo el Parlamento ejerce su función de control al Poder Ejecutivo. La oposición política y el control al Gobierno se ejercen en nombre de los ciudadanos, para garantizar la transparencia, la publicidad y la rendición de cuentas de quienes ejercen el poder político.

La relevancia de este papel es cada vez mayor si atendemos a la evolución de nuestros sistemas de parlamentarismo racionalizado hacia un protagonismo cada vez mayor del Poder Ejecutivo en la función legislativa. La capacidad normativa del Gobierno se amplía progresivamente, por lo que la labor de control parlamentario cobra una relevancia esencial en democracia, bien para validar las iniciativas normativas del Gobierno, bien para enmendarlas o rechazarlas. Por eso quizá hoy la función de control se ha convertido en la más

---

[2]   Schmitt, C., *Die geistesgeschichtliche Lage des heutigen Parlamentarismus*, Duncker y Humblot, Berlín, 10ª. edición, 2017 (la primera edición del libro es de 1923). Especialmente en el capítulo que se refiere a los principios del Parlamentarismo (pp. 41 y ss.), en donde habla de la publicidad y el debate como la esencia del parlamentarismo. En inglés se tradujo este libro como "The Crisis of Parliamentary Democracy" (Cambridge, Mass., MIT Press, 1985), es decir, "la crisis de la democracia parlamentaria", pero en realidad la traducción no es literal. Sería, más bien, "la posición histórico-intelectual del parlamentarismo contemporáneo". No obstante, es cierto que la palabra crisis es adecuada, pues en el momento en el que Schmitt escribe esas líneas se estaba produciendo la crisis del Parlamento en el régimen constitucional de Weimar, que acababa de nacer. Las primeras páginas de la edición alemana están accesibles en: https://www.duncker-humblot.de/_files_media/leseproben/9783428550302.pdf

[3]   De Vega, P., "El principio de publicidad parlamentaria y su proyección constitucional", en *Revista de Estudios Políticos*, núm. 43, 1985, pp. 45-65.

[4]   De Vega, P., op. cit., pág. 54.

importante de las tareas con las que cuentan las Asambleas Legislativas. Ya no es tanto el control del Legislativo al Ejecutivo, como el de la minoría hacia la mayoría, o de la oposición al Gobierno.

Traemos todas estas consideraciones a colación porque, en la situación que se está viviendo en todo el mundo desde febrero o marzo de 2020 se ha agudizado todavía más el papel relevante del Gobierno, lo que reclama a su vez un rol indispensable del Parlamento. Mucho más cuando los ciudadanos demandan una salida a la crisis sanitaria basada en el acuerdo, en el consenso, que debe sustanciarse en el Poder Legislativo.

Como escribió Castellà en las primeras semanas de la crisis, "[F]rente a la lógica de mayoría/oposición, la gravedad de la situación ha impuesto la lógica del consenso, que demanda la ciudadanía. Pero este no se ha producido en España como consecuencia de una negociación previa impulsada por el gobierno, sino simplemente por un voto responsable de la Cámara en favor de las medidas del gobierno"[5].

Pero no solamente ha habido poca negociación del Gobierno en el marco del Parlamento, al menos en los primeros meses de la pandemia, sino que la institución en la que está representada la soberanía popular se mantuvo ausente, porque simplemente no se reunía, o si lo hacía era de modo puntual. Incluso hoy sigue habiendo una actitud apocada por parte de las Cortes Generales, que no está respondiendo a lo que se espera de un Parlamento moderno.

En un entorno, en palabras de Blühdorn, de "giro posdemocrático", es más necesario que nunca que los ciudadanos se vean reflejados en la actividad política, y especialmente en el foro parlamentario, que debe permanecer siempre activo y en el ejercicio de sus funciones. Siguiendo al mismo autor, la representación que se necesita es la que sea capaz de "escuchar con seriedad y reproducir con veracidad", los representantes de los ciudadanos han de mostrar una imagen auténtica de que representan sus valores e intereses, la política debe ofrecer capacidad de respuesta, "los ciudadanos deben ser visiblemente

---

[5]   Castellà Andreu, J.M., "Incidencia de la Covid-19 sobre la democracia constitucional: reflexiones desde España", *Letras libres*, 15 de abril 2020. Disponible en: https://www.letraslibres.com/espana-mexico/politica/incidencia-la-covid-19-sobre-la-democracia-constitucional-reflexiones-desde-espana

el soberano político". De los representantes del pueblo se espera que "presenten y hagan valer los intereses de sus votantes en el parlamento sin distorsiones"[6]. Pero, si el Parlamento se cierra o se mantiene con funciones muy limitadas, ¿cómo podrá alcanzarse este objetivo?

Con la llegada de la primera ola de la epidemia del coronavirus en el primer trimestre de 2020, prácticamente todos los parlamentos (en España y fuera de España) se resignaron a sufrir las limitaciones sanitarias, y se vieron impedidos de reunirse presencialmente. Después del parón inicial, todos empezaron a utilizar o estudiar alternativas tecnológicas y legales para poder realizar reuniones, aunque fuesen telemáticas. El problema fue que esta situación de *impasse* se prolongó durante algunas semanas. En España se produjo un parón (en buena parte) superior al de otros países, y los parlamentos (el central y los autonómicos) desempeñaron su tarea con muchas reticencias a la utilización de las nuevas tecnologías. En algunos casos, hubo parlamentos autonómicos que delegaron (al margen de lo previsto en sus respectivos Reglamentos) en la Diputación Permanente la escasa actividad parlamentaria, o simplemente cerraron.

2.   EL PARLAMENTO NO PUEDE VERSE REDUCIDO A UN ROL SECUNDARIO, SINO QUE DEBE INCREMENTAR LA INTENSIDAD DE SU CONTROL

Resulta incuestionable, y así lo han subrayado la doctrina y las instituciones internacionales, que en un momento como el de la declaración del estado de alarma, en el cual un Gobierno democrático concentra más poder del que nunca ha tenido, es crítico respetar estos elementos básicos en un régimen democrático. Y es esencial, en concreto, que el Parlamento esté más activo que nunca, que los representantes de la ciudadanía se dediquen intensamente a su labor de control del Gobierno. Las carencias en el mantenimiento y el respeto a estos principios no solamente han sido (y son) un problema de España, sino en otros países de nuestro entorno y del resto del mundo.

---

[6]   Blühdorn, I., *La democracia simulativa. Nueva política tras el giro posdemocrático*, Editorial Temis, Bogotá, 2020, pág. 144.

En este sentido, merece la pena revisar la doctrina de la Comisión de Venecia, que ha insistido en múltiples ocasiones en la idea de que el legislativo debe controlar los actos y las acciones de las autoridades y los procedimientos especiales durante los estados excepcionales, como garantía del Estado de derecho y la democracia. "El quién, cómo y cuándo, debe de darse por terminado el estado de excepción debe ser la función del Parlamento. Esto implica la continuidad de la vida parlamentaria durante el estado de excepción". Asimismo, recuerda que el control parlamentario sobre la decisión del ejecutivo de declarar un estado de emergencia es el primer mecanismo de control disponible[7]. Y que este control es crucial para evitar abusos. Incluso se indica que "La participación de la oposición en esos temas se podrá asegurar al requerir una mayoría cualificada para la prolongación del estado de emergencia, más allá del periodo original"[8].

La Comisión de Venecia ha enfatizado, pues, que la vida parlamentaria debe continuar durante el estado de emergencia, y ha indicado que el Parlamento no debe disolverse durante el ejercicio de los poderes de emergencia[9]. Ante el dato fáctico de que, en el marco de la redistribución de poderes que tiene lugar en los estados de emergencia, el Parlamento se ve en un primer momento reducido a un rol secundario, la Comisión alerta de que eso puede afectar al funcionamiento de la democracia, por eso subraya las funciones que los parlamentos deben desempeñar durante estos estados[10], y que sólo cabe aceptarlo en los primeros momentos de urgencia durante la declaración de la emergencia.

---

[7]   CDL-STD(1995)012, *Poderes de Emergencia*, apartado "Control legislativo", traducción al español recogida en "Compilación de la Comisión de Venecia de opiniones e informes sobre Estados de emergencia", *Revista General de Derecho Constitucional*, núm. 32, 2020.

[8]   CDL-AD(2016)006, Opinion on the Draft Constitutional Law on "Protection of the Nation" of France, para.63.

[9]   CDL-AD(2016)006, Opinion on the Draft Constitutional Law on "Protection of the Nation" of France, para 62.

[10]   Castellà Andreu, J.M. "La Comisión de Venecia y los estados de emergencia: la necesaria preservación del Estado de Derecho y la democracia constitucional durante la crisis de la covid-19", en Biglino Campos, P.; Durán Alba, F. *Los Efectos Horizontales de la COVID sobre el sistema constitucional*, Colección Obras colectivas, Fundación Manuel Giménez Abad, Zaragoza, 2020. DOI: https://doi.org/10.47919/FMGA.OC20.1019

La Comisión constata el tipo de medidas que se han tomado en algunos parlamentos para mantener la actividad (trabajo en remoto, refuerzo de nuevas tecnologías de la comunicación). Si bien alerta sobre que no debería darse el reemplazo de diputados ni la reducción de asistencia a las sesiones, y asimismo recomienda el mantenimiento de las sesiones plenarias; recuerda también que "la crisis de covid-19 no debe aprovecharse para hacer más poderosos a los gobiernos a expensas de los parlamentos y, en todo caso, no de manera permanente. (...) La continuación de la labor del Parlamento debe considerarse un requisito esencial durante una crisis, y deben adoptarse medidas -por ejemplo, permitir y mejorar las reuniones digitales del Parlamento cuando las reuniones físicas sean imposibles- para mantener la labor parlamentaria sin dificultades durante tales situaciones en el futuro."[11].

En definitiva, acepta que debe abordarse un trabajo de tipo mixto, semipresencial, en el que algunos diputados estén presentes físicamente y otros no, para que el Parlamento pueda seguir ejerciendo sus funciones. Aún más, ya hemos visto que la Comisión aboga por incrementar las funciones de control y de ahí la exigencia de que las mayorías para autorizar las prórrogas sean cualificadas (para garantizar la participación de la oposición).

Este principio de máxima exigencia de control parlamentario está recogido también en España, en la misma Constitución (art. 116.5) y en la Ley Orgánica que regula los estados de alarma, excepción y sitio (art. 1.4), al afirmar que el funcionamiento de las cámaras, así como el de los demás poderes constitucionales del Estado, no puede interrumpirse durante la vigencia de estos estados. En el estado de alarma también los tribunales siguen siendo competentes para el control judicial de los actos del gobierno y la Administración y la exigencia de responsabilidad; sorprendentemente el Poder Judicial también suspendió plazos y funcionó durante varias semanas con "servicios mínimos". No digamos el Tribunal Constitucional, incapaz de llevar

---

[11]   Comisión de Venecia, Informe provisional (*Interim Report*) sobre las medidas tomadas por los Estados de la Unión Europea como resultado de la crisis co-vid-19 y su impacto en la democracia, el Estado de Derecho y los derechos fundamentales, CDL-AD(2020)018, párr. 72. Disponible en: https://www.venice. coe.int/webforms/documents/default.aspx?pdffile=CDL-AD(2020)018-e

a cabo ni siquiera reuniones telemáticas por falta de capacidad tecnológica y por reticencias de los magistrados a posibles problemas de seguridad[12]. Incluso el Rey, como Jefe del Estado, cumple más que nunca la función integradora de ser símbolo de la unidad y permanencia del Estado, y a esto responden sus actuaciones públicas esos días (mensaje a la nación, entrevistas telemáticas diarias con responsables políticos y de sectores que luchan contra la pandemia o dirigentes extranjeros y de organizaciones internacionales).

La democracia requiere frenos y contrapesos entre los poderes, entre Gobierno y oposición política. En cierto sentido, en democracia, la oposición contribuye a la tarea de gobierno, y se "gobierna" criticando. La crítica (constructiva) es necesaria, y no puede impedirse con la excusa de una demagógica llamada a la "unidad" mal entendida.

En la Constitución hay más cautelas para garantizar una intensa actividad parlamentaria. Así, por ejemplo, el Congreso queda automáticamente convocado por la sola declaración de un estado excepcional (debe ser informado de su declaración "reunido inmediatamente al efecto" (art. 116). Además, el Congreso de los Diputados, que es el protagonista principal del control gubernamental en este periodo, no puede ser disuelto si se encuentra declarado alguno de esos estados. Asume las competencias la Diputación Permanente en caso de disolución o expiración de mandato.

Asimismo, autoriza la o las prórrogas (en el caso del primer estado de alarma de 2020 en España fueron 6) y de otra parte, afectan a ambas Cámaras los apartados 5 y 6 de dicho artículo en cuanto a la convocatoria automática si no estuvieren en período de sesiones y a la no modificación del principio de responsabilidad del Gobierno y sus agentes reconocidos en la Constitución y en las leyes; no en vano

---

[12]   El argumento de que otros órganos habían suspendido plazos y actuaciones fue utilizado por la letrada del Congreso ante el Tribunal Constitucional para defender la actuación de la Mesa, en su escrito de alegaciones durante el trámite del recurso de amparo presentado por el Grupo Parlamentario VOX. El Tribunal lo rechaza en su sentencia, afirmando que la Cámara Baja "es el único órgano constitucional, integrado en el Poder Legislativo, que asume las exclusivas funciones de ser informada de la declaración inicial del estado de alarma y de autorizar las prórrogas sucesivas, así como de realizar un efectivo control, a través de aquel mecanismo autorizatorio, de la gestión del Gobierno durante el período de estado de alarma" (STC de 18 de octubre de 2021, FJ 4, B).

el artículo 66.2 CE atribuye a las Cortes Generales el control de la acción del Gobierno.

Decía Cruz Villalón en 1981 que las competencias "asumidas por los poderes públicos durante la vigencia de los estados excepcionales, con ser extraordinarias, en modo alguno escapan al control inherente a todo Estado de Derecho, quien (…) sigue conservando sustancialmente este carácter"[13]. Por lo tanto, el Estado de Derecho, el sistema democrático, no entra en "hibernación", por utilizar un término muy escuchado en las primeras semanas de la pandemia.

El recurso a los estados de emergencia constitucional puede generar abusos por parte de las autoridades competentes para gestionarlos. Por eso son imprescindibles los controles para evitarlos. No solamente políticos, sino jurisdiccionales.

3.   LO SUCEDIDO EN ESPAÑA EN LA PRIMERA DECLARACIÓN DE ESTADO DE ALARMA DE 2020. ¿PARÁLISIS DE LA ACTIVIDAD PARLAMENTARIA?

Pues bien, acabamos de ver que el control político con respecto a la declaración y a la prórroga del estado de alarma y a las medidas adoptadas durante su vigencia corresponde al Poder Legislativo, en España al Congreso de los Diputados. El decreto de declaración, conforme a lo dicho por el Tribunal Constitucional, debe entenderse que es una norma con rango de ley, por lo que su control está reservado a dicho tribunal. Los actos y disposiciones de la Administración pública que desarrollan dicha declaración están sometidos al control jurisdiccional (artículo 3 de la Ley Orgánica), y se mantiene el derecho de los ciudadanos a ser indemnizados por los daños o perjuicios que sufran por actos que no les sean imputables.

Sin embargo, en muchos países europeos las dos primeras semanas fueron de parálisis del Parlamento (Italia y Alemania, por ejemplo). En España, el 10 de marzo, incluso antes de la declaración del estado de alarma, y con la negativa a asistir de un grupo parlamentario

---

[13]   Cruz Villalón, P., "El nuevo derecho de excepción", en *Revista española de Derecho Constitucional*, núm. 2, pág. 113.

con varios contagiados del virus, la Presidenta del Congreso anunció que se "aplazaba" la actividad parlamentaria y desconvocó el Pleno previsto para esa semana. El día 12 extendió dicho aplazamiento dos semanas más, según acuerdo de la Junta de Portavoces. A lo largo de esas semanas, la actividad se redujo al mínimo, con dos Plenos y dos comparecencias en la Comisión de Sanidad. Hubo reuniones telemáticas de la Mesa y la Junta de Portavoces, y se mantuvo el registro telemático de las iniciativas. El 19 de marzo, la Mesa adoptó un acuerdo por el que, teniendo en cuenta la declaración del estado de alarma por RD 463/2020, de 14 de marzo, y atendiendo a las especiales circunstancias concurrentes, se permitía que, mientras durase dicho estado de alarma y previa petición del grupo parlamentario correspondiente, todos los diputados que lo desearan pudieran emitir su voto por el procedimiento telemático (art. 82.2 Reglamento) en las sesiones plenarias que se celebren[14]. Además, se acordó la suspensión, desde la fecha del Acuerdo, del cómputo de los plazos reglamentarios que afectaran a las iniciativas parlamentarias que se encontraran en tramitación en la Cámara hasta que la Mesa levantara dicha suspensión y la suspensión de los plazos administrativos, de prescripción y de caducidad de los procedimientos administrativos de la Cámara desde el día de la entrada en vigor del R.D. 463/2020, de 14 de marzo, de declaración del estado de alarma.

Algo parecido ocurrió con los parlamentos autonómicos[15]. En un momento de máxima concentración del poder ejecutivo, cuando el control era más necesario que nunca, éste no se producía. Es cierto que la situación podía considerarse similar en el ámbito central y en el ámbito autonómico, pero era mucho más grave en el ámbito estatal,

---

[14] Un detallado resumen de la actividad parlamentaria en esta época lo encontramos en García de Enterría Ramos, A., & Navarro Mejía, I., "La actuación de las Cortes Generales durante el estado de alarma para la gestión de la crisis del COVID-19", *Revista De Las Cortes Generales*, núm. 108, págs. 245-288. https://doi.org/10.33426/rcg/2020/108/1487

[15] Un análisis de lo sucedido en once parlamentos autonómicos puede verse en la obra colectiva *El Parlamento ante el COVID 19*, Cuadernos de la Fundación Manuel Giménez Abad, núm. 8, junio 2020.

pues el responsable de ejercer el mando único, el Gobierno central, debía rendir cuentas ante el Congreso de los Diputados[16].

A esta paralización durante las primeras semanas del estado de alarma del ejercicio de la función de control parlamentario se unieron las trabas impuestas por el Gobierno a la labor informadora de los periodistas y los medios de comunicación en las ruedas de prensa con miembros del gabinete. Las preguntas se pasaban por el filtro del Secretario de Estado de comunicación, que se encargaba de formularlas, sin conocerse qué criterios se seguían para seleccionar unas preguntas y no otras, unos periodistas y no otros, unos medios y no otros. Las críticas fueron generalizadas a esta falta de publicidad y transparencia, tanto del Gobierno como de otras instituciones, y la impresión que se tuvo en las primeras semanas era la de que la presidencia del Congreso actuaba más bien como correa de transmisión del Gobierno y sus intereses, sin velar por las funciones propias del Poder Legislativo.

No parece que se estuviese respetando lo establecido en la Constitución ni en la Ley Orgánica, que prevé la intervención del Congreso no solamente para autorizar la prórroga, sino para que el Gobierno rinda cuentas de las medidas adoptadas y obliga al Gobierno a "suministrar al Congreso, además, la información que le sea requerida". Si hay un momento en el que especialmente esta información debe ser permanente e intensa, cuantitativa y cualitativamente, es éste. Si hay un momento en que resulta imprescindible que el Gobierno se someta a control parlamentario, es éste. Así ocurrió en parlamentos de otros países europeos. De hecho, es cierto que el primer mes de la pandemia en 2020 fue de protagonismo total del Ejecutivo en muchos países, pero a partir de mediados de abril muchos parlamentos reaccionaron, e hicieron valer su papel en la gestión de la crisis. No se ha apreciado lo mismo en España.

El Tribunal Constitucional ha confirmado esta hipótesis, al considerar, en su sentencia de 18 de octubre de 2021, que la decisión de

---

[16]   Tudela, J., "Parlamento y crisis sanitaria. Reflexiones preliminares", en *El Parlamento ante el COVID 19*, Cuadernos de la Fundación Manuel Giménez Abad, núm. 8, junio 2020, págs. 7 y 8.

la Mesa[17] hizo cesar temporalmente la tramitación de las iniciativas parlamentarias de los recurrentes, lesionando su derecho a la participación política (art. 23.2 CE). Y no acepta que pueda aplicarse el juicio de proporcionalidad, puesto que falta uno de los elementos imprescindibles, el derecho fundamental a la participación política. No estamos hablando de una limitación de ese derecho fundamental, sino de que se suspendió, lo sobrepasa lo permitido en el estado de alarma, pero es que además, "[P]or imperativo constitucional (art. 116. 5 CE), el funcionamiento del Congreso de los Diputados no puede quedar interrumpido durante la vigencia del estado de alarma; por tanto, el derecho de los diputados que lo integran a participar en las funciones que les son propias, tampoco permite la suspensión de su ejercicio bajo ninguna circunstancia"[18].

La Secretaría General del Congreso de los Diputados emitió una nota el 25 de marzo sobre la posibilidad de realizar sesiones del Pleno, las comisiones u otros órganos de la Cámara mediante el sistema de videoconferencia, respondiendo a las solicitudes de varios grupos parlamentarios. Sin embargo, en dicha nota se rechazaba la posibilidad de intervenir por videoconferencia en las sesiones plenarias (amparándose en la jurisprudencia del TC), aunque dejaba abierta la opción de que se modificase el Reglamento para poder contemplar este tipo de medidas, sólo por motivos excepcionales. Por otro lado, la nota llamaba la atención sobre el hecho de que el Congreso no contaba, por el momento, con los medios necesarios para poder celebrar una sesión plenaria mediante videoconferencia. En cuanto a las comisiones, la nota recordaba que les son de aplicación las normas sobre los debates, así como la jurisprudencia del TC sobre la necesaria presencialidad de los mismos, siendo en cambio posiblemente menores las dificultades técnicas. En general, la nota utiliza la jurisprudencia reciente del TC

---

[17]   Exclusivamente la que era objeto del recurso de amparo presentado por el Grupo Parlamentario de VOX, es decir, la de suspensión del cómputo de los plazos reglamentarios que afectaran a las iniciativas parlamentarias que se encontraran en tramitación en la Cámara. Así lo aclara el TC en el FJ 4 de la Sentencia, y subraya que afectó a todas las iniciativas, sin excepción alguna, y que la vigencia de la suspensión no tenía fecha de caducidad concreta.

[18]   STC de 18 de octubre de 2021, FJ 5, B).

para justificar sus conclusiones: sobre esta cuestión volveremos más adelante.

No será hasta un mes más tarde de la suspensión de la actividad ordinaria cuando ésta se reanude parcialmente. El 7 de abril, la Mesa del Congreso acordó el levantamiento de la suspensión del cómputo de plazos en la tramitación de iniciativas, lo cual supone reactivar parcialmente la labor parlamentaria de la Cámara, como veremos. La Junta de Portavoces acordó la reanudación la semana siguiente de las sesiones de control al Gobierno, y la primera de ellas tuvo lugar el 15 de abril. A partir de ese momento, se fueron celebrando sesiones plenarias semanales, pero con un orden del día muy reducido hasta mediados de mayo.

Las preguntas al Gobierno se ralentizaron ostensiblemente durante varias semanas, dificultando la labor de los partidos de la oposición. Para esta labor sí que no había excusas de presencialidad, pues se puede realizar perfectamente a distancia. Sin embargo, al suspender los plazos de tramitación parlamentaria durante un mes, hubo 30 días en los que el Gobierno no estaba obligado a responder, y no lo hizo.

Por su parte, aunque a mediados de abril se reanuda la actividad parlamentaria, se acuerda mantener al margen las proposiciones no de ley y las mociones consecuencia de interpelaciones urgentes. No fue hasta el Pleno del 16 de junio (más de tres meses después de la suspensión inicial de actividades) cuando se reanudaron los debates de estas cuestiones.

Vayamos con la valoración de lo ocurrido, y de lo sostenido en la nota de la Secretaría General. En primer lugar, si bien es lógico que se constate en la nota que el Reglamento no prevé la posibilidad de reuniones en las que la mayoría de los miembros del Pleno o la Comisión actúen telemáticamente, desde el punto de vista político no me parece un argumento admisible escudarse en ello. Una carencia del Reglamento no puede ser un corsé que impida al Parlamento ejercer sus funciones. Como se hizo con el caso de las votaciones telemáticas, lo que inicialmente se solventó con una interpretación flexible, acabó incluyéndose en el Reglamento mediante una modificación. Mientras que otros órganos e instituciones buscaban alternativas y los servicios esenciales se mantenían en guardia, el servicio más esencial en democracia, el del representante de la soberanía, no se estaba prestando[19]. Ni siquiera se comprende que no se plantease la presencialidad reducida, como comenzó a hacerse con posterioridad.

Todos recordamos que se incluyó una Disposición adicional en la Ley del Gobierno para permitir celebrar los Consejos de Ministros por vía telemática. ¿Y el Congreso no podía hacerlo? Una reforma del Reglamento puede tramitarse de urgencia y por lectura única, como se hace con la relación de comisiones al formarse Gobierno al principio de cada legislatura. ¿Algún grupo político se opondría hoy a una modificación urgente del texto para habilitar esta posibilidad? No lo creo.

En segundo lugar, se alude además a la ausencia de medios materiales y técnicos para poder llevar a cabo las reuniones de modo telemático. Esta excusa no es de recibo, porque se pueden adquirir en breve tiempo, sobre todo en un momento en el que incluso se estaba aplicando el régimen de contratación pública de emergencia, que permite procedimientos de urgencia a la hora de poder realizar este tipo de adquisiciones[20]. Además, el propio Tribunal Constitucional, en la reciente sentencia que hemos citado, niega que no hubiera medios materiales: "la citada Cámara disponía de medios alternativos para asegurar la continuidad de su funcionamiento durante la vigencia del estado de alarma, por lo que aquel argumento no puede justificar la decisión de interrumpir temporalmente la actividad parlamentaria de la Cámara". En definitiva, el Alto Tribunal concluye que "[L]a decisión de suspender la tramitación de toda actividad parlamentaria afectó, por ello, al contenido esencial del *ius in officium* de los recurrentes, en cuanto diputados que eran de la Cámara. A partir del dictado de aquel Acuerdo ordenando la paralización temporal de la tramitación de las iniciativas, se vieron aquéllos en la imposibilidad de que, sine die, cualquier iniciativa que registraran llegara a ser tra-

---

[19]   Tudela, J., "Parlamento y crisis sanitaria. Reflexiones preliminares", en *El Parlamento ante el COVID 19*, Cuadernos de la Fundación Manuel Giménez Abad, núm. 8, junio 2020, págs. 6 y ss.

[20]   A esta cuestión se refiere también García-Escudero Márquez, P., "La ductilidad del derecho parlamentario en tiempos de crisis: actividad y funcionamiento de los parlamentos durante el estado de alarma por COVID-19", en *Teoría y Realidad Constitucional*, núm. 46, 2020, pág. 272.

mitada por el Congreso, en tanto que la Mesa no aprobara una nueva resolución que decidiera alzar aquella suspensión" [21].

La pandemia debería haber subrayado la posición central del Parlamento en el sistema político. Pero lo que ha triunfado ha sido el tacticismo y la visión a corto plazo, lo que supone un paso más en el proceso de deterioro de la función de control del Parlamento.

Además, los propios debates que se mantuvieron con posterioridad estuvieron demasiado centrados en reprocharse mutuamente los errores, sin producirse un verdadero debate de fondo. Como se ha sostenido, "para poder juzgar adecuadamente a unos y otros, es preciso que expongan sus posiciones en sede parlamentaria siguiendo las pautas del debate parlamentario. Gobernar y ejercer la oposición, ejercer la política, es asumir la idea de responsabilidad. Y ésta no existe sin la publicidad del debate parlamentario"[22].

Dejo aparte la cuestión de la prórroga de seis meses del tercer estado de alarma de 2020, declarado por el Real Decreto 926/2020, de 25 de octubre (hubo un segundo estado de alarma, solo para la Comunidad de Madrid, que a veces se olvida), lo que en mi opinión supone una dejación de funciones por parte del Parlamento. Es cierto que el Parlamento sigue ejerciendo sus funciones de control, pero no sobre las medidas que incluye el Real decreto de prórroga (Real Decreto 956/2020, de 3 de noviembre) que, además, incluye una Disposición final primera, similar a las que ya se incluyeron en los decretos de prórroga del estado de alarma declarado en marzo de ese año, que establece la siguiente habilitación para el Gobierno central: "Durante la vigencia del estado de alarma declarado por este real decreto, el Gobierno podrá dictar sucesivos decretos que modifiquen lo establecido en este, de los cuales habrá de dar cuenta al Congreso de los Diputados, de acuerdo con lo previsto en el artículo octavo.dos de la Ley Orgánica 4/1981, de 1 de junio.".

Pues bien, dicha previsión supone una "deslegalización" y una vulneración de la necesidad de autorización por el Congreso de los

---

21   STC de 18 de octubre de 2021, FJ 5, B).
22   Tudela, J., "Parlamento y crisis sanitaria. Reflexiones preliminares", en *El Parlamento ante el COVID 19*, Cuadernos de la Fundación Manuel Giménez Abad, núm. 8, junio 2020, pág. 8.

Diputados de cualquier aspecto que suponga una modificación del "alcance y condiciones" de la declaración del estado de alarma. No se puede atribuir a los simples decretos previstos en el art. 8.2 de la Ley Orgánica 4/1981 la capacidad de modificar las restricciones de derechos establecidas en el decreto de declaración. Y ello por dos motivos: (i) porque no tienen rango o fuerza de ley, como sí lo tiene, de acuerdo con la doctrina del Tribunal Constitucional, el Real Decreto de declaración de estado de alarma, y (ii) porque se estaría ignorando la obligación de contar con la autorización del Congreso de los Diputados para modificar cualquier aspecto que afecte a la declaración de estado de alarma y, especialmente, a las medidas restrictivas de derechos.

Había "medios para que las cosas hubiesen sucedido de otra manera. Desde una más intensa actividad parlamentaria en Pleno y Comisión hasta una mejor utilización de las plataformas que ofrecen las distintas tecnologías y, muy en particular, la web. La existencia de diecinueve Cámaras parlamentarias debería haber contribuido a fortalecer esta presencia"[23].

No es solo el caso de España. En Italia, Clementi expone que ha ocurrido algo parecido: "si dal punto di vista formale, è corretto riconoscere che le Camere non hanno mai chiuso davvero i loro battenti, non si può tuttavia non riconoscere che, dal punto di vista sostanziale, vi sia stato durante la prima fase, durata circa un mese, un reale silenzio sulla possibilità di controllare, sindacare, discutere le attività che il Governo stava ponendo in essere in considerazione dell'emergenza"[24]. Mastromarino denuncia que el Parlamento ha olvidado "su rol de representación, que supone obligaciones de vigilancia y amparo de los derechos y, en particular en tiempos de emergencia"[25]. Sin embargo, ha habido decisiones posteriores en otros países europeos que han contribuido a que el Parlamento recuperase su papel. Especialmente

---

[23] Tudela, J., "Parlamento y crisis sanitaria. Reflexiones preliminares", en *El Parlamento ante el COVID 19*, Cuadernos de la Fundación Manuel Giménez Abad, núm. 8, junio 2020, pág. 8.

[24] Clementi, F., "Il lascito della gestione normativa dell'emergenza: tre riforme ormai ineludibili", *Osservatorio AIC*, núm.3, 2020, 44.

[25] Mastromarino, A. (2020). "La respuesta a la emergencia Covid-19: el caso italiano". Biglino Campos, P.; Durán Alba, F. *Los Efectos Horizontales de la COVID sobre el sistema constitucional*, Colección Obras colectivas, Fundación Manuel Giménez Abad, Zaragoza. DOI: https://doi.org/10.47919/FMGA.OC20.0024

significativo es el caso alemán. En el debate del 23 de abril en el *Bundestag* hubo críticas muy duras a la preponderancia del Ejecutivo y puede decirse que constituyó la "vuelta a la normalidad". Muchos grupos, incluyendo los de la coalición gubernamental, se negaron a admitir que los trámites legislativos continuasen siendo tan urgentes y apresurados[26]. Se reivindicó el papel del Poder Legislativo, como debería ocurrir en otros países.

En definitiva, las normas no pueden ser el obstáculo, porque la propia norma prevé mecanismos de adaptación. En estos últimos meses hemos cambiado el modo de hacer muchas cosas que "siempre se habían hecho así". Habrá que plantearse cómo innovar, también en el ámbito parlamentario.

4.   PRESENCIALIDAD DE LA ACTIVIDAD PARLAMENTARIA. ALTERNATIVAS

García-Escudero, de acuerdo con la jurisprudencia del Tribunal Constitucional, parte de la idea de que el carácter presencial de las reuniones parlamentarias se deduce de su propio nombre y "se plasma en distintos artículos de la Constitución en referencia al Congreso y al Senado, en particular las reglas sobre quórum y personalidad e indelegabilidad del voto contenidas en el artículo 79"[27].

Por otro parte, tanto el informe de la Secretaría General del Congreso como algunas aportaciones doctrinales se basan en las sentencias del Tribunal Constitucional 19/2019 y 45/2019. Sin embargo, el contexto que abordan es muy diferente (investidura no presencial del candidato a la Presidencia de la Generalitat)[28]. Y aunque han subra-

---

[26]   Kölling, M., "El Bundestag y el Bundesrat alemán en tiempos de COVID-19", en *El Parlamento ante el COVID 19*, Cuadernos de la Fundación Manuel Giménez Abad, núm. 8, junio 2020, págs. 195 y 196.

[27]   García Escudero, P., "Actividad y funcionamiento de las Cortes Generales durante el estado de alarma por COVID-19", en *El Parlamento ante el COVID 19*, Cuadernos de la Fundación Manuel Giménez Abad, núm. 8, junio 2020, pág. 19.

[28]   Así lo reconoce también García-Escudero Márquez, P., "La ductilidad del derecho parlamentario en tiempos de crisis: actividad y funcionamiento de los parlamentos durante el estado de alarma por COVID-19", en *Teoría y Realidad Constitucional*, núm. 46, 2020, pág. 273.

yado la inmediatez y presencialidad de la actividad parlamentaria, se dice que esto es la "regla general", y admiten excepciones como la de la posibilidad de que los Reglamentos prevean el voto en ausencia cuando concurran circunstancias excepcionales o de fuerza mayor[29].

Aunque el debate virtual no sustituye al presencial, hay muchas tareas parlamentarias que sí pueden realizarse utilizando las nuevas tecnologías, y en circunstancias excepcionales no hay por qué rechazar utilizar, con las obvias limitaciones, las nuevas tecnologías también para los debates. Todas las instituciones se han adaptado a los nuevos tiempos estos meses, y si el Parlamento quiere representar a los ciudadanos, deberá plantearse hacerlo.

Una cosa es que, en una situación ordinaria, debemos atender a la regla general, y otra, que en una situación extraordinaria, en la que todas las instituciones deben adaptarse a la excepcionalidad, la única que no sea capaz de hacerlo sea el Parlamento, en quien descansa precisamente la representación de la soberanía popular. Por eso resulta un tanto burdo alegar esta doctrina para el caso ante el que nos encontramos, evidentemente fuera de la "regla general". Ridículo es también alegar, como se hace en el informe de la Secretaría General del Congreso de los Diputados, que no existen medios técnicos suficientes para hacerlo. Todas las universidades, los centros educativos en general, las empresas, gran parte de las instituciones están funcionando telemáticamente. ¿Va a ser el Congreso, la institución más importante en un estado de alarma para defender nuestros intereses como ciudadanos, la única que no tenga capacidad de adaptarse? Sería gravísimo.

Al hilo de la solicitud de intervención de la portavoz del Grupo Parlamentario de Ciudadanos por medios telemáticos, que se rechazó, se ha sostenido que, al amparo de los artículos 15 y 43 de la Constitución, "al igual que se apreciaron para permitir votaciones masivas por el procedimiento telemático, igualmente debieron ser apreciados por los Órganos de Gobierno de la Cámara a fin de facilitar la intervención de la Portavoz del Grupo Parlamentario de Ciudadanos en la sesión plenaria del 25 de marzo de 2020 por medios telemáticos". Y se sostiene que con esta decisión se dispensa un trato discriminatorio,

---

[29]   STC 19/2019, de 12 de febrero, FJ 4

por el hecho de que "ante una situación de emergencia sanitaria se faculte una participación telemática para determinados actos y se deniegue para otros, sobre todo, cuando el fin que persiguen ambas peticiones (votaciones o intervenciones telemáticas) es el mismo (protección de la vida, integridad física y salud) por lo que la solución debió ser la misma"[30]. En otras palabras, no procede hacer una interpretación del Reglamento flexible en un caso, y restrictiva en otro.

Se trata de una situación excepcional, en la que deben tomarse medidas excepcionales, también en el Parlamento. Medidas que permitan a los miembros del Congreso, nuestros representantes, ejercer sus funciones con más rigor que nunca. Medidas que implican considerar la labor que realizan los diputados y diputadas como un servicio esencial, el más relevante para nuestra democracia. Lo exige la Constitución en el propio artículo 116, y la Ley Orgánica que regula los estados de alarma, excepción y sitio.

Se han buscado soluciones imaginativas, pero algunos reputados especialistas como García Escudero han advertido que "[L]a ductilidad del Derecho Parlamentario tiene límites -incluso en el supuesto de esa unanimidad que supuestamente todo lo sana- si queremos mantenernos en el Estado de Derecho"[31]. La cuestión es cómo equilibrar los pros y los contras, porque si el Parlamento no actúa, no ejerce su función, también peligra el Estado de Derecho, la separación de poderes.

En el ámbito doctrinal nadie duda, en todo caso, de que debería acometerse una reforma reglamentaria. Por ejemplo, García Escudero ha sugerido "incluir entre los supuestos autorizables las circunstancias excepcionales que acordara la Mesa, oída la Junta de Portavoces, como ha hecho la Junta General de Asturias". Al llevar a cabo estas modificaciones se ha de respetar la figura del parlamentario individual, cuya participación se echa en falta. Porque, al reducir el número

---

[30]   Alonso Prada, V.E., "El control del Congreso de los Diputados al Gobierno y la actividad parlamentaria durante el estado de alarma", en *Gabilex, Revista del Gabinete jurídico de Castilla-La Mancha*, Nº 21 (Nº Extraordinario 2020), pág. 48. Disponible en: https://gabilex.castillalamancha.es/sites/gabilex.castilla-lamancha.es/files/pdfs/articulo_victor_alonso.pdf

[31]   García Escudero, P., "Actividad y funcionamiento de las Cortes Generales durante el estado de alarma por COVID-19", en *El Parlamento ante el COVID 19*, Cuadernos de la Fundación Manuel Giménez Abad, núm. 8, junio 2020, pág. 19

de personas que asisten presencialmente a las reuniones, éstas suelen ser los portavoces y quienes ocupan los órganos de dirección de los grupos, por lo que en los debates se ha acentuado lo que ya viene ocurriendo en los parlamentos, y despierta la lógica preocupación: "El ya de por sí mermado papel del representante no debería haber descendido otro escalón una vez que la excepcionalidad desaparezca, sino que habrá de recuperar al menos la visibilidad anterior"[32].

Entre esas alternativas, algunas son discutibles, pero deben debatirse, como las utilizadas en los diferentes parlamentos autonómicos. Así, la posibilidad de delegación de voto incluida en algunos reglamentos de asambleas autonómicas no parece compatible con lo previsto en la Constitución. La personalidad e indelegabilidad del voto, aunque sólo estén reconocidas constitucionalmente para diputados y senadores, no implica que "no tengan aplicación al modelo de democracia representativa que caracteriza a las instituciones parlamentarias autonómicas"[33]. En todo caso, este es un asunto problemático y no pacífico en la doctrina[34].

La STC 19/2019, por su parte, es ambigua, ya que afirma, como principio general derivado del artículo 23.1 de la Constitución, que la actividad parlamentaria debe realizarse de manera presencial y parece rechazar la práctica asociada actualmente a la delegación de voto [FJ 4.A)], pero admite "que existiera un bien o valor constitucional que justificara en este supuesto limitar el principio que exige, con carácter general, que las actuaciones parlamentarias se realicen de forma presencial" [FJ 4.B)].

Tampoco es admisible el voto ponderado para tomar las decisiones en Pleno, utilizado en la asamblea de Murcia y en La Rioja. Esto supondría que los diputados individuales dejarían de ejercer su *ius in*

---

[32]   García Escudero, P., "Actividad y funcionamiento de las Cortes Generales durante el estado de alarma por COVID-19", op. cit., pág. 28.

[33]   De Miguel Bárcena, J., "La personalidad e indelegabilidad del voto y las reformas de los reglamentos de los parlamentos autonómicos", en *Revista Española de Derecho Constitucional*, núm. 90, 2010, pág. 150.

[34]   En contra, además de de Miguel, Anguita Susi, A. "La praxis de la delegación del voto en el Parlamento de Andalucía", en *Administración de Andalucía. Revista Andaluza de Administración Pública*, núm. 94, 2016, pág. 263. A favor, Caamaño Domínguez, F., *El mandato parlamentario*, Madrid, Congreso de los Diputados, 1991.

officium, protegido en el art. 23, serían irrelevantes, bastaría con los portavoces de cada Grupo. Como dice García-Escudero, "si los portavoces pueden sustituir a los parlamentarios en Pleno, cabe suprimir la institución"[35].

El voto telemático o no presencial sí es admisible, y así se ha hecho en muchos parlamentos, ampliándolo a los supuestos de imposibilidad de acudir al Parlamento debido a la situación de pandemia (como se ha previsto en las Cortes de Aragón y en las de Castilla y León). Pero la extensión del voto telemático no ha sido suficiente, y en todo caso debería ser objeto de una reforma reglamentaria para darle continuidad y que no descanse solamente en decisiones de la Mesa o en resoluciones de la Presidencia. Hay otras cuestiones como la utilización generalizada del registro electrónico de iniciativas o la posibilidad de seguir los debates telemáticamente que podrían explorarse, siempre garantizando la función de control del Gobierno, especialmente importante en estado de alarma.

Asimismo, son perfectamente válidas las sesiones telemáticas o semipresenciales de las comisiones con votaciones efectuadas por llamamiento (Cortes de Aragón), posibilidad ya utilizada anteriormente en el Parlamento de las Islas Baleares cuando la meteorología impide a los diputados de algunas islas desplazarse hasta la sede del Legislativo. Sin duda puede haber problemas, como ocurrió en la Asamblea de Madrid a finales de abril, en donde una sesión hubo de suspenderse por los problemas técnicos que impidieron su desarrollo. Pero eso no quiere decir que tengan que evitarse, sino que los parlamentos deberán buscar los medios técnicos para celebrarlas sin problemas o para minimizarlos.

Es discutible también recurrir a la Diputación Permanente. En principio, no puede sustituir a la Cámara y se prevé para los supuestos en que el Parlamento se encuentre fuera de los períodos ordinarios de sesiones o cuando haya finalizado su mandato. Podrían

---

[35] García-Escudero Márquez, P., "La ductilidad del derecho parlamentario en tiempos de crisis: actividad y funcionamiento de los parlamentos durante el estado de alarma por COVID-19", en *Teoría y Realidad Constitucional*, núm. 46, 2020, pág. 282.

modificarse los reglamentos parlamentarios, pero debería regularse de modo restrictivo.

M. Carrasco explica que los servicios jurídicos del Parlamento de Andalucía avalaron la convocatoria de la Diputación Permanente, al entender que existe una laguna en el Reglamento, que no prevé "la respuesta a situaciones de fuerza mayor de una magnitud tal que, de hecho, impida al Parlamento reunirse de forma normal"[36]. Por ello consideran justificada la convocatoria "fundamentándose, en primer lugar, en el principio general de continuidad de la actividad parlamentaria, implícito en el artículo 58 del Reglamento, que obligaba a buscar una fórmula que evitara la suspensión absoluta de dicha actividad, y, en segundo lugar, en una aplicación analógica de lo previsto para el supuesto de vacaciones parlamentarias, similar al provocado por la pandemia en cuanto supone el cese de la actividad normal sin que el Parlamento esté disuelto y que constituye una de las circunstancias en las que el Reglamento prevé la intervención de la Diputación Permanente como órgano encargado, precisamente, de dar continuidad al Parlamento"[37].

Si algo hemos sacado en claro con esta crisis, en muchos ámbitos del Derecho, pero también en este, es que existen múltiples lagunas en el ordenamiento jurídico. Y las hay en los reglamentos parlamentarios. Deben incluirse previsiones para situaciones de emergencia y extraordinarias, recurriendo a las nuevas tecnologías en todos aquellos aspectos que hemos comentado. Y debe articularse la manera de que se puedan celebrar sesiones parcialmente telemáticas, al menos para situaciones y condiciones tasadas, y en concreto para situaciones de emergencia sanitaria o constitucional. En mi opinión, lo contrario supone limitar injustificadamente el derecho fundamental de los parlamentarios al ejercicio de sus funciones parlamentarias (art. 23.2 CE). Este derecho se puede modular en la forma de ejercicio, dadas las circunstancias de afectación a la salud pública, pero en ningún caso es susceptible de ser suspendido ni restringido durante la vigencia de

---

[36]   Carrasco Durán, M., "El Parlamento ante la pandemia de la COVID-19. El caso del Parlamento de Andalucía", en *El Parlamento ante el COVID 19*, Cuadernos de la Fundación Manuel Giménez Abad, núm. 8, junio 2020, pág. 30.

[37]   Mellado Prado, P., "El problema de la continuidad del Parlamento: la Diputación Permanente", en *Revista de Derecho Político*, núms. 27-28, 1988, pág. 49.

los estados excepcionales, de acuerdo con la Constitución. Pasado ya más de un año desde el inicio de la pandemia, resulta injustificable que en el Congreso de los Diputados no se haya siquiera iniciado una reforma reglamentaria que aborde esta cuestión. Tampoco parece que en el debate público se esté discutiendo sobre ello entre los políticos. Quizá es porque piensen que esta será la última pandemia; espero que no. En la próxima deberíamos estar mejor preparados, y nuestro ordenamiento jurídico necesita renovar y actualizar sus instrumentos. No podemos olvidar lo que comentábamos de Blühdorn al inicio de estas líneas: en este momento de "giro posdemocrático", es más necesario que nunca que los ciudadanos se sientan reflejados en lo que ven en el Parlamento. No estoy seguro de que sea así, ni de que se esté tomando el camino adecuado para remediarlo.

5. BIBLIOGRAFÍA

Alonso Prada, V.E., "El control del Congreso de los Diputados al Gobierno y la actividad parlamentaria durante el estado de alarma", en *Gabilex, Revista del Gabinete jurídico de Castilla-La Mancha*, N° 21 (N° Extraordinario 2020). Disponible en: https://gabilex.castillalamancha.es/sites/gabilex.castillalamancha.es/files/pdfs/articulo_victor_alonso.pdf

Anguita Susi, A. "La praxis de la delegación del voto en el Parlamento de Andalucía", en *Administración de Andalucía. Revista Andaluza de Administración Pública*, núm. 94, 2016, págs. 259-267.

Blühdorn, I., *La democracia simulativa. Nueva política tras el giro posdemocrático*, Editorial Temis, Bogotá, 2020

Caamaño Domínguez, F., *El mandato parlamentario*, Madrid, Congreso de los Diputados, 1991.

Carrasco Durán, M., "El Parlamento ante la pandemia de la COVID-19. El caso del Parlamento de Andalucía", en *El Parlamento ante el COVID 19*, Cuadernos de la Fundación Manuel Giménez Abad, núm. 8, junio 2020, págs. 28-36.

Castellà Andreu, J.M., "Incidencia de la Covid-19 sobre la democracia constitucional: reflexiones desde España", *Letras libres*, 15 de abril 2020. Disponible en: https://www.letraslibres.com/espana-mexico/politica/incidencia-la-covid-19-sobre-la-democracia-constitucional-reflexiones-desde-espana

Castellà Andreu, J.M. "La Comisión de Venecia y los estados de emergencia: la necesaria preservación del Estado de Derecho y la democracia constitucional durante la crisis de la covid-19", en Biglino Campos, P.; Durán Alba, F. *Los Efectos Horizontales de la COVID sobre el sistema constitucional*, Colección Obras colectivas, Fundación Manuel Giménez Abad, Zaragoza, 2020. DOI: https://doi.org/10.47919/FMGA.OC20.1019

Clementi, F., "Il lascito della gestione normativa dell'emergenza: tre riforme ormai ineludibili", *Osservatorio AIC*, núm.3, 2020. Disponible en: https://www.osservatorioaic.it/images/rivista/pdf/2020_3_04_Clementi.pdf

Comisión de Venecia, "Compilación de la Comisión de Venecia de opiniones e informes sobre Estados de emergencia", *Revista General de Derecho Constitucional*, núm. 32, 2020.

Comisión de Venecia, Informe provisional (*Interim Report*) sobre las medidas tomadas por los Estados de la Unión Europea como resultado de la crisis covid-19 y su impacto en la democracia, el Estado de Derecho y los derechos fundamentales, CDL-AD(2020)018, párr. 72. Disponible en: https://www.venice.coe.int/webforms/documents/default.aspx?pdffile=CDL-AD(2020)018-e

Cruz Villalón, P., "El nuevo derecho de excepción", en *Revista española de Derecho Constitucional*, núm. 2, págs. 93-130.

De Miguel Bárcena, J., "La personalidad e indelegabilidad del voto y las reformas de los reglamentos de los parlamentos autonómicos", en *Revista Española de Derecho Constitucional*, núm. 90, 2010, págs. 149-169.

De Vega, P., "El principio de publicidad parlamentaria y su proyección constitucional", en *Revista de Estudios Políticos*, núm. 43, 1985, pp. 45-65.

García-Escudero Márquez, P., "La ductilidad del derecho parlamentario en tiempos de crisis: actividad y funcionamiento de los parlamentos durante el estado de alarma por COVID-19", en *Teoría y Realidad Constitucional*, núm. 46, 2020, págs. 271-308.

García Escudero, P., "Actividad y funcionamiento de las Cortes Generales durante el estado de alarma por COVID-19", en *El Parlamento ante el COVID 19*, Cuadernos de la Fundación Manuel Giménez Abad, núm. 8, junio 2020, págs. 18-27.

García de Enterría Ramos, A., & Navarro Mejía, I., "La actuación de las Cortes Generales durante el estado de alarma para la gestión de la crisis del COVID-19", *Revista De Las Cortes Generales*, núm. 108, págs. 245-288. https://doi.org/10.33426/rcg/2020/108/1487

Mellado Prado, P., "El problema de la continuidad del Parlamento: la Diputación Permanente", en *Revista de Derecho Político*, núms. 27-28, 1988, págs. 395-418.

Mastromarino, A. (2020). "La respuesta a la emergencia Covid-19: el caso italiano". Biglino Campos, P.; Durán Alba, F. *Los Efectos Horizontales de la COVID sobre el sistema constitucional*, Colección Obras colectivas, Fundación Manuel Giménez Abad, Zaragoza. DOI: https://doi.org/10.47919/FMGA.OC20.0024

Schmitt, C., *Die geistesgeschichtliche Lage des heutigen Parlamentarismus*, Duncker y Humblot, Berlín, 10ª. edición, 2017

Tudela, J., "Parlamento y crisis sanitaria. Reflexiones preliminares", en *El Parlamento ante el COVID 19*, Cuadernos de la Fundación Manuel Giménez Abad, núm. 8, junio 2020, págs. 6-16.

El gobierno ante situaciones de emergencia

ANTONIO PORRAS NADALES

Catedrático de Derecho Constitucional
Universidad de Sevilla

In memoriam, al Profesor Miguel Angel Aparicio

1. INTRODUCCIÓN: ESTRATEGIAS DE PARTIDA

La gestión de una crisis constituye el principal banco de pruebas al que puede verse enfrentado un gobierno, obligando a la urgente puesta en marcha de todo el instrumental jurídico e institucional a disposición de los modernos Estados intervencionistas. En condiciones de razonable normalidad social, tal tensión intervencionista corre siempre el riesgo de diluirse o desvanecerse ante la inercia de lo cotidiano y las esferas públicas acaban con frecuencia dejándose caer indolentemente del lado de la no-acción o camuflando sus negligencias bajo el placebo de una pura acción virtual. En cambio, las situaciones de emergencia se configuran como la auténtica hora de la verdad, cuando la capacidad de respuesta pública no admite dilaciones ni falsas vías de salida.

Desde la doctrina constitucional se ha desarrollado un modo tradicional de encuadrar tales situaciones excepcionales que acaso no siempre responde de forma adecuada a las exigencias intervencionistas urgentes y sobrevenidas propias de momentos de crisis. Siguiendo una visión inercial dominante, la doctrina se orienta en general hacia la parte dogmática de las Constituciones; o sea, hacia el ámbito que se considera como el punto álgido de la excepcionalidad. Así la preocupación nuclear del constitucionalismo se sitúa en torno a los problemas de suspensión o limitación de derechos fundamentales, considerando que es aquí donde se ubica el escenario crítico de toda situación excepcional ([1]).

Ahora bien, aunque este planteamiento no admite de entrada grandes discusiones, sí implica indirectamente dejar de lado el ámbito correspondiente a la parte orgánica; es decir, al estudio del instrumental intervencionista que debe ponerse en marcha desde el sistema institucional ante situaciones de necesidad urgente y sobrevenida, donde en principio no existen protocolos ni pautas preestablecidas sino más bien un contexto de pura incertidumbre. O sea, desde la preocupación nuclear por los derechos suspendidos o limitados, el foco se acabaría desplazando hacia el instrumental operativo que debe ponerse en marcha, y al modo como el sistema institucional debe adaptarse estratégicamente a la nueva situación de emergencia generando respuestas urgentes y adecuadas.

Pero si de la preocupación por la parte dogmática pasamos a ocuparnos del sistema institucional, resulta evidente que, ante una situación de crisis, los parámetros normales de encuadramiento de la gobernabilidad resultan dramáticamente sobrepasados: de entrada, la estrategia habitual de la programación general de la acción de gobierno, diseñada normalmente de forma apriorística a comienzos de la legislatura, decae de forma automática ante la súbita aparición de necesidades sobrevenidas nuevas y urgentes que deben ser respondidas de forma inmediata por las instancias gubernamentales sin que se hayan diseñado con anterioridad estrategias definidas o se haya pergeñado siquiera un instrumental específico de respuesta. En consecuencia, ante la ausencia de criterios preestablecidos, las pautas de la tradicional gobernabilidad (entendida como previsión estratégica de

---

[1]   Sobre el tema, desde una perspectiva internacional, cfr. recientemente Escobar Roca, G., "Los derechos humanos en estados excepcionales y el concepto de suspensión de derechos fundamentales", *Revista de Derecho Político*, Núm. 110, 2021. Igualmente cfr. Domínguez Zorrero, Manuel, "Estados excepcionales y garantía de derechos fundamentales en Latinoamérica", *Revista de Estudios Políticos*, Núm. 81, 1993.

una acción diseñada con antelación) parecen decaer para pasar a ser sustituidas por la pura y simple capacidad de respuesta, que deberá ser improvisada sobre la marcha.

De este modo resulta que los marcos normativos de los diferentes estados excepcionales, al limitarse por lo general a prever una suspensión de derechos o libertades, estableciendo ciertas garantías de plazos y procedimientos, acaban dando por supuesto que el organigrama operativo del eje gobierno-administración se moverá por sí sólo, de forma automática o espontánea, para encontrar respuestas eficaces a la emergencia. Lo que constituye una inocente presunción que en la práctica carece de confirmación suficiente. Por el contrario, ante situaciones de emergencia el punto de partida de toda estrategia de acción de los aparatos públicos consiste en que sus dirigentes no tienen ni idea de qué hacer o de cómo hacerlo, situándonos así ante un contexto de grave incertidumbre. Un auténtico vacío de racionalidad estratégica desde el cual habrá que generar toda una serie de respuestas inmediatas que, de forma inevitable, correrán el riesgo de ser algo precipitadas o escasamente reflexionadas.

Inicialmente podría hablarse de una especie de estrategia de "salida", en el sentido de Hirschman ([2]): o sea, de huida desde las esferas político-gubernamentales hacia un circuito externo, la esfera del conocimiento experto, del que esperamos en principio obtener respuestas operativas ante problemas imprevistos ([3]). Pero naturalmente, los expertos -en este caso expertos sanitarios- carecen de conocimientos suficientes en materia de acción pública, generando así un efecto de retorno sobre la esfera gubernamental, que tendrá que poner en marcha en su caso las medidas, propuestas o recomendaciones que se susciten desde el ámbito del conocimiento experto.

Y retornados hacia la esfera gubernamental de partida, encontramos la *primera* y acaso la más elemental respuesta ante contextos de crisis: atribuir a la esfera gubernamental central una capacidad exor-

---

[2]   Hirschman, A. O. *Exit, Voice and Loyalty, responses to decline in firms, organizations and states*, Cambridge, Mass, 1970, Harvard UP.

[3]   Jassanoff, Sheila, *The Fifth Branch. Science advisors as policymakers*, Harvard UP, 1994. Thatcher, Mark, "The Third Force? Independent Regulatory Agencies and Elected Politicians in Europe", *Govenance: An International Journal of Policy, Administration, and Institutions,* Vol. 18, No. 3, 2005.

bitante para decidir, desde una perspectiva jerárquico-unitaria, sobre *todo* lo relacionado con la gestión de la crisis: o sea, una sola autoridad que lo decide todo. Se trata en este caso de una vía de respuesta relativamente elemental, que implica un retorno hacia las remotas raíces militaristas que subyacen en las visiones de la potestad coactiva del Estado: la confianza en una lógica jerárquica que unifica en un único mando supremo la capacidad de decidir, dando por supuesto que un esquema de ordeno y mando al estilo militar implica un modo de transmisión inmediata de órdenes y decisiones capaces de alcanzar un nivel de eficacia inmediata.

La hipótesis de que una sola autoridad omnipotente constituye la mejor respuesta a una situación de emergencia se ha visto enfrentada en España, a partir de marzo de 2020, a un contexto duradero que imponía un considerable desgaste para el gobierno: no sólo en términos de coste parlamentario para la renovación quincenal del estado de alarma, sino igualmente en términos de pura eficacia de la acción de gobierno ante un entorno de emergencia por una grave pandemia mantenida en el tiempo. Lo que ha dado lugar a una *segunda* y posterior estrategia de respuesta, consistente en movilizar a los gobiernos autonómicos, haciendo de la gobernanza territorial el principal eje de tensión de la lucha contra la pandemia.

La pregunta puede formularse pues a un nivel puramente elemental: ¿desde dónde se responde mejor a una emergencia como la del covid-19, desde el gobierno central o desde los gobiernos autonómicos? Ambos niveles de respuesta, que reflejan la dualidad de nuestro sistema de gobierno en clave territorial, se han sucedido y en parte se han superpuesto a lo largo del año 2020, imponiendo diferentes estrategias gubernamentales de lucha contra la pandemia cuyo eje instrumental final ha venido a ser prácticamente el mismo: el confinamiento de la población. Es decir, la superposición dinámica de diversas esferas institucionales operando con diferentes estrategias en distintos momentos ha girado al final sobre un único punto de llegada: que los ciudadanos nos quedemos en nuestras casas. La misma estrategia que opera el nivel comparado y que responde a las viejas pautas históricas de las cuarentenas.

Es posible que no hayamos entendido adecuadamente que este tipo de acción esconde en definitiva un singular modo de no-acción: si los ciudadanos nos quedamos en nuestras casas, los gobernantes no tendrán nada que hacer, salvo controlar el cumplimiento efectivo de las medidas de confinamiento o de las precauciones sanitarias anti-contagio, como el uso de mascarillas u otras medidas de higiene: el resto será pura asistencia sanitaria. La responsabilidad de la lucha contra la pandemia pasaría así en última instancia hacia el protagonismo indirecto de los propios ciudadanos que, sin embargo, se ven obligados al mismo tiempo a un pasivo confinamiento.

Esta retracción obligada de la sociedad deja pues en una situación de protagonismo único a las esferas gubernamentales, desde las cuales se ha asumido en la práctica toda la estrategia general de lucha contra la pandemia. Una situación de evidente riesgo para la calidad democrática y para los equilibrios inherentes al sistema de poderes de todo Estado democrático de Derecho, que ha suscitado en nuestro caso un peligroso desbordamiento de los límites constitucionales, exigiendo la puesta en marcha de todos los instrumentos de alerta y control.

2. EL MARCO ORIGINARIO DE LA GOBERNABILIDAD: EL GOBIERNO ANTE EL CONGRESO

Siguiendo pues lo que sería la primera y elemental estrategia de respuesta, a partir de marzo de 2020 el gobierno español va a tratar de enfrentarse perfectamente sólo a la crisis; con la única salvedad procesal del control quincenal del Congreso a efectos de la correspondiente prórroga del estado de alarma exigida por la Constitución y la Ley Orgánica de 1981. En principio se trataría de una respuesta que desde la opinión pública se daba por perfectamente aceptada, al considerarse como la primera y más directa respuesta "normal" ante una situación excepcional en el contexto de una democracia parlamentaria. En consecuencia, igualmente debía considerarse como normal el control quincenal del Congreso a la hora de valorar las perspectivas de prórroga del estado de alarma.

Tras esta primera respuesta subyacía evidentemente un problema de mayor calado consistente en que la gravedad de la situación suscitaba la duda de si la estrategia adecuada consistía en el mecanismo del estado de alarma, tal como se diseñó originariamente en la Ley

Orgánica de 1981 o, por el contrario, si nos encontrábamos ante una hipótesis sustantiva de mayor gravedad, más propia en consecuencia de un estado de excepción. Lo que al final debió ser el objeto principal de deliberación en la Sentencia 148/2021, de 14 de julio, del Tribunal Constitucional.

Ciertamente la capacidad real de respuesta desde la esfera gubernamental central comenzaba ya desde un primer momento a mostrar algunos límites que, en rigor, cabría considerar como preexistentes. Y es que un Ministerio de Sanidad que llevaba décadas sin asumir la gestión directa de la sanidad (en manos de las Comunidades Autónomas) carecía en efecto de algunos de los recursos y conocimientos operativos necesarios para luchar contra la pandemia: la adquisición urgente de material sanitario se demostró bien pronto como una tarea problemática, y alguna empresa pirata china acabó suministrando un material fraudulento. Los mensajes explicativos a la opinión pública se hicieron confusos y contradictorios. Los criterios de "expertos" y no tan expertos se sumergían en una confusión creciente, y la aparente seguridad que debía suscitarse desde un entorno institucional centralizado se transformaba en un ambiente de creciente incertidumbre, multiplicada por el efecto explosivo de las propias consecuencias de la pandemia. Mientras que la gestión operativa de los centros sanitarios seguía en manos de sus titulares, las respectivas Comunidades Autónomas.

La centralidad del Ministerio de Sanidad como eje activo de la lucha contra la pandemia, con el apoyo de un fantasmal e inexistente "comité de expertos", se traducía así desde un primer momento en un auténtico desbordamiento que reflejaba dramáticamente la insuficiencia de las capacidades de respuesta pública ante la crisis.

2.1. Los ámbitos periféricos

Ciertamente la primacía de la autoridad sanitaria, unificando criterios de actuación y estableciendo las pautas estratégicas básicas, tenía sus inconvenientes o incertidumbres en términos de consecuencias imprevistas: y es que la focalización de toda la estrategia de acción en el ámbito *sanitario* dejaba imperceptiblemente de lado a otros circuitos periféricos o ajenos al estricto ámbito sanitario que, al convertirse en circuitos no focalizados, o de no-acción, bien pronto iban a demostrar sin embargo una especial relevancia.

El primero de esos circuitos periféricos sería el asistencial, especialmente el referido a las *residencias de mayores*, que en apariencia constituían un ámbito ajeno al estrictamente sanitario ([4]), donde bien pronto comenzaron a detectarse unas cifras de fallecimientos explosivas sin que llegara a justificarse la existencia de una atención sanitaria adecuada. El propio silencio informativo en que tal brecha quedó sumergida durante más de un año nos refleja seguramente la gravedad del asunto: ningún responsable del ejecutivo compareció, ni respondió, ni se hizo mínimamente cargo de las dramáticas cifras con las que tuvieron que lidiar unos equipos asistenciales precarios y con escasos recursos, sin posibilidad de derivar determinados pacientes hacia el circuito puramente sanitario. Ante el clamoroso silencio de la flamante Vicepresidencia de Asuntos Sociales, las residencias de ancianos se convirtieron en un sumidero de cadáveres que con frecuencia procuraban ocultarse de la opinión pública. Los responsables del sector asistencial afectado se enfrentaron al vacío de unas instituciones sanitarias que consideraban a las residencias de ancianos como un sector ajeno, que debía enfrentarse a la crisis con sus propios recursos.

Un segundo circuito periférico, seguramente menos perceptible de forma inmediata pero igualmente de efectos negativos sobre la pandemia, fue el del *control de aeropuertos*. Un sector donde se ha sido especialmente vigilante en ciertos países, pero donde de forma inexplicable en España se prefirió optar por la estrategia de la no-acción. Resulta sorprendente que, a pesar de que ciertas autoridades autonómicas lo reclamaran de forma insistente, los aeropuertos españoles hayan sido durante largos meses como unos pasillos abiertos por los que acaso ha debido circular una población potencialmente portadora del coronavirus sin la menor señal de alerta. Lo que contradice cualquier estrategia de cuarentena colectiva con pretensiones de consistencia. La prevalencia del eje sanitario como circuito único de respuesta a la crisis demostraba pues sustanciales carencias en otros

---

[4]   Sobre el tema cfr. Martínez Navarro, J. A. "Los efectos de la Covid-19 en las residencias de mayores", *Revista Vasca de Administración Pública*, Núm. 119, 2021.

circuitos relativamente ajenos al propio núcleo sanitario de respuesta a la crisis.

Otro aspecto no menos relevante, y en apariencia marginal, sería el del control de la *población no domiciliada*, es decir, de los migrantes internos, como los temporeros, que parecen haber sido la causa de una oleada pandémica generada en Aragón. Y es que el confinamiento domiciliario tiene plena congruencia cuando todos y cada uno de los ciudadanos disponen de un domicilio propio, pero deja fuera de foco a la llamada población transeúnte, donde se incluye toda una pluralidad de potenciales destinatarios perfectamente alejados de toda posibilidad de confinamiento.

En definitiva, la centralidad del eje sanitario como estrategia de lucha focalizada contra la pandemia dejaba de lado determinadas áreas externas altamente sensibles, que se acabaron configurando finalmente como espacios problemáticos o de bloqueo que venían a frenar a la postre la eficacia global de la estrategia gubernamental.

2.2. El ámbito institucional central

Por lo que respecta al ámbito institucional central, es decir, al eje gobierno-parlamento, bien pronto comenzaron a detectarse también algunos fenómenos de enrarecimiento. En primer lugar, el trámite de la renovación quincenal por parte del Congreso iba a empezar a generar señales de fatiga parlamentaria: la precariedad de la mayoría gubernamental y la heterogeneidad de algunos de los grupos que configuran sus principales apoyos, hacen que ya a la altura del mes de mayo de 2020 comiencen a detectarse algunas señales de alerta, al quedar en manos de la oposición la posibilidad de renovar el plazo quincenal establecido. O sea, el circuito de control parlamentario suscitaba una evidente amenaza ante las exigencias de continuidad del estado de alarma, sin que se percibiera la existencia o la preparación de mecanismos alternativos, o plan B, para luchar contra la pandemia al margen del estado de alarma.

En paralelo, un segundo elemento de enrarecimiento comienza a desencadenarse de forma inmediata: la centralidad gubernamental, que se concentra en manos del Presidente, da lugar a sesiones semanales de largos y melifluos discursos presidenciales que despiertan inmediatas resonancias de las sesiones de "Aló Presidente" propias de algunos regímenes bolivarianos. Un evidente riesgo para la calidad democrática del sistema, que se aparece como la inevitable consecuencia de un exceso de protagonismo presidencial personalizado, operando en un entorno contextual propio de la gobermedia: donde el marco habitual de los debates deliberativos propios de la dinámica parlamentaria se sustituye por los monólogos de las comparecencias presidenciales trasmitidas por vía mediática ([5]), lo que trae consigo un inevitable riesgo de deriva populista ([6]).

En definitiva, el ámbito institucional central comenzaba a presentar algunas ineficiencias emergentes que desmontaban el deslumbrante espejismo inicial de un único poder central dotado de todos los recursos necesarios para luchar eficazmente contra la pandemia, enfrentándonos así a un ambiente de precariedad donde predominaba el desbordamiento, la confusión y la más pura improvisación llena de contradicciones y rectificaciones.

Sin embargo, en apariencia, esta primera fase de lucha gubernamental contra la pandemia pareció comenzar a ofrecer provisionalmente algunos resultados positivos: tras el primer y duro confinamiento colectivo, y contando con el ímprobo esfuerzo de todos los recursos sanitarios movilizados, la esfera gubernamental parecía cantar victoria a las puertas del verano de 2020, al darse por superado el periodo álgido de la pandemia para entrar en un contexto de desescalada o de "nueva" normalidad: la siniestra dinámica de las sucesivas "oleadas" aún no se había hecho presente en la realidad española.

---

[5]   Una tendencia que no constituye en rigor una novedad, sino más bien una pauta anterior o preexistente que parece consolidarse a lo largo del tiempo y que se refuerza dramáticamente en contextos de emergencia. Sobre el tema cfr. Porras Nadales, Antonio, *La acción de gobierno. Gobernabilidad, gobernanza, gobermedia*, Madrid, 2014, Trotta. Porras Nadales, Antonio "La agenda del gobierno", *Revista de Fomento Social*, 2015, 70, págs. 245-279.

[6]   Porras Nadales, Antonio "Síndrome de Estocolmo", *Diario de Sevilla*, Tribuna, 20 junio 2020, y "La deriva autoritaria", *Ibid.*, 21 noviembre 2020.

3.   EL COLAPSO DEL MODELO INICIAL

El sistema ordinario de prórrogas quincenales iniciado con el Decreto-Ley 463/2020 de 14 de marzo durará finalmente hasta el 21 de junio, con la única novedad sustantiva de que comienzan a introducirse con un rol activo a los Presidentes de las Comunidades Autónomas, en la llamada Fase III de la desescalada (Decreto-Ley 555/2020 de 5 de junio, que atribuye competencias a favor de los Presidentes autonómicos). Un lapso total pues de seis prórrogas, a lo largo del cual comienzan a suscitarse algunas cuestiones problemáticas relacionadas con la actividad gubernamental.

Básicamente, la duda trascendental de si durante un estado de alarma la acción de gobierno debe limitarse a la pura gestión de la crisis o, por el contrario, si cabe en paralelo una puesta en marcha del programa ordinario de gobierno, concretado en el discurso de investidura, donde se ha objetivado la confianza parlamentaria expresada por el Congreso al comienzo de la legislatura. O sea, si durante un periodo de emergencia se trata única y exclusivamente de luchar contra las causas de la emergencia; o si, en paralelo a dicha emergencia, coexiste un escenario de precaria "normalidad" que permite el funcionamiento ordinario del sistema. Una normalidad que, en todo caso, no afectaría al ámbito de la sociedad, sumergida en un duro confinamiento.

Teóricamente cabría entender que, si el estado de alarma durara un tiempo reducido, toda la actividad ordinaria de gobierno (o, al menos, la referida a la pura aplicación de su programa) debería quedar en suspenso, para ponerse en marcha en un momento posterior de vuelta a la normalidad institucional. O sea, el gobierno estaría operando al modo de un gobierno en funciones, limitándose a las rutinas de la mera gestión de las cosas o al puro y simple trámite de los asuntos y servicios ordinarios, sin entrar a operar en claves de gobernabilidad ni a poner en marcha innovaciones estratégicas deducidas de su propio programa de gobierno ([7]).

---

[7]   Se trata de una cuestión que ha generado considerable preocupación en España debido a la permanencia en el tiempo de gobiernos cesantes y formalmente en funciones. Sobre el tema, Reviriego Picón F. *El gobierno cesante o en funciones en el ordenamiento constitucional español*, Madrid, 2003, BOE y Universidad Carlos III. Reviriego Picón, F. "La permanencia en funciones del Gobierno en la

Ahora bien, ante una alarma duradera que sustantivamente se aproxima a un estado de excepción, se plantean como mínimo dos tipos de cuestiones críticas: en primer lugar, el de los ámbitos de gestión "ordinaria" de servicios públicos cuya suspensión no puede prorrogarse indefinidamente. Lo que, además de ciertos servicios considerados como esenciales, ha afectado especialmente a la actividad educativa, que en sus niveles primarios debía desenvolverse presencialmente, suscitando numerosas interrogantes en términos de riesgo de trasmisión viral en los centros de enseñanza. Pero, en segundo lugar, se plantea la cuestión mucho más problemática de si es posible poner en marcha medidas innovadoras deducidas del programa de gobierno durante la vigencia de un estado de alarma.

3.1. Aplicación del programa de gobierno

En este caso se trata de estrategias de gobierno que pretenden iniciarse en un contexto de anormalidad socioinstitucional, aunque perfectamente al margen de la lucha contra la pandemia, operando en la práctica un efecto de desbordamiento de los instrumentos excepcionales en manos del ejecutivo, como el Decreto-Ley, y rompiendo con el sistema ordinario de controles y de equilibrios entre poderes propio de momentos de normalidad institucional.

La duda razonable de si un estado excepcional debe implicar la interrupción transitoria de toda actividad de programación gubernamental se enfrentaba pues a una realidad confusa donde comienza a constatarse que el ejecutivo estaría aprovechando el río revuelto de la alarma para actuar excepcionalmente en ámbitos ordinarios de su programación. De este modo los instrumentos ordinarios de control de nuestro Estado de Derecho, tanto de tipo político como judicial,

---

doctrina del Tribunal Supremo", *Revista Española de Derecho Constitucional*, Núm. 109, 2017. Naranjo de la Cruz, R. "El ámbito funcional del Gobierno cesante", *Cuadernos constitucionales de la Cátedra Fadrique Furió Ceriol*, Núm. 36-37, 2001. Brage Camazano J. y Reviriego Picón, F. "Gobierno en funciones y despacho ordinario de los asuntos públicos (Las SSTC de 20 de septiembre y 2 de diciembre de 2005), *Teoría y Realidad Constitucional*, Núm. 18, 2006. Aragón Reyes, M., "El gobierno en funciones: su ámbito competencial y su control parlamentario. Comentario a la STC 124/2018, de 14 de noviembre", *Revista Española de Derecho Constitucional*, Núm. 119, 2020.

comienzan a soportar una sobrecarga excesiva, en un entorno donde la presencia activa de la propia sociedad está anulada como consecuencia del confinamiento.

La cuestión afectaba en primer lugar a una de las políticas estrella del gobierno presidido por Pedro Sánchez, la educativa, donde tiene lugar la aprobación de una nueva ley de educación, la Ley Orgánica 3/2020 de 30 de diciembre, reanudando así el consabido círculo vicioso en que viene decayendo la política educativa en España, donde cada mayoría entrante pretende reformar el sistema de una forma "definitiva" aplicando su propio modelo educativo. Pero adicionalmente se inicia todo un ambicioso plan estratégico de reforma de la Formación Profesional anunciado ya en julio de 2020 y sustentado en el correspondiente plan estratégico aprobado en Consejo de Ministros en noviembre de 2019. Un proyecto que, aunque responde a un diagnóstico largamente compartido, se va a autoalimentar a lo largo del tiempo ante las perspectivas de los fondos europeos *Next Generation* para la reconstrucción post-covid, dando lugar a una ambiciosa estrategia reformista que afecta al sistema de convalidación de títulos de FP, la renovación de titulaciones en sectores estratégicos (como la robótica, los equipos aeronáuticos o la biofarmacia); todo ello a ubicar dentro de las estrategias generales del Plan de Recuperación de la UE, es decir, en las agendas verde y digital.

Otros sectores de la actividad ordinaria del gobierno parecen tener en cambio una menor centralidad, aunque prosiguen su mantenimiento inercial a lo largo del tiempo. La sospecha que comienza a evidenciarse es que uno de los partidos de la coalición gobernante estaría tratando de "colar" algunas de sus propuestas programáticas aprovechando las circunstancias excepcionales que impone la pandemia. Así la propuesta de endurecer los requisitos del sistema de apuestas deportivas, presentada por el ministro Garzón en julio de 2020, sería finalmente concretada en el Decreto-Ley 958/2020 de 3 de noviembre, bajo el más duro impacto de una nueva oleada pandémica. Un mejor sentido coyuntural reviste la introducción del salario social o renta básica (ingreso mínimo vital), con una evidente centralidad estratégica debido a las nefastas consecuencias sociales que va dejando la pandemia: aunque su proceso de implementación se haya saldado hasta ahora con un alto grado de fracaso. Pero, en cambio, ni las leyes de transexualidad (en largo trámite como proyecto) o de eutanasia

(Ley Orgánica 3/2021 de 24 de marzo) parecen tener una justificación coyuntural ajustada a las necesidades emergentes de la pandemia.

La constatación final sería pues que el ejecutivo está encarando la aplicación parcial de su programa ordinario de gobierno sin tener en cuenta la propia excepcionalidad de la situación.

3.2. La Constitución desbordada

Pero, sobre todo, la fatiga parlamentaria del ejecutivo ante los difíciles trámites de renovación quincenal de los estados de alarma va a suscitar una respuesta que desborda ampliamente los límites constitucionales y legales establecidos: nada menos que la pretensión de establecer un estado de alarma para seis meses, que se formula en el mes de junio para formalizarse finalmente en octubre mediante el Decreto-Ley 926/2020. En este caso se trata de una ruptura total de la Constitución que en su artículo 116 limita la duración de los estados de alarma a quince días, con independencia del número de potenciales prórrogas quincenales que puedan añadirse [8]. Lo que venía a confirmar pues que la gravedad de la situación desbordaba las coordenadas propias de un estado de alarma.

Pero atribuir al órgano encargado de autorizar la prórroga del estado de alarma la posible duración futura del mismo constituye una hipótesis similar a atribuir al Congreso, en el acto de la investidura, determinar la duración del mandato del gobierno. ¿Cuáles son las razones que pretendían justificar este desbordamiento frontal de la Constitución?

En primer lugar, el gobierno va a manejar argumentos contextuales, o propios de una suerte de *soft law*, que se pueden utilizar flexiblemente a modo de diagnóstico estratégico general en el contexto de

---

[8] Cruz Villalón, Pedro, *Estados excepcionales y suspensión de garantías*, Tecnos, 1984. Aba Catoira Ana, "El estado de alarma en España", *Teoría y Realidad Constitucional*, Núm. 28, 2011. Porras Nadales, Antonio "Quince días", *Diario de Sevilla*, Tribuna, 29 octubre 2020. En rigor estaríamos ante una suerte de estado de excepción encubierto; sobre el tema cfr. Fernández de Casadevante, Pablo, "Los derechos fundamentales en estado de alarma: una suspensión inconstitucional", *Revista Vasca de Administración Pública*, Núm. 119, 2021. La hipótesis ha venido finalmente a ser confirmada por la posterior STC de octubre de 2021.

excepcionalidad institucional. Por una parte, la Comunicación "Hoja
de ruta común europea para el levantamiento de las medidas de contención de la COVID-19", presentada el 15 de abril de 2020 por la
Presidenta de la Comisión Europea y el Presidente del Consejo Europeo. A lo que se une, en clave interna, el "Plan para la transición hacia una nueva normalidad" aprobado en Consejo de Ministros de 28
de abril y posteriormente transformado en el Decreto-Ley de Nueva
Normalidad de 9 de junio 2020. Por su parte el 16 de julio el Consejo
Interterritorial aprueba el llamado *Plan de Respuesta Temprana*, inte-
grando tanto actuaciones de respuesta coordinada como una serie de
recomendaciones.

Se trata de líneas generales de acción que revisten una dimensión
precaria y coyuntural y que, lógicamente, no se ajustan a un plazo de
programación predefinido. Detrás de tales documentos lo que subyace es una emergente mutación de las claves justificativas de la alarma:
o sea, la transformación de una crisis estrictamente sanitaria en una
crisis general que afecta a la economía, a los servicios públicos, y en
definitiva al conjunto de la sociedad mundial: una situación de excepcionalidad imposible de abordar desde los limitados márgenes de un
estado de alarma. En este contexto, el uso coyuntural del concepto de
"nueva normalidad" se configura como un mero argumento retórico
de enmascaramiento.

El problema es que, si la transformación del diagnóstico de partida
puede considerarse como algo más o menos aceptado o compartido,
aunque sea de una forma ambigua o difusa, sin embargo, las estrategias de respuesta al mismo se acaban moviendo dentro de categorías
antitéticas o contradictorias: se trata de la confusión, y a veces el en-
frentamiento, entre las nociones de desescalada y/o mantenimiento,
que se superponen difusamente al ritmo que van marcando las sucesivas oleadas; del mismo modo que se superponen las estrategias de
emergencia sanitaria con las de emergencia socioeconómica general.
A lo que se une la confusa yuxtaposición entre soportes puramente
normativos (los numerosos Decretos-Leyes) y los abundantes elementos de *soft law* que incluyen más bien recomendaciones o meras orientaciones. Todo ello, repetimos, siguiendo el confuso ritmo que iban
marcando las diferentes oleadas.

O sea, estaríamos ante un contexto general de desbordamiento y confusión, donde el abanico de posibilidades instrumentales de actuación se despliega en una multitud de ámbitos contradictorios y perspectivas oscilantes, con errores y rectificaciones que se van sucediendo a lo largo del tiempo, sin un criterio de racionalidad estratégica bien definido. Un ejemplo dramático de lo que Luhmann denominó hace años como una "crisis de reflexión" ([9]), donde no existe un ámbito racional-unitario de respuesta pública dotado de una mínima estabilidad, sino más bien una multiplicidad de planos de actuación contradictorios y dotados en todo caso de una racionalidad coyuntural y limitada.

4. HACIA LA GOBERNANZA TERRITORIAL

El escenario suscitaba pues un auténtico vértigo de crisis socioinstitucional carente de pautas definidas de orquestación, y alimentado adicionalmente por el propio circuito internacional o supraestatal, donde igualmente se percibía la ausencia de criterios sustantivos de respuesta ([10]). Nos enfrentábamos así al inexorable precipicio colectivo de un sálvese quien pueda.

De este modo, en ausencia de un Plan B formalmente definido o preestablecido, la estrategia de lucha contra la gran crisis se va a acabar desplazando hacia el propio marco institucional preexistente: es decir, hacia el circuito de la gobernanza territorial de nuestro Estado autonómico.

A finales de octubre de 2020 el Congreso de los Diputados se practica el harakiri y autoriza la prórroga decretada por el Gobierno por un periodo de seis meses; con la única obligación por parte del Presidente de comparecer ante el Pleno del Congreso cada dos meses para dar cuenta de los datos y gestiones en relación con la aplicación del estado de alarma, y que el ministro de Sanidad hará lo propio compareciendo ante la Comisión de Sanidad y Consumo con periodicidad

---

[9] Luhmann, Niklas, *Teoría política en el Estado del bienestar*, Madrid, 1993, Alianza.

[10] Sanahuja, José Antonio, "COVID-19: riesgo, pandemia y crisis de gobernanza global" *Anuario CEIPAZ* 2019-2020.

mensual. Una mutación constitucional que viene a demostrar a posteriori que la gravedad de la situación se ubicaba más bien dentro de los parámetros propios de un estado de excepción.

Pese a la intensidad del impacto constitucional, sin embargo, desde la propia arena política el asunto no parecía revestir una especial gravedad en la medida en que los distintos gobiernos autonómicos (dirigidos por diferentes partidos) iban a asumir ahora una cuota incremental de poder decisional: lo que parece venir a satisfacer las pretensiones de poder de los partidos, compensando o amortiguando la mordaza impuesta al Congreso. Se trata al fin y al cabo de un escenario que tenía ya un cierto recorrido previo en nuestro país, al menos en la medida en que en España la dinámica mayoría-oposición se venía canalizando difusamente desde hace décadas sobre el marco territorial autonómico, en una clave centro-periférica donde las relaciones de coordinación o de conflicto con el gobierno central se determinan dependiendo del respectivo color político.

El impacto negativo se suscita sin embargo no ya en términos de grave ruptura constitucional sino también en clave de desequilibrio institucional del sistema central, o sea, en las relaciones Gobierno-Congreso. Y es que, al apoyarse en el circuito de gobernanza territorial, coordinando sus políticas con las Comunidades Autónomas, el ejecutivo salta ahora en un *bypass* institucional por encima del Congreso que quedaría desarmado en términos de control sobre las actuaciones gubernamentales referidas a la pandemia, así como sobre la autorización de los plazos de duración de la misma. Por no hablar de las medidas aplicativas del propio programa de gobierno.

La lógica mayoría-oposición queda así diluida al proyectarse sobre la esfera de la gobernanza territorial, sin que aparentemente la opinión pública perciba en ningún momento los riesgos de ruptura del sistema. Un escenario ideal para que el golpe contra la Constitución sea perfectamente invisible o imperceptible ante la ciudadanía ([11]). Compensados por el incremento de capacidad decisional en la escala autonómica, los partidos políticos no se sienten afectados por este

---

[11]   Porras Nadales, Antonio "El golpe invisible", *Diario de Sevilla*, Tribuna, 30 marzo 2021.

bypass institucional, que deja al circuito institucional central (el eje Congreso-Gobierno) en una absoluta precariedad.

Por supuesto, las ventajas de semejante escenario para el ejecutivo son evidentes: a partir de ahora el gobierno no será "responsable" de las consecuencias negativas de la crisis sanitaria, en la medida en que tal responsabilidad quedará diluida en los circuitos de la gobernanza territorial o autonómica. Una coyuntura ideal donde el ejecutivo puede limitarse a asumir una posición institucional formal, sin mancharse las manos con decisiones concretas de impacto social inmediato; lo que le permite tener una mejor disponibilidad para encarar otras tareas, que se canalizarán por la vía compulsiva del Decreto-Ley.

Los límites sustantivos de semejante estrategia no son perceptibles de forma inmediata. Porque conviene recordar, de entrada, que el circuito de la gobernanza territorial tiene en principio una dimensión estrictamente sectorial o fragmentaria: es decir, que afecta a las distintas áreas de las políticas públicas, articulándose a través de las diferentes *conferencias sectoriales*, sin que exista una arena política general o unificada de debate sobre la estrategia global ante la crisis, o de control general sobre la política gubernamental central. O sea, si en apariencia y a corto plazo las Comunidades Autónomas ven incrementada su presencia institucional como instancias de respuesta a la pandemia, sin embargo, la dinámica política general sustanciada a través del eje mayoría/oposición queda debilitada ante el silencio impuesto al Congreso, entendido como la arena unificada donde se sustancian tales relaciones.

De este modo la fragmentación sectorial del circuito territorial de gobernanza hace desaparecer cualquier atisbo de poder central con capacidad para responder de forma global y unificada a la gran crisis: y, nuevamente, la prioridad del circuito sanitario parece diluir las posibles estrategias de respuesta en otros sectores ajenos al estrictamente sanitario.

En resumen, de todo este complejo entorno institucional resulta en apariencia una ecuación de pérdidas y ganancias de suma cero que, al final, va a permitir una tolerancia relativamente desproblematizada acerca de esta estrategia de desbordamiento constitucional diseñada en clave de gobernanza. Y al mismo tiempo, desaparece cualquier atisbo de un "núcleo estratégico" central: es decir, la presencia activa de un gobierno capaz de manejar una batuta unificada desde la cual se orquesten y se coordinen los diferentes tipos de medidas o estrategias de lucha contra la emergencia.

5.   DESARROLLO NORMATIVO Y EVOLUCIÓN DEL PROCESO

En consecuencia, el instrumental de uso habitual de la esfera pública continuará siendo el Decreto-Ley, acompañado de los mecanismos de *soft law* propios del Consejo Interterritorial del Sistema Nacional de Salud, en forma de recomendaciones que en su caso se ponen en marcha desde las respectivas Comunidades Autónomas. Mientras que el recurso a la propia legalidad tiende a decaer en paralelo al desgaste de nuestro Estado de Derecho.

Resulta cuanto menos sorprendente que, si analizamos el explosivo potencial de capacidad normativa puesto de manifiesto en la multitud de Decretos-leyes emanados durante el periodo (con todo un récord de 39 Decretos-Leyes en el año 2020), no se haya percibido la operatividad de canalizar tal capacidad de diseño normativo sobre el plano estrictamente legislativo: se trataría de la sencilla tarea de transformar o de unificar algunos de los Decretos-leyes emanados en forma sucesiva a lo largo del tiempo, en un auténtico *Proyecto de Ley-Covid* con forma de Ley Orgánica y de carácter básico que, tramitado de forma urgente, ofreciera un efectivo escenario normalizado de Plan B ante la crisis ([12]). Se trataría al final de una suerte de auténtica "ley ómnibus" que, siguiendo los criterios fijados en el documento *Estrategia Nacional contra la covid-19*, estableciera las orientaciones y los marcos habilitantes adecuados para las esferas gubernamentales comprometidas, así como sus límites y garantías; considerando que las principales pautas de acción pública comenzaban a estar ya suficientemente perfiladas. Una forma relativamente sencilla de conservar las coordenadas básicas de nuestro Estado de Derecho, actualizando las previsiones de la desfasada Ley Orgánica de estados de alarma de

---

[12]   Porras Nadales, Antonio "La Ley-COVID", *Diario de Sevilla*, Tribuna, 12 abril 2021. Eloy García "La viveza de nuestra Constitución, *Diario de Sevilla*, Tribuna, 20 abril 2021.

1981 y asegurando el respeto al principio de legalidad y a las exigencias de seguridad jurídica del sistema.

Frente a esta estrategia perfectamente viable, lo que se hace presente en la práctica será más bien la continuidad abusiva del uso de los Decretos-Leyes, que se van superponiendo de forma relativamente irreflexiva y desordenada, ocultando con frecuencia, como ha recordado Jiménez Asensio, puros errores o improvisaciones del ejecutivo[13].

Pero, por otra parte, no puede dejar de recordarse que el sistema de gobernanza territorial presenta en nuestro país numerosas ineficiencias procedentes del pasado. Comprobamos ahora, en plena crisis, que la tarea de regular el sistema de cooperación o gobernanza territorial no había sido tomada suficientemente en serio en España. Si el sistema territorial español ha avanzado sustancialmente en términos de autogobierno de las respectivas Comunidades Autónomas, en cambio, los mecanismos generales de coordinación del sistema han presentado sustanciales insuficiencias de forma reiterada ([14]). Así el órgano sectorial correspondiente en el ámbito sanitario, el Consejo Interterritorial del Sistema Nacional de Salud, sigue adoptando sus decisiones "por consenso" sin una regulación consistente que otorgue seguridad a sus propuestas y decisiones: lo que sitúa ante una enorme confusión a los circuitos de control, ya sean jerárquicos (el gobierno central) o estrictamente judiciales.

Es cierto que tal modelo suscita de forma difusa una relativa incomodidad ciudadana en la medida en que se percibe una considerable diversidad de medidas limitativas (en los horarios de cierre de establecimientos, limitaciones de los desplazamientos, número de personas en contacto, etc.). Pero, al mismo tiempo, tales diversidades son la expresión del legítimo ejercicio de poderes territoriales que consolidan el aparente protagonismo de los gobiernos de las CCAA, sin que, en el marco complejo de la gobernanza, los circuitos de imputación resulten suficientemente clarificados. Así, los conflictos suscitados por

---

[13] Jiménez Asensio, Rafael, "El Parlamento castrado (o el reinado absoluto del Decreto-Ley)", *Hay Derecho*, 30 abril 2020.

[14] Porras Nadales, Antonio, "Sistema autonómico y sistema de gobernanza", en M. Holgado González, M. Reyes Pérez Alberdi (dir.), *Descentralización, poder y derechos sociales. Libro in memoriam de Manuel J. Terol Becerra*, Tirant lo Blanc, 2021.

las diferentes limitaciones a la movilidad de las personas se acaban imputando con frecuencia hacia las Comunidades vecinas, que acaso permiten una mayor movilidad. El marco complejo de la gobernanza tiende a producir pues, por sí misma, dificultades de visualización y de imputación ([15]).

Sin embargo, las ventajas políticas de tal trasvase competencial a las CCAA resultan al final evidentes: la postura de no-acción del gobierno central le permite mantenerse incólume ante la vorágine pandémica, liberándose de los riesgos de imputación y de asunción de responsabilidades políticas directas, que quedan trasvasados al circuito disperso y complejo de la gobernanza territorial.

En definitiva, un escenario confuso que conseguirá mantenerse inercialmente gracias a la simultánea aparición de un horizonte utópico de futuro: el de la Unión Europea, dispuesta a poner en marcha una movilización de recursos financieros que, a modo de nuevo Plan Marshall, va a regar con su benefactor maná el desolado escenario posterior a la batalla. De este modo, ante las negras nubes del proceloso presente, el gobierno puede dedicarse a la beatífica labor de construir un ilusionante futuro: y para ello, a pesar del informe crítico del propio Consejo de Estado, se procede a unificar nuevamente en el Gobierno central toda la capacidad de mando y control sobre los fondos de la *Next Generation* emanada de Bruselas.

El problema es que tal escenario confuso reaparecerá dramáticamente al final del largo estado de alarma, en mayo de 2021, suscitando la aplicación de una precaria e inadecuada legislación sanitaria que viene a intensificar la inseguridad y la imprevisibilidad del escenario de respuesta a la crisis.

6. EL SISTEMA DE MUTACIONES

La transformación de una crisis estrictamente sanitaria en una gran crisis general que afecta al conjunto del sistema, proyectándose sobre la esfera internacional, constituye una radical mutación del escenario

---

[15] Como hemos argumentado sobradamente en *La acción de gobierno…* cit.

de partida, que viene a acentuar los perfiles críticos de la situación, así como la precariedad de los instrumentos estratégicos de respuesta. Sin embargo, paradójicamente, el eje instrumental fundamental de lucha contra la pandemia seguirá siendo el mismo: o sea, serán los circuitos gubernamentales, ahora en sus distintas escalas territoriales, los encargados de asegurar una respuesta inmediata ante la emergencia. Con un impacto social que a lo largo del tiempo viene siendo también el mismo, centrarse en el confinamiento de la población. La sustancial novedad consistirá en que nos situamos ante un escenario de pura gobernanza, donde la capacidad de impulso del gobierno central parece haberse desvanecido, al menos durante el largo periodo de todo un semestre.

Tal escenario de gobernanza implicará pues la decadencia del modelo tradicional de la gobernabilidad para pasar a un entorno de cooperación y coordinación, donde los ejecutivos deben moverse siguiendo una estrategia más propia de las políticas públicas: o sea, tratando de formular un diagnóstico problemático de la propia realidad para diseñar a continuación sus estrategias de respuesta y sometiendo su actuación final a una rendición de cuentas o proceso evaluativo, del cual surgirá en su caso una posible retroalimentación del proceso de la acción. Son las pautas establecidas de un modo general desde la literatura de la llamada *Nueva Gestión Pública* ([16]); un esquema operativo que en la práctica se pondrá en marcha en nuestro caso de forma improvisada, difusa e incompleta.

---

[16] Barzelay Michael, (2001), *The New Public Management. Improving Research and Policy Dialogue*, Univ. California P. Moore, Mark H., (1998), *Gestión estratégica y creación de valor en el sector público*, Barcelona, Paidòs. Majone, Giandomenico, (1989), *Evidence, Argument and Persuasion in the Policy Process*, Yale UP, (trad. cast. FCE). Subirats, Joan, (1989), *Análisis de políticas públicas y eficacia de la Administración*, Madrid, MAP. Guy Peters, B. "Globalización, gobernanza y Estado: algunas proposiciones acerca del proceso de gobernar", *Revista del CLAD Reforma y Democracia*, 39/2007. Porras Nadales, Antonio, *La acción de gobierno. Gobernabilidad, gobernanza, gobermedia*, Madrid, 2014, Trotta.

6.1. Diagnósticos y estrategias

Teóricamente pues, desde una estricta perspectiva de gobernanza, el nuevo escenario presentaba ciertamente algunas ventajas: la capacidad de diagnóstico de la realidad sanitaria y de sus impactos sociales se proyectará ahora de una forma más inmediata sobre el respectivo contexto territorial autonómico. Un entorno bien delimitado al contar adicionalmente con la existencia de confinamientos de la población; y donde incluso la esfera local empieza a adquirir un nuevo protagonismo. Y dado que las cifras de contagios son variadas, igualmente podrá variar la capacidad inmediata de respuesta pública desde las esferas autonómicas, permitiendo así una modulación de las acciones en el tiempo y el espacio. Aunque al final, todas las actuaciones parecen conducir hacia la estrategia del confinamiento, apareciendo sólo en un segundo plano las medidas de amortiguación de los efectos sociales y económicos de la crisis. La relativa heterogeneidad o diversidad de criterios de acción pública, así como la emergente insuficiencia de las propias medidas de confinamiento ante la creciente fatiga ciudadana, se convierten ahora en inconvenientes perfectamente tolerables para una opinión pública disminuida y resignada ante el impacto de la pandemia.

En todo caso, el sistema comienza a bregar con nuevos e imprevistos desafíos: acaso el fundamental sería el alto nivel de urgencia o rapidez exigido a las diversas actuaciones, dando lugar a una dinámica donde la ancestral lentitud de la gobernanza comienza a ser reemplazada por un entorno de respuestas instantáneas [17]. Y para, ello las esferas públicas tratan de movilizarse contando con el apoyo de las nuevas tecnologías o incluso con la colaboración de las redes sociales. Del mismo modo, las esferas de gobierno local comienzan a adquirir un nuevo y emergente protagonismo, conectado con las exigencias de

---

[17] En realidad, la categoría de la "instant responsiveness" ya había sido manejada con anterioridad como una exigencia propia de las democracias avanzadas. Cfr. Porras Nadales, Antonio, *La acción de gobierno…* cit. Y Ezrahi, Yaron, *The Descent of Icarus. Science and the transformation of contemporary democracy*, Cambridge, 1990, Harvard UP. Para su aplicación a la crisis en España, cfr. Porras Nadales, Antonio "El Estado social sometido a prueba", Revista *Asuntos Constitucionales*, 2021, número 1, en prensa (Monográfico "Lecciones constitucionales en tiempos de crisis").

confinamientos localizados. Cuestión distinta es que el marco general de coordinación o de orquestación del proceso de respuesta pública sea insuficiente, por más que la emulación entre unas Comunidades y otras se opere ahora con la mayor intensidad que permiten los medios de información y el contexto de alertas generalizadas.

La rápida evolución de esta dinámica nos sitúa pues ante un nuevo banco de pruebas para la gobernanza, cuyo corolario final sería el grado de compromiso activo de la sociedad civil con las medidas de confinamiento. Se trataría de la delicada tensión entre los dos lados del "pasillo estrecho" ([18]) en que debe moverse el orden democrático, como una interacción constante y creciente entre sociedad y estado. Y es que, al cabo de largos meses, el nivel de autodisciplina social requerido para un confinamiento global efectivo comienza por desgracia a decaer; y si tras las primeras etapas de aplausos al personal sanitario el grado de compromiso ciudadano comienza a disminuir, al final el papel activo de la sociedad decaerá igualmente de forma paralela. La retracción de la sociedad y su creciente falta de compromiso acaba afectando pues al nivel de éxito final de toda la estrategia de lucha contra la pandemia.

La prueba de stress a la que está siendo sometido el sistema institucional comienza a experimentar difusos síntomas de agotamiento a las que sólo se podrá responder, finalmente, desde la esperanza de una vacunación masiva.

6.2. Rendición de cuentas

Mientras tanto, una vez liberado de sus responsabilidades directas en el nuevo entorno de gobernanza territorial, el gobierno puede dedicarse a finales del año 2020 a presentar una brillante rendición de cuentas, a modo de balance normalizado de su actuación, a través del programa "Cumpliendo" ([19]). Se trata de un dossier documental donde se procede a ofrecer una relación de productos (no de resultados), realizando un seguimiento del grado de cumplimiento de los

---

[18] Según la famosa conceptuación de Acemoglu, Daron, Robinson, James A., *El pasillo estrecho. Estados, sociedades y cómo alcanzar la libertad*, 2019, Deusto.

[19] https://www.lamoncloa.gob.es/Paginas/cumpliendo/rendicion-de-cuentas.aspx, 2020.

distintos tipos de compromisos asumidos por el ejecutivo: compromisos de investidura, de acuerdo de gobierno, y otros (parlamentarios o declaraciones presidenciales).

Sin embargo, resulta sorprendente que tan amplio y difuso panorama se comience a calificar como triunfal desde su propio encabezamiento: tras reconocer textualmente (pág. 3 del *Informe*) que "Desde la investidura el gobierno ha asumido 1238 compromisos de los cuales ya ha cumplido un 23,4% y se prevé que en el próximo semestre se llegue al 32,6", el balance triunfal se antepone a los propios datos: "Si se suman los compromisos cumplidos y aquellos en los que se está trabajando se deduce que el gobierno ya ha activado un 90,9 % del total". O sea, España se sitúa en la vanguardia de la rendición de cuentas.

La información de esta brillante rendición de cuentas se despliega en cuatro documentos: un *Informe* general de 41 páginas, acompañado de dos *Anexos*, el primero de los cuales contiene un sesudo planteamiento metodológico de 43 páginas y el segundo un "Resumen de iniciativas covid-19" conteniendo una pura enumeración en listado algo desordenado de 13 páginas; y finalmente, un *Resumen* de 14 páginas con unos elementales gráficos.

Para llegar a semejante hallazgo se ha procedido a la incorporación de un grupo de especialistas académicos, denominado *Grupo de Análisis Metodológico*, al Departamento de Planificación y Seguimiento de la Actividad Gubernamental, dependiente de la Secretaría General del Gabinete del Presidente del Gobierno. Un selecto grupo académico que presenta una brillante y sofisticada reflexión sobre la noción de rendición de cuentas, o *accountability*, con el objetivo más o menos explícito de diferenciarla de lo que sería una evaluación; pero cuya ubicación en el contexto general del dossier resulta algo descolocada.

Aunque se reconoce que se han incorporado al resto de los Anexos "buena parte de las reflexiones realizadas" por el equipo de especialistas académicos, sin embargo, queda claro de entrada que la perspectiva general del programa *Cumpliendo* consiste en valorar la acción del gobierno, y no la no-acción: pues la no-acción no determina imputación ni responsabilidades. O sea, lo que se valora es lo que se hace, no lo que no se hace ([20]). En todo caso, el brillante ejercicio metodológico a cargo de los académicos sobre la noción de rendición de cuentas ha insistido en separar la noción de rendición de cuentas de la pura evaluación, con lo cual ya no se trata de someter a una interpretación y juicio las evidencias, ni de tener en cuenta sus potenciales efectos negativos (pág. 7).

De este modo, y a pesar de que en el Anexo I elaborado por el cualificado equipo académico se han insistido en el "rigor metodológico" (pág. 12 *Anexo I*), el *Informe* general final procede a dar un salto mortal al referirse a una relación de actuaciones "*a efectos meramente enunciativos*" (pág. 10), donde se incluyen ahora *todas* las actuaciones contra la pandemia, y no ya las que se ubican en la perspectiva del estricto análisis del cumplimiento de compromisos, como se ha afirmado en la misma página: o sea, la página 10 del Informe refleja la inevitable contradicción entre dos planos, (a) el del cumplimiento de compromisos, frente a (b) el de las respuestas a la pandemia. Y será este salto metodológico el que permita ofrecer un balance triunfal, sin que quede claro en qué ha consistido el escrutinio público o el "sistema de verificación externa e independiente" que confirmaría la calidad y veracidad de la rendición de cuentas.

Así pues, la iniciativa del gobierno español, que en principio parece ubicarse en la estela de ciertas experiencias comparadas como la *Prime Minister Delivery Unit* británica, la *Results and Delivery Unit* canadiense o alguna de las *Oficinas* de la Casa Blanca, conduce a la triunfal conclusión de que "España se sitúa de esta manera en la vanguardia de la rendición de cuentas" (pág. 7 *Informe*). O sea, "somos el primero de los países de nuestro entorno que no sólo somete al escrutinio público el cumplimiento de su programa de gobierno, sino que también comienza a implementar un sistema de verificación externa e independiente, que confirmará la calidad y la veracidad de la rendición de cuentas presentada ante la ciudadanía" (Ibid.).

La constatación de que el gobierno central ha dejado de actuar frente a la pandemia al ponerse en marcha el marco de la gobernan-

---

20   Sobre la noción de no-acción cfr. Porras Nadales, Antonio "La agenda del gobierno", *art. cit.* Para los orígenes de tal categoría cfr. P. Bachrach, M. S. Baratz, "Two faces of power", *The American Political Science Review*, 56, 4, 1962.

za territorial, transfiriendo la responsabilidad a las CCAA, no parece pues afectar al brillante ejercicio de rendición de cuentas del ejecutivo central, que culmina así el glorioso año 2020.

7. CONCLUSIONES

La pregunta de si una situación de extrema emergencia se enfrenta mejor desde un único circuito gubernamental central que absorba todas las capacidades de acción y respuesta, o más bien desde circuitos periféricos o autonómicos, no parece tener en rigor una respuesta suficientemente clarificadora desde la experiencia española. Como sucede en un entorno de gobernanza, las auténticas claves estarían más bien en los *links* o en las relaciones de coordinación y cooperación entre ambos circuitos; es decir, en la integración armónica entre ámbitos regulativos centrales y ámbitos operativos periféricos. Una dualidad funcional que ha sido reiteradamente malentendida o ignorada en nuestro propio entorno socioinstitucional, impidiendo su integración en un resultado final medianamente armónico.

¿Por qué? ¿se trata de un problema de dimensión cultural, es decir, de una visión de los gobiernos como esferas perfectamente autorreferenciales, que no necesitan proyectarse o conectarse en un sistema de red con otras esferas o circuitos externos? ¿o más bien de un problema de tipo estructural, donde al final lo que se acaba visualizando en el caso español sería la pura debilidad de un gobierno central asentado sobre una precaria mayoría formada por una nebulosa coalición de fuerzas heterogéneas movilizadas para la investidura en una simple coyuntura de oportunidad?

Ciertamente es fácil imaginar que un gobierno estructuralmente débil, o situado un contexto de gobernabilidad precaria, se enfrentará a considerables dificultades a la hora de encarar con solvencia determinadas situaciones de emergencia. El problema, no sólo en este caso, es que todos los gobiernos tienden a ocultar sus debilidades estructurales bajo la pátina de su visión o percepción inercial como centros de imputación institucional; es decir, que todo gobierno, por el simple hecho de ser gobierno, trata de proyectarse a sí mismo a modo de un gobierno fuerte, con capacidad suficiente para responder a desafíos sobrevenidos, o incluso para hacer brillantes rendiciones de cuentas.

Y tal proyección tendrá siempre un ambiente adecuado cuando opera en un entorno cultural donde las instituciones son entendidas o percibidas como creaciones atemporales o permanentes, destinadas a mantenerse al margen del tiempo o de las coyunturas ([21]). Un escenario desde donde se estaría preludiando al final una siniestra identificación entre gobierno y Estado, tras la cual se oculta o se camufla una sutil deriva autoritaria en la proyección general del sistema.

Más compleja resulta la valoración del problema desde la perspectiva de la gobernanza, categoría que al fin y al cabo ha tenido retrasos y dificultades para su introducción generalizada en nuestro país, donde la cultura de la coordinación o la cooperación en la escala multinivel sigue presentando considerables insuficiencias, suscitando un entorno caracterizado por su incertidumbre y sus reiteradas carencias en términos de seguridad jurídica ([22]).

Porque un gobierno que pretenda dar respuestas eficaces ante situaciones de emergencia requiere no sólo de mecanismos operativos de gobernanza o de coordinación entre el centro y las periferias, sino también al mismo tiempo de su adecuada ubicación en un escenario dotado de un mínimo de seguridad jurídica, otorgando así un cierto grado de previsibilidad a las consecuencias de sus actuaciones. O sea, requiere de un marco jurídico operativo y actualizado, y de un cierto planteamiento estratégico -aunque sea improvisado sobre la marcha- desde el cual puedan formularse diagnósticos de la situación y respuestas estratégicas adecuadas; al menos con el objetivo de no

---

[21] Una concepción del ejecutivo que en nuestra opinión coincidiría "con una determinada visión institucional donde se refleja una tradición cultural de largo recorrido histórico, que se traduciría en una visión del gobierno entendido como una instancia superior y autónoma, relativamente inmune a cualquier tensión de cambio y resistente a cualquier riesgo de debilitamiento institucional: incluso aunque esta exigencia venga impuesta por el propio desarrollo del Estado autonómico. Se trataría de una visión del mundo donde se refleja una concepción institucional estática y conservadora, probablemente condicionada por viejas tradiciones del catolicismo hispano y por influencia de la tradición francesa del derecho público." En Porras Nadales, Antonio "La función de gobierno en la Constitución española, cuarenta años después", *Revista de Derecho Político*, Núm. 101, 2018, págs. 92-122.

[22] Porras Nadales, Antonio, "Sistema autonómico y sistema de gobernanza", en M. Holgado González, M. Reyes Pérez Alberdi (dir.), *Descentralización, poder y derechos sociales. Libro in memoriam de Manuel J. Terol Becerra*, cit.

caer en una dinámica de pura improvisación, o de contradicciones y constantes rectificaciones sobre la marcha.

La exigencia de un marco jurídico operativo y actualizado ha sido desatendida en la experiencia española desde el momento en que se ha renunciado a reformar y actualizar la vetusta ley de estados excepcionales de 1981, diseñada en su momento desde una explicable ajenidad a un entorno territorial autonómico en aquel momento inexistente. Mientras que la legislación sanitaria vigente sigue ofreciendo igualmente un marco difuso cuajado de carencias e insuficiencias para enfrentar la pandemia con un mínimo de seguridad jurídica.

En cuanto a la presencia de un marco estratégico adecuado, ha venido reiteradamente ocultándose entre la repetida excusa de los criterios técnico-sanitarios y el inevitable señuelo de la "desescalada" entendida como corolario de un anhelado triunfo final en la lucha colectiva contra la pandemia. A pesar de todo ello, ha sido evidente la voluntad de acción puesta en marcha por los ejecutivos de las CCAA, de los que ha dependido en la práctica el grueso de la lucha contra la pandemia, generándose procesos de aprendizaje dispersos y acelerados en lo que constituiría al final una confirmación del grado de desarrollo alcanzado al cabo del tiempo por nuestro Estado autonómico.

En este entorno precario y complejo, determinar cuál es o ha sido el grado de compromiso efectivo de la sociedad española con las actuaciones públicas llevadas a cabo, suscita igualmente un panorama caracterizado por su complejidad e incertidumbre. De una etapa de inicial cuajada de emotivas oleadas de aplausos se ha ido pasando imperceptiblemente a un contexto de incumplimientos difusos de las medidas de confinamiento, o de posiciones de protesta incontrolada animada por difusos mensajes negacionistas.

Se trata evidentemente de un escenario social anómalo donde no debería haberse intentado la convocatoria elecciones, aunque sea en la esfera autonómica ([23]): porque las consultas electorales darán siempre

---

[23]   Lo que ha sucedido en las Comunidades de Galicia y País Vasco el 12 de julio de 2020, en Cataluña el 14 de febrero de 2021 y en Madrid el 4 de mayo de 2021. Recordemos que el propio artículo 116.5 de la Constitución prohíbe la disolución del Congreso, y por lo tanto la convocatoria de elecciones, mientras esté declarado algunos de los estados previstos en el mismo, imponiendo una prohibición de toda interrupción del funcionamiento de las instituciones que

resultados anómalos o precarios cuando no se sitúan en ese ambiente social normalizado que requiere un momento tan decisivo de la vida democrática ([24]). Ubicarse en la ficción de una aparente "normalidad" social en plena oleada pandémica constituye una inocente presunción que no se corresponde con la difícil y precaria realidad, repleta de tensiones y contradicciones.

En resumen, las capacidades del gobierno español para hacer frente a la pandemia se han demostrado débiles e insuficientes, operando en un entorno contradictorio de improvisaciones y respuestas tentativas, donde la inicial centralidad activa del gobierno central ha sido sustituida por una progresiva e indisimulada ocultación tras la que emerge un panorama final de no-acción que acaba decantando el eje de gravedad del intervencionismo gubernamental hacia la escala autonómica.

Finalmente, tan duradera situación de crisis ha conseguido canalizarse de un modo más o menos soportable desde el momento en que hace su aparición un nuevo horizonte de futuro, montado sobre dos ejes: por una parte, la introducción de las vacunas, con un ritmo lento y mantenido, y por otra, la estrategia de amortiguación iniciada desde la UE en el programa *Next Generation*, que prevé todo un maná de ayudas financieras para la reconstrucción post-covid, suscitando un horizonte que recuerda los efectos históricos del Plan Marshall en la Europa de posguerra. De este modo la posición gubernamental se ha ido modificando para acabar ubicándose en el lado más positivo de la crisis, es decir, en la estrategia de construcción de un nuevo e ilusionante futuro que deberá seguir al éxito colectivo de las vacunas. Un futuro que, abordado desde el precario presente, refleja al fin la monstruosa contradicción tras la que el ejecutivo trata de ocultar sus carencias, reflejando la pura imagen de un rey desnudo.

---

afecte a "los demás poderes del Estado". Lo que deja clara cuál es la voluntad constitucional a este respecto.

[24] Sobre todo, cuando se trata de convocatorias reiteradas en un ambiente de precariedad y polarización. Al respecto cfr. Porras Nadales, Antonio "Jugar con fuego", *Diario de Sevilla*, Tribuna, 26 abril 2021. Para una reflexión sobre el tema en un contexto igualmente anómalo, el de las elecciones generales de 2004, bajo el impacto de una grave oleada de atentados terroristas, cfr. Porras Nadales, Antonio "Las elecciones generales de marzo de 2004: aspectos problemáticos y consecuencias", *Revista de Estudios Políticos*, Núm. 126, 2004, págs. 29-58.

8.   BIBLIOGRAFÍA

Aba Catoira Ana, "El estado de alarma en España", *Teoría y Realidad Constitucional*, Núm. 28, 2011.

Acemoglu, Daron, Robinson, James A., *El pasillo estrecho. Estados, sociedades y cómo alcanzar la libertad*, 2019, Deusto.

Aragón Reyes, M., "El gobierno en funciones: su ámbito competencial y su control parlamentario. Comentario a la STC 124/2018, de 14 de noviembre", *Revista Española de Derecho Constitucional*, Núm. 119, 2020.

Bachrach, P, Baratz, M. S. "Two faces of power", *The American Political Science Review*, 56, 4, 1962.

Barzelay Michael, (2001), *The New Public Management. Improving Research and Policy Dialogue*, Univ. California P.

Brage Camazano J. y Reviriego Picón, F. "Gobierno en funciones y despacho ordinario de los asuntos públicos (Las SSTC de 20 de septiembre y 2 de diciembre de 2005), *Teoría y Realidad Constitucional*, Núm. 18, 2006.

Cruz Villalón, Pedro, *Estados excepcionales y suspensión de garantías*, Tecnos, 1984.

Escobar Roca, G., "Los derechos humanos en estados excepcionales y el concepto de suspensión de derechos fundamentales", *Revista de Derecho Político*, Núm. 110, 2021

Ezrahi, Yaron, *The Descent of Icarus. Science and the transformation of contemporary democracy*, Cambidge, 1990, Harvard UP.

Fernández de Casadevante, Pablo, "Los derechos fundamentales en estado de alarma: una suspensión inconstitucional", *Revista Vasca de Administración Pública*, Núm. 119, 2021.

Guy Peters, B. "Globalización, gobernanza y Estado: algunas proposiciones acerca del proceso de gobernar", *Revista del CLAD Reforma y Democracia*, 39/2007.

Hirschman, A. O. *Exit, Voice and Loyalty, responses to decline in firms, organizations and states*, Cambridge, Mass, 1970, Harvard UP.

Jassanoff, Sheila, *The Fifth Branch. Science advisors as policymakers*, Harvard UP, 1994.

Jiménez Asensio, Rafael, "El Parlamento castrado (o el reinado absoluto del Decreto-Ley)", *Hay Derecho*, 30 abril 2020.

Luhmann, Niklas, *Teoría política en el Estado del bienestar*, Madrid, 1993, Alianza.

Majone, Giandomenico, (1989), *Evidence, Argument and Persuasion in the Policy Process*, Yale UP, (trad. cast. FCE).

Martínez Navarro, J. A. "Los efectos de la Covid-19 en las residencias de mayores", *Revista Vasca de Administración Pública*, Núm. 119, 2021.

Moore, Mark H., (1998), *Gestión estratégica y creación de valor en el sector público*, Barcelona, Paidòs.

Naranjo de la Cruz, R. "El ámbito funcional del Gobierno cesante", *Cuadernos constitucionales de la Cátedra Fadrique Furió Ceriol*, Núm. 36-37, 2001.

Porras Nadales, Antonio "Las elecciones generales de marzo de 2004: aspectos problemáticos y consecuencias", *Revista de Estudios Políticos*, Núm. 126, 2004, págs. 29-58.

Porras Nadales, Antonio, *La acción de gobierno. Gobernabilidad, gobernanza, gobermedia*, Madrid, 2014, Trotta.

Porras Nadales, Antonio "La agenda del gobierno", *Revista de Fomento Social*, 2015, 70, págs. 245-279.

Porras Nadales, Antonio "La función de gobierno en la Constitución española, cuarenta años después", *Revista de Derecho Político*, Núm. 101, 2018, págs. 92-122.

Porras Nadales, Antonio "El Estado social sometido a prueba", Revista *Asuntos Constitucionales*, 2021, número 1, en prensa (Monográfico "Lecciones constitucionales en tiempos de crisis").

Porras Nadales, Antonio, "Sistema autonómico y sistema de gobernanza", en M. Holgado González, M. Reyes Pérez Alberdi (dir.), *Descentralización, poder y derechos sociales. Libro in memoriam de Manuel J. Terol Becerra*, Tirant lo Blanc, 2021.

Reviriego Picón, F. "La permanencia en funciones del Gobierno en la doctrina del Tribunal Supremo", *Revista Española de Derecho Constitucional*, Núm. 109, 2017.

Sanahuja, José Antonio, "COVID-19: riesgo, pandemia y crisis de gobernanza global" *Anuario CEIPAZ 2019-2020*.

Subirats, Joan, (1989), *Análisis de políticas públicas y eficacia de la Administración*, Madrid, MAP.

Thatcher, Mark, "The Third Force? Independent Regulatory Agencies and Elected Politicians in Europe", *Govenance: An International Journal of Policy, Administration, and Institutions,* Vol. 18, No. 3, 2005.

La gestión de la pandemia en clave territorial: Estado autonómico y crisis sanitaria

ANA CARMONA CONTRERAS
Catedrática de Derecho Constitucional
Universidad de Sevilla

1.   INTRODUCCIÓN: COMUNIDADES AUTÓNOMAS Y CRISIS SANITARIA

Aunque el 11 de marzo de 2020 la Organización Mundial de la Salud (OMS) declaró oficialmente la existencia de una pandemia a escala global causada por el coronavirus SARS-CoV-2, lo cierto es que ya desde finales del mes de febrero el azote del coronavirus en España se mostró como una realidad en continua progresión. El avance exponencial del número de infectados en un corto espacio de tiempo obligó a la adopción de medidas orientadas a frenar la expansión del virus cuya autoría recayó, en estos momentos iniciales, en las autoridades autonómicas. Dado que, dejando a un lado el establecimiento de bases y el ejercicio de funciones de coordinación general[1] cuya titularidad recae en el Estado central (artículo 149.1.16 CE), la competencia en sanidad corresponde a las Comunidades Autónomas (CCAA), fue precisamente desde dicho ámbito donde se activaron respuestas de diversa índole tomando como referencia las previsiones contenidas en la normativa sectorial. Particular preeminencia en este sentido asumió la Ley Orgánica 3/1986, de Medidas Especiales en Materia de Salud Pública (LOMEMSP) y más concretamente, su artículo 3, en el que se dispone lo siguiente:

> "Con el fin de controlar las enfermedades transmisibles, la autoridad sanitaria, además de realizar las acciones preventivas generales, podrá adoptar las medidas oportunas para el control de los enfermos, de las personas que estén o hayan estado en contacto con los mismos y del medio ambiente inmediato, así como las que se consideren necesarias en caso de riesgo de carácter transmisible".

Utilizando como asidero jurídico esta cláusula de apertura indeterminada, que habilita en términos genéricos la adopción de aquellas medidas "*que se consideren necesarias en caso de riesgo*", las respuestas articuladas por las autoridades sanitarias autonómicas no se

---

[1]   Biglino Campos, P., "El impacto de la Covid en la distribución de competencias", en Tudela Aranda, J. (Coord.), *Estado autonómico y Covid-19: Un ensayo de valoración general*, Fundación Manuel Giménez Abad, Zaragoza, 2021, pp. 25-26, pone de manifiesto las dificultades existentes a la hora de identificar la naturaleza de la función de coordinación de la sanidad que le corresponde al poder central. En este sentido, señala la falta de claridad de la jurisprudencia constitucional (STC 140/2017, FJ 3) que "atribuye al Estado un cierto poder de dirección, la fijación de medios y de un sistema de relación que hagan posible la información recíproca, así como la homogeneidad técnica en determinados aspectos y la acción conjunta de las autoridades estatales y autonómicas en el ejercicio de sus respectivas competencias". Por su parte, De la Quadra-Salcedo Janini, T., "Estado autonómico y lucha contra la pandemia", en Biglino Campos, P. y Durán Alba, J. (Dirs.), *Los efectos horizontales de la Covid-19 sobre el sistema constitucional: Estudios sobre la primera oleada*, Fundación Manuel Giménez Abad, Zaragoza, 2021, pp. 61-63, incide en una cuestión fundamental que ha sido puesta de manifiesto por el Tribunal Constitucional (SSTC 140/2017, FJ 3 y 82/2020, FJ 6) en relación con la competencia estatal sobre bases sanitarias, a saber, que ésta no se identifica con la de coordinación general mostrando una identidad propia. Al hilo de tal diferencia, se concluye que nos hallamos ante una habilitación constitucional que se proyecta sobre dos ámbitos operativos distintos.

hicieron esperar y fueron desde la inmovilización de los clientes de un hotel en Tenerife en el que se diagnosticó un caso positivo de Covid-19 (decisión ratificada por la instancia judicial correspondiente) a la suspensión de toda la actividad lectiva en centros de enseñanza en la Comunidad de Madrid (acordada por la Orden 338/2020, de 9 de marzo, de la Consejería de Sanidad), pasando por el confinamiento perimetral de diversos municipios de la provincia de Barcelona (Resolución INT/718/2020, de 12 de marzo de 2020, de la Generalitat de Cataluña). Se trataba, en todo caso, de actuaciones parciales y territorialmente circunscritas y que dejaron en evidencia los limitados efectos del despliegue de una estrategia de actuación pública fragmentada en el marco de un escenario de avance global de la enfermedad. Asimismo, la gravedad de la situación concurrente, que exigía la aplicación de medidas altamente gravosas para el ejercicio del derecho fundamental de libertad de movimientos (artículo 19 CE), así como de otros conectados al mismo (derecho a la educación, libertad religiosa o derecho de reunión y manifestación, entre otros) trajo consigo la necesidad de aplicar decisiones a escala nacional haciendo uso de los instrumentos constitucionalmente idóneos.

En este contexto de fondo, marcado por la conjunción entre la progresión ininterrumpida de los contagios y su impacto directo sobre la libertad ambulatoria, el estado de alarma se perfiló como la vía jurídica pertinente a la que recurrir, puesto que la concurrencia de una situación de "graves alteraciones de la normalidad" derivada de "crisis sanitarias, tales como epidemias" figura como uno de los supuestos contemplados por el artículo 4 a) de la Ley Orgánica 4/1981, de los Estados de Alarma, Excepción y Sitio (LOEAES) para la activación dicho estado. En un clima de creciente preocupación ciudadana, el 13 de marzo, el presidente del Gobierno anunció su intención de declararlo tras la celebración de un Consejo de Ministros extraordinario. El Real Decreto 463/2020, de 14 de marzo definió la hoja de ruta llamada a regir la alarma durante el plazo inicial de 15 días constitucionalmente previsto (artículo 116.2 CE). Transcurrido el mismo, con posterioridad, el Congreso de los Diputados avalaría su mantenimiento hasta el 21 de junio, habiendo concedido las preceptivas prórrogas solicitadas por el Gobierno (un total de 6) con una cadencia temporal de 15 días.

Esta primera alarma se caracterizó tanto por incorporar una impronta de acusada restricción de concretos derechos fundamentales -de forma muy destacada, la libertad de circulación y movimientos[2], así como el de otros derechos directamente vinculados como la educa-

---

[2]   El confinamiento domiciliario decretado durante el primer estado de alarma (del 14 de marzo al 21 de junio de 2020), prohibiendo como regla general la circulación a la ciudadanía en las vías públicas y únicamente permitiendo a modo de excepción el ejercicio de la libertad deambulatoria en los supuestos expresamente previstos, ha sido declarado inconstitucional por el Tribunal Constitucional en su sentencia 148/2021, de 14 de julio. En dicha resolución (a la que acompañan 5 votos particulares discrepantes), la mayoría de los magistrados argumenta que la norma impugnada trajo consigo la suspensión del derecho a la libre circulación, lo que rebasa el radio de acción del estado de alarma, únicamente habilitado para acordar la "restricción" de derechos fundamentales. Recuérdese que la eventual suspensión de derechos fundamentales está expresamente reservada para las otras dos modalidades de estados excepcionales previstos en sede constitucional (artículos 116 y 55.1), el estado de excepción y estado de sitio y, asimismo, que el elenco de derechos susceptibles de ser suspendidos, lejos de quedar imprejuzgado, está constitucionalmente tasado. En efecto, los derechos "suspendibles" durante el estado de excepción –previsto por el artículo 13.1 LOEAES para supuestos en los que "el libre ejercicio de los derechos y libertades de los ciudadanos, el normal funcionamiento de las instituciones democráticas, el de los servicios públicos esenciales para la comunidad o cualquier otro aspecto del orden público resulten tan gravemente alterados que el ejercicio de las potestad ordinarias fuera insuficiente para restablecerlo y mantenerlo"- son la libertad personal y la detención preventiva (artículo 17.1 y 2 CE); la inviolabilidad de domicilio y el secreto de las comunicaciones (artículo 18.2 y 3 CE); la libertad de circulación (artículo 19 CE); la libertad de expresión y el derecho a la información (artículo 20 a y d CE); el secuestro de publicaciones, grabaciones y otros medios de información en virtud de resolución judicial (artículo 20.5 CE); derecho de reunión (artículo 21 CE); el derecho de huelga (artículo 28.2 CE); el derecho a adoptar medidas de conflicto colectivo que corresponde a trabajadores y empresarios (artículo 37.2 CE). Por su parte, la declaración del estado de sitio –que en el artículo 32.1 LOEAES se reserva para "cuando se produzca o amenace producirse una insurrección o acto de fuerza contra la soberanía o independencia de España, su integridad territorial o el ordenamiento constitucional, que no pueda resolverse por otros medios"- posibilita la suspensión de todos los derechos fundamentales aludidos previamente y, de modo adicional, también el que corresponde a toda persona detenida a "ser informada de forma inmediata, …, de sus derechos y de las razones de su detención, no pudiendo ser obligada a declarar. Se garantiza la asistencia de abogado al detenido en las diligencias policiales y judiciales, en los términos que establezca la ley" (artículo 17.3 CE). Para un análisis completo y actualizado del derecho de excepción en el ordenamiento jurídico español, vid. Garrido López, C., *Decisiones excepcionales y garantía*

ción o la libertad religiosa cuyo ejercicio requiere a su vez el de dicha libertad-, como por hacer gala de un espíritu marcadamente centralizador. De este modo, se rompe nítidamente con la dinámica precedente en la que el protagonismo para gestionar la crisis pandémica recayó sobre las CCAA. Será precisamente este sesgo unitario el que centrará el análisis de la primera alarma, concentrando nuestra atención sobre la existencia de una progresiva tendencia hacia su relajación en virtud de la que, partiendo de una actitud de férrea centralización, se irá transitando hacia un escenario en la gestión de la crisis sanitaria (las fases de desescalada) caracterizado por una recuperación tímida, pero paulatina del espacio autonómico. En el punto final de dicho proceso, una vez levantado el estado de alarma, emergerá la etapa de la denominada "nueva normalidad", en la que, a pesar de no haberse superado la pandemia, las CCAA recuperarán el lugar que constitucional y estatutariamente les corresponde en materia de sanidad. El incesante avance del número de contagios, que adquirió unas dimensiones preocupantes coincidiendo con el final del verano de 2020, unido a la división de opiniones manifestada por los Tribunales Superiores de Justicia a la hora de ratificar o autorizar las medidas restrictivas de derechos fundamentales adoptadas por las autoridades sanitarias autonómicas actuarán como elementos catalizadores que dan paso a la declaración de un nuevo estado de alarma a nivel nacional, mediante el Real Decreto 926/2020, de 25 de octubre. En esta segunda edición del derecho excepcional, sin embargo, se va a abandonar la originaria impronta centralista para dar paso a una aproximación en clave territorial según se desprende, tanto de la configuración de las limitaciones previstas en unos términos esencialmente genéricos, correspondiendo su concreción aplicativa a las CCAA, como de la atribución de la condición de autoridades competentes delegadas a los presidentes autonómicos. De este modo, la reactivación del marco jurídico de la excepcionalidad, si bien mantiene un hilo de evidente continuidad con respecto al presupuesto habilitante existente en su inmediato predecesor (la pandemia), asume un enfoque diametralmente opuesto por lo que a sus trazos configuradores se refiere.

---

jurisdiccional de la Constitución, Marcial Pons, Madrid, 2021, especialmente, pp. 89-148.

2.   EL PRIMER ESTADO DE ALARMA: LA APUESTA POR UNA GESTIÓN CENTRALIZADA DE LA PANDEMIA

2.1. *Etapa inicial: La declaración de la alarma y sus dos primeras prórrogas*

Como expresión inmediata de la orientación centralizadora que caracteriza el estado de alarma declarado, el RD 463/2020 atribuye la condición de mando único al Gobierno, en tanto que "autoridad competente" (artículo 4.1). Junto a ello se prevén como autoridades competentes delegadas, "bajo la superior dirección del Presidente del Gobierno" y "en sus respectivas áreas de responsabilidad" las siguientes: a) La Ministra de Defensa; b) El Ministro del Interior; c) El Ministro de Transportes, Movilidad y Agenda Urbana y d) El Ministro de Sanidad (artículo 4.2).

Sobre la base de tal aproximación de partida, todo el protagonismo en la dirección política de la alarma queda residenciado en la esfera del Ejecutivo central, limitándose a conservar el resto de Administraciones, tanto las CCAA como los Entes Locales, "las competencias que le otorga la legislación vigente en la *gestión ordinaria de sus servicios* para adoptar las medidas que estime necesarias en el *marco de las órdenes directas de la autoridad competente* a los efectos del estado de alarma" (artículo 6, la cursiva es nuestra). Siendo éste el marco general de referencia, se verifica la existencia de un rol eminentemente secundario correspondiente a las Autonomías, lo que resulta especialmente significativo en relación con la sanidad, en tanto que ámbito que se perfila como eje central en la gestión de la pandemia[3]. De este modo, se constata una modificación sustancial del

---

[3]   Velasco Caballero, F., "Estado y Comunidades Autónomas durante la pandemia", Aja Fernández, E. y García Roca, F.J. (Dirs.), *Informe Comunidades Autónomas 2020*, Instituto de Derecho Público-Marcial Pons, Barcelona, 2021, p. 44, razona acertadamente que la opción por el "mando único" empleada durante la primera alarma no trajo consigo la suspensión de las competencias autonómicas y locales, sino que más bien "dirigió y condicionó estrechamente su ejercicio". Sobre la base de tal planteamiento resulta que, como señala De la Quadra-Salcedo Janini, T., "Estado autonómico y lucha contra la pandemia", *ob. cit.*, p. 82, "esta incidencia estatal sobre las materias competenciales autonómicas no

esquema ordinario de distribución de competencias en dicha materia, invirtiéndose el esquema (suprimir palabra) habitual que opera en la normalidad, en cuya virtud corresponde al Estado el establecimiento de las bases y la coordinación general (artículo 149.1.16 CE), incardinándose las demás facultades en la esfera autonómica.

Otra significativa expresión de la inversión verificada en esta esfera se encuentra en el artículo 12.1 del RD 463/2020, cuya dicción literal no deja resquicio a la duda, al disponer que "(T)odas las autoridades civiles sanitarias de las administraciones públicas del territorio nacional, así como los demás funcionarios y trabajadores al servicio de las mismas, *quedarán bajo las órdenes directas del Ministro de Sanidad* en cuanto sea necesario para la protección de personas, bienes y lugares, pudiendo imponerles servicios extraordinarios por su duración o por su naturaleza" (cursiva nuestra). El margen de actuación autonómica, por lo tanto, se circunscribe únicamente al mantenimiento de "la gestión, dentro de su ámbito de competencia, de los correspondientes servicios sanitarios, asegurando en todo momento su adecuado funcionamiento". En este sentido, se formula una expresa reserva a favor del responsable de la cartera de Sanidad, quedando habilitado para ejercer "cuantas facultades resulten necesarias para garantizar la cohesión y equidad en la prestación del referido servicio" (artículo 12.2 in fine).

Estableciendo un directo enlace con la etapa inmediatamente precedente a la declaración del estado de alarma, y con la finalidad evidente de preservar el principio de seguridad jurídica, se procede a ratificar expresamente (Disposición final primera del RD 463/2020) "todas las disposiciones y medidas adoptadas previamente por las autoridades competentes de las comunidades autónomas y de las entidades locales con ocasión del coronavirus COVID-19, que continuarán vigentes y producirán los efectos previstos en ellas, siempre que resulten compatibles con este real decreto". No obstante, la operación de ratificación prevista viene acompañada de una disposición de sig-

---

significa que durante el estado de alarma las Comunidades Autónomas hayan quedado, en todo lo que se refiere a las medidas de lucha contra la pandemia, sustituidas por el Estado". Lo que sucede en la práctica es que "simplemente tendrán que adecuar el ejercicio de sus competencias a las disposiciones adoptadas por aquel".

no garantista estableciéndose que la misma "se entiende sin perjuicio de la ratificación judicial prevista en el artículo 8.6.2.º de la Ley 29/1998, de 13 de julio".

2.2. *Primeras señales de contención del virus: Sentando las bases para acometer el proceso de desescalada*

La reducción progresiva del número de contagios y el consiguiente aplanamiento de la curva resultaron determinantes para que, con motivo de la tercera prórroga aprobada por el Congreso de los diputados (22 de abril de 2020), se diera el pistoletazo de salida al proceso de desescalada. De acuerdo con las directrices establecidas en la Comunicación "Hoja de ruta común europea para el levantamiento de medidas de contención de la COVID-19", presentada el 15 de abril de 2020 por la Presidenta de la Comisión Europea, se establecieron una serie de disposiciones orientadas a activar en el futuro inmediato un cierto relajamiento de las medidas de confinamiento domiciliario, así como a permitir una mayor movilidad (Real Decreto 492/2020, de 24 de abril, por el que se prorroga el estado de alarma). Va a ser, sin embargo, el "Plan para la desescalada de las medidas extraordinarias adoptadas para hacer frente a la pandemia de COVID-19", aprobado por el Consejo de Ministros en su reunión de 28 de abril de 2020, en donde se recoja una previsión pormenorizada de tal proceso de paulatino retorno a la normalidad, estableciendo sus pautas orientadoras. Movido por tal afán, se establecen los pasos a seguir por las distintas Administraciones, haciendo especial énfasis en el valor esencial atribuido al principio de colaboración. Sobre la base de tal premisa, en el diseño y desarrollo del proceso de desescalada se alude expresamente a su carácter "gradual, asimétrico", así como a la debida coordinación con las CCAA. A este respecto, se contempla la necesidad de establecer "parámetros de adaptación en condiciones de máxima seguridad jurídica" que, por un lado, tomen "en consideración los cambios en la situación epidemiológica y en función del impacto de las medidas adoptadas" y, por otro, vengan a "aplicar un enfoque prudente que permita la reevaluación de los escenarios". Todo ello en un contexto dominado por la apelación que, con carácter recurrente, se hace en torno al carácter "altamente participativo" que ha de presidir la desescalada, en el marco de una "eficaz coordinación de las CCAA con el Gobierno de España".

La plasmación de tal aspiración inclusiva en clave autonómica, si bien enmarcada en el ámbito de la coordinación estatal, obtuvo visibilidad a través del principio de *cogobernanza* que ya desde la declaración del estado de alarma fue acuñado por el Gobierno central y cuya manifestación más emblemática fueron las reuniones dominicales de la Conferencia de Presidentes[4]. No obstante, a pesar del avance que supone la recuperación de esta instancia de cooperación entre niveles de gobierno, sacándola del prolongado letargo en el que se hallaba inmersa (desde enero de 2017 no había vuelto a convocarse), hemos de recordar que las reuniones celebradas en el período comprendido por la primera alarma mostraron una efectividad muy reducida. Así se deduce del hecho de que, lejos de incorporar una dimensión codecisoria[5], la Conferencia se limitó a actuar como un foro para la puesta en común de los problemas existentes en el marco de la crisis sanitaria

---

[4] La Conferencia de Presidentes vio la luz el 28 de octubre de 2004. Nació despojada de soporte normativo, afirmándose en la práctica como expresión de la voluntad de fomentar la dinámica cooperativa entre centro y periferia manifestada por el entonces presidente del Gobierno, José Luis Rodríguez Zapatero. Sólo una década después esta instancia de colaboración intergubernamental vertical al más alto nivel (está compuesta por el Presidente del Gobierno de la nación y sus homónimos autonómicos y de las Ciudades Autónomas de Ceuta y Melilla) adquirió naturaleza formal, quedando expresamente recogida en el artículo 146 de la Ley 49/2015, de 1 de octubre, de Régimen Jurídico del Sector Público. Por otra parte, hay que tener presente que su andadura existencial ha resultado muy desigual, puesto que, tras una primera fase de actividad sostenida en el tiempo, cayó en una prolongada etapa inactividad de la que va a salir precisamente con ocasión del primer estado de alarma. Para un análisis en profundidad de las debilidades y fortalezas de este órgano cooperativo, cfr. Tajadura Tejada, J., "La Conferencia de Presidentes: Origen, evolución y perspectivas de reforma", *Revista de Derecho Político*, n. 101, 2018, *in toto*.

[5] La Conferencia cuenta con un Reglamento Interno que es fruto de su potestad de auto-organización y que fue adoptado en su IV Reunión, celebrada el 14 de diciembre de 2009. Dicho reglamento fue publicado en el Boletín Oficial del Estado (19/XII/2009) como Orden TER/3409/2009, de 18 de diciembre del Ministerio de Política Territorial. En el mismo, se prevén dos modalidades de decisiones: Por un lado, los acuerdos, que expresan compromisos políticos logrados con el consenso de todos sus miembros (artículo 6.2) y por otro, las recomendaciones, que son resultado del acuerdo adoptado entre Presidente del Ejecutivo central y 2/3 de los Presidentes autonómicos (artículo 6.3). Como se ha señalado

y en la que el Presidente del Ejecutivo central venía a dar cuenta a sus homónimos autonómicos de decisiones ya adoptadas o en vía de adopción, así como de las novedades producidas.

Una línea similar de eficacia en clave eminentemente simbólica de la *cogobernanza* se percibe, asimismo, en el proceso de desescalada. Como relevante elemento, destaca la atribución de un rol preponderante a favor del Ejecutivo central, ya que la coordinación de dicho proceso se encomienda precisamente a éste. No obstante, viene a enfatizarse que se llevará a cabo a través de la interlocución con la Conferencia de Presidentes, los Consejeros autonómicos de Sanidad y el Consejo Interterritorial del Sistema Nacional de Salud.

En cuanto al proceso de desescalada como tal aparece organizado en función de un "Cronograma orientativo de la transición hacia la nueva normalidad" que acompaña al Plan (Anexo III), el cual se inicia con una fase 0 (preliminar), que actúa como etapa preparatoria propiamente dicha. Una vez concluida ésta, se activa la desescalada efectivamente, incorporándose una "Previsión orientativa para el levantamiento de limitaciones de ámbito nacional establecidas en el estado de alarma, en función de las fases de transición a una nueva normalidad" (Anexo II), cuyo contenido desgrana las actividades susceptibles de ser llevadas a cabo en cada una de dichas fases. En este sentido, viene a establecerse un panel de indicadores integral que toma como referentes cuatro ámbitos considerados esenciales: salud pública, haciendo especial hincapié en la evaluación de las capacidades estratégicas del sistema; movilidad interior en el país y también de cara al exterior; impacto social de la enfermedad e impacto económico derivado de la misma (Anexo I). Dada la naturaleza informal del Plan, él mismo incorpora una cláusula en la que se aclara que corresponde a los instrumentos jurídicos pertinentes dotar de efectividad práctica a sus previsiones.

El eje principal que articula funcionalmente el marco establecido nos remite a la figura del Ministro de Sanidad, sobre el que recae la competencia para dictar órdenes e instrucciones relativas a las actividades permitidas en cada fase, así como a su alcance y ámbito

---

en el texto, la actividad desplegada por la Conferencia durante el primer estado de alarma no se ajusta a lo dispuesto en su reglamento.

territorial. Igualmente, cuando concurran motivos justificados de salud pública se le atribuye una facultad adicional para modificarlas, ampliarlas o restringirlas.

En cuanto a la metodología operativa para la toma de decisiones, la centralidad del responsable de la cartera de Sanidad vuelve a reiterarse, ya que es quien decide en qué fase de desescalada se halla cada territorio, así como las actividades permitidas y las condiciones específicas en las que éstas deben llevarse a cabo. En el ejercicio de su competencia, el Ministerio debe tomar como referente el panel de indicadores en el que se recogen los criterios técnicos operativos en el ámbito sanitario. Dichos criterios, que se utilizan para determinar cada dos semanas en qué fase, de avance o retroceso, se encuentra cada Comunidad Autónoma, se someten a una valoración conjunta, debiendo ser expresamente consensuados con equipos técnicos integrados por el Ministro y los Consejeros autonómicos de Sanidad. Por su parte, las CCAA disponen de un radio de acción muy limitado, contando únicamente con la potestad para trasladar al Ministro propuestas, debidamente justificadas, de incorporar a la fase correspondiente actividades no incluidas o no previstas. Asimismo, pueden proponer, una vez oídas las Entidades Locales afectadas, el cambio de fase de un determinado territorio, lo que deberá venir acompañado de un informe motivado en el que se indique el nivel de cumplimiento de los parámetros establecidos, así como la viabilidad de garantizar el aislamiento requerido en su caso. En ambos supuestos, la última palabra corresponde siempre al Ministro de Sanidad que, de este modo, sigue conservando, en su condición de autoridad competente delegada, la facultad de adoptar las decisiones correspondientes.

3.   LA ACTIVACIÓN DEL PROCESO DE DESESCALADA: LA LENTA RECUPERACIÓN DE COMPETENCIAS POR LAS CCAA

Una vez constatado que todo el territorio nacional se encontraba en la Fase 0, con la excepción de las islas de Formentera, Gomera, El Hierro y La Graciosa que estaban ya en una fase más avanzada, el Real Decreto 514/2020, de 8 de mayo, recoge los términos de la cuarta prórroga del estado de alarma autorizada por el Congreso y, asimismo, formaliza jurídicamente el procedimiento de desescalada diseñado por el Plan al que acabamos de referirnos. Como elemento más destacado cabe reseñar la confirmación de una cierta, aunque tímida, receptividad hacia la capacidad operativa de la esfera autonómica. El hecho es que, sin alterar la condición de autoridad delegada que sigue correspondiendo al Ministro de Sanidad, se atribuye a las Comunidades la facultad de proponer a éste, "a la vista de la evolución de los indicadores sanitarios, epidemiológicos, sociales, económicos y de movilidad", que acuerde "en el ámbito de su competencia, la progresión de las medidas aplicables en un determinado ámbito territorial, sin perjuicio de las habilitaciones conferidas al resto de autoridades delegadas competentes". En un sentido similar, se contempla la posibilidad de que, en el proceso de desescalada, el Gobierno acuerde "conjuntamente con cada Comunidad Autónoma la modificación, ampliación o restricción de las unidades de actuación y las limitaciones respecto a la libertad de circulación de las personas, de las medidas de contención y de las de aseguramiento de bienes, servicios, transportes y abastecimientos, con el fin de adaptarlas mejor a la evolución de la emergencia sanitaria en cada comunidad autónoma". La principal novedad que se produce en estos momentos es que la competencia para aplicar las medidas acordadas corresponde "a quien ostente la Presidencia de la Comunidad Autónoma, como representante ordinario del Estado en el territorio" (artículo 4 RD 514/2020).

Un ulterior, aunque siempre limitado, paso llamado a dotar de un mayor vigor sustantivo al principio de *cogobernanza* en el camino de la desescalada se producirá con la siguiente prórroga, aprobada por la Cámara Baja, estando ya en vigor la Fase I en la mayor parte del país[6], al quedar vinculado el desarrollo de las funciones correspondientes al Ministro de Sanidad, en tanto que autoridad competente delegada, "al principio de cooperación con las CCAA" (artículo 6.1, Real Decreto 537/2020, de 22 de mayo). Ya en la antesala del final del

---

[6]   Las islas de La Gomera, El Hierro y La Graciosa, así como la isla de Formentera, ya estaban en la fase II, mientras que el resto del territorio nacional todavía se encontraba en fase I. Quedaban al margen de ésta, la Comunidad de Madrid, parte de la provincia de Barcelona y algunas zonas de la Comunidad de Castilla y León.

estado de alarma, la última de sus prórrogas (la sexta, formalizada en el Real Decreto 555/20, de 5 de junio) incorpora una significativa modificación, puesto que reconoce la condición de autoridad competente delegada "a quien ostente la Presidencia de la comunidad autónoma", confiriéndole a ésta, en el ejercicio de sus competencias, la potestad exclusiva para "la adopción, supresión, modulación y ejecución de medidas correspondientes a la fase III del plan de desescalada"[7]. A este respecto, se introduce una importante y lógica salvedad, quedando expresamente excluidas "las medidas vinculadas a la libertad de circulación que excedan el ámbito de la unidad territorial determinada para cada comunidad autónoma a los efectos del proceso de desescalada" (artículo 6.1 RD 555/2020). Por último, se atribuye a las CCAA la potestad para decidir, "con arreglo a criterios y epidemiológicos, la superación de la fase III en las diferentes provincias, islas o unidades territoriales de su Comunidad y, por tanto, su entrada en la «nueva normalidad»" (artículo 6.2 RD 555/20).

4.   NUEVA NORMALIDAD Y DEVOLUCIÓN COMPETENCIAL: DE LA NORMATIVA EXCEPCIONAL A LA NORMATIVA EXTRAORDINARIA

Teniendo en cuenta que al iniciarse la etapa de nueva normalidad que comienza tras la finalización del estado de alarma (21 de junio de 2020) todavía no había concluido el proceso de desescalada, dado que todo el territorio nacional había alcanzado al menos la Fase II, pero no así la Fase III, resultaba imprescindible diseñar una respuesta normativa que viniera a establecer el marco jurídico idóneo para gestionar la todavía existente crisis sanitaria y lograr, como objetivo final, la restauración de la normalidad.

---

[7]   Sáenz Royo, E., "Estado Autonómico y Covid-19", *Teoría y realidad constitucional*, n. 48, 2021, p. 379 mantiene una opinión crítica sobre la habilitación señalada considerando que la misma no "hace una interpretación adecuada del art. 7 LOEAES", puesto que dicho precepto sólo contempla la hipótesis de delegación en la figura del Presidente de la Comunidad Autónoma cuando la declaración del estado de alarma afecte a todo o parte de un territorio de una Comunidad.

El hecho a remarcar es que el final del estado de alarma en unas condiciones epidemiológicas todavía precarias fue consecuencia directa del complejo escenario político concurrente, que quedó en claramente en evidencia a través de la pérdida progresiva de apoyos parlamentarios que experimentó el Gobierno a lo largo de las sucesivas prórrogas solicitadas. Confrontado a la realidad de un Congreso cada vez menos proclive a mantener la excepcionalidad en vigor, al Ejecutivo central no le quedó otra salida que diseñar un plan alternativo para gestionar la crisis sanitaria aún vigente. Aprobado en las postrimerías del primer estado de alarma, el Real Decreto-ley 21/2020, de 9 de junio, de medidas urgentes de prevención, contención y coordinación para hacer frente a la crisis sanitaria ocasionada por el COVID-19 responde a esta necesidad, puesto que establece un marco jurídico de referencia que hunde sus raíces en el sustrato regulador de la excepcionalidad, si bien adaptándolo a unas condiciones que aparecen formalmente vinculadas a circunstancias de extraordinaria y urgente necesidad[8] (artículo 86.1 CE). Su artículo 1 da buena prueba de tal aproximación, al afirmar que el objeto perseguido por el Real Decreto-ley no sólo responde a la necesidad de establecer las medidas urgentes que rezan en su título, sino también "prevenir posibles rebrotes, con vistas a la superación de la fase III del Plan para la Transición hacia una Nueva Normalidad por parte de algunas provincias, islas y unidades territoriales y, eventualmente la expiración de la vigencia del estado de alarma". En función de tal planteamiento, queda en evidencia una cuestión obvia ya tantas veces aludida como es que la crisis sa-

---

[8]   Carmona Contreras, A., "La producción legislativa del Estado con incidencia en las Comunidades Autónomas", Aja Fernández, E. y García Roca, F.J. (Dirs.), *Informe Comunidades Autónomas 2020, ob. cit.*, pp. 311-319, pone de manifiesto cómo la potestad gubernamental de urgencia que se plasma en la figura de los decretos-leyes adquiere un protagonismo determinante a lo largo del año. De hecho, del análisis de la producción normativa primaria estatal producida durante dicho período emerge con claridad que éstos operan como fuente del derecho predominante en la gestión de la crisis generada por la pandemia, cuyos efectos se dejaron sentir en el ámbito sanitario, pero también, con especial crudeza, en la economía y en la sociedad. La atención a las materias reguladas por los decretos-leyes emanados (un número total de 39) así lo deja en evidencia, habilitando toda una serie de medidas relacionadas con el ámbito de la salud, así como en el terreno de la protección de las empresas, los trabajadores y sectores sociales especialmente vulnerables.

nitaria, si bien sustancialmente atenuada, todavía persiste. Asimismo, que el riesgo de retrocesos sigue activo. Pasamos, pues, a un escenario fáctico de gestión de la pandemia en el que el levantamiento del estado de alarma no trae consigo la eliminación ni de su supuesto fáctico ni tampoco de la necesidad de específicas normas reguladoras.

En relación con la batería de medidas que incorpora el Real Decreto-ley 21/2020, el primer elemento reseñable es el amplísimo espectro de cuestiones (uso obligatorio de mascarillas, medidas a adoptar en centros de trabajo, sanitarios, docentes, en centros comerciales, restauración, transportes, entre otras) abordado. En relación con las mismas, se prevé que "serán de aplicación en todo el territorio nacional hasta que el Gobierno declare de manera motivada y de acuerdo con la evidencia científica disponible, previo informe del Centro de Coordinación de Alertas y Emergencias Sanitarias, la finalización de la situación de crisis sanitaria ocasionada por el COVID-19" (artículo 2.3 RDL 21/2020). Con carácter previo a la referida declaración, las CCAA deberán ser consultadas por el Gobierno el seno del Consejo Interterritorial del Sistema Nacional de Salud (artículo 2.3 *in fine* RDL 21/2020).

En cuanto a las cuestiones relativas a la aplicación de las medidas contempladas, la norma dedica una atención preferente a la determinación de las instancias territoriales competentes, así como al establecimiento de previsiones referidas a su desarrollo. En relación con ambos aspectos emerge una perspectiva reguladora en la que la fuerte impronta del principio de coordinación que se introduce a favor del Ejecutivo central y del que se deriva la imposición de diferentes obligaciones a las Autonomías, coexiste con el recurso constante a la activa implicación de éstas sobre la base del principio de colaboración.

En este contexto de dinámica relacional entre distintos niveles de gobierno resulta muy significativo, en primer lugar, por lo que a los órganos competentes se refiere, el establecimiento una cláusula de seguridad llamada a activarse "con carácter excepcional y cuando así lo requieran motivos de extraordinaria gravedad o urgencia". En virtud de la misma, la Administración General del Estado queda facultada para promover, coordinar o adoptar "de acuerdo con sus competencias cuantas medidas sean necesarias para asegurar el cumplimiento de lo dispuesto en este real decreto-ley". Por su parte, el rol atribuido a las CCAA en tales circunstancias aparece circunscrito únicamente al terreno de la mera "colaboración" (artículo 3.1 RDL 21/2020). Será en un momento sucesivo cuando éstas cobren un protagonismo efectivo. Concretamente, al contemplarse el supuesto ordinario de gestión será cuando se atribuya a los órganos competentes del Estado, las CCAA y las Entidades Locales, "en el ámbito de sus respectivas competencias, las funciones de *vigilancia, inspección y control* del correcto cumplimiento de las medidas establecidas en este real decreto-ley" (artículo 3.2 RD 21/2020, la cursiva es nuestra).

Desde la perspectiva específica del desarrollo de las actividades que corresponden a las CCAA, el Real Decreto-ley se refiere expresamente a "la adopción de planes y estrategias de actuación para afrontar emergencias sanitarias". Estos deberán atender "los niveles de riesgo de exposición y de transmisión comunitaria de la enfermedad" y quedarán formalizados mediante el recurso a la figura de "las actuaciones coordinadas en salud pública" (artículo 5 RDL 21/2020). A este respecto, ha de llamarse la atención sobre el sustancial reforzamiento que experimentan dichas actuaciones, a raíz de la reforma de su marco regulador (el artículo 65 de la Ley 16/2003, de 28 de mayo, de cohesión y calidad del Sistema Nacional de Salud), confiriéndose un especial énfasis al doble objeto que las inspira: Responder a situaciones de especial riesgo o alarma para la salud pública, por un lado y por otro, cumplir los acuerdos internacionales y los programas de la Unión Europea. Como regla general, la declaración de las acciones coordinadas corresponde al Ministerio de Sanidad, mediando el acuerdo previo adoptado en el seno del Consejo Interterritorial del Sistema Nacional de Salud con audiencia de las CCAA afectadas directamente[9]. Ahora bien, el trámite de audiencia podrá obviarse cuan-

---

[9]   Velasco Caballero, F., "Estado y Comunidades Autónomas durante la pandemia", *ob. cit.*, p. 50, incide en una cuestión que debe ser objeto de atención preferente como es que en este supuesto el Consejo actúa como órgano de cooperación. Las acciones coordinadas son, en efecto, declaradas por el Ministerio de Sanidad, pero previamente han sido acordadas en el seno del Consejo Interterritorial. En función del contexto concurrente, no cabe atribuir efectos vinculantes a estas acciones, puesto que el Consejo limita su radio de actuación al que es propio de las conferencias sectoriales. En este sentido, resulta pertinente recordar que, en el ordenamiento jurídico español, ya desde la STC 76/1983, quedó establecido –y así lo recogen las leyes correspondientes- que los acuerdos adoptados

do concurran "circunstancias de necesidad urgente", aunque en tal caso sólo se adoptarán las "medidas estrictamente necesarias", debiéndose informar con urgencia a aquéllas. En este supuesto, el valor jurídico atribuido a la figura de la acción coordinada experimenta un cambio sustancial, puesto que viene a dotarse de efectos preceptivos, dado que "obliga a todas las CCAA incluidas en la misma" (Disposición Final Segunda.1 RDL 21/2020). Tal salto cualitativo se justifica teniendo en cuenta que estamos ante una manifestación de la potestad de coordinación de la que es titular el Estado central que, por lo demás, se vincula a la concurrencia de circunstancias fácticas cualificadas por su urgencia y necesidad[10].

El elenco de reformas en este ámbito concluye con la previsión de un nuevo artículo 65 bis de la Ley 16/2003 (Disposición Adicional Segunda.2 RDL 21/2020), que establece para el supuesto de que se verifique una "situación de emergencia para la salud pública", la obligación a cargo de CCAA y Entidades Locales comprendidas en su ámbito territorial[11] de aportar "de inmediato" al Ministerio de Sanidad "la información epidemiológica y la relativa a la capacidad asistencial que se requiera y la identificación de las personas responsables de la misma, así como las medidas de prevención, control y contención adoptadas //.../ / en los términos que se establezcan por el Ministerio

---

por estos órganos de colaboración vertical y de naturaleza multilateral (en el que participan representantes de las Comunidades Autónomas y del Gobierno Central) carecen de valor preceptivo, limitando sus efectos al ámbito de lo político.

[10]   En relación con esta segunda modalidad de actuación del Consejo Interterritorial del Sistema Nacional de Salud advierte Velasco Caballero, F., "Estado y Comunidades Autónomas durante la pandemia", *ob. cit.*, p. 52, que "no atribuye por sí ninguna competencia de coordinación al Ministerio, pues tal competencia proviene directamente del artículo 149.1.16 CE". En el supuesto contemplado por el artículo 65, sigue razonando el autor, nos encontramos con "una regulación del ejercicio de esta competencia. Y lo hace, dentro de las opciones posibles, limitando el ejercicio de la potestad ministerial de coordinación a situaciones de urgente necesidad". Circunscrita dentro de estos límites, emerge la existencia de una voluntad legislativa orientada a "constreñir lo máximo posible, sólo para situaciones por completo extraordinarias, la potestad de actuación unilateral (coordinación) del Ministerio, sin ni siquiera la propuesta previa del Consejo Interterritorial del Sistema Nacional de Salud".

[11]   Tratándose de Entes Locales, la norma prevé que la información requerida "será recabada por el órgano competente en materia de salud pública de la correspondiente comunidad autónoma, que deberá transmitirla al Ministerio de Sanidad".

de Sanidad". El contenido de este nuevo precepto se cierra con la previsión de un deber de información que corresponde al Ministerio de Sanidad, que queda constreñido a convocar "con carácter urgente el Consejo Interterritorial de Sistema Nacional de Salud".

Sobre la base de las previsiones apuntadas, se desprende con claridad que en la etapa de nueva normalidad el Consejo Interterritorial, un órgano sectorial integrado por los responsables de Sanidad de los ámbitos central y autonómico, está llamado a asumir un destacado protagonismo, en tanto que foro institucional en el que se canalizan las dinámicas de encuentro y cooperación intergubernamental en dicha materia[12]. Las reuniones desarrolladas con regularidad a lo largo del tiempo, así como el nutrido número de acciones coordinadas adoptadas dan buena prueba de ello. Como contrapartida, nótese que el reforzamiento experimentado por el Consejo Interterritorial resulta directamente proporcional al declive sufrido por la Conferencia de Presidentes. Y es que una vez levantado el estado de alarma se puso punto final al ritmo semanal de reuniones, habiéndose verificado a partir de entonces tan solo dos encuentros: uno, el 31 de julio y otro, el 4 de septiembre de 2020.

Junto a las actuaciones coordinadas los "protocolos de vigilancia" también asumen una indudable relevancia en la gestión de la pandemia en el contexto inmediatamente posterior a la alarma. Vinculados al desempeño de tareas de detección y notificación de la situación epidemiológica que corresponde a las autoridades sanitarias autonómicas (artículo 24.1 RDL 21/2020), obligadas a comunicar al Ministerio de Sanidad la información de casos y brotes (artículo 24.2 RDL 21/2020), estos planes marcan la hoja de ruta a seguir. Aprobados por el Consejo Interterritorial del Sistema Nacional de Salud han de incorporar un contenido, cuyos componentes aparecen expresamente desgranados en la norma que los regula: "las definiciones necesarias para garantizar la homogeneidad de la vigilancia, las fuentes

---

[12]   García-Escudero Márquez, P., "Crisis sanitaria y modelo autonómico", Tudela Aranda, J. (Coord.), *Estado autonómico y Covid-19: Un ensayo de valoración general, ob. cit.*, p. 115, critica la clamorosa ausencia del Senado en la gestión de la pandemia. De este modo, se pone en evidencia una vez más su incapacidad para actuar como una cámara de representación territorial en el marco del Estado autonómico.

de información, las variables epidemiológicas de interés, el circuito de información, la forma y periodicidad de captación de datos, la consolidación y el análisis de la información" (artículo 24.3 in fine RDL 21/2020). Gozan de naturaleza preceptiva, puesto que "serán de aplicación obligatoria en todo el territorio nacional", lo que, sin embargo, no es óbice para que respetando en todo caso "los objetivos mínimos acordados" se dé vía libre a la posibilidad de adaptación por las CCAA en función del contexto específico en el que se encuentren (artículo 24.3 RDL 21/2020).

Una nueva manifestación de la interrelación existente entre el Estado y las CCAA se detecta en el ámbito de la determinación de las medidas previstas para garantizar las capacidades del sistema sanitario (Capítulo VI RDL 21/2020), incorporándose la obligación de que las autoridades autonómicas remitan "al Ministerio de Sanidad la información sobre la situación de la capacidad asistencial y de necesidades de recursos humanos y materiales". El establecimiento de los términos exigidos a la información requerida es competencia del "titular de la Dirección General de Salud Pública, Calidad e Innovación del Ministerio de Sanidad" que, a tal efecto, queda constreñido a consultar previamente a las CCAA (artículo 30 RDL 21/2020).

Como contrapunto a lo expuesto, resulta cuanto menos sorprendente que no se disponga ningún deber de información o comunicación al Ministerio por parte de los responsables autonómicos en relación con los denominados "planes de contingencia COVID-19" (artículo 29 RDL 21/2020), con los que han de contar las aquéllos para garantizar una cuestión capital en la gestión de la contención de los contagios como es "la capacidad de respuesta y la coordinación entre los servicios de Salud Pública, atención primaria y atención hospitalaria". En un sucesivo escalón de exigencia, se contemplan los "planes internos" que deben tener los centros de atención primaria y hospitalarios, de titularidad pública o privada "para hacer frente a la gestión de situaciones de emergencia relacionadas con COVID-19". La finalidad de estos planes no es otra que "garantizar la capacidad para responder ante incrementos importantes y rápidos de la transmisión y el consiguiente aumento en el número de casos. Para ello, se debe disponer, o tener acceso o capacidad de instalar en el plazo preciso los recursos necesarios para responder a incrementos rápidos de casos en base a las necesidades observadas durante la fase epidémica de la enfermedad. Estos planes deberán incluir también las actuaciones específicas para la vuelta a la normalidad". Así concebida la cuestión, las CCAA cuentan con un necesario e imprescindible margen de actuación en la definición de sus planes de contingencia que, sin embargo, no viene acompañado de un no menos insoslayable elemento de coordinación con el Estado a través de la formulación del correspondiente de deber de puesta en conocimiento de los mismos.

5.   UN NUEVO ESTADO DE ALARMA A ESCALA NACIONAL O CÓMO PRESERVAR EL PODER AUTONÓMICO

5.1. Constatando la descomposición de la nueva normalidad

La existencia de un verano marcado por el preocupante e ininterrumpido aumento de las cifras de contagios en buena parte del territorio nacional trajo consigo un rosario de actuaciones de choque a cargo de las CCAA más afectadas. El instrumento jurídico utilizado para articular las medidas adoptadas en esta fase de nueva normalidad fue una vez más el artículo 3 de la LOMEMSP. Sobre la base de la cláusula genérica habilitante que el mismo contiene, se acordaron incisivas previsiones limitadoras de derechos fundamentales –de forma muy destacada, los confinamientos perimetrales municipales o por zonas- territorialmente circunscritas, las cuales motivaron un alto grado de conflictividad jurisdiccional[13]. En este sentido, el primer aspecto

---

[13] A este respecto, merece una especial referencia el caso que de modo muy temprano se suscitó en la Comunidad Autónoma de Cataluña. A principios de julio, los elevados índices de contagio existente en Lleida y la comarca del Segrià dieron lugar a una resolución de la Consejería de Salud de la Generalitat por la que se acordaban severas restricciones de derechos fundamentales en las zonas afectadas. El rechazo que dichas medidas obtuvo en sede judicial, al denegar el órgano competente su ratificación, resultó determinante para que el Ejecutivo, haciendo uso de su potestad normativa de urgencia, aprobase el Decreto-ley 27/2020, de 13 de julio, de modificación de la Ley 18/2009, de 22 de octubre, de Salud Pública y de adopción de medidas urgentes para hacer frente al riesgo de brotes de la COVID-19. Mediante dicha normativa viene a establecerse un marco jurídico propio que, inspirándose en la configuración del estado de alarma, habilita a las

relevante es que, teniendo presente el efecto restrictivo anudado a las mismas su activación va a exigir la preceptiva autorización o ratificación por parte de los jueces contencioso-administrativos, según se recoge en la Ley 29/1998, de la Jurisdicción Contencioso-Administrativa. La novedad a subrayar en relación con dicha exigencia es la modificación que el control jurisdiccional experimenta como consecuencia de la reforma operada por la Ley 3/2020, de 18 de septiembre, de medidas procesales y organizativas para hacer frente al COVID-19 en el ámbito de la Administración de Justicia, distinguiéndose entre los siguientes supuestos: En primer lugar, se mantiene la previsión de que los Juzgados de lo contencioso-administrativo gozan de la competencia para autorizar o ratificar o autorizar "las medidas adoptadas con arreglo a la legislación sanitaria que las autoridades sanitarias consideren urgentes y necesarias para la salud pública e impliquen limitación o restricción de derechos fundamentales". El elemento de cambio reside en el hecho de que, a diferencia de lo previsto anteriormente, ésta queda vinculada a un supuesto concreto: *"cuando dichas medidas estén plasmadas en actos administrativos singulares que afecten únicamente a uno o varios particulares concretos e identificados de manera individualizada"* (Disposición Final 2.1, la cursiva es nuestra). En función de este enfoque, la definición de la competencia de ratificación o autorización judicial contemplada se hace depender tanto de la condición de la norma de la que trae causa la restricción de derechos fundamentales -un acto administrativo singular- como de que sus destinatarios sean personas concretas e individualizadas.

A continuación, se incorpora una previsión *ex novo* que supone un claro intento de solventar los graves problemas de seguridad jurídica que las genéricas medidas limitadoras de derechos plantearon ya en la fase inmediatamente precedente a la declaración de la primera alarma. Se trata de la encomienda a las Salas de lo Contencioso-Administrativo de los Tribunales Superiores de Justicia de las CCAA de la competencia de autorización o ratificación de las "medidas adoptadas con arreglo a la legislación sanitaria que las autoridades sanitarias de ámbito distinto al estatal consideren urgentes y necesarias para

---

autoridades autonómicas para la adopción de un amplio catálogo de medidas restrictivas justificadas por la necesidad de frenar los avances de los contagios.

la salud pública e impliquen la limitación o restricción de derechos fundamentales" en un supuesto específico, a saber, "*cuando sus destinatarios no estén identificados individualmente*" (Disposición Final 2.2, en la que se establece un nuevo apartado 8 al artículo 10 de la Ley 29/1998, la cursiva vuelve a ser nuestra). Esta vía de solución, sin embargo, muy pronto dejó en evidencia la que se erige en su principal debilidad, esto es, lo insuficiente de la habilitación normativa de la que traen causa las decisiones restrictivas de derechos fundamentales (artículo 3 LOMEMSP). Asimismo, también se llamó la atención sobre la falta de proporcionalidad en la que incurrían algunas de las medidas adoptadas, rechazándose su viabilidad jurídica. Distintas resoluciones judiciales así lo señalaron, destacando especialmente el Auto de 10 de octubre de 2020, de la Sala de lo Contencioso-Administrativo del Tribunal Superior de Justicia de Aragón que acordó no autorizar la medida de restricción de la libertad deambulatoria en el término municipal de La Almunia de Doña Godina (Zaragoza) para la contención del rebrote del COVID-19, contenidas en la Orden de la Consejería de Sanidad del Gobierno de Aragón de 7 de octubre de 2020[14]. También, cabe reseñar el Auto de 28 de octubre de 2020, adoptado por la Sala de lo Contencioso-Administrativo del Tribunal Superior de Justicia de Madrid, por el que se denegó la ratificación de las medidas acordadas en el apartado tercero de la Orden 1273/2020, de 1 de octubre, de la Consejería de Sanidad, por la que se establecen medidas preventivas en determinados municipios de la Comunidad de

---

[14] La respuesta del gobierno de Aragón ante esta resolución judicial siguió el mismo patrón utilizado en Cataluña y que se relata en la nota precedente, a saber, el recurso al decreto-ley en dos ocasiones de forma prácticamente consecutiva. El primero, el D-L 7/2020, de 19 de octubre, por el que se establece el régimen jurídico de la alerta sanitaria para el control de la pandemia COVID-19 en Aragón, amparándose en el artículo 3 de la LOMEMSP, habilita al Ejecutivo autonómico para la adopción de las medidas restrictivas de derechos fundamentales. Por su parte, el segundo, D-L 8/2020, de 21 de octubre, por el que se modifican niveles de alerta y se declara el confinamiento de determinados ámbitos territoriales en la Comunidad Autónoma de Aragón, da un paso más y recuperando precisamente las previsiones que fueron rechazadas por el Tribunal Superior de Justicia, declara el confinamiento de determinados ámbitos territoriales de la Comunidad Autónoma. La necesidad de adaptar las previsiones contenidas en el Decreto-ley 7/2020 ante la continua evolución de la pandemia COVID-19 se presenta como la causa que justifica la existencia de la norma autonómica.

Madrid en ejecución de la Orden del Ministro de Sanidad, de 30 de septiembre de 2020, por la que se aprueban actuaciones coordinadas en salud pública. Esta concreta resolución judicial suscita un especial interés, puesto que resultó determinante para que, atendiendo a la ausencia de respuestas efectivas para frenar el avance de los contagios por parte de las autoridades autonómicas responsables, el Ejecutivo nacional hiciera uso de su potestad constitucional y declarase el estado de alarma territorialmente limitado a dicha·Comunidad Autónoma (Real Decreto 900/2020, de 9 de octubre), durante un plazo de 15 días y sin ulterior prórroga.

De este modo, se perfiló un panorama en el que la división de opiniones en sede jurisdiccional no solo trajo consigo una grave quebranto de la seguridad jurídica sino también una creciente perplejidad entre la ciudadanía. Va a ser precisamente este trasfondo de incertidumbre el que da pie para que algunas de las CCAA más afectadas por los avances de los contagios (Euskadi, Asturias, Extremadura, Navarra, Cataluña, La Rioja, Melilla, Castilla-La Mancha, Cantabria y Valencia) solicitaran expresamente al Gobierno de la nación una nueva declaración del estado de alarma a escala nacional. Así sucedió el 25 de octubre, fecha en la que se aprueba el Real Decreto 926/2020. Con ello, se abría una nueva etapa de excepcionalidad en nuestro país.

5.2. El segundo estado de alarma:

5.2.1. Una primera aproximación crítica desde la reflexión teórica

Lo primero que debe ponerse de manifiesto en relación con esta nueva declaración del estado de alarma es que presenta unos trazos configuradores muy distintos a los establecidos en la experiencia precedente. Para empezar, desde una perspectiva temporal, se opta por una alarma de duración prolongada fijada ya desde su arranque. En efecto, una semana después de su declaración el Gobierno, que no llegó a agotar el plazo máximo de 15 días constitucionalmente previsto, obtuvo la prórroga del estado de alarma solicitada al Congreso de los Diputados, cuya extensión quedó fijada en un período de seis meses (Real Decreto 956/2020, de 3 de noviembre, por el que se prorroga el estado de alarma declarado por el Real Decreto 926/2020, de 25 de octubre, por el que se declara el estado de alarma para contener la propagación de infecciones causadas por el SARS-CoV-2).

En relación con la extensión temporal de la prórroga ya desde su previsión se impuso una reflexión de índole abiertamente crítica[15]. Marcando una neta diferencia con la precedente fase de alarma, se suprime el modelo articulado en función de una cadencia temporal de 15 días, transcurridos los cuales, el Gobierno debía someter su prórroga a la autorización del Congreso de los Diputados. El ya aludido desgaste político derivado de esta opción, que se concretó en la aminoración paulatina del apoyo recibido en sede parlamentaria al mantenimiento de la alarma, se muestra como elemento decisivo para abandonar dicha pauta operativa. La idea a enfatizar es que, ante el silencio que a este respecto mantienen tanto la Constitución como la LOEAES, que nada establecen expresamente sobre la duración de la prórroga del estado de alarma[16], el Gobierno no consideró que concurriese problema jurídico alguno para establecerla durante un semestre. En la Exposición de Motivos del Real Decreto de prórroga se justificaba tal petición sobre la base de las siguientes consideraciones:

> "dada la tendencia ascendente en el número de casos, la evolución esperada en los próximos meses, con una climatología adversa que reduce la posibilidad de desempeñar actividades en espacios abiertos, y la situación de posible sobrecarga del sistema asistencial, que podría llegar hasta bien entrada la primavera si no se actúa con instrumentos apropiados para frenar la propagación de la enfermedad, se considera necesario y proporcionado extender la aplicación de medidas que han demostrado ser eficaces para reducir situaciones de riesgo de transmisión y frenar los contagios, como las contenidas en el Real Decreto 926/2020, de 25 de octubre, durante un periodo de seis meses, al estimar que este plazo de

---

[15]   La doctrina constitucionalista, de forma prácticamente unánime, coincide en considerar que dicha prórroga incurre en un vicio de inconstitucionalidad. Cfr., por todos, Matia Portilla, F.J., "Ensayo de aproximación a las cuestiones planteadas por la crisis sanitaria en relación con el Estado autonómico", Tudela Aranda, J. (Coord.), *Estado autonómico y Covid-19: Un ensayo de valoración general, ob. cit.*, p. 166.

[16]   Una posición contraria adopta Aragón Reyes, M, "Covid y Estado autonómico", en J. Tudela Aranda (Coord.), *Estado autonómico y Covid-19: Un ensayo de valoración general, ob. cit.*, p. 87, quien defiende que la Constitución contiene un mandato implícito sobre la duración de la prórroga del estado de alarma que, en ningún caso, puede ser superior a 15 días.

tiempo ofrece la mayor seguridad posible para poder proteger adecuadamente la salud de la población con la información disponible en estos momentos".

Por nuestra parte consideramos que las justificaciones alegadas, aunque ciertamente no se muestran despojadas de una base real, no son en sí mismas suficientes para neutralizar el exceso evidente que implica una prórroga tan prolongada en el tiempo. Aunque, como ya se ha indicado, no existen disposiciones normativas expresas que marquen un límite temporal preciso, no puede deducirse la admisibilidad de cualquier duración de la prórroga. Recuérdese que la LOEAES exige, en el capítulo de disposiciones generales, que tanto las medidas como la duración de los estados excepcionales sean "las estrictamente indispensables", requiriéndose, asimismo, que su aplicación se realice "en forma proporcionada a las circunstancias" (artículo 1.2). Atendiendo a estos requisitos, el arco temporal definido no resulta admisible, al no respetar el principio de proporcionalidad[17]. Esta conclusión, por lo demás, se refuerza sustancialmente teniendo en cuenta el diseño que de la gestión de la alarma se introduce en esta segunda fase. En efecto, marcando una diferencia sustancial con el modelo centralizado (sic., de "mando único") que caracterizó la primera experiencia de alarma, en la actual va a obtener carta de naturaleza sustancial un escenario regido por el principio de *cogobernanza*. Así se desprende del enfoque funcional aplicado por el Real Decreto 926/2020, procediendo de la siguiente manera: Se comienza diseñando una serie de limitaciones de derechos fundamentales que son susceptibles de aplicarse durante el estado de alarma: (1) libertad de circulación de las personas en horario nocturno, el denominado toque de queda (artículo 5.1); (2) entrada y salida de las Comunidades y Ciudades Autónomas, también conocido como cierre perimetral (artículo 6.1); (3) permanencia de un máximo de 6 perso-

---

[17]   Compartimos la valoración realizada por Solozábal Echevarría, J.J., "La crisis del coronavirus tras el primer estado de alarma", Tudela Aranda, J. (Coord.), *Estado autonómico y Covid-19: Un ensayo de valoración general, ob. cit.*, p. 68, llamando la atención sobre la pertinencia de establecer una prórroga temporalmente más breve, puesto que "evita los riesgos de dispersión o exceso de heterogeneidad en que pueden incurrir las Comunidades Autónomas; y así se daría la oportunidad de recomponer la unidad en la actuación contra la pandemia, abordable también según criterios de flexibilidad que pueden producir una mayor eficacia".

nas en espacio privados y con respecto a lugares de tránsito público (artículo 7.1); (4) previsión de la posibilidad de limitar, condicionar o prohibir el ejercicio de la libertad de reunión y manifestación recogido en el artículo 21 CE siempre que sus promotores no garanticen el mantenimiento de la distancia personal que impida los contagios (artículo 7.3); (5) permanencia en lugares de culto acompañada de la limitación de los aforos (artículo 8).

Quebrando la opción del "mando único" asumida en la primera alarma, ahora, se confiere a los Presidentes autonómicos y de las ciudades autónomas la condición de autoridades competentes delegadas (artículo 2.2), asignándoles la competencia para decidir sobre la activación y eficacia de las medidas reseñadas (artículo 9). Este modo de proceder choca claramente con la literalidad del artículo 7 LOEAES, que prevé lo siguiente:

> "A los efectos del estado de alarma la Autoridad competente será el Gobierno o, por delegación de éste, el Presidente de la Comunidad Autónoma cuando la declaración afecte exclusivamente a todo o parte del territorio de una Comunidad".

Es obvio que el supuesto contemplado en sede legislativa se refiere a un escenario de alarma territorialmente circunscrito a una sola Comunidad Autónoma y no, ciertamente, operativo a nivel estatal. Sobre la base de tal constatación, la doctrina constitucionalista manifestó serias dudas en torno a la decisión adoptada por el Gobierno central al declarar la segunda alarma[18], oscilando entre dos extremos: por una parte, quienes señalaban la existencia de problemas prácticos en términos políticos, pero sin concluir que de ello se derivase un efecto de inconstitucionalidad[19]. Por otra, aquellos otros que sostenían precisamente tal consecuencia[20]. Como veremos en el epígrafe siguiente el TC acogerá esta segunda aproximación.

[18] Una posición minoritaria es la asumida por De la Quadra-Salcedo Janini, T., "El Estado autonómico y la lucha contra la pandemia", *ob. cit.*, p. 83, abogando por una interpretación flexible del artículo 7 LOEAES y defendiendo que la delegación a favor de los Presidentes Autonómicos es aceptable.

[19] Guerrero Vázquez, P., "El impacto territorial de la crisis sanitaria", Tudela Aranda, J. (Coord.), *Estado autonómico y Covid-19: Un ensayo de valoración general, ob. cit.*, pp. 143-144.

[20] Aragón Reyes, M., "Covid y Estado autonómico", *ob. cit.*, p. 85.

Desde una perspectiva sustancial, el margen de maniobra operativa con que cuentan los Presidentes Autonómicos como autoridades competentes delegadas resulta muy amplio, vinculándose a "la evolución de los indicadores sanitarios, epidemiológicos, sociales, económicos y de movilidad" de su respectivo territorio. El ejercicio de esta facultad, por lo demás, requiere la "previa comunicación al Ministerio de Sanidad" y en aras de garantizar la coordinación en su aplicación, atender a lo dispuesto por el Consejo Interterritorial del Sistema Nacional de Salud, que queda investido de la facultad para adoptar "cuantos acuerdos procedan, incluidos, en su caso, el establecimiento de indicadores de referencia y criterios de valoración del riesgo" (artículo 13). Adicionalmente, las autoridades competentes delegadas también disponen de la capacidad para modular, flexibilizar y suspender las restricciones establecidas por el decreto de alarma, quedando habilitadas para adoptar las siguientes decisiones: (1) adelantar a las 22 horas el inicio del toque de queda y también para determinar su finalización en la horquilla horaria comprendida entre las 5 y las 7 horas (artículo 5.2); (2) establecer cierres perimetrales en el interior de la Comunidad Autónoma, con un ámbito geográfico inferior a la misma (artículo 6.2); (3) rebajar el número máximo (6) de personas permitido en las reuniones privadas (artículo 7.2)[21].

Es evidente que en este modelo de gestión descentralizada de la alarma la responsabilidad política se desplaza desde el poder central al ámbito autonómico[22], de tal manera que, respetando las exigencias

---

[21]   Solozábal Echevarría, J.J., "La crisis del coronavirus tras el primer estado de alarma", *ob. cit.*, p. 66, manifiesta importantes dudas –que compartimos- con respecto a la "escasa densidad normativa" que presenta la regulación aprobada. En su opinión, la 'vaguedad' en el establecimiento de los supuestos en que procede la actuación limitadora de las Comunidades Autónomas es bien patente y la habilitación que se hace al Consejo para que establezca los supuestos de la actuación de coordinación es prácticamente en blanco, sin la asunción de cautela o condicionamiento alguno".

[22]   Aragón Reyes, M., "Covid y Estado autonómico", *ob. cit.*, p. 86, valora en términos abiertamente críticos este planteamiento, afirmando que no estamos ante una "declaración efectiva y de inmediata vigencia del estado de alarma". Muy al contrario, sigue razonando el autor, "se ha acudido a una especie de estado de alarma como norma de habilitación para que sean, en realidad, las Comunidades Autónomas, aunque dentro de unos determinados parámetros //...// las que efectúen esa declaración".

de coordinación establecidas, la rendición de cuentas por las actuaciones acordadas se lleva efectivamente a cabo a escala territorial[23]. El Congreso queda despojado de su capacidad de control, puesto que el Ejecutivo estatal no dispone de potestad efectiva en la gestión de la pandemia. Consecuentemente, los Ejecutivos de las CCAA están llamados a responder ante sus respectivos Parlamentos. Es precisamente aquí donde, a nuestro parecer, reside la principal debilidad de la prórroga acordada: el déficit de fiscalización gubernamental por parte de la representación popular en sede territorial, que se hace depender, lógicamente, de lo que se establezca en cada Comunidad Autónoma. La ausencia de mecanismos de control específicos vinculados al contexto de excepcionalidad concurrente a nivel territorial, puesto que nada se dispone en este sentido por los reglamentos de los parlamentos autonómicos, abre un importante flanco de debilidad democrática sobre el modelo de *cogobernanza* diseñado[24]. Una situación insatisfactoria que no logra neutralizarse mediante la incorporación de la siguiente previsión (artículo 14 del Real Decreto 956/2020):

"El Presidente del Gobierno solicitará su comparecencia ante el Pleno del Congreso de los Diputados, cada dos meses, para dar cuenta de los datos y gestiones del Gobierno de España en relación a la aplicación del Estado de Alarma. El Ministro de Sanidad solicitará su comparecencia ante la Comisión de Sanidad y Consumo del Congreso de los Diputados, con periodicidad mensual, para dar cuenta de los datos y gestiones co-

---

[23]   Matia Portilla, F.J., "Ensayo de aproximación a las cuestiones planteadas por la crisis sanitaria en relación con el Estado autonómico", *ob. cit.*, p. 161, manifiesta una posición decididamente contraria a este diseño operativo. En opinión del autor, lo pertinente hubiera sido que "el centro de decisión fuera –siguiera siendo- único y atendiera al interés general contando con las administraciones territoriales para conocer la situación y, en su caso, para ejecutar o implementar las medidas".

[24]   Nos sumamos a la propuesta formulada por García-Escudero Márquez, P., "Crisis sanitaria y modelo autonómico", *ob. cit.*, p. 118, quien reclama la necesidad de llevar a cabo un estudio sobre el control desarrollado por parte de los Parlamentos autonómicos que, más allá de las apariencias estadísticas o formales, tome en consideración elementos cualitativos, valorando tanto su calidad como su intensidad.

rrespondientes a su departamento en relación a la aplicación del Estado de Alarma".

El elemento más insatisfactorio sobre el que debemos llamar la atención es que estamos ante una norma que, desde una perspectiva cualitativa, denota una profunda incomprensión del sentido del control parlamentario al que está sometido, por imperativo constitucional el Ejecutivo, ya que su puesta en práctica se conecta a las exigencias de la representación de la ciudadanía, sin que dependa de que así se solicite por el órgano gubernamental, que es lo que aquí se prevé. Adicionalmente, se constata una insuficiencia de índole cuantitativa, puesto que las solicitudes de comparecencia parlamentaria se prevén en el caso del Presidente del Gobierno con una cadencia temporal de dos meses y en el del Ministro de Justicia, de uno. En un escenario pandémico marcado por la fluidez y continuidad de los cambios producidos, los tiempos marcados no responden a las exigencias concurrentes.

Las observaciones críticas expuestas serán, según se verá inmediatamente a continuación, acogidas por el TC en la sentencia que valora la constitucionalidad de este segundo estado de alarma.

5.2.2. La desautorización procedente del Tribunal Constitucional: La sentencia 183/2021, de 27 de octubre

Buena parte de las críticas doctrinales apenas expuestas van a resultar asumidas por el Tribunal Constitucional en la sentencia que resuelve el recurso de inconstitucionalidad presentado por 50 diputados del grupo parlamentario de Vox contra distintos artículos del Real Decreto 926/2020, de 25 de octubre, por el que se declaró el estado de alarma para contener la propagación de infecciones causadas por el SARS-CoV-2; la Resolución de 29 de octubre de 2020, del Congreso de los Diputados, por la que se ordena la publicación del acuerdo de autorización de la prórroga del estado de alarma declarado por el citado real decreto, y el art. 2, la disposición transitoria única y la disposición final primera (apartados uno, dos y tres) distintos preceptos del Real Decreto 956/2020, de 3 de noviembre, por el que se prorrogó el estado de alarma declarado por el Real Decreto 926/2020. Estado de alarma.

Centraremos nuestro análisis precisamente en aquellos pasajes de la resolución referidos a las cuestiones que atañen de forma inmediata al contenido autonómico del segundo estado de alarma: por un lado, la designación de los presidentes autonómicos como autoridades competentes delegadas y por otro, la atribución de capacidad decisional para la aplicación de las medidas restrictivas establecidas por la normativa de alarma.

En relación con el primer aspecto, el Tribunal Constitucional considera inconstitucional la atribución de la condición de autoridades competentes delegadas a los responsables de los Ejecutivos autonómicos. En primer lugar, porque como resulta obvio y ya ha sido apuntado, este modo de proceder supone una abierta infracción de lo dispuesto en el artículo 7 de la LOAES. A tal efecto, no sólo se apela a su dicción literal sino que también se acude al auxilio del contenido de los debates parlamentarios que acompañaron su tramitación (FJ 10, i)[25]. Mucha más atención merece, por su parte, el modelo de *cogobernanza* desde la perspectiva de las facultades atribuidas a los presidentes autonómicos. En este sentido, la tacha de inconstitucionalidad gira en torno a dos ideas que se muestran interconectadas y a las que, como hemos visto, ya se aludió previamente en sede doctrinal: en primer lugar, se censura la delegación en cuanto tal diseñada por los decretos de alarma. Como consecuencia de esta, a continuación, se señala la desnaturalización que experimenta el ejercicio de las funciones que, según la Constitución, corresponden tanto al Gobierno como al Congreso en la gestión y control del estado de alarma, respectivamente.

En relación con la delegación de capacidad decisional prevista por los decretos de declaración y prórroga de la alarma, la sentencia rechaza que se trate de una operación delegante en sentido estricto, puesto que no se establecen "al menos, los criterios o instrucciones ge-

---

[25]   En su Voto Particular, la magistrada Balaguer rechaza la lectura "originalista" del precepto llevada a cabo por la mayoría del TC. En su opinión, "una interpretación razonable de la LOEAES, debiera haber optado por priorizar una interpretación actualizada, evolutiva, del modelo de reparto competencial del poder, incluyendo en ese marco los poderes de excepción". En una línea similar se manifiesta el Voto Particular del magistrado Conde-Pumpido, que insiste en la necesidad de "una interpretación evolutiva del modelo constitucional y legal del estado de alarma" (apartado 3).

nerales que deba seguir el delegado para la aplicación de las medidas aprobadas; para el control que haya de ejercer durante su aplicación; y, por último, para la valoración y revisión final de lo actuado" (FJ 10, ii)[26]. Desgranando los déficits aludidos, el Tribunal reprueba que a las autoridades competentes delegadas, dejando a salvo la restricción de movilidad en horario nocturno, les fueran atribuidas "potestades para decidir sobre la efectiva implantación o no, en los territorios respectivos, de las medidas, que, además, podían quedar eventualmente, flexibilizadas, moduladas o suspendidas (hasta reactivarse, en su caso), tanto durante la vigencia inicial del estado de alarma gubernamental, //...//, como ya sin excepción alguna, a lo largo de los seis meses de su prórroga". Esta inicial apreciación negativa experimenta una ulterior confirmación atendiendo al hecho de que la delegación se llevó a cabo "sin reserva alguna de instrucciones, supervisión efectiva y eventual avocación a cargo del propio Gobierno, de lo que las 'autoridades delegadas' pudieran actuar en sus respectivos ámbitos territoriales". Actuando de tal manera, la definición de las medidas a aplicar, así como su implantación, selección y eventual suspensión quedaron relegadas a un ámbito de marcada incertidumbre lo que conduce a afirmar que tanto el Gobierno en primera instancia, como a continuación, el Congreso al autorizar la prórroga procedieron a una dejación de sus competencias que no encuentra amparo en la Norma Suprema (FJ 10, iii). Tal aseveración no cambia de signo atendiendo a la remisión que llevan a cabo los decretos de alarma a favor del Consejo Interterritorial del Sistema Nacional de Salud, atribuyéndole la condición de instancia encargada de "garantizar la necesaria coordinación en la aplicación de las medidas, establecimiento de indicadores de referencia y criterios de valoración del riesgo".

Avanzando en su análisis, el TC sigue aferrado al argumento de la dejación de funciones, constatando un similar efecto de inconstitucionalidad por lo que se refiere al ejercicio de la potestad de fiscalización que corresponde a la Cámara Baja. Para ello, se retoma el criterio

---

[26] En su Voto Particular el magistrado Xiol rechaza abiertamente esta apreciación y defiende que estamos en presencia de una delegación en sentido propio. Para corroborar tal afirmación trae a colación lo dispuesto por la Ley de Régimen Jurídico de la Administración en relación con la delegación de competencias con la finalidad de confirmar su argumentación en sede normativa.

ya expuesto previamente con ocasión del rechazo de la constitucionalidad de la prórroga de seis meses acordada por el Congreso, al considerarse privada de fundamento y razonabilidad. La ausencia de certeza existente en torno a qué "medidas iban a ser aplicadas, cuándo iban a ser aplicadas y por cuánto tiempo serían efectivas en unas partes u otras de todo el territorio nacional al que el estado de alarma se extendió (art. 3 del Real Decreto 926/2020)" se sitúa como centro de gravedad valorativo. En función de tal premisa se concluye afirmando que la fijación temporal de la prórroga "se realizó de un modo por entero inconsistente con el sentido constitucional que es propio al acto de autorización y sin coherencia alguna, incluso, con aquellas mismas razones que se hicieron valer por el Gobierno para instar, por ese concreto plazo, la prórroga finalmente concedida". Consecuentemente, al asumir el Congreso de "manera automática" la petición formulada por el Gobierno desvirtuó la "exigencia constitucional del establecimiento de un plazo cierto para la prórroga", dejando "por entero en otras manos la decisión, tanto de las medidas a implantar, como de las que, en su caso, fueran modificadas, mantenidas, suspendidas u objeto de regresión". Actuando de esta manera, sigue razonando el Alto Tribunal, "el control exigible al Congreso sobre la solicitud de autorización cursada por el Gobierno, ni se extendió a qué medidas eran aplicables, ni tampoco a la necesaria correspondencia que debiera haber existido entre el período de prórroga de seis meses autorizado y las medidas a aplicar durante el mismo (FJ 8, E).

Ese mismo argumento que apunta a la desnaturalización de la función fiscalizadora que corresponde a la Cámara Baja en el momento inicial de autorizar la prórroga vuelve a ponerse de manifiesto en la fase inmediatamente sucesiva en la que el control se parlamentario se desplaza al plano sustancial de la gestión realizada por parte del Gobierno. Atribuir la capacidad de decisión sobre las medidas a aplicar para afrontar la crisis sanitaria al ámbito autonómico trae consigo una abierta quiebra del esquema relacional que la Constitución establece con respecto a la gestión gubernamental de la alarma y su control por el Congreso. Este órgano resultó "privado primero, y se desapoderó después, de su potestad, ni suprimible ni renunciable, para fiscalizar y supervisar la actuación de las autoridades gubernativas durante la prórroga acordada" (FJ 10, iv). Esta genérica aseveración de partida sirve de pórtico a un razonamiento más articulado y específico, según se desprende de los términos en que se manifiesta el siguiente pasaje: "Quien podría ser controlado por la Cámara (el gobierno ante ella responsable) quedó desprovisto de atribuciones en orden a la puesta en práctica de unas medidas u otras. Quienes sí fueron apoderados en su lugar a tal efecto (los presidentes de las comunidades autónomas y ciudades con estatuto de autonomía) no estaban sujetos a control político del Congreso, sino, eventualmente, al de las asambleas legislativas respectivas"[27]. En tales circunstancias, la rendición de cuentas ante el Congreso por parte del presidente del Gobierno y del ministro de Sanidad se concretó en una serie de comparecencias cuyo objeto se limitó a realizar "una valoración general de la evolución de la pandemia que motivó el estado de alarma" (FJ 10, iv). El desarrollo del control en tan precarios términos sustantivos condujo de facto a su cancelación y, por ende, a la anulación de la función de garantía de los derechos que al mismo corresponde bajo el estado de alarma[28].

6.   REFLEXIONES CONCLUSIVAS

A la luz del recorrido analítico realizado en las páginas precedentes corresponde ahora llevar a cabo una valoración final sobre cuál ha sido el impacto que la pandemia ha proyectado sobre el Estado autonómico. En tal sentido, resulta imprescindible distinguir entre las distintas modalidades de gestión que en los dos estados de alarma declarados en todo el territorio nacional se han sucedido en el tiempo: desde el 14 de marzo al 21 de junio de 2020, en primer lugar y con

---

[27]   En el Voto Particular del magistrado Conde-Pumpido encontramos un decidido pronunciamiento a favor de la constitucionalidad de la gestión descentralizada, así como del protagonismo asumido por los parlamentos autonómicos en el escenario del segundo estado de alarma nacional. En su opinión, el planteamiento previsto "no significa ni el desapoderamiento del Congreso de los Diputados, ni una supuesta dejación u omisión en el ejercicio de las funciones que le son propias". En todo caso, continua razonando, "el control sigue residenciado en el Congreso".

[28]   Finaliza su alegato el TC sobre la importancia que presenta la fiscalización parlamentaria incorporando otra dimensión que discurre pareja a de la garantía de los derechos y que se refiere al servicio que presta la función de control de cara a "la formación de una opinión pública activa y vigilante y que no puede en modo alguno soslayarse durante un estado constitucional de crisis".

posterioridad, el que estuvo en vigor desde el 25 de octubre de ese mismo año al 9 de mayo de 2021, fecha en la que decayó tras extinguirse el período de seis meses de prórroga concedido por el Congreso de los Diputados.

Por lo que respecta al primer estado de alarma, se ha constatado la existencia de una actitud marcadamente centralizadora en sus inicios, que va a ir dando paso a una aproximación progresivamente receptiva a favor de la reincorporación de las Autonomías a la gestión de la crisis sanitaria. En función de tal enfoque se desprende que tras una primera etapa en la que, ante la gravedad de la situación epidemiológica, todo el poder quedaba concentrado en la figura del Ministro de Sanidad y los restantes designados como autoridades competentes delegadas se transitará, de la mano de la contención del virus (el denominado aplanamiento de la curva), hacia un escenario diverso en el que, sin abandonar la centralidad de aquel, se abre la puerta a una mayor implicación de las CCAA. De este modo, el concepto de *cogobernanza*, despojado de virtualidad efectiva en el momento de su formulación, puesto que limitaba su operatividad a las reuniones informativas de la Conferencia de Presidentes celebradas cada domingo, irá ganando un cierto peso específico en términos prácticos, abriendo algunos espacios para la gestión autonómica, aunque siempre bajo la autoridad del Ministro de Sanidad.

Por su parte, en relación con la etapa de nueva normalidad resulta pertinente recordar que el levantamiento del estado de alarma acaecido el 21 de junio de 2020, si bien goza de justificación política, puesto que es consecuencia directa de la mengua progresiva de apoyos parlamentarios obtenidos por el Gobierno en las sucesivas prórrogas de la alarma, no se muestra en consonancia con la situación epidemiológica de nuestro país, que en tal momento y salvo contadas excepciones localizadas en concretos territorios, se hallaba en la fase II de la desescalada. En tales circunstancias, la restitución de las competencias sanitarias a las CCAA, aun mereciendo una valoración inicialmente positiva, puesto que devuelve el centro de gestión decisional a su ámbito natural desde una perspectiva constitucional y estatutaria, no se llevó a cabo en términos idóneos. La ausencia de un marco claro de indicadores rectores de las fases de desescalada se muestra como uno de los déficits más relevantes, puesto que el panel de indicadores epidemiológicos, de movilidad y atendiendo a parámetros sociales y económicos diseñado por el Gobierno de España en su Plan de Transición hacia la Nueva Normalidad no incorporaba ningún criterio de ponderación explícita en el proceso de toma de decisiones. Con ello se abría un significativo espacio para la discrecionalidad de los responsables políticos autonómicos al margen de criterios técnicos preestablecidos. Una aproximación eminentemente laxa que se reiterará en el segundo estado de alarma y que va a ser declarado contrario a la Constitución por parte del TC.

Otra cuestión relevante a considerar en la etapa de nueva normalidad es la relativa a la previsión de mecanismos de coordinación a cargo del Estado. Como se vio en su momento, el RDL 21/2020, que traza las líneas maestras de la *cogobernanza* en esta fase vino a establecer diversas previsiones al respecto, llevando a cabo una decidida apuesta a favor del Consejo Interterritorial del Sistema Nacional de Salud, que se erige en instancia que asume el protagonismo principal en la dinámica relacional entre el gobierno central y sus homónimos autonómicos. Sin embargo, esa centralidad no viene acompañada en la en la práctica por la previsión de concretas disposiciones mediante las que el Estado pueda verificar efectivamente que las CCAA están cumpliendo las obligaciones previstas en el Real Decreto-ley de nueva normalidad: rastreo, detección, recursos humanos y sanitarios, planes de contingencia, etc.

Precisamente sobre la base de las debilidades expuestas compartimos la valoración crítica del proceso de desescalada seguido tras el final del estado de alarma puesta de manifiesto por la revista *The Lancet*[29], que en su editorial del 20 de octubre de 2020 señalaba, por un lado, que "algunas autoridades regionales fueron probablemente demasiado rápidas en la reapertura y demasiado lentas en la implementación de un sistema eficiencia de detección y rastreo de casos". Por otro, que "la infraestructura de control epidemiológico a escala local fue insuficiente para controlar futuros rebrotes y limitar la transmisión comunitaria". A partir de tales constataciones de fondo, "la polarización política y la gobernanza descentralizada" son considera-

---

[29] "COVID-19 in Spain: a predictable storm?", www.thelancet.com/public-health, publicado on line el 16 de octubre de 2020, hhtps://doi.org/10.1016/52468-2667(20)30239-5.

das como las principales causas que "pudieron obstaculizar la rapidez y la eficiencia de la respuesta de la sanidad pública" en el proceso de desescalada, lastrando la puesta en marcha de las medidas pertinentes para frenar la segunda ola de la pandemia que, a diferencia de la primera, no resultaba impredecible. Unas medidas restrictivas de la libertad de circulación de la ciudadanía (cierres perimetrales y confinamientos de zonas especialmente afectadas por la expansión del virus) adoptadas por las autoridades autonómicas sobre la base de la legislación sectorial (señaladamente, el artículo 3 LOMEMSP) que, como se ha indicado, generaron importantes dudas jurídicas y no cosecharon el respaldo unánime de los nuevos sujetos legalmente habilitados (a partir de septiembre de 2020) para su ratificación o autorización: las Salas de lo Contencioso-Administrativo de los Tribunales Superiores de Justicia.

Con una nueva ola de la pandemia en plena expansión y para superar la grave situación de inseguridad jurídica derivada de la división de opiniones judicial ante las restricciones de derechos fundamentales adoptadas en sede autonómica, llegó una nueva declaración del estado de alarma a nivel nacional, el 25 de octubre de 2020. En esta ocasión, sin embargo, se detecta una aproximación reguladora en las antípodas de su predecesora. En efecto, con la lección aprendida del potente efecto de erosión política que se dedujo de la cita quincenal ante el Congreso de los diputados para obtener la correspondiente prórroga, ahora se opta por una solución claramente desproporcionada o para decirlo con las palabras del TC *irrazonable*. Se extiende durante seis meses, lo que supone una quiebra obvia de los postulados genéricos que inspiran la configuración constitucional y legal de los estados excepcionales: duración mínima y estrictamente circunscrita en el tiempo. Junto a ello, desde la perspectiva del modus operandi diseñado, se produce una clara cesura con respecto a la figura del mando único y la configuración de una *cogobernanza* eminentemente testimonial y desprovista de efectivo contenido sustancial de la primera alarma, apostando por un planteamiento decididamente descentralizado.

En este nuevo escenario, el Gobierno central procede a definir una genérica hoja de ruta fijando, con la única excepción del toque de queda nocturno, el marco de cuáles son las restricciones de derechos fundamentales que pueden llegar a estar operativas durante la vigencia de la alarma. Pero a partir de ahí y dentro de los límites trazados por el decreto regulador, van a ser los Presidentes autonómicos, en su condición de autoridades competentes delegadas, quienes resulten investidos de potestad no sólo para determinar su activación. También, para proceder a su modulación, flexibilización o suspensión a la vista de la evolución de los indicadores sanitarios, epidemiológicos, sociales, económicos y de movilidad, previa comunicación al Ministerio de Sanidad y siguiendo los acuerdos adoptados por el Consejo Interterritorial del Sistema Nacional de Salud. Entre los mismos, adquieren especial relevancia los dedicados al establecimiento de indicadores de referencia y criterios de valoración del riesgo. Este diseño de la *cogobernanza* en términos eminentemente flexibles y caracterizado por un alto grado de indeterminación por lo que a su concreción efectiva se refiere en cada Comunidad Autónoma no solo recibió importantes críticas en sede doctrinal desde el momento mismo de su activación. También ha merecido la reprobación integral por parte del Tribunal Constitucional que, según hemos tenido ocasión de exponer, ha declarado su falta de encaje en el marco jurídico actualmente vigente. La dejación de funciones en la que incurrió el Congreso de los Diputados al autorizar la prórroga presentada por el Gobierno, tanto desde la perspectiva del establecimiento efectivo de las condiciones rectoras de la alarma como atendiendo a la necesidad de ejercer un control sustantivo de la gestión de la misma a cargo de aquel se erige en parámetro esencial que conduce a desautorizar en términos constitucionales tal modus operandi.

A la luz de la situación detectada no podemos sino enfatizar la idea de que la clamorosa ausencia de dimensión territorial en el cuadro rector del derecho de excepción de nuestro país requiere ser colmada mediante las correspondientes reformas normativas. Ajustar el soporte regulador de los estados de excepción a las exigencias derivadas de la descentralización del poder se afirma, pues, como vía necesaria a transitar[30], acomodando esa realidad territorial a los esquemas opera-

---

[30] En términos contrarios, que no compartimos, se pronuncian tanto la magistrada Balaguer como el magistrado Conde-Pumpido, los cuales consideran que tal efecto de ajuste puede lograrse a través de una lectura evolutiva del bloque de la constitucionalidad que proceda a atribuir a la descentralización territorial la relevancia que merece. Ambos coinciden en considerar que de haber aplicado

tivos de la gestión de la excepcionalidad por parte de las Comunidades Autónomas en aquellos ámbitos materiales que, como la sanidad, se incardinan en su ámbito competencial.

7.   BIBLIOGRAFÍA

Aragón Reyes, M, "Covid y Estado autonómico", en J. Tudela Aranda (Coord.), *Estado autonómico y Covid-19: Un ensayo de valoración general,* Fundación Manuel Giménez Abad, Zaragoza, 2021.

Biglino Campos, P., "El impacto de la Covid en la distribución de competencias", en Tudela Aranda, J. (Coord.), *Estado autonómico y Covid-19: Un ensayo de valoración general,* Fundación Manuel Giménez Abad, Zaragoza, 2021.

Carmona Contreras, A., "La producción legislativa del Estado con incidencia en las Comunidades Autónomas", Aja Fernández, E. y García Roca, F.J. (Dirs.), *Informe Comunidades Autónomas 2020,* Instituto de Derecho Público-Marcial Pons, Barcelona, 2021.

De la Quadra-Salcedo Janini, T., "Estado autonómico y lucha contra la pandemia", en Biglino Campos, P. y Durán Alba, J. (Dirs.), *Los efectos horizontales de la Covid-19 sobre el sistema constitucional: Estudios sobre la primera oleada,* Fundación Manuel Giménez Abad, Zaragoza, 2021.

García-Escudero Márquez, P., "Crisis sanitaria y modelo autonómico", Tudela Aranda, J. (Coord.), *Estado autonómico y Covid-19: Un ensayo de valoración general,* Fundación Manuel Giménez Abad, Zaragoza, 2021.

Garrido López, C., *Decisiones excepcionales y garantía jurisdiccional de la Constitución,* Marcial Pons, Madrid, 2021.

Guerrero Vázquez, P., "El impacto territorial de la crisis sanitaria", Tudela Aranda, J. (Coord.), *Estado autonómico y Covid-19: Un ensayo de valoración general,* Fundación Manuel Giménez Abad, Zaragoza, 2021.

Matia Portilla, F.J., "Ensayo de aproximación a las cuestiones planteadas por la crisis sanitaria en relación con el Estado autonómico", Tudela Aranda,

---

tal premisa el resultado alcanzado por la sentencia hubiera sido completamente distinto y hubiera conducido a avalar la constitucionalidad del sistema de *cogobernanza* implantado con ocasión del segundo estado de alarma. En este sentido, especialmente contundentes resultan las palabras del magistrado Conde-Pumpido señalando que, si bien dicho sistema se muestra "manifiestamente mejorable, se ajusta a la realidad competencial de nuestro Estado autonómico y a la propia realidad fáctica de la pandemia que exigía una aplicación espacio/temporal de las medidas diferenciada. Es, además, un sistema plenamente coherente con el diseño constitucional del estado de alarma" (apartado 4).

J. (Coord.), *Estado autonómico y Covid-19: Un ensayo de valoración general*, Fundación Manuel Giménez Abad, Zaragoza, 2021.

Sáenz Royo, E., "Estado Autonómico y Covid-19", *Teoría y realidad constitucional*, n. 48, 2021.

Solozábal Echevarría, J.J., "La crisis del coronavirus tras el primer estado de alarma", Tudela Aranda, J. (Coord.), *Estado autonómico y Covid-19: Un ensayo de valoración general*, Fundación Manuel Giménez Abad, Zaragoza, 2021.

Tajadura Tejada, J., "La Conferencia de Presidentes: Origen, evolución y perspectivas de reforma", *Revista de Derecho Político*, n. 101, 2018.

Velasco Caballero, F., "Estado y Comunidades Autónomas durante la pandemia", Aja Fernández, E. y García Roca, F.J. (Dirs.), *Informe Comunidades Autónomas 2020*, Instituto de Derecho Público-Marcial Pons, Barcelona, 2021.

Estado de alarma y derechos fundamentales ante la pandemia de la COVID-19. Presupuestos teóricos para el enjuiciamiento constitucional[1]

GERMÁN M. TERUEL LOZANO
Profesor de Derecho constitucional
Universidad de Murcia

Sumario: 1. Tres presupuestos teóricos sobre el derecho constitucional de excepción tras la experiencia de la covid-19 (a modo de introducción) 2. Primer presupuesto: La suspensión general de derechos fundamentales (art. 55.1 CE) como "desfundamentalización" parcial y el canon del contenido esencial para el enjuiciamiento de las restricciones de derechos en situaciones de emergencia. 2.1. La suspensión general de derechos: una categoría de difícil aprehensión. 2.2. Los cánones de enjuiciamiento: la dimensión "material" de la suspensión general de derechos fundamentales, contenido esencial y el control constitucional de los potenciales excesos en la restricción o suspensión de derechos fundamentales en situaciones de emergencia. 2.3. La declaración de inconstitucionalidad del confinamiento domiciliario previsto en el RD 465/2020, de 17 de marzo. 3. Segundo presupuesto: el estado de excepción como respuesta potencial a una crisis sanitaria. 3.1. Una lectura alternativa a la interpretación "canónica" de la quiebra del orden público como presupuesto para la declaración del estado de excepción. 3.2. El estado de excepción como alternativa de *lege lata*, también forzada pero preferible. 4. Tercer presupuesto: el "valor añadido" del estado de alarma en la difusa frontera con la legislación sectorial de emergencias. 4.1. El *totum revolutum* en la respuesta a la crisis de la covid-19: la polémica sobre el marco jurídico en los periodos fuera de la excepción constitucional. 4.2. Propuesta delimitadora del espacio propio del estado de alarma vedado a la legislación sectorial de emergencias: la adopción de un régimen jurídico temporal con intensas restricciones a los derechos fundamentales y/o la concentración del poder en una autoridad única. 5. Bibliografía.

---

[1]   Este capítulo trae causa del ejercicio presentado a la plaza como profesor contratado doctor en Derecho constitucional de la Universidad de Murcia que se celebró el 8 de julio de 2021. Se enmarca en el proyecto de I+D "Seguridad pública, seguridad privada y derechos fundamentales" (RTI2018-098405-B-100) de Generación de Conocimiento de la Agencia Estatal de Investigación. Asimismo, quiero agradecer las sugerencias y comentarios de Pablo Riquelme Vázquez, cuya tesis doctoral dedicó a "La garantía del contenido esencial de los derechos y libertades en el Estado social y democrático de Derecho", y será próximamente publicada como monografía.

1. TRES PRESUPUESTOS TEÓRICOS SOBRE EL DERECHO CONSTITUCIONAL DE EXCEPCIÓN TRAS LA EXPERIENCIA DE LA COVID-19 (A MODO DE INTRODUCCIÓN)

La regulación de los estados de excepción, como explicara Sánchez Agesta, se trata de una problemática específica del Estado constitucional que, en su afán por limitar el poder y garantizar derechos, se ve obligado a afrontar la paradoja que implica que las Constituciones tengan que prever lo imprevisible, estableciendo unas cláusulas excepcionales para enfrentarse a la anormalidad[2]. Sólo así se puede tratar de evitar que la fuerza de los hechos termine por convertir a la necesidad en fuente del Derecho, haciendo saltar la Constitución normativa y sus garantías[3]. "La normatividad de la Constitución no se ve, de esta forma, suspendida por razón de la crisis, sino que debe precisamente demostrar su eficacia durante la misma; en esencia, en tales situaciones se demuestra en qué medida aquella representa el punto de partida", escribían varios profesores alemanes en un reciente artículo colectivo[4]. El Derecho de excepción en un Estado constitucional, por tanto, no puede responder al viejo aforismo del *salus populi suprema lex*, ni al decisionismo soberano apuntado por C. Schmitt[5]. Se debe entender como un instituto de defensa de la Constitución, garantista, cuyo fin último es superar la crisis facilitando la vuelta a la "Constitu-

---

[2] Prólogo a Fernández Segado, F., *El estado de excepción en el derecho constitucional español*, Edersa, Madrid, 1977, p. XVII-XVIII.

[3] Cfr. Cruz Villalón, P., *Estados excepcionales y suspensión de garantías*, Tecnos, Madrid, 1984, pp. 18-19. Asimismo, sobre la polémica acerca de si existe un derecho de necesidad natural del Estado que permite reconocer a ésta como fuente del Derecho, cfr. Fernández Segado, F., *El estado de excepción en el derecho constitucional español*, ob. cit., pp. 21 y ss. En sentido crítico, cuestiona los argumentos a favor de la previsión constitucional del Derecho de excepción y apuesta por una teoría de la fuerza mayor, Lafuente Balle, J. M., "Los estados de alarma, excepción y sitio (I)", *Revista de Derecho Político*, n. 30, 1989, pp. 23-54.

[4] Heinig, H. M., *et al*, "Why constitution matter – La ciencia del Derecho constitucional ante la crisis del coronavirus", *Revista de Derecho Público: Teoría y Método*, vol. 1, 2021, p. 132.

[5] A este respecto véase Porrez Azkona, J., "La decisión sobre poderes excepcionales", *RVAP*, n. 6, 1983, pp. 9-72 y Troper, M., "El estado de excepción no tiene nada de excepcional", *Revista de Derecho constitucional Europeo*, n° 27, 2017.

ción legítima"[6]. No representa la ruptura del Estado de Derecho, sino su confirmación aún en situaciones límite. En palabras de Pérez Serrano: "con arreglo a Derecho se entra en ella [la excepción], con arreglo a Derecho se actúa durante ella y con arreglo a Derecho se liquidan sus consecuencias después de ella, incluso exigiendo responsabilidad a los órganos que se hubiesen extralimitado"[7].

Desde esta perspectiva, el objeto de este trabajo es desarrollar unos presupuestos teóricos que ayuden a la reinterpretación del Derecho constitucional de excepción, a la luz de la experiencia de la pandemia de la covid-19, los cuales sirvan, además, para enjuiciar la adecuación de las respuestas dadas desde la perspectiva jurídico-constitucional. Se trata de presupuestos con tesis, ya que en los mismos se toma posición ante cuestiones que distan de ser pacíficas pero que, como se ha visto en la gestión de esta crisis, resultan claves para ofrecer un mínimo de seguridad y certeza en la comprensión de nuestro Derecho de excepción.

2.   PRIMER PRESUPUESTO: LA SUSPENSIÓN GENERAL DE DERECHOS FUNDAMENTALES (ART. 55.1 CE) COMO "DESFUNDAMENTALIZACIÓN" PARCIAL Y EL CANON DEL CONTENIDO ESENCIAL PARA EL ENJUICIAMIENTO DE LAS RESTRICCIONES DE DERECHOS EN SITUACIONES DE EMERGENCIA

2.1. La suspensión general de derechos: una categoría de difícil aprehensión

El art. 55.1 CE prevé que ciertos derechos fundamentales, aquellos que en una enumeración taxativa la propia Constitución contempla, puedan ser suspendidos cuando se acuerde el estado de excepción o el de sitio. La Constitución incorporaba así un instituto de larga tradición en nuestras Constituciones históricas, pero cuya interpre-

---

6   Cruz Villalón, P., *Estados excepcionales y suspensión de garantías*, ob. cit., p. 24.
7   Pérez Serrano, N., *Tratado de Derecho Político*, 2ª Ed., Civitas, Madrid, 1984, p. 418.

tación entonces, y sobre todo ahora, en el marco de una constitución liberal-democrática, resulta controvertida. Así las cosas, como tempranamente apuntara De la Quadra-Salcedo, la duda clave es si los derechos suspendidos desaparecen temporalmente o si simplemente se transforman y hasta qué punto se produce esa transformación: "si un derecho fundamental [suspendido] cuyo ejercicio depende de una potestad discrecional puede considerarse que sigue siendo fundamental e incluso si puede considerarse derecho subjetivo. Es decir, la cuestión es si la suspensión cambia la fisiología del derecho fundamental que deviene un simple interés a que la Administración se comporte con sujeción a Derecho y en especial al fin (la defensa del orden público)"[8]. En definitiva, "¿Desconstitucionalización o desfundamentalización?", como se planteaba más recientemente Aláez Corral[9].

Vaya por delante que existe un consenso mayoritario a la hora de considerar que la suspensión, por mucho que modifique intensamente la vigencia del Derecho, "no quiere decir que el derecho desaparezca temporalmente por completo del mundo del Derecho"[10]. Amén de que los derechos suspendidos deben considerarse plenamente vigentes en las relaciones entre particulares y en aquellas otras circunstancias

---

[8]   De la Quadra-Salcedo, T. "La naturaleza de los derechos fundamentales en situaciones de suspensión", *Anuario de Derechos Humanos*, nº 2, 1983, p. 435

[9]   Aláez Corral, B., "El concepto de suspensión general de los derechos fundamentales", en López Guerra, L. M. y Espín Templado, E, *La defensa del Estado*, Tirant lo Blanch, Valencia, 2004, p. 234. Por su parte, De la Quadra-Salcedo, T. "La naturaleza de los derechos fundamentales en situaciones de suspensión", ob. cit., p. 453 y ss., al plantearse el significado de la suspensión, ofrecía también dos posibles lecturas: A) La suspensión de los derechos como desaparición temporal de los mismos y apertura del espacio a regulaciones infraconstitucionales. B) La suspensión de derechos como suspensión fundamentalmente de las garantías añadidas a los derechos, pero sin degradar esencialmente los mismos.

[10] Cruz Villalón, P., *Estados excepcionales y suspensión de garantías*, ob. cit., p. 95. También De la Quadra-Salcedo, T. "La naturaleza de los derechos fundamentales en situaciones de suspensión", ob. cit., p. 434 consideraba que la suspensión no implicaba la desaparición radical e incondicionada del derecho, sino su sometimiento a otros valores por razón de unas necesidades. Asimismo, cfr. Fernández Segado, F., *El estado de excepción en el derecho constitucional español*, ob. cit., p. 590-591 y, de este autor, "Naturaleza y régimen legal de la suspensión general de los derechos fundamentales", *Revista de Derecho Político*, 1983, pp. 38 y ss.

que queden fuera del ámbito de la excepcionalidad[11]. La cuestión, como decíamos, es si su permanencia en ese mundo de lo jurídico, en lo que a la excepcionalidad se refiere, supone su sustitución por un régimen de mera legalidad (desconstitucionalización), o si permanece un residuo *iusfundamental* que impregna dicha regulación extraordinaria, establecida por el legislador con amplia discrecionalidad y sin sujeción ni siquiera al deber de respeto del contenido esencial del derecho ni a las específicas garantías constitucionales del mismo. Las consecuencias de una u otra lectura son diferentes: si se entiende que opera la desconstitucionalización, no sólo se vería afectada la dimensión subjetiva del derecho, sino que también se desactivaría su eficacia objetiva. Como mucho, ese derecho suspendido sería susceptible de ser reconocido como un derecho legal, sin otra relevancia constitucional. Lo que comportaría que el único límite del legislador en relación con el derecho suspendido sería la prohibición de arbitrariedad y el respeto último a la finalidad constitucional que justifica su suspensión, lo cual podría controlarse a través de un juicio de racionalidad de la medida[12]. Eso sí, las medidas aplicativas deberían respetar el régimen jurídico que en su caso hubiera sido dado por el legislador y por el correspondiente decreto o acuerdo que declara el estado excepcional, y habrían de superar el juicio de proporcionalidad al que remite el art. 1.2 LOAES. Sin embargo, concebida la suspensión como

---

[11]   Así lo ha destacado Requejo Rodríguez, P., "¿Suspensión o supresión de los derechos fundamentales?", *Revista de Derecho Político*, n. 51, 2001, pp. 105-137, p. 111. En lo referido a que fuera de las exigencias de restablecimiento del orden público los derechos fundamentales mantienen su vigencia, De la Quadra-Salcedo, T. "La naturaleza de los derechos fundamentales en situaciones de suspensión", ob. cit., p. 452.

[12]   Como explican Requejo Rodríguez, P. y Ferreres Comella, V., "Artículo 55", en Rodríguez-Piñero, y Bravo Ferrer, M. y Casas Baamonde, M. E., *Comentarios a la Constitución Española*, T. I, BOE, Madrid, 2018, p. 1523: con la desconstitucionalización "tampoco desaparecen los límites orgánicos, materiales, temporales y finalistas a los que se sujeta a los poderes públicos, el legislador goza aquí de un mayor margen, al quedar sometido a un principio de razonabilidad, entendido como prohibición de arbitrariedad, que tan sólo obliga a que exista una mínima vinculación entre cualquiera de las medidas que materialicen la suspensión y el fin constitucionalmente legítimo de superar los supuestos previstos en el art. 55 CE, con el objeto de asegurar una explicación racional de las mismas". Véase originalmente Aláez Corral, B., "El concepto de suspensión general de los derechos fundamentales", ob. cit., pp. 233 y 243.

mera desfundamentalización -y ni siquiera total-, entonces "sería posible exigir al poder público respeto a un principio de proporcionalidad, en su triple vertiente de idoneidad, necesidad y proporcionalidad en sentido estricto, modulable dependiendo de si se trata de controlar la actuación del legislador, de los órganos encargados de decretar las medidas suspensivas o de las autoridades que han de aplicarlas"[13]. Además, el reconocimiento de que persiste una dimensión *iusfundamental*, no sólo objetiva sino también en parte subjetiva, aunque sea un "ámbito residual", lleva a afirmar que se mantienen abiertas las vías para su tutela judicial, incluso en amparo, a los efectos de que los jueces puedan valorar la necesidad y proporcionalidad de la medida adoptada y si el contenido del derecho se ha visto afectado más allá de lo que permite la suspensión[14].

Pues bien, hasta la reciente STC 148/2021, de 14 de julio, no había referencia jurisprudencial alguna ni un desarrollo normativo claro, por lo que la discusión sobre la naturaleza de la suspensión había sido básicamente doctrinal. Así, el principal exponente de la lectura de la suspensión como desconstitucionalización fue Aláez Corral, para quien la suspensión del art. 55.1 debe ser entendida en sentido "estricto, y además formal"[15]. Aducía este autor la excesiva rigidez del sistema español para la limitación de los derechos fundamentales en situaciones de normalidad que lo hacen poco dúctil, por lo que la Constitución habría tenido que optar por una medida más drástica para enfrentarse a graves crisis[16]. Recientemente, se han suma-

---

[13]   Requejo Rodríguez, P. y Ferreres Comella, V., "Artículo 55", ob. cit., p. 1523, quienes, como se ha dicho, beben de Aláez Corral, B., "El concepto de suspensión general de los derechos fundamentales", ob. cit., pp. 233 y 243.

[14]   De la Quadra-Salcedo, T. "La naturaleza de los derechos fundamentales en situaciones de suspensión", ob. cit., p. 461 y 467-468. A este respecto, véase también Requejo Rodríguez, P., "¿Suspensión o supresión de los derechos fundamentales?", ob. cit., p. 127, quien, al referir las garantías ante la suspensión de derechos, reconoce la vigencia no sólo del art. 24 CE, sino también del art. 53, en lo que se refiere al amparo judicial; y, en similar sentido, Garrido López, C., *Decisiones excepcionales y garantía jurisdiccional de la Constitución*, Marcial Pons, Madrid, 2021, p. 143.

[15]   Aláez Corral, B., "El concepto de suspensión general de los derechos fundamentales", ob. cit., p. 243.

[16]   Aláez Corral, B., "El concepto de suspensión general de los derechos fundamentales", ob. cit., p. 244.

do otros[17]. En particular Velasco Caballero, quien ha advertido que la institución de la suspensión de derechos conectaría con la cultura constitucional propia de formas de gobierno autoritarias en tiempos pretéritos y hace una lectura de la misma especialmente intensa, como "*derogación provisional* o no-vigencia temporal de ciertos derechos fundamentales" para responder a quiebras del orden público-político[18]. No obstante, ha reconocido que la LOAES habría previsto una suerte de "vigencia atenuada o alternativa de los derechos suspendidos", sin permitir en general su suspensión plena o absoluta, lo que dificulta la distinción entre suspensión y restricción[19]. En este sentido, Requejo Rodríguez ha advertido que, a pesar de que constitucionalmente la suspensión permitiría optar por eliminar transitoriamente los derechos suspendidos, la LOAES ha realizado una lectura restrictiva -a su juicio acertada- que comportaría la mera afectación a las garantías del derecho y que permite la vigencia del mismo en su doble dimensión, obligando a un juicio de proporcionalidad de las medidas suspensivas[20]. Y favorable a que se dé un control último de la propor-

---

[17]   En esta línea parece que se han posicionado, entre otros, Velasco Caballero, F., "Libertades públicas durante el estado de alarma por la covid-19", en Blanquer, D. (coord.), *COVID-19 y Derecho Público (durante el estado de alarma y más allá)*, Tirant lo Blanch, Valencia, 2020, pp. 87 y ss.; o García Roca, J., "El control parlamentario y otros contrapesos del Gobierno en el estado de alarma: la experiencia del coronavirus", en AA.VV., *Covid 19 y Parlamentarismo. Los Parlamentos en cuarentena*, Universidad Nacional Autónoma de México, México, 2020, p. 23.

[18]   Velasco Caballero, F., "Libertades públicas durante el estado de alarma por la covid-19", ob. cit., p. 87.

[19]   Ibíd., p. 89.

[20]   De esta autora pueden verse en particular Requejo Rodríguez, P. y Ferreres Comella, V., "Artículo 55", ob. cit.; y Bastida Freijedo, F. *et al.*, *Teoría de los Derechos Fundamentales en la Constitución Española de 1978*, Tecnos, Madrid, 2012, pp. 223-224. En Requejo Rodríguez, P., "¿Suspensión o supresión de los derechos fundamentales?", ob. cit., p. 113, la autora realiza una interpretación de la suspensión cercana a lo que sería la lectura en clave de desfundamentalización, apelando incluso a que, aun en casos de suspensión, "se mantiene el mínimo indispensable que le permite conservar su naturaleza de derecho fundamental".

cionalidad de las medidas, incluso para derechos suspendidos, se ha mostrado Fernández Segado, entre otros[21].

Pero, quien de forma más clara se acercó a la idea restrictiva de la suspensión fue De la Quadra-Salcedo[22], quien concluyó que "junto a los derechos y libertades en la normalidad, hay unos derechos y libertades en la anormalidad, dotados estos últimos de carácter fundamental [...], pero alterados en su contenido y en sus garantías"[23]. De tal manera que los derechos fundamentales "no desaparecen por el hecho de la suspensión, sino que quedan debilitados en su contraste con otros valores"[24]. Se observa como, aunque no utilice el término "desfundamentalización", estaría cerca de esta categoría, reconociendo que se preservaría un ámbito *iusfundamental* no sólo objetivo, sino también subjetivo. De ahí que el autor afirmara que, además del control de proporcionalidad de las medidas, también se mantendría el amparo, como se ha dicho[25]. Y es que, a juicio del mismo, la discrecionalidad administrativa con la que operarían los poderes públicos ante un derecho suspendido debe en todo caso quedar circunscrita a la "estricta necesidad de la medida", sin cuestionarse su vigencia última como derecho, aún suspendido[26].

---

[21] Fernández Segado, F., "Naturaleza y régimen legal de la suspensión general de los derechos fundamentales", *Revista de Derecho Político*, n. 18-19, 1983, pp. 45-46. Pero también Fernández de Casadevan Mayordomo, P., *La defensa de la Constitución. Estados de emergencia y artículo 55*, Aranzadi, Cizur, 2020, p. 111; González Beilfuss, M., "La suspensión general de derechos", en López Guerra, L. M. y Espín Templado, E, *La defensa del Estado*, Tirant lo Blanch, Valencia, 2004, p 263; Escobar Roca, G., "Los derechos humanos en estados excepcionales y el concepto de suspensión de derechos fundamentales, *Revista de Derecho Político*, n. 110, 2021, pp. 113-152; o Cotino Hueso, L., "Los derechos fundamentales en tiempos del coronavirus. Régimen general y garantías y especial atención a las restricciones de excepcionalidad ordinaria", *El Cronista del Estado Social y Democrático de Derecho*, n. 86-87, 2020, p. 91, aunque se refiere a una proporcionalidad muy laxa.
[22] De la Quadra-Salcedo, T. "La naturaleza de los derechos fundamentales en situaciones de suspensión", ob. cit.
[23] Ibíd., p. 459.
[24] Ibíd., p. 459.
[25] Ibíd., pp. 460-462.
[26] Ibíd., p. 464.

El Tribunal Constitucional, por su parte, de forma podríamos entender que unánime -ya que la posición de la mayoría coincide en este punto con la de los votos particulares-, ha cerrado esta cuestión: la suspensión general de un derecho supone su desconstitucionalización, su "cesación, aunque temporal, del ejercicio del derecho y de las garantías que protegen los derechos (constitucional o convencionalmente reconocidos); y que solo en ciertos casos, y respecto de ciertos derechos, puede venir amparada por el artículo 55.1 CE"[27], por lo que su régimen jurídico pasaría a estar establecido por el legislador orgánico sin vinculaciones constitucionales, más allá del respeto a las formalidades previstas en la Constitución para la suspensión en el estado de excepción o de sitio[28]. Eso sí, mientras que para la mayoría del Tribunal la suspensión constituiría una especie del género limitación o restricción, para algunos de los magistrados discrepantes suspensión y limitación serían dos categorías jurídicas distintas[29].

Por mi parte, creo que habría sido preferible una interpretación de la suspensión como una "desfundamentalización" parcial, que situaría a la suspensión en el género de las restricciones a los derechos fundamentales, aún cualificada por su grado de intensidad y con especificidades formales. Varias razones sostienen esta preferencia. En primer lugar, como advirtió Requejo Rodríguez, el sacrificio al que

---

[27]   STC 148/2021, de 14 de julio, FJ. 3.

[28]   Como afirma STC 148/2021, de 14 de julio, FJ. 3, en el estado de alarma los "derechos siguen vigentes, y no quedan desplazados por la ordenación singular que dispone al efecto la LOAES (arts. 16 a 23, 26 y 32.3, sobre todo), por lo que no es precisa la previa autorización de la representación popular, que sin embargo sí es obligada para su prórroga". De ello se deduce, a contrario, que tal desplazamiento del régimen constitucional por el establecido por la LOAES sí que se produce cuando se produce la suspensión. Así lo reconoce con claridad el voto particular del Magistrado Xiol Ríos: "cuando el derecho fundamental se encuentra suspendido el derecho se desconstitucionaliza, por lo que el régimen jurídico de ese derecho no será el constitucionalmente establecido —la norma iusfundamental está temporalmente privada de eficacia—, sino el previsto en ley orgánica que regule el estado de excepción o el de sitio o en la ley orgánica que regule las investigaciones relacionadas con el terrorismo. En consecuencia, cuando está suspendido el derecho fundamental, este derecho no existe como tal y solo tendrá el alcance que le otorguen las leyes orgánicas a las que se remite el art. 55.2 y 116 CE".

[29]   Pueden verse, en particular, los votos del Magistrado Conde-Pumpido y el del Magistrado Xiol Ríos a la STC 148/2021, de 14 de julio.

se somete un derecho fundamental nunca puede llegar a la supresión, porque "[l]a naturaleza fundamental de los derechos viene dada por su inclusión en la norma jurídica suprema, de lo que se deriva, salvo reforma constitucional, su existencia necesaria y, por tanto, lógicamente previa a cualquier actuación sobre los mismos"[30]. Si se me permite, afirmaría que hay una reminiscencia iusnaturalista en su reconocimiento que repudia la idea de que los mismos puedan suprimirse[31], siquiera temporalmente, aunque lo que se pretenda sea la salvaguarda del propio orden político-constitucional. Porque, por muy grave que sea el peligro para el Estado, para la supervivencia de la comunidad política, la intangibilidad última de los derechos de la persona constituye un límite trascendente a la acción del Estado. Conviene no olvidarlo. Además, en segundo lugar, resulta meridiano que la opción del legislador ha sido la de establecer un régimen alternativo donde la afectación a los derechos se produce "con sujeción al principio de lo estrictamente indispensable"[32], lo cual no se compadece con concepciones absolutistas o radicales de la suspensión. Y es que, por mucho que el origen histórico de este instituto pueda evocar reminiscencias iliberales, creo que debe imponerse una lectura coherente con el esfuerzo garantista de nuestra Constitución y de la LOAES en su desarrollo. Una interpretación restrictiva que, por otro lado, abunda en la línea en la que avanza el Derecho internacional de los derechos humanos, donde cada vez se muestra más difuminada la línea entre restricción y suspensión[33].

Así las cosas, de acuerdo con esta perspectiva los derechos suspendidos mantendrían una vigencia residual como derechos fundamenta-

---

[30]   Requejo Rodríguez, P., "¿Suspensión o supresión de los derechos fundamentales?", ob. cit., p. 112.

[31]   Cfr. Alemany, M., "La inalienabilidad de los derechos humanos", en AA.VV., *Cuestiones contemporáneas de Teoría analítica del Derecho*, Marcial Pons, 2011, pp. 17 y ss.

[32]   De la Quadra-Salcedo, T. "La naturaleza de los derechos fundamentales en situaciones de suspensión", ob. cit., p. 445.

[33]   A este respecto, véase Escobar Roca, G., "Los derechos humanos en estados excepcionales y el concepto de suspensión de derechos fundamentales", ob. cit., *passim*, quien advierte a la luz del Derecho internacional cómo se difuminan las fronteras entre la restricción y la suspensión de derechos, situando el juicio de proporcionalidad como la clave.

les, y no como meros intereses, no sólo en lo que esté fuera del ámbito afectado por la excepcionalidad, sino también dentro de este último. La suspensión sería, al final, leído el art. 55 de acuerdo con el 116 CE, una habilitación al legislador para que le dote de un régimen jurídico extraordinario, donde su contenido o sus garantías constitucionales se pueden ver severamente alteradas respecto del régimen ordinario, sin tener que respetarse los límites de los límites. En particular, como se dirá a continuación, el legislador no tiene por qué respetar el contenido esencial del derecho ni las garantías constitucionales específicas del mismo que, en sentido propio, integran también aquel contenido. Eso sí, les será exigible tanto al legislador como al órgano que declare el estado excepcional que respeten el principio de proporcionalidad en la regulación que establezcan, orientada siempre a la finalidad última de superar la situación de emergencia, si bien su control constitucional deberá ser "generoso"[34]. Asimismo, el hecho de considerar que el derecho suspendido sigue teniendo una dimensión constitucional, que no es un puro derecho legal, tiene también implicaciones ante potenciales violaciones en el desarrollo y aplicación de ese régimen jurídico excepcional. Por un lado, el parámetro de control del régimen que establezca la declaración del estado de excepción o de sitio seguirá partiendo de la Constitución, si bien en "bloque" con la LOAES, de forma parecida a como ocurre con los derechos constitucionales de configuración legal. Y, por otro lado, como ya se ha dicho, tiene pleno sentido mantener el amparo constitucional como garantía.

Más allá, en lo que en todo caso coinciden las distintas interpretaciones es en que la suspensión general de derechos prevista en el art. 55.1 CE tiene una indudable dimensión formal, ya que la Constitución le ha dotado de una serie de exigencias que actúan como garantías y sin las cuales no se puede entender suspendido un derecho.

---

[34]   Así entendido creo que no hay problema teórico a la hora de afirmar que el control puede hacerse desde la perspectiva de la proporcionalidad, aún generosa, sin tener que recurrir al control de razonabilidad que evoca Aláez Corral, B., "El concepto de suspensión general de los derechos fundamentales", ob. cit., pp. 243 y ss. En relación con el control de las restricciones en el estado de alarma (no para derechos suspendidos) García Roca, J., "El control parlamentario y otros contrapesos del Gobierno en el estado de alarma: la experiencia del coronavirus", ob. cit., pp. 20 y 32 y ss., plantea una *proporcionalidad restringida o escrutinio no estricto*.

Así, la concreta suspensión de un derecho sólo podrá acordarse en la declaración del estado de excepción o en el de sitio, requiriendo un acto parlamentario en el que se especifiquen los derechos que quedarán suspendidos y los efectos de la suspensión, con previsión del régimen jurídico particular al que quedarán sujetos, el cual deberá diseñarse en el marco establecido por la LOAES.

Sin embargo, queda abierta una cuestión, ¿tiene también una dimensión "material" la categoría de la suspensión general? Y, en relación con ella, ¿constituye un canon de constitucionalidad autónomo o cuáles son los cánones para enjuiciar si se ha producido un exceso a la hora de restringir o suspender derechos fundamentales en situaciones de emergencia y, más en concreto, en el marco del Derecho constitucional de excepción previsto por el art. 116 CE?

2.2. Los cánones de enjuiciamiento: la dimensión "material" de la suspensión general de derechos fundamentales, contenido esencial y el control constitucional de los potenciales excesos en la restricción o suspensión de derechos fundamentales en situaciones de emergencia

La distinción entre limitación/restricción y suspensión, como se ha visto, no es una cuestión solo de grado. Especialmente porque, de acuerdo con nuestro ordenamiento constitucional, ya se ha señalado que será necesaria una declaración formal de suspensión en el marco de la declaración o prórroga de un estado de excepción o de sitio. Pero, más allá de su declaración formal, ¿una restricción de un derecho fundamental tan intensa que comportara su vaciamiento o la privación total de sus facultades podría identificarse con su suspensión en sentido material? Y, en tal caso, aunque no haya mediado declaración formal de suspensión, ¿podría recurrirse a la idea de suspensión en sentido material como canon para enjuiciar la constitucionalidad de las restricciones de derechos fundamentales?

El Tribunal Constitucional ha dado respuesta a estas cuestiones en la STC 148/2021, de 14 de julio. Para el Tribunal hay también un concepto material de suspensión de derechos que debe servir como "criterio de control material sobre el contenido de una declaración expresamente caracterizada como de estado de alarma"[35]. Ahora bien, en caso de que se verificara en un estado de alarma una limitación que implicara una "suspensión 'material' o 'de facto'" de un derecho fundamental, la violación constitucional no sería del art. 55.1 CE, sino de las normas que "enuncian los derechos que se dicen vulnerados", en concordancia con las que "prevén y disciplinan el estado de alarma"[36]. En definitiva, al entender del Tribunal Constitucional, toda vez que la Constitución proscribe suspender derechos fundamentales en el marco de estado de alarma, si decretado éste una restricción prevista en el mismo tuviera tal intensidad como para poder reputarse una suspensión del derecho en sentido material, entonces debería reputarse inconstitucional. La categoría de la "suspensión" de un derecho en sentido material termina por reconocerse de este modo como un canon de enjuiciamiento de las restricciones de derechos fundamentales en el marco del Derecho constitucional de excepción.

Y es que, a juicio del Tribunal Constitucional, en un estado de alarma se podrían establecer "restricciones o "limitaciones" de los derechos fundamentales *que excedan las ordinariamente previstas en su régimen jurídico*, pues de lo contrario carecería de sentido la previsión constitucional de este específico estado de crisis (art. 116.1 y 2 CE)", pero *"esas restricciones, aunque extraordinarias, no son ilimitadas, y no pueden llegar hasta la suspensión del derecho*, so pena de vaciar igualmente de sentido el art. 55.1 CE"[37]. Concretando aún más: las restricciones a derechos fundamentales en un estado de alarma "no siempre habrán de atenerse al pleno contenido, constitucionalmente declarado, de los derechos afectados"[38]. Las mismas podrán configurar un régimen excepcional y temporal de ejercicio de los derechos cuya afectación a los mismos "tendrá la intensidad y generalidad que demanden las concretas circunstancias determinantes de la declaración de este estado de crisis en cada supuesto, respetando ciertos límites"[39]. Estos límites serán: i) que las restricciones no supongan la "suspensión" (en sentido material) de ningún derecho, entendiendo

---

[35]   STC 148/2021, de 14 de julio, FJ. 3.
[36]   Ibíd.
[37]   Ibíd (cursivas mías).
[38]   Ibíd.
[39]   Ibíd.

por tal cuando la limitación suponga una "cesa[ción] pro tempore en su contenido protector", en definitiva, cuando quede "cancelado" a consecuencia de la medida[40]; ii) respeto al principio de legalidad, concretado en que las medidas adoptadas tengan amparo en la previsión abstracta que realiza la LOAES; iii) respeto al principio de proporcionalidad, en su previsión en el régimen del estado de alarma y en su concreción aplicativa[41]. Sin embargo, la suspensión de derechos fundamentales decretada de acuerdo con el art. 55.1 CE en un estado de excepción o de sitio sólo encontraría como límite el derivado "del necesario respeto a lo establecido en la ley a la que remite el artículo 116.1 CE, sin perjuicio naturalmente de que los actos singulares de ejecución de las medidas autorizadas hayan de atenerse siempre al principio de proporcionalidad (art. 1.2, último inciso, LOAES)"[42]. Es decir, si un derecho está suspendido, no cabría un juicio de proporcionalidad sobre las medidas adoptadas en abstracto en el decreto o en el acuerdo de declaración o prórroga del estado de excepción o de sitio. Aunque el Tribunal no lo menciona, cabría pensar que sí que es posible un control último de racionalidad en el sentido señalado doctrinalmente.

Se observa como el Tribunal Constitucional ha querido construir unos cánones propios para el enjuiciamiento de las medidas adoptadas en el marco del Derecho constitucional de excepción. De hecho, el Tribunal ha descartado expresamente que sean aplicables a las restricciones adoptadas en el marco del Derecho constitucional de excepción las garantías del art. 53.1 CE, especialmente la del contenido esencial, así como otras elaboradas jurisprudencialmente (contenido absoluto, contenido central, contenido constitucionalmente indisponible...)[43]. Ello sobre la base de entender, siguiendo lo que tempranamente sostuvo en la STC 5/1981, de 13 de febrero, FJ. 7, que habría una suerte de "límites necesarios que resultan de [la] propia naturaleza [del derecho], con independencia de los que se producen por su articulación con otros derechos"[44]. Una idea que le sirve al Constitucional para

---

40   Ibíd., FJ. 5.
41   Ibíd., FJ. 3.
42   Ibíd.
43   Ibíd., FJ. 5
44   Ibíd.

justificar ahora que el contenido constitucionalmente protegido de un derecho puede "redefinirse y contraerse" ante una situación de emergencia, "hasta el extremo de alterar o excepcionar pro tempore su contenido esencial"[45]. Por cierto, según el Tribunal tales restricciones podrán regularse de acuerdo con el art. 116 CE, pero no descarta que también puedan contemplarse en la "legislación para hipótesis de emergencias coyunturales", lo que aquí venimos llamando la legislación sectorial de emergencias. Serían las "leyes que pretendieran la regulación u ordenación general" del ejercicio de los derechos las que no podrían incluir tal género de restricciones[46] porque, en este caso, sí que operarían las garantías del art. 53.1 CE que exigen, en primer lugar, el respeto al contenido esencial del derecho.

Los votos particulares a la STC 148/2021, de 14 de julio han criticado esta "metodología" del Tribunal y, en especial, la asunción de una idea material de suspensión para enjuiciar las restricciones establecidas a derechos fundamentales en un estado de alarma. La *ratio* común a todos ellos es que el instituto de la suspensión es una categoría formal, por lo que sólo puede hablarse de suspensión de derechos si así se ha acordado formalmente de acuerdo con el procedimiento constitucionalmente previsto. La consecuencia sería que las restricciones establecidas en el decreto que declaraba el estado de alarma tendrían que haber sido evaluadas desde el prisma exclusivamente del principio de proporcionalidad, que podría incluso subsumir el análisis sobre el respeto al contenido esencial[47]. Y, en este sentido, han criticado el intento de recurrir a categorías que presuponen hallar un "núcleo duro" o "inamovible" de un derecho -ya sea la idea de suspensión material o un concepto "esencialista" de contenido esencial- que no podría restringirse ni siquiera en el marco del estado de alarma ante una grave emergencia que pone en serio peligro la vida y la salud de las personas[48].

---

[45]   Ibíd.

[46]   STC 148/2021, de 14 de julio, FJ. 5.

[47]   En particular, véase el voto particular del Magistrado Ollero Tassara, y, también, el del Magistrado Xiol Ríos, aunque, en mi opinión, este último voto particular confunde el "contenido esencial" de un derecho con el "contenido constitucionalmente protegido" o "contenido total".

[48]   Véanse, en especial, las consideraciones de los votos particulares de los magistrados Ollero Tassara y Xiol Ríos.

Ciertamente, como acusan los votos particulares, el recurso al canon de la suspensión en sentido material genera una cierta confusión. Sobre todo cuando el Tribunal ha considerado que la suspensión supone la desconstitucionalización. De tal manera que, si hay una "auténtica" suspensión (formal y materialmente hablando), el derecho dejará de existir al menos en términos constitucionales. Sin embargo, en sentido material, la idea de suspensión como canon iría sólo referida a aquellas restricciones que suponen la privación radical de las facultades que permiten ejercer el derecho, aunque sus garantías constitucionales siguieran vigentes y el derecho no se hubiera visto privado de su eficacia como norma iusfundamental[49].

Por mi parte, comparto la "perplejidad" de Cruz Villalón en relación con la metodología seguida por el Tribunal para resolver si eran constitucionales las restricciones a derechos fundamentales establecidas en el primer decreto del estado de alarma frente a la covid-19: "En realidad, hubiera bastado con que el tribunal respondiese a los inconstantes recurrentes si el decreto había afectado o no al contenido esencial de la libertad pública en cuestión, es decir, al núcleo esencial del derecho fundamental cuyo respeto impone la Constitución de manera general, estado de alarma incluido"[50].

No creo que haya razones dogmáticas de peso que justifiquen excluir la garantía del contenido esencial del ámbito del estado de alarma, ni convencen las razones de ubicación sistemática dadas por el Tribunal Constitucional[51]. Es cierto que es el art. 53.1 CE el que contempla, entre otras, las garantías del "contenido esencial" en el Capítulo Cuarto del Título I de la Constitución (De las garantías de las libertades y derechos fundamentales), y que, sin embargo, se crea un Capítulo Quinto sólo para el artículo 55, referido a la suspensión de los derechos y libertades. Pero, como el propio Tribunal reconoce

---

[49]   Como expone el Magistrado Xiol Ríos en su voto particular, aunque las limitaciones previstas en el estado de alarma "pueden conllevar un "vaciamiento de hecho" del contenido de este derecho, no por ello estas limitaciones determinan la suspensión del referido derecho, pues la norma iusfundamental, esto es, el art. 19 CE, no ha sido privada temporalmente de eficacia". Véase también el voto particular del Magistrado Conde-Pumpido.

[50]   Cruz Villalón, P., "Destripando al Tribunal Constitucional", *El País*, 23 de julio de 2021.

[51]   STC 148/2021, de 14 de julio, FJ. 5.

en la sentencia, el artículo 55.1 CE no va referido ni sirve de canon en relación con el estado de alarma. Por ello, a mi entender tendría pleno sentido proyectar también sobre el estado de alarma las garantías del 53.1 CE, y en particular la exigencia de respeto al contenido esencial.

Adicionalmente, se observa en la sentencia una inadecuada comprensión del contenido esencial como garantía. Y es que la STC 148/2021, de 14 de julio, como se ha anticipado, parece admitir una cierta relativización o modulación del contenido esencial en atención a la existencia de unos "límites necesarios", que terminan por legitimar que ante situaciones de emergencia la LOAES en sus disposiciones sobre el estado de alarma o la legislación sectorial puedan prever medidas que lleguen al "extremo de alterar o excepcionar pro tempore [el] contenido esencial" de derechos fundamentales[52].

Pues bien, aunque el Tribunal Constitucional ha eludido a lo largo de estos años la oportunidad de haber perfilado una teoría general de los derechos fundamentales, habiendo optado por ir diseñando cánones de enjuiciamiento y algunas categorías propias de forma, por así decir, más o menos salteada; sí que convendría exigirle una mayor precisión tanto en el manejo de las categorías como en la propia terminología. Ayudaría a evitar confusiones metodológicas como la que en mi modesta opinión creo que incurre la sentencia y alguno de los votos particulares. Los "límites necesarios", que se deducen de la propia naturaleza del derecho, y los "límites directos"[53] serían especies del género de los límites internos de los derechos que, aunque sean denominados como límites, más bien son "presupuestos" del propio derecho[54], que sirven a delimitar o definir el contenido del mismo, y no a restringirlo. Así, la delimitación ofrecería un "contenido constitucionalmente protegido" (*prima facie*) del

---

[52]   STC 148/2021, de 14 de julio, FJ. 5.

[53]   Medina Guerrero, M., *La vinculación negativa del legislador a los derechos fundamentales*, McGraw-Hill, Madrid, 1996, p. 15, y p. 170, que los define como aquellas "reducciones del ámbito de los derechos que el constituyente decide incorporar expresamente a fin de proteger los intereses generales".

[54]   Aragón Reyes, M., "Delimitación, limitación y colisión de derechos en materia de libertad de información", en *Homenaje a Joaquín Tomás Villarroya*, T. I, Fundación Valenciana de Estudios Avanzados, Valencia, 2000, p. 99.

derecho (o contenido total)[55]. Este contenido inicialmente protegido del derecho incorporaría un núcleo irreducible, el contenido esencial del mismo, intangible para el legislador de acuerdo con el art. 53.1 CE, y un contenido potencialmente claudicante, susceptible de limitación para preservar otros bienes o valores constitucionales. Estas últimas limitaciones deberán respetar, en todo caso, no sólo el contenido esencial, sino también el principio de proporcionalidad. De tal manera que el contenido esencial de los derechos debe considerarse como un "límite de los límites" autónomo, desvinculado del juicio de proporcionalidad, y que, además, define un núcleo irreductible, que exige una difícil operación hermenéutica para identificarlo, pero que no es susceptible de modulación por muy graves que sean las circunstancias que concurran[56].

Así las cosas, en mi opinión, el enjuiciamiento constitucional de la legitimidad de las restricciones a derechos adoptadas en el estado de alarma, y también en la legislación sectorial de emergencias, exigiría valorar si las mismas cuentan con cobertura legal suficiente, para verificar luego que hayan respetado el contenido esencial del derecho, y, por último, el principio de proporcionalidad. No obstante, en el caso que nos ocupa, el resultado del enjuiciamiento por una u otra vía habría sido el mismo, ya fuera a través de la idea de suspensión material como de la de contenido esencial.

---

[55] Cfr. Medina Guerrero, M., ob. cit., p. 22. De acuerdo con este autor la "delimitación del contenido *prima facie* por la Constitución es el resultado de interpretar a la luz de los tratados internacionales ratificados por España, los 'límites necesarios' y los 'límites directos'. Es, pues, la Constitución por sí sola la norma que, por lo general, procede a delimitar el contenido de los derechos".

[56] A este respecto, pueden verse las dos vías para hallar el contenido esencial que en su día concretó la STC 11/1981, de 8 de abril, FJ. 8. Además, en cuanto a la autonomía del canon del contenido esencial, el Tribunal Constitucional ha declarado en reiteradas ocasiones que: "Los derechos fundamentales pueden ceder, desde luego, ante bienes, e incluso intereses constitucionalmente relevantes, siempre que el recorte que experimenten sea necesario para lograr el fin legítimo previsto, proporcionado para alcanzarlo y, en todo caso, sea respetuoso con el contenido esencial del derecho fundamental restringido (SSTC 57/1994, de 28 de febrero, FJ 6; 18/1999, de 22 de febrero, FJ 2)" (STC 292/2000, FJ 11). Cfr. Medina, ob. cit., p. 165; o Brage Camazano, J., *Los límites a los derechos fundamentales*, Dykinson, Madrid, 2004, pp. 406 y s., 409

Apostar por un análisis que parta de la idea de que existe un contenido esencial intangible para el legislador si un derecho no ha sido formalmente suspendido no quiere decir que se desconozcan las dificultades que pueda entrañar esta operación, de acuerdo con lo dicho. Sobre todo cuando lo que se enjuicia es una restricción que comporta la "redefinición" del contenido del derecho, como ya advirtiera De la Quadra-Salcedo[57]. Cuando la medida a lo que afecta es a garantías específicas del derecho, entonces la respuesta suele ser más clara. A este respecto, la LOAES al establecer el régimen jurídico del estado de alarma y del de excepción ofrece algunas pistas. Por ejemplo, cuando establece que se "podrá ordenar el secuestro [gubernamental] de publicaciones" (art. 21.1 LOAES) o que "la autoridad gubernativa podrá intervenir toda clase de comunicaciones" (art. 18.1 LOAES), está claro que el legislador está estableciendo una regulación contraria a las garantías constitucionales de estos derechos (arts. 20.5 y 18.3 CE) que sólo es legítima en el marco de la suspensión de derechos prevista por el 55.1 CE. O, en el terreno más pantanoso de la afectación al contenido del derecho, la LOAES contempla que la suspensión de la libertad de circulación puede llevar a "prohibir la circulación de personas y vehículos en las horas y lugares que se determine, y exigir a quienes se desplacen de un lugar a otro que acrediten su identidad, señalándoles el itinerario a seguir" (art. 20 LOAES); mientras que en el estado de alarma podría acordarse "[l]imitar la circulación o permanencia de personas o vehículos en horas y lugares determinados, o condicionarlas al cumplimiento de ciertos requisitos" (art. 11.a LOAES). Entre la idea de prohibición absoluta y la de limitación aparece toda una escala de grises que es la que dificulta el enjuiciamiento, como veremos.

2.3. La declaración de inconstitucionalidad del confinamiento domiciliario previsto en el RD 465/2020, de 17 de marzo

Es notorio que la STC 148/2021, de 14 de julio declaró inconstitucional la medida de confinamiento domiciliario previsto en el art. 7 del decreto del primer estado de alarma. Según se ha dicho, el ca-

---

[57]   De la Quadra-Salcedo, T. "La naturaleza de los derechos fundamentales en situaciones de suspensión", ob. cit., pp. 457 y ss.

non de enjuiciamiento no fue el respeto al contenido esencial, sino la idea de suspensión en sentido material como categoría propia del "régimen extraordinario de limitación de derechos fundamentales" (FJ. 5). El Tribunal concluyó que las restricciones impuestas habían entrañado una "privación" o "cesación" del derecho fundamental a la libertad de circulación. La libertad de circular se había convertido en la excepción, y la prohibición era la regla[58]. También consideró que se habría violado el derecho a "elegir libremente la propia residencia". Sin embargo, descartó que hubiera una suspensión material del resto de derechos invocados por los demandantes y reconoció la proporcionalidad del resto de medidas adoptadas.

Por mi parte, en contra de un importante sector doctrinal[59], comparto la respuesta que ha dado el Tribunal Constitucional en la STC 148/2021, de 14 de julio[60], aunque, según lo dicho, la mía sea una posición concurrente con el fallo pero discrepante con la motiva-

---

[58]   Al entender del Tribunal: "es inherente a esta libertad constitucional de circulación su irrestricto despliegue y práctica en las "vías o espacios de uso público" a los que se refiere el artículo 7.1, con independencia de unos fines que solo el titular del derecho puede determinar, y sin necesidad de dar razón a la autoridad del porqué de su presencia en tales vías y espacios. Y esto es, precisamente, lo que queda en general cancelado mediante la medida que se controvierte, pues los apartados 1 y 3 de ese artículo acotan las finalidades que pueden justificar, bajo el estado de alarma, la circulación por esos ámbitos de ordinario abiertos" (STC 148/2021, de 14 de julio, FJ. 5).

[59]   Entre otros, cfr. Velasco Caballero, F., "Libertades públicas durante el estado de alarma por la covid-19", ob. cit., pp. 114-121; García Roca, J., "El control parlamentario y otros contrapesos del Gobierno en el estado de alarma: la experiencia del coronavirus", ob. cit., p. 19; o el propio Defensor del Pueblo (Resolución de 3 de septiembre de 2020).

[60]   Así lo sostuve en un artículo publicado el 8 de abril de 2020 en *El País* con título "Control al Gobierno". Ese mismo día publicaba T. de la Quadra-Salcedo también en *El País* un artículo con título "Límite y restricción, no suspensión", defendiendo que no se había dado una suspensión de derechos. Días después terció en el debate M. Aragón Reyes, con su artículo "Hay que tomarse la Constitución en serio" (10 de abril de 2020) donde defendió que había suspensión. Finalmente, intervino P. Cruz Villalón ("La Constitución bajo el estado de alarma", 17 de abril de 2020), quien entendía que "La extensión de estas medidas a todo el territorio nacional, su extensión a toda la población, sin olvidar ahora su prolongación en el tiempo, hacen difícil su descripción con arreglo a las categorías constitucionales disponibles". El debate entre estos dos profesores se prolongó en relación a si era posible decretar el estado de excepción.

ción, ya que habría acudido a la categoría del contenido esencial para resolver la cuestión. No obstante, los argumentos para justificar la inconstitucionalidad del confinamiento impuesto por el decreto del primer estado de alarma son válidos tanto si se recurre a la idea de contenido esencial como a la de suspensión material. La clave, como se dijo, es que el confinamiento supuso un completo vaciamiento de la libertad[61].

Así las cosas, si nos tomamos "la Constitución en serio", parafraseando a Aragón Reyes, el estado de alarma no era la vía constitucionalmente adecuada para haberse enfrentado a la pandemia en aquel momento. Mucho menos me lo parece la opción de la legislación sectorial de salud pública, por las razones que expondré, aunque un sector doctrinal la haya presentado como la vía más adecuada. ¿Quiere decir ello que nuestro ordenamiento constitucional no ofrecía una solución? Tampoco lo creo. Como sostuve en su día y ahora desarrollaré, en mi opinión el marco constitucionalmente adecuado para ha-

---

[61]   Véase en especial los argumentos dados por Pomed Sánchez, L., "Algunas notas sobre los sucesivos estados de alarma declarados en 2020", en Tudela Aranda, J. (coord.), Estado Autonómico y covid-19, *Fundación Manuel Giménez Abad*, Zaragoza, 2021, p. 8. En similar sentido, cfr. Santamaría Pastor, J. A., "Notas sobre el ejercicio de las potestades normativas en tiempos de pandemia", en Blanquer, D. (coord.), *COVID-19 y Derecho Público (durante el estado de alarma y más allá)*, Tirant lo Blanch, Valencia, 2020, p. 228, y muy crítico también Aragón Reyes, M., "Hay que tomarse la Constitución en serio", ob. cit., para quien el confinamiento directamente fue una privación de la libertad personal. Entre otros, han cuestionado también la extensión de estas limitaciones por constituir una prohibición general materialmente suspensiva, Ramón Fernández, T., "El Estado de Derecho, a prueba", en Blanquer, D. (coord.), *COVID-19 y Derecho Público (durante el estado de alarma y más allá)*, Tirant lo Blanch, Valencia, 2020, p. 24; Álvarez García, F. J., "Estado de alarma o de excepción", *Estudios penales y criminológicos*, n. 40, 2020, p. 9; Díaz Revorio, F. J., "A vueltas con la suspensión de los derechos fundamentales", *Almacén de Derecho*, 9 de abril de 2020; Cotino Hueso, L., "Confinamientos, libertad de circulación y personal, prohibición de reuniones y actividades y otras restricciones de derechos por la pandemia del Coronavirus", *La Ley*, n. 3799, 2020, p. 7; o Alegre Ávila, J. M. y Sánchez Lamelas, A., "Nota en relación a la crisis sanitaria generada por la actual emergencia vírica", *Blog AEPDA*, 13 de marzo de 2020. También ha destacado que estas medidas no terminaban de encajar en las previstas para el estado de alarma por la LOAES, Presno Linera, M. A., "Estado de alarma y sociedad del riesgo global", en Atienza Macías, E., y Rodríguez Ayuso, J. F. (dir.), *Las respuestas del Derecho a las crisis de salud pública*, Dykinson, Madrid, 2020, pp. 24 y ss.

ber afrontado la pandemia en ese primer momento era precisamente el del estado de excepción.

3. SEGUNDO PRESUPUESTO: EL ESTADO DE EXCEPCIÓN COMO RESPUESTA POTENCIAL A UNA CRISIS SANITARIA

3.1. Una lectura alternativa a la interpretación "canónica" de la quiebra del orden público como presupuesto para la declaración del estado de excepción

El artículo 116 CE supuso una novedad en nuestro constitucionalismo y optó por un "Derecho de excepción diversificado" que, como estudió Cruz Villalón, admitiría tanto una lectura en clave gradualista, escalonando los distintos estados por la gravedad de la emergencia y de las medidas a adoptar; como una interpretación pluralista, en virtud de la cual cada estado respondería a una emergencia cualitativamente distinta[62]. Finalmente, el desarrollo dado por la LOAES se decantó "sustancialmente" por un modelo configurado en lógica cualitativa o pluralista[63]: se configuró un estado de alarma "despolitizado"[64], previsto para calamidades naturales o tecnológicas –"los actos o hechos de Dios", según la célebre nomenclatura británica-; un estado de excepción para crisis de orden público que reclaman suspensión de derechos fundamentales, heredero del estado de excepción civil, y al que se podría llegar desde la normalidad sin necesidad de ningún paso intermedio[65]; y un estado de sitio para enfrentarse a

---

[62] Cruz Villalón, P., *Estados excepcionales y suspensión de garantías*, ob. cit., pp. 49 y ss.; o Cruz Villalón, P., "El nuevo derecho de excepción", *REDC*, 1981, pp. 93-128.

[63] Como se ha señalado, quien tempranamente lo destaca de forma más clara es Cruz Villalón, P., *Estados excepcionales y suspensión de garantías*, ob. cit., pp. 51-52; y, del mismo autor, "El nuevo derecho de excepción", ob. cit., pp. 93-128.

[64] Véase Cruz Villalón, P., *Estados excepcionales y suspensión de garantías*, ob. cit., p. 69 y, del mismo autor, "El nuevo derecho de excepción", ob. cit.

[65] También se admitía la posibilidad de que se decretara un estado de excepción como consecuencia de que se hubiera producido una de las crisis propias del estado de alarma y que ésta hubiera degenerado en crisis de orden público. Así

situaciones de agresión armada, por ende de naturaleza militar. Al final, como apunta Álvarez Ossorio, "los nombres de las cosas acaban influyendo en su carácter"[66].

A partir de ahí, la cuestión sería entonces si esta lectura cualitativa o pluralista es la única que cabe en el sentido de la Constitución, tal y como ha sido desarrollado por la LOAES, o si, por el contrario, sería posible realizar una interpretación alternativa de la quiebra del orden público como presupuesto para la declaración del estado de excepción previsto por la LOAES que permitiera recurrir a este estado para enfrentarse a una pandemia o en general a una calamidad pública.

El Tribunal Constitucional, en una suerte de *obiter dicta* incluido en la STC 148/2021, de 14 de julio, ha concluido que esa interpretación "originalista" podría ser superada por una lectura "integradora", en virtud de la cual podría estar justificado decretar un estado de excepción cuando la gravedad de calamidad o catástrofe provoque una grave alteración del orden público que exija medidas suspensivas de derechos fundamentales para responder a la misma[67]. Una conclusión en línea con la que veníamos manteniendo un sector doctrinal minoritario desde el inicio de la pandemia[68].

---

lo contempla, de hecho, el art. 28 LOAES. Pero la lectura que se hacía de ello doctrinalmente seguía centrándose en que, para que estuviera justificado llegar al estado de excepción, esa emergencia debía venir acompañada de la desobediencia civil. En este sentido, García Cuadrado, A. M., "El estado de alarma y su ambigua naturaleza, *Cuadernos Constitucionales de la Cátedra Fadrique Furió Ceriol*, n. 8, 1994, pp. 85-86, o P. Cruz Villalón, "La Constitución bajo el estado de alarma", *El País*, 17 de abril de 2020.

[66]   Álvarez-Ossorio Micheo, F., "Los estados de alarma, de excepción y de sitio", en Cerdeira Bravo de Mansilla, G. (dir.), *Coronavirus y Derecho en estado de alarma*, Reus, Madrid, 2020, p. 54.

[67]   STC 148/2021, de 14 de julio, FJ. 11.

[68]   Entre otros, Álvarez García, F. J., "Estado de alarma o de excepción", ob. cit., pp. 13 y ss.; Aragón Reyes, M., "COVID-19: Aproximación constitucionales a una crisis", *Revista General de Derecho Constitucional*, n. 32, 2020, p. 2; Cuenca Miranda, A., "Análisis crítico de un estado de alarma excepcional: la covid-19 y el Derecho de excepción", en Garrido López, C. (coord.), *Excepcionalidad y Derecho: el estado de alarma en España*, Fundación Manuel Giménez Abad, Zaragoza, 2020, p. 8; Díaz Revorio, F. J., "A vueltas con la suspensión de los derechos fundamentales", *Almacén de Derecho*, 9 de abril de 2020; o Arroyo Gil, A., "La naturaleza del estado de alarma y su presupuesto habilitante", en Garrido López, C. (coord.), *Excepcionalidad y Derecho: el estado de alarma en*

Como ha afirmado el Tribunal Constitucional, de la interpretación originalista que postuló una lectura pluralista, preocupada por despolitizar el estado de alarma para conjurar el riesgo de que se pudiera recurrir al estado de alarma para restringir indebidamente derechos, no se puede deducir, a contrario, "el rechazo tajante a que ciertas situaciones excepcionales provoquen una respuesta excepcional, que exceda las (voluntaria y expresamente limitadas) posibilidades que otorga el estado de alarma, hasta alcanzar a la suspensión de derechos"[69]. No hay en la Constitución ni en la ley una prohibición radical de la posibilidad de que una epidemia, u otra calamidad, puedan habilitar al Gobierno a que declare un estado de excepción, en lugar de recurrir al de alarma.

De hecho, ya en el primer estado de alarma que acordó el RD 1673/2010, de 4 de diciembre, se había constatado esta hibridación entre los presupuestos de hecho del estado de alarma y de excepción, aunque en aquel momento fuera para recurrir al estado de alarma para enfrentarse a una crisis socio-laboral ante la huelga de los controladores aéreos[70].

Pero, además, la propia LOAES al definir el presupuesto que permite declarar el estado de excepción optó por una idea de orden público amplia, que parece ir más allá del orden público en sentido estricto como seguridad ciudadana o seguridad pública[71]: "[c]uando el libre ejercicio de los derechos y libertades de los ciudadanos, el normal funcionamiento de las instituciones democráticas, el de los servicios públicos esenciales para la comunidad, o cualquier otro aspecto del orden público, resulten tan gravemente alterados que el ejercicio de

---

*Españ*a, Fundación Manuel Giménez Abad, Zaragoza, 2020, p. 40. Por mi parte, desarrollé esta idea en mi trabajo "Derecho de excepción y control al Gobierno: una garantía inderogable", *Hay Derecho*, 11 de abril de 2020.

[69]　STC 148/2021, de 14 de julio, FJ. 11.

[70]　En particular, ha defendido la versatilidad del estado de alarma a partir del reconocimiento de su "irreductible naturaleza bifronte", Garrido López, C., *Decisiones excepcionales y garantía jurisdiccional de la Constitución*, ob. cit., p. 98.

[71]　Los votos particulares a la STC 148/2021, de 14 de julio critican en general que el Tribunal Constitucional se haya alejado de la interpretación canónica del orden público, como seguridad pública o seguridad ciudadana, que se venía haciendo como presupuesto del estado de excepción, y consideran que una epidemia o una calamidad pública sólo pueden justificar declarar el estado de alarma.

las potestades ordinarias fuera insuficiente para restablecerlo y mantenerlo" (art. 13.1). De forma que, aunque es cierto que el diseño de la LOAES parece presuponer una quiebra de la seguridad ciudadana, la literalidad de la Ley no predetermina el tipo de crisis (social, política y, por qué no, una calamidad o una pandemia) que puede provocar su alteración o quiebra. Lo que establece es que la alteración del mismo tendrá que ser "grave", tanto que las potestades ordinarias sean insuficientes para restablecerlo. Esta interpretación es coherente con la doctrina constitucional que ha reconocido que, más allá de la acepción material del orden público, puede admitirse que "el normal funcionamiento de la vida colectiva, las pautas que ordenan el habitual discurrir de la convivencia social, puede verse alterado por múltiples factores, que a su vez pueden afectar a cuestiones o bienes tan diversos como la tranquilidad, la paz, la seguridad de los ciudadanos, el ejercicio de sus derechos o el normal funcionamiento de los servicios esenciales para el desarrollo de la vida ciudadana"[72].

Asimismo, que las medidas previstas se orienten especialmente a preservar la paz pública ante posibles desórdenes no quita que puedan ser idóneas para dar respuesta a otro tipo de crisis. Y, sobre todo, el art. 28 LOAES, aunque originalmente estuviera pensado para una calamidad pública que degenera en crisis político-social, abre la posibilidad de que también en el marco del estado de excepción se adopten las medidas del estado de alarma y, por remisión, todas aquellas previstas en la legislación sectorial de emergencias.

Por tanto, como ha concluido el Tribunal Constitucional: "Cuando la gravedad y extensión de la epidemia imposibilitan un normal ejercicio de los derechos, impiden un normal funcionamiento de las instituciones democráticas, saturan los servicios sanitarios (hasta temer por su capacidad de afrontar la crisis) y no permiten mantener con normalidad ni las actividades educativas ni las de casi cualquier otra naturaleza, es difícil argüir que el orden público constitucional (en un sentido amplio, comprensivo no solo de elementos políticos, sino también del normal desarrollo de los aspectos más básicos de la vida social y económica) no se ve afectado; y su grave alteración podría legitimar la declaración del estado de excepción. Otra cosa implicaría

---

[72]   STC 66/1995, de 8 de mayo, FJ. 3.

aceptar el fracaso del Estado de Derecho, maniatado e incapaz de encontrar una respuesta ante situaciones de tal gravedad"[73]. Y es que, no entenderlo así, podría terminar justificando que se estuviera "utilizando la alarma, como temían algunos constituyentes, 'para limitar derechos sin decirlo', esto es, sin previa discusión y autorización de la representación popular, y con menos condicionantes de duración"[74].

3.2. *El estado de excepción como alternativa de* lege lata, *también forzada pero preferible*

A la luz de lo estudiado en el epígrafe anterior, ante el dilema de forzar el diseño del estado de excepción dado por la LOAES pero respetar el sentido último del 55.1 CE -y su sistema de garantías-, o forzar el art. 55.1 CE enrocándose en la lectura "pluralista" dada por la LOAES asumiendo que sólo el estado de alarma permite afrontar epidemias, se impone la primera opción. Y es que, como ha apuntado Díaz Revorio, lo que no podemos es "interpretar la Constitución de conformidad con la ley, y no la ley de conformidad con la Constitución, que es lo que debería hacerse. Deberían primar los argumentos constitucionales y aplicar estos al entendimiento de la ley, y no al revés"[75].

Tampoco creo que razones de eficacia en la respuesta justifiquen la preferencia por el estado de alarma. Se tiende a abusar de la idea de que la intervención parlamentaria es un trámite farragoso que ralentizaría la inmediata respuesta que sería imprescindible e inaplazable, cuando lo cierto es que el Congreso puede reunirse con gran celeridad sin que ello hubiera supuesto un retraso inasumible[76]. Y tampoco convencen los argumentos que "sanan" la opción gubernamental por el estado de alarma invocando la necesidad y proporcionalidad de las

---

[73]   STC 148/2021, de 14 de julio, FJ. 11
[74]   STC 148/2021, de 14 de julio, FJ. 11
[75]   Díaz Revorio, F. J., "A vueltas con la suspensión de los derechos fundamentales", ob. cit.
[76]   También en esto coincide la opinión de Cuenca Miranda, A., "Análisis crítico de un estado de alarma excepcional: la covid-19 y el Derecho de excepción", ob. cit., pp. 11-12.

medidas; ni la asunción parlamentaria posterior en la prórroga[77]; y menos aún aquellas de índole realista que cuestionan la relevancia de la intervención parlamentaria habida cuenta de que éste se muestra como un gallinero. Si hay un cauce constitucionalmente previsto, éste debe respetarse.

Es verdad que si se hubiera optado por el estado de excepción, éste no habría podido extenderse más allá de dos meses (art. 116.3 CE). No obstante, el confinamiento "total" duró dos meses, por lo que cuando se fue suavizando su régimen se podría haber optado entonces por pasar a un estado de alarma. En todo caso, la posibilidad de declarar un segundo estado de excepción agotados los primeros dos meses es algo que habría que plantear en futuras reformas normativas.

Y, por último, ¿es el estado de excepción menos garantista que el estado de alarma[78]? No lo creo. Como destacó Aragón Reyes, "no podemos estar presos de la imagen del pasado sobre los estados de excepción preconstitucionales" y hemos de reconocer que el estado de excepción que configura la Constitución española de 1978 no es menos garantista que el estado de alarma[79]. En especial, no se puede minusvalorar la relevancia de la intervención parlamentaria previa como un importante contrapeso institucional. Que sea el Congreso el que autoriza la declaración y, sobre todo, las medidas suspensivas que deban adoptarse, sitúa al Parlamento en la posición de primacía institucional que le debería corresponder en una Monarquía parlamentaria. Como se hizo con las prórrogas, allí se habría discutido la necesidad y adecuación de las medidas desde el primer momento. Allí, el Gobierno tendría que haber dado cuenta de los informes y datos que justificaban la intervención. Y, allí, la oposición tendría que haber discutido con lealtad y responsabilidad, como es propio en una

---

[77]   En este sentido, cfr. Aragón Reyes, M., "Debate necesario", *El País*, 20 de abril de 2020.

[78]   Así se justifica, por ejemplo, en el voto particular del Magistrado Conde-Pumpido a la STC 148/2021, de 14 de julio.

[79]   Aragón Reyes, M., "Epílogo", en Biglino Campos, P. y Durán Alba, F., *Los efectos horizontales de la COVID sobre el sistema constitucional*, Fundación Manuel Giménez Abad, Zaragoza, 2020, p. 2. A este respecto, cfr. Cuenca Miranda, A., "Análisis crítico de un estado de alarma excepcional: la covid-19 y el Derecho de excepción", ob. cit., p. 12.

democracia que debería construirse sobre el ideal consensual en los asuntos de Estado.

A este respecto, la mayor crítica a la sentencia del Constitucional en este punto es, quizá, haber optado por una concepción de la suspensión como radical desconstitucionalización. Algo que, como cuestiona el Magistrado Conde-Pumpido en su voto particular a la STC 148/2021, de 14 de julio, comporta la aparente paradoja de que se sostenga que resulta más garantista acudir a un estado de excepción que permite suprimir temporalmente la vigencia del derecho con todas sus garantías. No obstante, incluso con esta lectura extrema de la suspensión, el Gobierno, declarado el estado de excepción, no tendría unos poderes omnímodos, sino que estaría limitado por lo que se hubiera establecido en el acuerdo parlamentario de autorización y por las previsiones en abstracto de la LOAES. Todo ello controlable por el Tribunal Constitucional, ya que no debe descartarse un control último de la racionalidad y de la conformidad con la legalidad que sirve de marco. Ahora bien, es cierto que, como se ha sostenido en este trabajo, habría sido preferible, por resultar más garantista, si la suspensión se hubiera interpretado como una desfundamentalización parcial.

En definitiva, ¿aplicar el estado de excepción a una pandemia que exige suspender derechos puede implicar forzar la literalidad de la LOAES? Sí, pero, por las razones dadas, creo que preferible a cualquier otra interpretación[80].

---

[80]   A la misma conclusión llega Cuenca Miranda, A., "Análisis crítico de un estado de alarma excepcional: la covid-19 y el Derecho de excepción", ob. cit., p. 10.

4. TERCER PRESUPUESTO: EL "VALOR AÑADIDO" DEL ESTADO DE ALARMA EN LA DIFUSA FRONTERA CON LA LEGISLACIÓN SECTORIAL DE EMERGENCIAS

4.1. El totum revolutum *en la respuesta a la crisis de la covid-19: la polémica sobre el marco jurídico en los periodos fuera de la excepción constitucional*

Una de las cuestiones más controvertidas en la gestión de la crisis de la covid-19 ha sido si para adoptar las medidas generales restrictivas de derechos que exigía la respuesta a la pandemia (desde el confinamiento a los cierres perimetrales, pasando por toques de queda o por el pasaporte covid) resultaba jurídicamente necesario recurrir al Derecho constitucional de excepción previsto en el art. 116 CE y desarrollado por la LOAES, en particular al estado de alarma, o si era posible que estas medidas se adoptaran de acuerdo con la legislación sectorial, especialmente la Ley Orgánica 3/1986, de 14 de abril, de Medidas Especiales en Materia de Salud Pública.

Subyace a esta polémica una cuestión que ya había estado presente en los propios debates constituyentes y en el desarrollo en la LOAES, que ofrecieron una ambigua configuración del estado de alarma. Tanto que se ha dudado de la auténtica condición del estado de alarma como un estado excepcional, toda vez que no permite suspender derechos fundamentales al no estar pensado para enfrentarse a crisis que comprometan la vida y seguridad del Estado[81]. Pero, sobre todo, se ha cuestionado si el mismo se había convertido en un *nullum* jurídico[82]. En la lógica de la LOAES, el estado de alarma había quedado "capado" para dar respuesta a situaciones de conflictividad social y, en lo que se refiere a las catástrofes naturales, la respuesta se pensaba

---

[81]   Esta es la tesis de Fernández de Casadevan Mayordomo, P., *La defensa de la Constitución. Estados de emergencia y artículo 55*, ob. cit., p. 139 y ss. En este sentido, cfr. Santaolalla López, F., "Crónica Parlamentaria", *REDC*, n. 2, 1981, p. 270 y Lafuente Balle, J. M., Los estados de alarma, excepción y sitio (II)", *Revista de Derecho Político*, n. 31, 1990, p. 30.

[82]   Quien de forma más vehemente así lo señaló fue Carro Martínez, A., "Artículo 116. Situaciones de anormalidad", en Alzaga Villaamil, O., *Comentarios a la Constitución española de 1978*, Edersa, Madrid, 1998, p. 253.

que se podría articular a través de una legislación sectorial cada vez más desarrollada, que permite fórmulas de coordinación intensa ante emergencias y la adopción de medidas preventivas y restrictivas de derechos fundamentales, de forma más ágil que el estado de alarma. Se entendía que el estado de alarma había quedado en la práctica reducido a "una forma más solemne y complicada de protección civil"[83].

No comparto esta afirmación, aunque es cierto que existe un solapamiento entre los poderes de policía previstos por la legislación sectorial de emergencias y los propios del estado de alarma. Este solapamiento en ocasiones puede ser una consecuencia debida a que entre ambos órdenes se establece una relación de complementariedad, y el Derecho constitucional de excepción puede apoyarse en las medidas contempladas por la legislación sectorial y sólo la desplaza en lo imprescindible. Ahora bien, al mismo tiempo, no podemos abdicar de tratar de delimitar hasta dónde pueden llegar los poderes de policía administrativa para enfrentarse a emergencias y cuándo estos resultan insuficientes. Una cuestión de indudable transcendencia constitucional en la medida que el Derecho constitucional de excepción parte del principio de subsidiariedad o de *extrema ratio* (art. 1.1 LOAES). Por lo que no cabe acudir a éste mientras no se entiendan agotados los poderes ordinarios.

Pues bien, según se ha dicho, la frontera entre ambos órdenes nunca ha sido nítida. Antes de la covid-19 no se había tenido que recurrir al estado de alarma para afrontar ninguna pandemia y la legislación sectorial había funcionado para enfrentarse a casos aislados y de extensión limitada. Incluso, ya entonces la doctrina había manifestado que el talón de Aquiles de esta normativa sectorial eran las medidas ablatorias que inciden en derechos fundamentales de los ciudadanos, en tanto que no existe una regulación sistemática de las mismas, sino

---

[83]   García Cuadrado, A. M., "El estado de alarma y su ambigua naturaleza", ob. cit., p. 82, quien termina concluyendo que el estado de alarma tal y como se ha configurado por la LOAES carece de utilidad y su regulación es parcialmente inconstitucional. En este sentido, expresaba también las dudas sobre la funcionalidad del estado de alarma, Cruz Villalón, P., *Estados excepcionales y suspensión de garantías*, ob. cit., p. 80 y ss.; y "El nuevo derecho de excepción", ob. cit., p. 124, advirtiendo en particular el solapamiento con la legislación sectorial de protección civil. Más contundente, Carro Martínez, A., "Artículo 116. Situaciones de anormalidad", ob. cit., p. 253.

que se trata de un escenario "confuso y alambicado", en el que no siempre es fácil de precisar el "*modus procedendi* y el régimen de garantías"[84].

Una situación que se habría complicado aún más con la pandemia cuando el marco jurídico ha sido fuente de una notable inseguridad jurídica[85]. Como es sabido, a lo largo de los meses que se ha extendido esta pandemia se han venido alternando momentos en los que se ha optado porque el marco jurídico fuera el estado de alarma y otros en los que se ha preferido dar la respuesta de acuerdo con los poderes previstos por la legislación sectorial. De hecho, la confusión ha sido tal que en ocasiones se ha justificado el recurso al estado de alarma ante la necesidad de adoptar ciertas medidas generales limitativas de derechos que luego, sin embargo, han terminado adoptándose en el marco de la legislación de salud pública. Una incongruencia que tiene difícil conciliación constitucional en la medida que el recurso al Derecho constitucional de excepción sólo se justifica como una medida subsidiaria a la que únicamente se puede llegar cuando se demuestren insuficientes los poderes ordinarios.

Para colmo, a nivel legislativo no se ha logrado ofrecer la necesaria seguridad jurídica y la única modificación legal relevante fue la de la LJCA para trasladar la competencia a los TSJ y a la AN para autorizar o ratificar medidas sanitarias que "impliquen la limitación o restricción de derechos fundamentales cuando sus destinatarios no estén identificados individualmente"[86]. Además, se ha abierto la po-

---

[84]   Cierco Seira, C., "Epidemias y Derecho administrativo. Las posibles respuestas de la Administración en situaciones de grave riesgo sanitario para la población", *Derecho y Salud*, n. 2, 2005, p. 215.

[85]   Así lo ha destacado especialmente Cierco Seira, C., "Derecho de la salud pública y covid-19", en Blanquer, D. (coord.), *COVID-19 y Derecho Público (durante el estado de alarma y más allá)*, Tirant lo Blanch, Valencia, 2020, p. 35, quien ha advertido de cómo se han agudizado carencias muy relevantes de esta legislación. En concreto, señala tres principales: 1) La indefinición de las autoridades sanitarias competentes para adoptar medidas ablatorias sobre las personas; 2) La falta de desarrollo normativo en la propia LOMESP de las medidas esenciales contra epidemias; 3) Las dudas en cuanto a la virtualidad y alcance de la garantía judicial.

[86]   Art. 10.8 LJCA y, en sentido similar pero referido a la autoridad sanitaria estatal, art. 11.1.i) modificados por la disposición final 2.2 y 2.3 de la Ley 3/2020, de 18 de septiembre.

sibilidad de recurrir sus decisiones en casación[87]. A lo que añadir el Real Decreto-ley 21/2020, de 9 de junio, posteriormente convertido en ley. Algo que, por cierto, también ha suscitado dudas de constitucionalidad sobre la idoneidad de recurrir a este tipo normativo para la adopción de medidas restrictivas de derechos[88].

En todo este proceso la doctrina académica se ha encontrado muy dividida en lo que ha sido planteado, a mi juicio de forma desafortunada, como una polémica entre administrativistas y constitucionalistas. Un eslogan que en twitter puede llamar la atención pero que académicamente no responde a la realidad, mucho más compleja, como se verá.

Así, nos encontramos un primer grupo de académicos, en su mayoría administrativistas -es verdad-, que han defendido que no era necesario acudir al Derecho constitucional de excepción para afrontar esta pandemia, ya que, a su entender, la legislación sectorial de salud pública otorga poderes suficientes a las autoridades sanitarias para que hubieran adoptado las medidas oportunas. Muy especialmente Muñoz Machado ha defendido que "la legislación sanitaria permite suspender derechos fundamentales, por lo que sobra la declaración del estado de alarma y las habilitaciones del estado de excepción ya están en la legislación sanitaria"[89].

---

[87]   Real decreto-ley 8/2021, de 4 de mayo. Esta reforma ha sido cuestionada desde la perspectiva técnica. En especial, véase la nota del Gabinete Técnico del Tribunal Supremo. Área de Contencioso-Administrativo sobre la reforma de la ley jurisdiccional 29/1998 LJCA) por el Real decreto-ley 8/2021, de 4 de mayo, por el que se adoptan medidas urgentes en el orden sanitario, social y jurisdiccional, a aplicar tras la finalización de la vigencia del estado de alarma.

[88]   Me remito a lo que ya pude estudiar en Teruel Lozano, G. M., "Los decretos-leyes en la crisis del coronavirus: perspectiva constitucional", *Cuadernos Manuel Giménez Abad*, n. 8, 2020, pp. 216-225.

[89]   Muñoz Machado, S., "El poder y la peste de 2020", *El Cronista del Estado Social y Democrático de Derecho*, n. 90-91, 2020-2021, pp. 114-131. Véase también Doménech Pascual, G., "Comunidades autónomas, derechos fundamentales y covid-19", *Almacén de Derecho*, 21 de julio de 2020; y "Derecho público del coronavirus (i)", *Almacén de Derecho*, 14 de marzo de 2020; Baño León, J. M., "Confusión regulatoria en la crisis sanitaria", *Almacén de Derecho*, 29 de octubre de 2020, o Velasco Caballero, F., "Cuestión de inconstitucionalidad contra la ratificación judicial de medidas sanitarias", *Blog de Francisco Velasco*, 15 de noviembre de 2020, entre otras entradas que dedica a estas cuestiones. Asimismo,

Otro sector doctrinal, compuesto mayoritaria pero no exclusivamente por constitucionalistas, ha defendido que la adopción de medidas generales restrictivas de derechos fundamentales como las adoptadas (toques de queda, confinamientos perimetrales, etc.) debía haberse articulado recurriendo al estado de alarma, y no a la legislación sectorial de salud pública[90]. Con matices, en general se entiende

---

cfr. De la Sierra, S., "Actualicemos el marco jurídico de la crisis sanitaria", *Agenda Pública*, 16 de julio de 2020; o Nogueira, A., "El confinamiento no necesita el estado de alarma", *El País*, 13 de julio de 2020. Más recientemente, Vidal Prado, C., "Herramientas jurídicas frente a situaciones de emergencia sanitaria. ¿Hasta dónde se pueden limitar derechos sin recurrir a la excepcionalidad constitucional?", *TyRC*, n. 48, 2021, pp. 265-296, y Canosa, R., "Encuesta", *TyRC*, n. 48, 2021, en la respuesta a la pregunta n. 4, se han mostrado favorables a poder responder a la pandemia mediante la legislación sectorial de salud pública. En todo caso, la mayoría de estos autores reconocen que la regulación sería mejorable y, además, algunos impugnan que la actual base legal sea habilitación suficiente.

[90]   Entre otros, Aragón Reyes, M., "Epílogo", ob. cit., p. 10 y ss.; Barnes, J., "Falsos dilemas en la lucha contra la pandemia", *Almacén de Derecho*, 27 de agosto de 2020; Tajadura Tejada, J., "Estado de alarma y seguridad jurídica", *El País*, 27 de octubre de 2020; Presno Linera, M. A., "Estado de alarma y sociedad del riesgo global", en Atienza Macías, E., y Rodríguez Ayuso, J. F. (dir.), *Las respuestas del Derecho a las crisis de salud pública*, Dykinson, Madrid, 2020, p. 26; Carmona Cuenca, E., "Los derechos fundamentales en el estado de alarma. La crisis sanitaria de la COVID 19 en España", en AA.VV., *Covid 19 y Parlamentarismo. Los Parlamentos en cuarentena*, Universidad Nacional Autónoma de México, México, 2020, p. 236; Cierco Seira, C., "Derecho de la salud pública y covid-19", ob. cit., pp. 25-78; Cuenca Miranda, A., "Análisis crítico de un estado de alarma excepcional: la covid-19 y el Derecho de excepción", ob. cit.; y yo mismo en varios artículos publicados en *Hay Derecho*: "El revestimiento jurídico de la "desescalada": ¿Estado de alarma?" (5 de mayo de 2020); "Marco jurídico en la desescalada y posibilidades legales para afrontar rebrotes" (1 de julio de 2020); "Desconcierto jurídico ante el rebrote de la pandemia: pinceladas aclaratorias" (26 de agosto de 2020); "Toque de queda y ordenamiento jurídico" (24 de octubre de 2020); o "9-M: ¿hacia el abismo jurídico" (23 de abril de 2021). También ha expresado serias dudas sobre la constitucionalidad de este marco normativo, Cotino Hueso, L., "Confinamientos, libertad de circulación y personal, prohibición de reuniones y actividades y otras restricciones de derechos por la pandemia del Coronavirus", *La Ley*, n. 3799, 2020. Asimismo, pueden verse las distintas contribuciones de prensa de A Ruiz Robledo y su trabajo "Problemas constitucionales del estado de alarma por la COVID-19 en España", *Revista de Estudios Jurídicos UNESP*, 23-38, 2021, pp. 83-104. Y véanse en "Encuesta", *TyRC*, n. 48, 2021, pp. 57 y ss., las posiciones de los profesores Aragón Reyes, Cruz Villalón, de la Quadra-Salcedo y Fernández del Castillo, y Garrido López.

que la legislación sanitaria y la correspondiente garantía judicial estaban pensadas para la adopción de medidas individuales o dirigidas a un grupo determinado de personas, por lo que no habría base jurídica para adoptarlas cuando tales medidas se proyectaban de forma general e indiscriminada sobre toda la población. A mayores, algunos autores han cuestionado de forma más específica que la LOMESP satisficiera las exigencias mínimas derivadas del principio de legalidad y de la reserva de ley, es decir, que presente suficiente grado de certeza y previsibilidad[91]. Y es que la habilitación incluida en el art. 3.*in fine* LOMESP es tan amplia que recurrir a ella para justificar medidas generales gravemente restrictivas de derechos fundamentales puede terminar haciendo de la misma una "auténtica *ley de plenos poderes sanitarios*", como ha destacado Pomed Sánchez[92]. Lo que no queda siempre claro entre aquellos autores que se muestran críticos con la legislación sectorial de salud pública es si, en el caso de que se perfeccionara la habilitación normativa, admitirían que se acudiera a esta legislación "mejorada" de salud pública en lugar de al Derecho constitucional de excepción para adoptar medidas como las señaladas.

Más allá, en donde existe una posición mayoritaria clara es en la crítica a la reforma procesal operada. Se cuestiona principalmente su potencial contradicción con la función constitucional del poder judicial, el cual no puede "co-legislar, que es lo que sucede si para que una norma pueda entrar en vigor se exige la previa autorización judicial", como destacó Aragón Reyes[93]. Muñoz Machado, también muy

---

[91]   Véanse entre otros, las críticas de Carmona Contreras, A., "Encuesta", *TyRC*, n. 48, 2021, en su respuesta a la pregunta n. 4; y Sáenz Royo, E., "Limitar derechos fundamentales durante la pandemia", *Agenda Pública*, 14 de julio de 2020.

[92]   Pomed Sánchez, L., "Gobernar la pandemia. Derecho de emergencia e intervención judicial", *Jueces para la Democracia*, diciembre 2021, p. 44.

[93]   Aragón Reyes, M., "Epílogo", ob. cit., p. 11. Este autor añade un segundo motivo de crítica y señala que una norma procesal no puede servir de título atributivo de competencia material al poder autonómico. Sin embargo, no termino de compartir esta segunda crítica. Y es que, en mi opinión, la competencia material reside en el propio orden de distribución de competencias en materia de sanidad y, por lo que hace a la concreta habilitación para dictar las medidas, se encontraría principalmente en el art. 3 LOMESP, siendo esta reforma procesal una garantía añadida. Cuestión distinta es que cuestionemos si la habilitación legal de la LOMESP es suficiente y que critiquemos que el legislador, en lugar de haber perfeccionado ésta, haya optado por esta vía del parche procesal.

crítico con esta reforma, advertía lo improcedente de "convertir a la jurisdicción contencioso administrativa en una institución cogobernante de la crisis"[94]. Se trata, como ha evidenciado Pomed Sánchez, del único caso que conoce nuestro ordenamiento donde los órganos judiciales participan en una suerte de "codecisión reguladora"[95], que va más allá de la autorización o ratificación judicial para proceder a la ejecución forzosa de un acto administrativo, referido siempre a una persona determinada, para ser "un complemento de la eficacia de la resolución administrativa definitiva pero no perfecta porque carece de la fuerza de obligar"[96]. Con el riesgo añadido de comprometer la tutela judicial, ya que los órganos judiciales que autorizan o ratifican las medidas son los que luego pueden estar llamados a resolver sobre la legalidad de las mismas en un eventual juicio plenario posterior[97].

---

[94]   Muñoz Machado, S., "El poder y la peste de 2020", ob. cit., p. 128. Véanse también las críticas de Cierco Seira, C., "Derecho de la salud pública y covid-19", ob. cit., pp. 62-63; Baño León, J. M., "Confusión regulatoria en la crisis sanitaria", ob. cit.; o Álvarez García, V., "El comportamiento del derecho de crisis durante la segunda ola de la pandemia", *El Cronista del Estado Social y Democrático de Derecho*, n. 90-91, 2020-2021, p. 30. Asimismo, cfr. Tajadura Tejada, J., "Sin legalidad no hay libertad", *El País*, 29 de abril de 2021. Personalmente, advertí lo "exótico" de esta autorización judicial en Teruel Lozano, G. M., "Actuaciones coordinadas en salud pública y restricción de derechos fundamentales", ob. cit.

[95]   Pomed Sánchez, L., "Gobernar la pandemia...", ob. cit., p. 49.

[96]   Ibid., p. 46. Este autor señala que esta autorización/ratificación judicial no sería encuadrable dentro de la función jurisdiccional, aunque sí que podría tener un primer encaje constitucional como medida de garantía de derechos, por lo que a priori no se violaría el principio de exclusividad jurisdiccional en su dimensión negativa (art. 117.3 CE). Asimismo, no cree que haya apoyatura para sostener la "eventual constitucionalización del privilegio de la decisión ejecutiva de la Administración" (p. 48), pero destaca las dudas de constitucionalidad que se plantean cuando las medidas adoptadas sean disposiciones de carácter general porque el ejercicio de la potestad reglamentaria no puede quedar condicionado a la intervención de un órgano ajeno a esta potestad normativa. Sobre esta cuestión, véase también Enríquez Malavé, G., "Naturaleza jurídica de las medidas sanitarias adoptadas frente al COVID-19: ¿Actos administrativos o disposiciones generales?", *Diario La Ley*, n. 9740, 20 de noviembre de 2020, quien sí que ha criticado esta reforma al considerar que excepciona el principio de autotutela de la Administración Pública, cuestionando la presunción de legalidad y validez del acto o disposición.

[97]   Pomed Sánchez, L., "Gobernar la pandemia...", ob. cit., p. 49.

A diferencia de la doctrina, los órganos jurisdiccionales que han venido conociendo de estos asuntos han mostrado una posición más compacta, tendente a asumir que la legislación sanitaria ofrecía cobertura suficiente para limitar con carácter general derechos fundamentales, si bien algunas resoluciones denegaron la autorización por considerar desproporcionadas las medidas[98]. Aunque no fue la única, la excepción más importante ha venido siendo la del TSJ de Aragón que planteó cuestión de inconstitucionalidad frente a esta reforma procesal[99]. Al entender de este Tribunal, el vicio de constitucionalidad de esta reforma residiría en haberle atribuido a los tribunales "una función consultiva vinculante, prejudicial, participando de este modo del proceso de elaboración de un acto administrativo -o de una disposición general", que no hallaría fundamento ni en el art. 117.3 ni en el apartado 4 CE. Además, ponía de manifiesto las dificultades de realizar una ponderación abstracta de tales medidas generales.

En todo caso, ha sido el Tribunal Supremo el que ha venido a sentar una cierta paz a este respecto, a falta del pronunciamiento último por el Tribunal Constitucional, en sendas sentencias que cabría calificar como piloto: las SSTS 719/2021, de 24 de mayo, y la 788/2021, de 3 de junio. Posteriormente ha resuelto otros casos en sintonía con la doctrina sentada en las mismas[100]. La síntesis de esta doctrina es que, a juicio del Alto Tribunal, la legislación sectorial ordinaria, y en particular el art. 3 LOAES, aunque "innegablemente escueto y genérico", por lo que sería deseable que existiera una regulación más "ar-

---

[98]   Véase el estudio que realiza Rodríguez Fidalgo, D., "Del estado de alarma al control judicial del Derecho de necesidad frente a la pandemia", *Almacén de Derecho*, 5 de mayo de 2021.

[99]   La primera de ellas se interpuso mediante el ATSJ de Aragón de 3 de diciembre de 2020. Algunos de los TSJ que plantearon dudas sobre la base legal para la adopción de medidas generales de derechos fundamentales fueron el TSJ de Madrid (Auto de 8 de octubre de 2020), el TSJ del País Vasco (Auto de 22 de octubre de 2020), el TSJ de Castilla y León (Autos de 25 y 28 de octubre y de 6 de noviembre de 2020). Cfr. Doménech Pascual, G., "Dogmatismo contra pragmatismo. Dos maneras de ver las restricciones de derechos fundamentales impuestas con ocasión de la COVID-19", ob. cit., p. 352.

[100]   Así, por ejemplo, SSTS 792/2021, de 3 de junio; 794/2021, de 3 de junio, esta última por recurso de un particular; 1079/2021, de 21 de julio; 1092/2021, de 26 de julio; 1104/2021, de 19 de agosto; 1103/2021, de 18 de agosto; y 1112/2021, de 14 de septiembre.

ticulada de las condiciones y límites en que cabe restringir o limitar derechos fundamentales en emergencias"[101], ampararía que las autoridades sanitarias adopten medidas generales restrictivas de derechos fundamentales, equivalentes a las que se habían acordado en el último estado de alarma (cierres perimetrales, toques de queda, límites a las reuniones…)[102]. A este respecto, el Tribunal, en su segunda sentencia, hace una distinción interesante: advierte que lo que suscitaba dudas en relación con la cobertura de la LOAES para restringir derechos fundamentales no era la "intensidad" de las medidas que podían adoptarse, sino su "extensión". En particular, que las mismas pudieran extenderse a toda la población. Aunque termina reconociendo que habría cobertura legal también para medias de extensión general[103]. Una conclusión que discutiré en el siguiente epígrafe. Pero, eso sí, lo que sí que ha exigido el Tribunal es que las autoridades sanitarias deban dar una justificación de las medidas que adopten que "esté a la altura de la intensidad y la extensión de la restricción de derechos fundamentales de que se trate", sin que sean suficientes "meras consideraciones de conveniencia, prudencia o precaución"[104].

En cuanto a la garantía judicial que tantas dudas ha suscitado, el Tribunal Supremo, en su primera sentencia, y "a la espera de que el Tribunal Constitucional se pronuncie", consideró que podría encajar en las funciones de garantía de los derechos que pueden asumir los jueces y tribunales de acuerdo con el art. 117.4 CE[105]. Y, así entendida, como una función de garantía de los derechos, el Tribunal concluyó que la autorización judicial es "condición de eficacia" de las medidas sanitarias que adopte la Administración. Si bien, la inter-

---

[101]   STS 788/2021, de 3 de junio, FJ. 7.

[102]   STS 788/2021, de 3 de junio, FJ. 7. En la STS 719/2021, de 24 de mayo, ya había enjuiciado la suficiencia de la habilitación legal, analizando con detenimiento las previsiones legales, en particular de la LOMESP, pero también de las leyes 14/1986 y 33/2011.

[103]   STS 788/2021, de 3 de junio, FJ. 7.

[104]   Lo que en doctrina se conoce como la dimensión formal del principio de proporcionalidad. "dimensión formal" del principio de proporcionalidad. *Vid.*, por todas, las SSTC 62/1996, FJ 2; y 11/2006, FJ 4 *in fine*; y, en doctrina, González Beilfuss, M., *El principio de proporcionalidad en la jurisprudencia del Tribunal Constitucional*, Aranzadi-Thomson, Cizur Menor, 2015, pp. 93 y ss.

[105]   STS 719/2021, de 24 de mayo.

vención judicial deberá limitarse a comprobar la habilitación legal y a la "constatación preliminar de los aspectos externos y reglados de la actuación administrativa y, todo lo más, a una verificación *prima facie* de la adecuación, necesidad y proporcionalidad de las medidas dispuestas"[106]; sin que ello deba predeterminar el juicio fondo, como no lo hace cuando los tribunales se pronuncian en juicios cautelares. Una interpretación que, como ha señalado Álvarez García, mantiene abierta la cuestión de si con la asunción por los tribunales de esta competencia no se estaría poniendo en duda el principio de separación de poderes. Y es que, como ya hemos indicado, en la medida que su decisión es condición de eficacia de las mismas, su procedimiento de aprobación exigirá "la suma de dos voluntades: por una parte, la correspondiente a las autoridades gubernativas (que tienen una legitimación democrática más o menos indirecta); y, por otro, la voluntad final de los órganos judiciales ratificadores"[107]. Algo exótico para nuestra lógica constitucional.

Pues bien, a falta de que resuelva el Tribunal Constitucional, todavía no podemos decir aquello de *Roma locuta, causa finita*. En mi opinión, la cuestión debe seguir abierta como expondré a continuación.

4.2. Propuesta delimitadora del espacio propio del estado de alarma vedado a la legislación sectorial de emergencias: la adopción de un régimen jurídico temporal con intensas restricciones a los derechos fundamentales y/o la concentración del poder en una autoridad única

De acuerdo con lo que se ha estudiado en el epígrafe anterior, en la medida que el Derecho de excepción sólo puede operar como un recurso de extrema ratio, hay que asumir el esfuerzo de reconocer un contenido propio al estado de alarma vedado a la legislación sectorial de emergencias. Y ese valor añadido, a mi entender, se puede encon-

---

[106] STS 719/2021, de 24 de mayo

[107] Álvarez García, V., "La ratificación judicial de las medidas sanitarias de carácter general: su configuración jurisprudencial y sus problemas constitucionales (a propósito de la Sentencia núm. 719/2021, de 24 de mayo, de la Sección Cuarta de la Sala de lo Contencioso-Administrativo del Tribunal Supremo), *Diario de Derecho (Iustel)*, 27 de mayo de 2021.

trar en la facultad de adoptar medidas que impliquen la adopción de un régimen jurídico temporal con restricciones de derechos fundamentales especialmente intensas y/o en la concentración del poder en una autoridad única más allá del reparto ordinario de competencias para afrontar una crisis de tal gravedad que exija una compleja valoración de los intereses en juego, para la que el diseño del Derecho constitucional de excepción y sus garantías resultan especialmente apropiados[108].

Así las cosas, la LOAES ya da una referencia cuando, al regular los presupuestos de hecho del estado de alarma, cualifica las emergencias, refiriendo que sean "de gran magnitud" o "graves". Podemos convenir que no es lo mismo gestionar un brote de sarampión en un colegio, o incluso un brote de Legionella como el que se vivió en Murcia en 2001 y afectó a varios centenares de personas, que una pandemia como la actual. Cuanto mayor sea la crisis lo normal es que las respuestas sean también más complejas, exijan valoraciones de diferentes intereses (sociales, económicos...), y superen la lógica de la pura intervención de policía. De forma que la magnitud de la crisis nos ofrece así un primer criterio a tener en cuenta para saber cuándo los poderes ordinarios van a ser insuficientes para configurar la respuesta. Pero no basta sólo con ello.

Se hace necesario valorar también las medidas que resulta imprescindible adoptar. Y, a este respecto, al menos a nivel teórico, no ofrece dudas reconocer que, si la respuesta a la crisis exige la concentración del poder en el Gobierno, un mando único, entonces habrá que recurrir al estado de alarma. Porque la legislación sectorial puede contemplar medidas de cooperación reforzada, pero no alterar el esquema competencial y cada Administración deberá seguir ejerciendo sus propias competencias (STC 184/2016, de 3 de noviembre, FJ. 7). De hecho,

---

[108]   Así se ha posicionado también Pérez Royo, J., "¿Es más de fiar el Supremo que el Congreso de los Diputados?", *ElDiario.es*, 4 de mayo de 2021, para quien "El estado de alarma es una respuesta de naturaleza política ante una situación de emergencia. El único representante de manera directa de la soberanía popular, el Congreso de los Diputados, define la respuesta. El Gobierno de la Nación o los gobiernos de las Comunidades Autónomas concretan la aplicación de dicha respuesta. Bajo un control parlamentario permanente y con la posibilidad de que cualquier ciudadano que pueda verse afectado de una manera que él entiende negativa por la aplicación de una medida concreta, la recurra ante los tribunales.".

según ha señalado algún autor, éste sería el verdadero valor añadido del estado de alarma[109]. Lo comparto sólo parcialmente. Creo que la experiencia de esta pandemia ha venido a demostrar que un adecuado diseño de los mecanismos de coordinación, que puede reforzarse en tiempos de crisis, normalmente será suficiente para afrontar emergencias aún de gran magnitud y puede resultar hasta más eficaz que el mando único. Sobre todo cuando la crisis afecte a ámbitos donde son las Comunidades Autónomas las que tienen asumidas de forma casi plena la gestión ordinaria de los mismos, por lo que al Estado puede faltarle "músculo". De ahí que considere que, aunque no haya que descartar la necesidad de establecer un mando único ante una crisis de gran magnitud, al final debe buscarse un valor más allá para dotar de un espacio propio al estado de alarma.

En este sentido, donde la pandemia ha evidenciado el principal valor añadido del estado de alarma ha sido en la posibilidad de establecer un régimen extraordinario restrictivo de los derechos adaptado a las exigencias de la crisis. Creo que este régimen podría identificarse con ese "tercer estado" al que en su día hizo referencia Cruz Villalón[110] y que, en cierto modo, también quedaba plasmado en la jurisprudencia "pre-covid" del Tribunal Constitucional sobre estados excepcionales. En particular, cuando el Tribunal reconoció que el estado de alarma adquiría su sentido para desplazar la legalidad ordinaria en vigor estableciendo un régimen extraordinario para los derechos fundamentales, que en definitiva suponen "excepciones o modificaciones *pro tempore* en la aplicabilidad de determinadas normas del ordenamiento vigente, incluidas, en lo que ahora importa, determinadas disposiciones legales, que sin ser derogadas o modificadas sí pueden ver alterada su aplicabilidad ordinaria"[111]. Como ha expresado Aragón Reyes, cuando una emergencia exige establecer limitaciones de de-

---

[109]   Por ejemplo, Baño León, J. M., "Confusión regulatoria en la crisis sanitaria", ob. cit., o De la Quadra-Salcedo Janini, T., "Estado autonómico y lucha contra la pandemia", en Biglino Campos, P. y Durán Alba, F., *Los efectos horizontales de la COVID sobre el sistema constitucional*, Fundación Manuel Giménez Abad, Zaragoza, 2020, p. 23. En esta línea puede verse también Doménech Pascual, G., "Dogmatismo contra pragmatismo. Dos maneras de ver las restricciones de derechos fundamentales impuestas con ocasión de la COVID-19", ob. cit.

[110]   Cruz Villalón, P., *Estados excepcionales y suspensión de garantías*, ob. cit., p. 72.

[111]   STC 83/2016, de 28 de abril, FJ. 10, reproduciendo el ATC 7/2012, FJ. 4.

rechos "indiscriminadas o generales aunque circunscritas a determinadas zonas o territorios, si dados su ámbito y su notable intensidad restrictiva tuviesen un carácter excepcional [...], ni siquiera, al menos en la situación actual de nuestro ordenamiento, podrían ser adoptadas hoy por el propio Estado de manera ordinaria, y menos aún, en esos casos, por los poderes autonómicos, pues, a mi juicio, no cabrían dentro del Derecho de la normalidad, sino del Derecho de la excepción: ya sea mediante la declaración del estado de alarma, si se trata únicamente de limitaciones de derechos, o del estado de excepción, si estos derechos se suspendieran"[112]. Un tercer estado que, sin embargo, el Tribunal Supremo no ha querido reconocer, ya que, según vimos, ha admitido que la legislación sectorial da cobertura a medidas no sólo de gran intensidad (algo que no se discutía cuando eran singulares), sino de extensión general[113].

El Tribunal Constitucional, por su parte, todavía no ha dictado la sentencia clave a este respecto, que será la que resuelva las cuestiones de inconstitucionalidad planteadas por el TSJ de Aragón, antes indicadas. Aunque podría haber dejado alguna pista cuando en su STC 148/2021, de 14 de julio de 2021, ha admitido que pueda restringirse de modo drástico el ejercicio de derechos fundamentales, no sólo en el marco de la LOAES, sino también en lo que pudiera disponer "la legislación para hipótesis de emergencias coyunturales" (FJ. 5). En esos supuestos extraordinarios es necesario considerar, a juicio del Tribunal, esos "límites necesarios" que derivan de la propia naturaleza del derecho y que avalan la posibilidad de prever regímenes especialmente intensos de restricciones que, sin embargo, no serían lícitos si se incorporaran en la regulación u ordenación general de los derechos. De esta manera, el Constitucional parece admitir que existe un "tercer estado" en las restricciones de derechos, vedado a regulaciones por así decir "ordinarias", pero no ha cerrado la puerta a que también se contemplen en la legislación sectorial que tiene por objeto responder a situaciones de emergencia.

---

[112]   Aragón Reyes, M., "Epílogo", ob. cit., p. 11. No obstante, nótese que el autor abre la puerta a que la legislación ordinaria pudiera reformarse para contemplar limitaciones análogas a las que se permiten con el estado de alarma.

[113]   STS 788/2021, de 3 de junio, FJ. 7.

Pues bien, a mi entender, este "tercer estado" propio de las restricciones de derechos en casos de crisis de excepcional gravedad debe circunscribirse al Derecho de excepción en aquellos supuestos en los que es necesario desplazar la legislación ordinaria para establecer esas "excepciones o modificaciones *pro tempore*" gravemente restrictivas de derechos fundamentales con carácter general. En el resto de casos, la legislación sectorial de emergencias podrá habilitar para que las autoridades competentes adopten las medidas necesarias, que podrán ser especialmente incisivas en los derechos y podrán dirigirse a personas singulares o a grupos de personas más o menos determinados, pero que no podrán alcanzar la categoría de disposiciones generales que doten de un régimen excepcional a los derechos fundamentales. Es decir, la intensidad de estas medidas drásticas de restricción de derechos puede ser similar en el Derecho constitucional de excepción y en la legislación sectorial de emergencias, pero su extensión no[114].

A este respecto, sin pretender caer en nominalismos, a los solos efectos de tratar de trazar esta delimitación, puede que tenga sentido tener en cuenta la distinción entre acto plúrimo y disposición reglamentaria[115]. De hecho, Enríquez Malavé atribuye parte del "desbarajuste jurídico" vivido durante esta pandemia a que no se haya distinguido adecuadamente entre estas categorías, llegando a preguntarse, en relación con los confinamientos perimetrales: ¿en qué momento se desnaturaliza un acto administrativo general (confinamiento de un edificio, o incluso de un barrio), para convertirse en una suspensión

---

[114] Discrepo en este punto del profesor Aragón Reyes, M., "Encuesta", TyRC, n. 48, 2021, p. 58, que trata de situar la frontera en que algunas medidas en el hecho de que la legislación ordinaria no puede habilitar a adoptar medidas que se "aproximen" por su intensidad a la suspensión de derechos (por ejemplo, toques de queda o confinamientos territoriales), las cuales deberían adoptarse en el marco del estado de alarma. En mi opinión, como he señalado, la clave no está en la intensidad cuanto en la extensión de las medidas. La legislación sectorial de emergencias puede habilitar a que se adopten medidas de confinamiento, pero referidas a personas concretas o a grupos "localizados". En este sentido, véase la aportación de Garrido López, C., "Encuesta", *TyRC*, n. 48, 2021, p. 67.

[115] Por su parte, Velasco Caballero, F., "Estado de alarma y distribución territorial del poder", *El Cronista del Estado Social y Democrático de Derecho*, n. 86-87, 2020, pp. 83 y ss., ha propuesto acudir a una categoría *sui generis*, la de "medidas de emergencia", para evitar la clásica distinción entre "actos" y "disposiciones".

colectiva e indiscriminada de la libertad de circulación? Dicho en otras palabras, ¿en qué momento se convierte un confinamiento como acto administrativo —medida sanitaria—, previsto en la LO 3/1986, en una disposición general de derecho de excepción, consistente en la prohibición de salida del municipio o Comunidad Autónoma?"[116]. Por ello, creo que el apoyarse en esa clásica distinción puede ayudar a dibujar la frontera entre poderes ordinarios y contenido propio del estado de alarma, concluyendo que cuando las medidas sanitarias que establecen las restricciones excepcionales de los derechos fundamentales se asimilen a actos plúrimos, podrán ser adoptadas por la autoridad competente con la correspondiente habilitación legal en ejercicio de poderes de policía; mientras que si se identifican con disposiciones generales entonces sería necesario decretar el estado de alarma.

Y, partiendo de esta perspectiva, podemos constatar que durante la crisis la mayoría de las medidas restrictivas de derechos fundamentales (confinamientos perimetrales, límites a las reuniones privadas, toque de queda...) adoptadas por las autoridades sanitarias fuera del estado de alarma se acercaban más a la naturaleza de las disposiciones generales que a la de los actos[117]. Había en ellas una "vocación" de incorporarse en el ordenamiento jurídico introduciendo un régimen jurídico excepcional, con fuerza vinculante para la colectividad, siendo susceptibles de una pluralidad indefinida de cumplimientos[118].

---

[116]   Enríquez Malavé, G., "Naturaleza jurídica de las medidas sanitarias adoptadas frente al COVID-19: ¿Actos administrativos o disposiciones generales?", ob. cit.

[117]   Así lo entendía, por ejemplo Cuenca Miranda, A., "Análisis crítico de un estado de alarma excepcional: la covid-19 y el Derecho de excepción", ob. cit., p. 14, en relación con los cierres perimetrales, quien concluía que "Nos hallábamos ante una disposición general y no un acto administrativo (por más que en ocasiones la distinción entre unas y otros aparezca revestida de cierta complejidad o dificultad), ya que se trataba de medidas que no se agotaban con su cumplimiento, sino que tenían vocación de permanencia en el tiempo durante el lapso de duración de la misma (criterio principal en la distinción entre disposición y acto de alcance general)". Véase también la crítica que realiza Enríquez Malavé, G., "Naturaleza jurídica de las medidas sanitarias adoptadas frente al COVID-19: ¿Actos administrativos o disposiciones generales?", ob. cit.

[118]   Entre otras muchas, cfr. STSS de 2 de junio de 1999 (recurso n.o 4727/1993); de 24 de febrero de 2009 (recurso n.o 5545/2005) y de 28 de mayo de 2014 (recurso n.o 2310/2011). Para un estudio más detallado de estas categorías en relación con la pandemia, véase especialmente Enríquez Malavé, G., "Naturaleza jurídica

Tanto es así que las mismas en muchos casos se publicaban en los distintos boletines oficiales en la sección de disposiciones generales. De ahí que considere censurable que el Gobierno haya dejado a las autoridades sanitarias autonómicas el establecimiento de tales medidas generales restrictivas de derechos, renunciando a prolongar los estados de alarma.

Sobre todo porque creo que el estado de alarma ofrece un marco más garantista que el dado por la legislación sectorial de salud pública. Varias razones apoyan esta consideración: en primer lugar, los poderes de policía de salud pública no quedan sujetos a ningún control político específico, más allá del genérico control que puedan ejercer los correspondientes parlamentos sobre sus gobiernos. La autoridad gubernamental, por sí misma y ante sí, declara la emergencia y acuerda las medidas. No hay, por tanto, contrapesos institucionales, salvo la ratificación judicial. A mayores, las decisiones son adoptadas por órganos cuyas deliberaciones normalmente no van a ser públicas. En segundo lugar, debe destacarse la precariedad de la actual cobertura legal cuando se trata de adoptar medidas para responder a situaciones de emergencia. Puede postularse una reforma de esta legislación sectorial para dotarla de más precisión, pero al final es consustancial al Derecho de necesidad que exista un elevado grado de indeterminación, ya que se está tratando de regular lo imprevisible. Ante esta realidad difícil de superar, considero que debilitaría en exceso la reserva de ley habilitar a la Administración para que adopte no ya medidas singulares, con la correspondiente autorización judicial, sino disposiciones generales que impliquen severas injerencias en los derechos de las personas. Tampoco creo que tenga sentido aprobar normas con rango de ley *ad hoc* para enfrentarse a una pandemia, que darían más seguridad jurídica porque podrían ser más precisas pero cuya vocación de temporalidad encaja mal con la permanencia a la que están llamados estos tipos normativos, por así decir "ordinarios" (entre los que incluyo los decretos-leyes), como ha ocurrido con el Real Decreto-ley 21/2020, de 9 de junio, posteriormente convertido en ley. Y, por último, en relación con la garantía judicial, cuando lo

---

de las medidas sanitarias adoptadas frente al COVID-19: ¿Actos administrativos o disposiciones generales?", ob. cit.

que está en cuestión son medidas generales restrictivas de derechos fundamentales, se han dado sólidos argumentos para criticar la autorización o ratificación judicial previa, por mucho que el Tribunal Supremo haya terminado encajándola. En particular, como advertía el TSJ de Aragón y ha destacado un importante sector doctrinal, se sitúa a los tribunales en una posición muy complicada cuando se les encomienda realizar un juicio cuasi-cautelar de la proporcionalidad en abstracto de las medidas, siendo necesario ponderar toda una serie de variables sanitarias, económicas, sociales de difícil aprehensión jurídica. De ahí que se haya sostenido con acierto que se les convertía en "co-gestores".

El art. 116 CE, por su parte, sí que ofrece un diseño con unas garantías orientadas específicamente para regir en este tipo de situaciones críticas, como ya hemos podido estudiar. ¿Farragoso? Quizá, pero creo que debemos destacar su sentido garantista[119]. Recordemos la importancia del contrapeso parlamentario a la concentración del poder gubernamental y las específicas exigencias de dación de cuentas parlamentarias que impone la LOAES. En especial, aunque el Gobierno pueda decretar por sí el estado de alarma, deberá dar cuenta inmediata de su declaración ante el Congreso y deberá suministrar toda la información que le sea requerida (art. 8.1 LOAES). Porque es en sede parlamentaria donde se debe dilucidar, en primer lugar, la necesidad y adecuación de las medidas que se adopten. Con la luz y taquígrafos propios de la actividad parlamentaria. No en órganos administrativos, cuyas deliberaciones no son públicas, como ha ocurrido con el Consejo Interterritorial de Salud Pública durante esta crisis; ni ante los tribunales de justicia. Por mucho que, con acierto, el Tribunal Supremo haya exigido una justificación más detallada de sus decisiones, sin que "basten meras consideraciones de conveniencia, prudencia o precaución"[120]. Algo, por cierto, de lo que han adolecido muchas de las medidas adoptadas durante esta crisis. Además, que el Tribunal Constitucional haya reconocido fuerza de ley a los decretos

---

[119]   En sentido crítico con la "excesiva farragosidad" del os procedimientos establecidos para la declaración de los estados excepcionales, cfr. Lafuente Balle, J. M., "Los estados de alarma, excepción y sitio (II)", *Revista de Derecho Político*, n. 31, 1990, p. 65.

[120]   STS 788/2021, de 3 de junio, FJ. 7.

de declaración y prórroga del estado de alarma constituye también una garantía normativa. La LOAES podrá ser tan abierta como la legislación sectorial, incluso podrá remitirse a esta última como ya hace para la adopción de medidas de lucha "contra las enfermedades infecciosas, la protección del medio ambiente, en materia de aguas y sobre incendios forestales" (art. 12.1 LOAES), pero el hecho de que la concreción del régimen jurídico del estado de alarma, con las correspondientes restricciones de derechos, deba incorporarse en el decreto de declaración y prórroga del mismo, que además tiene valor de ley, constituye a mi entender una indudable garantía normativa. Garantía que en buena lid debería conjurar el riesgo de que nos encontráramos con limitaciones de derechos recogidas en una pléyade de disposiciones de distinto rango (órdenes o incluso normas de inferior rango), como por desgracia ha ocurrido durante la gestión de esta pandemia. Pero la desviación no enerva el sentido garantista último de esta doctrina. A lo que añadir que es un Derecho esencialmente temporal, por lo que pierde su vigencia en cuanto cesa la emergencia. Y, por último, creo que el Tribunal Constitucional es el órgano jurisdiccional mejor posicionado para enjuiciar aquellas medidas que suponen establecer ese régimen excepcional para los derechos fundamentales[121]. Eso sí, el juicio de proporcionalidad debe ser especialmente laxo, incorporando la idea del principio de precaución, en un contexto en el que hay muchas incertidumbres y una pluralidad de intereses que cohonestar. Y, en todo caso, los ciudadanos podrán seguir recurriendo los actos aplicativos de esos decretos y se podrán impugnar los reglamentos infralegales de desarrollo ante los tribunales ordinarios.

Por ello, sostengo que cuando se dan tales circunstancias excepcionales donde una crisis de gran magnitud exige la concentración de poderes o ese régimen extraordinario de restricciones generales de derechos, el marco jurídico para afrontar la emergencia es el del

---

[121]   En cierto modo, como ha concluido Pérez Royo, J., "¿Es más de fiar el Supremo que el Congreso de los Diputados?", ob. cit., debe reconocerse que "Las situaciones de emergencia exigen respuestas políticas y no judiciales. Cuanto más se haga intervenir a los jueces, peor será el resultado". De ahí la mejor posición del Tribunal Constitucional para enjuiciar este marco, a mi entender. De forma general sobre el control de constitucionalidad sobre los actos de declaración y prórroga de los estados excepcionales, cfr. Garrido López, C., *Decisiones excepcionales y garantía jurisdiccional de la Constitución*, ob. cit., pp. 213 y ss.

Derecho constitucional de excepción previsto en el art. 116 CE, y no otro. El problema, en mi opinión, no es competencial, ya que no niego que en este ámbito de la lucha contra las emergencias haya un cierto solapamiento de competencias[122]. Tampoco se pretende que el estado de alarma resulte excluyente de la legislación sectorial de emergencia, en la cual puede apoyarse y pueden existir espacios de complementariedad[123]. Lo que vengo a defender es que hay un contenido propio de los estados excepcionales que la Constitución reserva a los mismos y que tiene pleno sentido reconocer para valorar la adecuación de su declaración con el principio de subsidiariedad o *extrema ratio*. Porque, como ha señalado Aragón Reyes, "precisamente ahí reside la legitimidad del uso del Derecho de excepción: la de que el derecho de la normalidad no es suficiente para tales casos"[124].

Además, esta distinción es especialmente pertinente porque, como he tratado de justificar, el marco del Derecho constitucional de excepción es el que ofrece las garantías más adecuadas. En palabras de Carmona Cuenca: Las previsiones del art. 116 y 55.1 CE, desarrolladas por la LOAES, "constituyen la mejor garantía de la Constitución y de los derechos fundamentales en ella reconocidos. Ya hemos visto las cautelas y garantías que rodean las declaraciones de estados excepcionales, con la necesaria intervención del Congreso de los Diputados, representante de la soberanía popular. // Si el Gobierno pudiese limitar los derechos fundamentales amparándose en leyes ordinarias, aunque fuese con autorización judicial, existiría un peligro mayor de abusos y de derivas dictatoriales, como ha sucedido en algunos ejemplos de Derecho comparado"[125]. De *lege ferenda*, creo que, con la Constitu-

---

[122]   Sobre el solapamiento competencial, cfr. Doménech Pascual, G., "Comunidades autónomas, derechos fundamentales y covid-19", ob. cit., y del mismo autor, "Dogmatismo contra pragmatismo. Dos maneras de ver las restricciones de derechos fundamentales impuestas con ocasión de la COVID-19", ob. cit.; o De la Quadra-Salcedo Janini, T., "Estado autonómico y lucha contra la pandemia", ob. cit.

[123]   En particular, Cierco Seira, C., "Derecho de la salud pública y covid-19", ob. cit., pp. 64 y ss., ha estudiado la relación de complementariedad de la LOAES con la legislación ordinaria en materia de epidemias.

[124]   Aragón Reyes, M., "Encuesta", *TyRC*, n. 48, 2021, p. 58.

[125]   Carmona Cuenca, E., "Los derechos fundamentales en el estado de alarma. La crisis sanitaria de la COVID 19 en España", ob. cit., p. 236.

ción de 1978 en la mano, no tiene sentido plantear en nuestro país una respuesta a una emergencia "a la alemana", aprobando una ley de pandemias que contemplara ese régimen jurídico excepcional, con una vocación de permanencia limitada en el tiempo, aunque incluya unas garantías específicas. Eso, en nuestro ordenamiento, es lo que prevé el 116 de la Constitución.

Al final, como se preguntaba De la Quadra-Salcedo: "¿para qué se ha previsto entonces en la propia Constitución tal estado, si se puede prescindir de él para hacer lo mismo?"[126]. "Debe insistirse en que el hecho de que nuestra Constitución (y en desarrollo de la misma la LO 4/1981) prevea específicamente la excepción es una riqueza de nuestro bagaje jurídico-constitucional, y no precisamente lo contrario como a veces se ha podido dar a entender", como ha expresado Cuenca Miranda[127]. De ahí que debamos desterrar la idea que se había instalado en la mayoría de nuestra doctrina de que el estado de alarma previsto para afrontar catástrofes, calamidades o pandemias era un *nullum* jurídico que se veía desplazado por la legislación sectorial de emergencias. Al contrario, creo que debemos extraer todas las potencialidades del Derecho constitucional de excepción, repensando la regulación de la LOAES, claramente obsoleta a la luz de la vivencia de esta pandemia. Considerando, además, que, después de la STC 148/2021, de 14 de julio de 2021, la respuesta a las pandemias y a otras catástrofes en el marco del art. 116 CE no hay que circunscribirla al estado de alarma, sino también al de excepción cuando sea

---

[126] De la Quadra-Salcedo, T., "Rompiendo el espejo", *El País*, 14 de agosto de 2020. Y en "Encuesta", *TyRC*, n. 48, 2021, véanse las consideraciones de De la Quadra-Salcedo y de Garrido López. También Cuenca Miranda, A., "Análisis crítico de un estado de alarma excepcional: la covid-19 y el Derecho de excepción", ob. cit., p. 24 ha defendido que: "que la Constitución ha reservado la regulación de una situación excepcional, del tipo que sea, a una Ley Orgánica específica, que no es otra que la Ley Orgánica reguladora de los estados de alarma, excepción y sitio […]. Ninguna otra norma podría, por tanto, regular la excepción, sea de modo explícito o implícito, en este último caso disponiendo medidas que, como la suspensión de derechos y libertades, sólo pueden adoptarse en el marco de los estados excepcionales".

[127] Cuenca Miranda, A., "Análisis crítico de un estado de alarma excepcional: la covid-19 y el Derecho de excepción", ob. cit., p. 24.

necesario suspender derechos fundamentales, como algunos sostuvimos durante esta crisis[128].

5.   BIBLIOGRAFÍA

AAVV., "Encuesta", *Teoría y Realidad Constitucional*, n. 48, 2021, pp. 15-99

Aláez Corral, B., "El concepto de suspensión general de los derechos fundamentales", en López Guerra, L. M. y Espín Templado, E, *La defensa del Estado*, Tirant lo Blanch, Valencia, 2004

Alegre Ávila, J. M. y Sánchez Lamelas, A., "Nota en relación a la crisis sanitaria generada por la actual emergencia vírica", *Blog AEPDA*, 13 de marzo de 2020

Alemany, M., "La inalienabilidad de los derechos humanos", en AA.VV., *Cuestiones contemporáneas de Teoría analítica del Derecho*, Marcial Pons, 2011

Álvarez García, F. J., "Estado de alarma o de excepción", *Estudios penales y criminológicos*, n. 40, 2020

Álvarez García, V., "El comportamiento del derecho de crisis durante la segunda ola de la pandemia", *El Cronista del Estado Social y Democrático de Derecho*, n. 90-91, 2020-2021

Álvarez García, V., "La ratificación judicial de las medidas sanitarias de carácter general: su configuración jurisprudencial y sus problemas constitucionales (a propósito de la Sentencia núm. 719/2021, de 24 de mayo, de la Sección Cuarta de la Sala de lo Contencioso-Administrativo del Tribunal Supremo), *Diario de Derecho (Iustel)*, 27 de mayo de 2021

Álvarez-Ossorio Micheo, F., "Los estados de alarma, de excepción y de sitio", en Cerdeira Bravo de Mansilla, G. (dir.), *Coronavirus y Derecho en estado de alarma*, Reus, Madrid, 2020

Aragón Reyes, M., "COVID-19: Aproximación constitucionales a una crisis", *Revista General de Derecho Constitucional*, n. 32, 2020

Aragón Reyes, M., "Debate necesario", *El País*, 20 de abril de 2020

Aragón Reyes, M., "Delimitación, limitación y colisión de derechos en materia de libertad de información", en *Homenaje a Joaquín Tomás Villarroya*, T. I, Fundación Valenciana de Estudios Avanzados, Valencia, 2000

---

[128]   Así lo sostuve en Teruel Lozano, G. M., "Control al Gobierno", *El País*, 8 de abril de 2020, y, de forma más extensa, en "Derecho de excepción y control al Gobierno: una garantía inderogable", *Hay Derecho,* 11 de abril de 2020.

Aragón Reyes, M., "Epílogo", en Biglino Campos, P. y Durán Alba, F., *Los efectos horizontales de la COVID sobre el sistema constitucional*, Fundación Manuel Giménez Abad, Zaragoza, 2020

Aragón Reyes, M., "Hay que tomarse la Constitución en serio", *El País*, 10 de abril de 2020

Arroyo Gil, A., "La naturaleza del estado de alarma y su presupuesto habilitante", en Garrido López, C. (coord.), *Excepcionalidad y Derecho: el estado de alarma en España*, Fundación Manuel Giménez Abad, Zaragoza, 2020

Baño León, J. M., "Confusión regulatoria en la crisis sanitaria", *Almacén de Derecho*, 29 de octubre de 2020

Barnes, J., "Falsos dilemas en la lucha contra la pandemia", *Almacén de Derecho*, 27 de agosto de 2020

Bastida Freijedo, F. et al., *Teoría de los Derechos Fundamentales en la Constitución Española de 1978*, Tecnos, Madrid, 2012

Carmona Cuenca, E., "Los derechos fundamentales en el estado de alarma. La crisis sanitaria de la COVID 19 en España", en AA.VV., *Covid 19 y Parlamentarismo. Los Parlamentos en cuarentena*, Universidad Nacional Autónoma de México, México, 2020

Carro Martínez, A., "Artículo 116. Situaciones de anormalidad", en Alzaga Villaamil, O., *Comentarios a la Constitución española de 1978*, Edersa, Madrid, 1998

Cierco Seira, C., "Derecho de la salud pública y covid-19", en Blanquer, D. (coord.), *COVID-19 y Derecho Público (durante el estado de alarma y más allá)*, Tirant lo Blanch, Valencia, 2020

Cierco Seira, C., "Epidemias y Derecho administrativo. Las posibles respuestas de la Administración en situaciones de grave riesgo sanitario para la población", *Derecho y Salud*, n. 2, 2005

Cotino Hueso, L., "Confinamientos, libertad de circulación y personal, prohibición de reuniones y actividades y otras restricciones de derechos por la pandemia del Coronavirus", *La Ley*, n. 3799, 2020

Cotino Hueso, L., "Los derechos fundamentales en tiempos del coronavirus. Régimen general y garantías y especial atención a las restricciones de excepcionalidad ordinaria", *El Cronista del Estado Social y Democrático de Derecho*, n. 86-87, 2020

Cruz Villalón, P., "Destripando al Tribunal Constitucional", *El País*, 23 de julio de 2021

Cruz Villalón, P., "El nuevo derecho de excepción", *REDC*, 1981, pp. 93-128

Cruz Villalón, P., "La Constitución bajo el estado de alarma", *El País*, 17 de abril de 2020

Cruz Villalón, P., *Estados excepcionales y suspensión de garantías*, Tecnos, Madrid, 1984

Cuenca Miranda, A., "Análisis crítico de un estado de alarma excepcional: la covid-19 y el Derecho de excepción", en Garrido López, C. (coord.), *Excepcionalidad y Derecho: el estado de alarma en España*, Fundación Manuel Giménez Abad, Zaragoza, 2020

De la Quadra-Salcedo Janini, T., "Estado autonómico y lucha contra la pandemia", en Biglino Campos, P. y Durán Alba, F., *Los efectos horizontales de la COVID sobre el sistema constitucional*, Fundación Manuel Giménez Abad, Zaragoza, 2020

De la Quadra-Salcedo, T. "La naturaleza de los derechos fundamentales en situaciones de suspensión", *Anuario de Derechos Humanos*, n° 2, 1983

De la Quadra-Salcedo, T., "Límite y restricción, no suspensión", *El País*, 8 de abril de 2020

De la Quadra-Salcedo, T., "Rompiendo el espejo", *El País*, 14 de agosto de 2020

De la Sierra, S., "Actualicemos el marco jurídico de la crisis sanitaria", *Agenda Pública*, 16 de julio de 2020

Díaz Revorio, F. J., "A vueltas con la suspensión de los derechos fundamentales", *Almacén de Derecho*, 9 de abril de 2020

Doménech Pascual, G., "Comunidades autónomas, derechos fundamentales y covid-19", *Almacén de Derecho*, 21 de julio de 2020

Doménech Pascual, G., "Derecho público del coronavirus (i)", *Almacén de Derecho*, 14 de marzo de 2020

Doménech Pascual, G., "Dogmatismo contra pragmatismo. Dos maneras de ver las restricciones de derechos fundamentales impuestas con ocasión de la COVID-19", *Indret*, n. 4, 2021, pp. 341-411

Enríquez Malavé, G., "Naturaleza jurídica de las medidas sanitarias adoptadas frente al COVID-19: ¿Actos administrativos o disposiciones generales?", *Diario La Ley*, n. 9740, 20 de noviembre de 2020

Escobar Roca, G., "Los derechos humanos en estados excepcionales y el concepto de suspensión de derechos fundamentales, *Revista de Derecho Político*, n. 110, 2021, pp. 113-152

Fernández de Casadevan Mayordomo, P., *La defensa de la Constitución. Estados de emergencia y artículo 55*, Aranzadi, Cizur, 2020

Fernández Segado, F., "Naturaleza y régimen legal de la suspensión general de los derechos fundamentales", *Revista de Derecho Político*, n. 18-19, 1983

Fernández Segado, F., *El estado de excepción en el derecho constitucional español*, Edersa, Madrid, 1977

García Cuadrado, A. M., "El estado de alarma y su ambigua naturaleza, *Cuadernos Constitucionales de la Cátedra Fadrique Furió Ceriol*, n. 8, 1994

García Roca, J., "El control parlamentario y otros contrapesos del Gobierno en el estado de alarma: la experiencia del coronavirus", en AA.VV., *Co-*

vid 19 y Parlamentarismo. Los Parlamentos en cuarentena, Universidad Nacional Autónoma de México, México, 2020

Garrido López, C., *Decisiones excepcionales y garantía jurisdiccional de la Constitución*, Marcial Pons, Madrid, 2021

González Beilfuss, M., "La suspensión general de derechos", en López Guerra, L. M. y Espín Templado, E, *La defensa del Estado*, Tirant lo Blanch, Valencia, 2004

Heinig, H. M., *et al*, "Why constitution matter – La ciencia del Derecho constitucional ante la crisis del coronavirus", *Revista de Derecho Público: Teoría y Método*, vol. 1, 2021

Lafuente Balle, J. M., "Los estados de alarma, excepción y sitio (I)", *Revista de Derecho Político*, n. 30, 1989

Lafuente Balle, J. M., "Los estados de alarma, excepción y sitio (II)", *Revista de Derecho Político*, n. 31, 1990

Medina Guerrero, M., *La vinculación negativa del legislador a los derechos fundamentales*, McGraw-Hill, Madrid, 1996

Muñoz Machado, S., "El poder y la peste de 2020", *El Cronista del Estado Social y Democrático de Derecho*, n. 90-91, 2020-2021

Nogueira, A., "El confinamiento no necesita el estado de alarma", *El País*, 13 de julio de 2020

Pérez Royo, J., "¿Es más de fiar el Supremo que el Congreso de los Diputados?", *ElDiario.es*, 4 de mayo de 2021

Pérez Serrano, N., *Tratado de Derecho Político*, 2ª Ed., Civitas, Madrid, 1984

Pomed Sánchez, L., "Algunas notas sobre los sucesivos estados de alarma declarados en 2020", en Tudela Aranda, J. (coord.), Estado Autonómico y covid-19, *Fundación Manuel Giménez Abad*, Zaragoza, 2021

Pomed Sánchez, L., "Gobernar la pandemia. Derecho de emergencia e intervención judicial", *Jueces para la Democracia*, diciembre 2021

Porrez Azkona, J., "La decisión sobre poderes excepcionales", *RVAP*, n. 6, 1983, pp. 9-72 y Troper, M., "El estado de excepción no tiene nada de excepcional", *Revista de Derecho constitucional Europeo*, nº 27, 2017

Presno Linera, M. A., "Estado de alarma y sociedad del riesgo global", en Atienza Macías, E., y Rodríguez Ayuso, J. F. (dir.), *Las respuestas del Derecho a las crisis de salud pública*, Dykinson, Madrid, 2020

Presno Linera, M. A., "Estado de alarma y sociedad del riesgo global", en Atienza Macías, E., y Rodríguez Ayuso, J. F. (dir.), Las respuestas del Derecho a las crisis de salud pública, Dykinson, Madrid, 2020

Ramón Fernández, T., "El Estado de Derecho, a prueba", en Blanquer, D. (coord.), *COVID-19 y Derecho Público (durante el estado de alarma y más allá)*, Tirant lo Blanch, Valencia, 2020

Requejo Rodríguez, P. y Ferreres Comella, V., "Artículo 55", en Rodríguez-Piñero, y Bravo Ferrer, M. y Casas Baamonde, M. E., *Comentarios a la Constitución Española*, T. I, BOE, Madrid, 2018

Requejo Rodríguez, P., "¿Suspensión o supresión de los derechos fundamentales?", *Revista de Derecho Político*, n. 51, 2001, pp. 105-137

Rodríguez Fidalgo, D., "Del estado de alarma al control judicial del Derecho de necesidad frente a la pandemia", *Almacén de Derecho*, 5 de mayo de 2021

Ruiz Robledo, A., "Problemas constitucionales del estado de alarma por la COVID-19 en España", *Revista de Estudios Jurídicos UNESP*, 23-38, 2021, pp. 83-104

Sáenz Royo, E., "Limitar derechos fundamentales durante la pandemia", *Agenda Pública*, 14 de julio de 2020

Santamaría Pastor, J. A., "Notas sobre el ejercicio de las potestades normativas en tiempos de pandemia", en Blanquer, D. (coord.), *COVID-19 y Derecho Público (durante el estado de alarma y más allá)*, Tirant lo Blanch, Valencia, 2020

Tajadura Tejada, J., "Estado de alarma y seguridad jurídica", *El País*, 27 de octubre de 2020

Tajadura Tejada, J., "Sin legalidad no hay libertad", *El País*, 29 de abril de 2021

Teruel Lozano, G. M., "Control al Gobierno", *El País*, 8 de abril de 2020

Teruel Lozano, G. M., "Derecho de excepción y control al Gobierno: una garantía inderogable", *Hay Derecho*, 11 de abril de 2020

Teruel Lozano, G. M., "El revestimiento jurídico de la "desescalada": ¿Estado de alarma?", *Hay Derecho*, 5 de mayo de 2020

Teruel Lozano, G. M., "Marco jurídico en la desescalada y posibilidades legales para afrontar rebrotes", *Hay Derecho*, 1 de julio de 2020

Teruel Lozano, G. M., "Desconcierto jurídico ante el rebrote de la pandemia: pinceladas aclaratorias", *Hay Derecho*, 26 de agosto de 2020

Teruel Lozano, G. M., "Actuaciones coordinadas en salud pública y restricción de derechos fundamentales", *Hay Derecho*, 4 de octubre de 2020

Teruel Lozano, G. M., "Toque de queda y ordenamiento jurídico", *Hay Derecho,* 24 de octubre de 2020

Teruel Lozano, G. M., "Los decretos-leyes en la crisis del coronavirus: perspectiva constitucional", *Cuadernos Manuel Giménez Abad*, n. 8, 2020, pp. 216-225

Teruel Lozano, G. M., "9-M: ¿hacia el abismo jurídico", *Hay Derecho*, 23 de abril de 2021

Velasco Caballero, F., "Cuestión de inconstitucionalidad contra la ratificación judicial de medidas sanitarias", *Blog de Francisco Velasco*, 15 de noviembre dc 2020

Velasco Caballero, F., "Estado de alarma y distribución territorial del poder", *El Cronista del Estado Social y Democrático de Derecho*, n. 86-87, 2020

Velasco Caballero, F., "Libertades públicas durante el estado de alarma por la covid-19", en Blanquer, D. (coord.), *COVID-19 y Derecho Público (durante el estado de alarma y más allá)*, Tirant lo Blanch, Valencia, 2020

Vidal Prado, C., "Herramientas jurídicas frente a situaciones de emergencia sanitaria. ¿Hasta dónde se pueden limitar derechos sin recurrir a la excepcionalidad constitucional?", *TyRC*, n. 48, 2021, pp. 265-296

La limitación de los derechos fundamentales en el contexto del Estado de Alarma[1]

ANTONIO ARROYO GIL

Profesor Contratado Doctor (acr. Titular) de Derecho constitucional
Universidad Autónoma de Madrid

Sumario: 1. Introducción. 2. Consideraciones preliminares sobre el derecho de excepción. 3. La difícil distinción entre "limitación" y "suspensión" de derechos. 4. Breve análisis de la STC 148/2021, de 14 de julio, y de sus votos particulares. 5. Las medidas restrictivas de la libertad de circulación durante el primer estado de alarma: una limitación agravada que no llega a ser suspensión. 6. Derecho ordinario vs. Derecho de excepción en la limitación del derecho a circular libremente. 7. Conclusión. 8. Bibliografía

1. INTRODUCCIÓN

Las sucesivas declaraciones de los estados de alarma, y sus respectivas prórrogas, para hacer frente a la crisis sanitaria provocada por la Covid-19, han motivado una animada discusión jurídica acerca de diversas cuestiones relacionadas con nuestro derecho de excepción: la propia naturaleza de los estados de alarma y excepción y su presupuesto habilitante; el alcance de la prórroga del estado de alarma; la distinción entre limitación y suspensión de derechos fundamentales; etcétera[2].

---

[1]   El presente trabajo se enmarca dentro del Proyecto coordinado: «Diseño constitucional y calidad democrática (DICOCADE)» [Subproyecto 1: «El Control y responsabilidad política en el estado constitucional con especial referencia al Parlamento en el contexto multinivel (CORE)»] (PID2019- 104414GB-C31 DER–IP: José Tudela Aranda).

[2]   Se trata de las declaraciones del estado de alarma llevadas a efecto por Real Decreto 463/2020, de 14 de marzo (modificado por el Real Decreto 465/2020, de 17 de marzo), prorrogado en seis ocasiones, hasta el 21 de junio de 2020; Real Decreto 900/2020, de 9 de octubre (limitado a determinados municipios

El propósito del presente escrito no es otro que contribuir a un debate que ha dividido de manera profunda a la doctrina científica y sobre el que el Tribunal Constitucional se ha pronunciado recientemente al resolver sendos recursos de inconstitucionalidad interpuestos por más de cincuenta diputados del Grupo Parlamentario Vox[3]; a

---

de la Comunidad de Madrid), con una duración de quince días; y Real Decreto 926/2020, de 25 de octubre, prorrogado por Real Decreto 956/2020, de 3 de noviembre, durante seis meses (desde el día 9 de noviembre de 2020 hasta el día 9 de mayo de 2021). Un resumen de las cuestiones más problemáticas que trajeron consigo estas declaraciones del estado de alarma en Arroyo Gil, A.: "La naturaleza del estado de alarma y su presupuesto habilitante", en Garrido López (coord.), *Excepcionalidad y Derecho: el estado de alarma en España*, Col. Obras colectivas, Fundación Manuel Giménez Abad, Zaragoza, 2021, pp. 62 ss.

Puede verse un estudio muy completo del "Derecho de excepción" en el número 48 (2021) de la revista *Teoría y Realidad Constitucional*, dedicado monográficamente a este tema; en él se recogen, entre otras cosas, una interesante encuesta realizada a varios catedráticos de Derecho constitucional y administrativo, así como numerosos estudios que abordan, desde diferentes perspectivas (entre ellas, la comparada), cuestiones varias relacionadas con la problemática asociada a la normativa de emergencia o excepción. Véase, asimismo, la completa obra colectiva coordinada por F. Velasco Caballero y B. Gregoraci Fernández: *Derecho y política ante la pandemia: reacciones y transformaciones*, Tomos I (Reacciones y transformaciones en el Derecho Público) y II (Reacciones y transformaciones en el Derecho Privado), Anuario de la Facultad de Derecho de la UAM, Número extraordinario, BOE, Madrid, 2021.

3   En la STC 148/2021, de 14 de julio, el Tribunal resuelve el recurso de inconstitucionalidad planteado frente a la primera declaración del estado de alarma. A ella dedicaremos el grueso del análisis y las reflexiones en el presente trabajo, dado que es la que fija la posición del Tribunal Constitucional en torno a la cuestión que es aquí objeto de estudio: la diferenciación entre limitación y suspensión de derechos en el ámbito del derecho de excepción. Y en la STC de 27 de octubre de 2021, el Tribunal resuelve el recurso de inconstitucionalidad núm. 5342-2020, interpuesto frente a la segunda declaración de alcance general del estado de alarma y de su prórroga por seis meses. Pocos días antes, en la STC 168/2021, de 5 de octubre, el Tribunal había resuelto el recurso de amparo contra el Acuerdo de la Mesa del Congreso de los Diputados de 19 de marzo de 2020 que decidió suspender desde ese día el cómputo de los plazos reglamentarios que afectaban a las iniciativas en tramitación hasta que la Mesa levantara la suspensión.

Desde determinados sectores se ha criticado la tardanza del Tribunal Constitucional en la resolución de los citados recursos, con las consecuencias que ello acarrea desde el punto de vista de la efectividad de la sentencia y de la confianza de los ciudadanos en el funcionamiento de las instituciones. Valga por todos, Ruiz Robledo, A.: "¿Existe control de constitucionalidad en España", El País, 16.06.2021.

saber: si las severas medidas adoptadas durante las declaraciones de los respectivos estados de alarma (y sus prórrogas) fueron constitucionalmente legítimas porque supusieron tan solo una limitación de ciertos derechos fundamentales, por más incisiva que la misma fuese, o si, por el contrario, alguna de ellas llegó a significar una auténtica suspensión de algún derecho fundamental, lo que la convertiría en constitucionalmente inadmisible, en tanto que la suspensión de derechos solo se puede llevar a efecto mediante la declaración de los estados de excepción o de sitio, pero no del de alarma, según el art. 55.1 CE (en conexión con el art. 116 CE) y las previsiones de la Ley Orgánica 4/1981, de 1 de junio, de los estados de alarma, excepción y sitio (LOAES).

Si bien la cuestión, desde el punto de vista jurídico-constitucional, ha sido resuelta en sentido positivo por el Tribunal Constitucional en la Sentencia 148/2021, de 14 de julio, cuya doctrina sobre la incidencia que la vigencia del estado de alarma tiene en el ejercicio de los derechos fundamentales se ha visto sintetizada en la ulterior Sentencia de 27 de octubre de 2021 (FJ 3.B), lo cierto es que el debate jurídico, entre la doctrina científica, sigue abierto[4]. Este es el contexto en el que el presente trabajo debe ser entendido.

2. CONSIDERACIONES PRELIMINARES SOBRE EL DERECHO DE EXCEPCIÓN

En la discusión sobre la suspensión de los derechos fundamentales, recordemos que el art. 55.1 CE únicamente autoriza a que, cuando se declare el estado de excepción o de sitio, se puedan suspender los

---

[4]   Antes de que se dictara la STC 148/2021, ya hubo autores que se pronunciaron en contra de la tesis de la suspensión; así lo hace, por ejemplo, a partir de argumentos basados en la teoría de la causa, Quadra-Salcedo Fernández del Castillo, T. de la: "La terrible confusión entre limitar y suspender derechos", Agenda Pública, 05.07.2021. En sentido contrario, Aragón Reyes, M.: "¿Alarma o excepción? La función del Tribunal Constitucional", El País, 06.07.2021. Este mismo autor, una vez conocida la sentencia, se pronunció también públicamente defendiendo su sentido (vid. Aragón Reyes, M.: "El Tribunal Constitucional cumplió con la sentencia sobre el estado de alarma", El País, 04.08.2021.

derechos y libertades reconocidos en los siguientes preceptos constitucionales (*numerus clausus*):

- art. 17 (derecho a la libertad y a la seguridad, incluida la detención preventiva, los derechos del detenido -que solo podrán ser suspendidos en el estado de sitio- y el "habeas corpus");
- art. 18 apartados 2 (inviolabilidad del domicilio) y 3 (secreto de las comunicaciones);
- art. 19 (libre elección de residencia y derecho a circular por el territorio nacional, así como el derecho a entrar y salir libremente de España);
- art. 20 apartados 1.a) (libertad de expresión) y d) (libertad de comunicación e información, incluido el derecho a la cláusula de conciencia y al secreto profesional en el ejercicio de esas libertades en los términos que la ley, a la que se remite la propia Constitución, lo regule), y 5 (secuestro de publicaciones, grabaciones y otros medios de información);
- art. 21 (derecho de reunión y manifestación);
- art. 28 apartado 2 (derecho de huelga); y
- art. 37 apartado 2 (derecho de trabajadores y empresarios a adoptar medidas de conflicto colectivo).

Estos, y solo estos, son, pues, los derechos que integran la llamada, en terminología del profesor Cruz Villalón, "Constitución suspendible"[5]; derechos que tan solo se podrán suspender, como hemos indicado ya, cuando se declare o bien el estado de excepción o bien el de sitio, y así lo determine el Gobierno, previa autorización del Congreso de los Diputados (estado de excepción), o la mayoría absoluta de este, a propuesta de aquel (estado de sitio). Porque en el caso del estado de alarma únicamente cabe adoptar medidas que supongan limitaciones al ejercicio de tales derechos (u otros), pero no

---

[5]   Cruz Villalón, P.: *Estados excepcionales y suspensión de garantías*, Tecnos, Madrid, 1984, pp. 48-49.

suspensión de los mismos, como el propio Tribunal Constitucional se encargó de precisar[6].

Aunque el *quid* de la cuestión se encuentra, por tanto, en la (no siempre fácil) diferenciación entre "suspensión" y "limitación" de derechos, asunto sobre el que volveremos enseguida, se ha de tener también en cuenta que tanto aquella como esta se han de interpretar siempre a la luz del principio *favor libertatis* (que constituye una pauta hermenéutica bien asentada en la jurisprudencia constitucional[7]). Lo que significa que dichas suspensión o limitación solo podrán llevarse a efecto si resultan estrictamente necesarias; y, además, habrán de tener únicamente el alcance que sea preciso, y durar el tiempo que resulte imprescindible, debiéndose justificar todo ello debidamente[8]. Eso es lo que cabe derivar de la parca regulación contenida en la Constitución y, sobre todo, de lo previsto, con más detalle, en la ley orgánica que desarrolla estos estados de excepción: la LOAES, en concreto, en su art. 1.2. Ley orgánica, por cierto, que actúa, a estos efectos, como una auténtica norma configuradora de nuestro derecho de excepción, a causa, precisamente, de la referida parquedad de la regulación constitucional[9].

De hecho, es en esta ley orgánica, y no en la Constitución, en donde se establece una naturaleza (parcialmente) diferente del estado de

---

[6]   "A diferencia de los estados de excepción y sitio, la declaración del estado de alarma no permite la suspensión de ningún derecho fundamental (art. 55.1 CE *contrario sensu*), aunque sí la adopción de medidas que pueden suponer limitaciones o restricciones a su ejercicio" (STC 83/2016, de 28 de abril, FJ 8). En el mismo sentido, en la reciente STC 148/2021, de 14 de julio, se sostiene que las restricciones extraordinarias de los derechos fundamentales que se pueden disponer durante la vigencia de este estado excepcional "no son ilimitadas, y no pueden llegar hasta la suspensión del derecho, so pena de vaciar igualmente de sentido el art. 55.1 CE", tal y como el Tribunal, por cierto, entiende que sucedió.

[7]   Valgan, por todas, las SSTC 66/1995, de 8 de mayo (FJ 3); y 137/2016, de 18 de julio (FJ 2).

[8]   Arroyo Gil, A.: "La naturaleza del estado de alarma…, p. 38.

[9]   Un estudio pionero (y ya clásico) de los estados excepcionales, en Cruz Villalón, P.: *Estados excepcionales y suspensión de garantías*, Tecnos, Madrid, 1984. Recientemente, véase Garrido López, C.: *Decisiones excepcionales y garantía jurisdiccional de la Constitución*, Marcial Pons, Madrid, 2021 [en especial, el Capítulo III: "Las decisiones excepcionales y sus garantías en el régimen constitucional español"].

alarma y el de excepción. Así, mientras que el primero estaría pensado, sobre todo, para hacer frente a situaciones extraordinarias derivadas de hechos naturales o tecnológicos, o accidentes graves, el segundo representaría una respuesta para las situaciones de grave alteración del orden público cuyo origen esté en una crisis política o social severa. Esta es una diferencia que, en efecto, no cabe derivar de la literalidad del texto constitucional, dado que de este, procedimiento de declaración y duración al margen, la única distinción indubitada que cabe extraer entre uno y otro estados excepcionales es la ya apuntada: si fuera necesario proceder a la suspensión de alguno de los derechos fundamentales a que se refiere el art. 55.1 CE habría de declararse el estado de excepción, mientras que si, por el contrario, únicamente fuera necesario proceder a una limitación de su ejercicio, bastaría con la declaración del estado de alarma[10].

Si bien no es el objeto de este trabajo hacer referencia a la diferente concepción, gradualista o pluralista, de nuestro derecho de excepción[11], sí me parece relevante dejar apuntado algo que, a la luz de la Ley Orgánica 4/1981, resulta difícilmente cuestionable: la existencia de ciertos puntos de conexión entre los presupuestos de hecho habili-

---

[10]   Así lo destaca Garrido López, C.: "La naturaleza bifronte del estado de alarma y el dilema limitación-suspensión de derechos", TRC, 46, 2020, p. 375.
En este sentido, Aragón Reyes, M.: "El Covid-19 y la ley", en Revista de Libros, 30.06.2021, sostiene que "[f]rente a algunas interpretaciones doctrinales, que identifican el estado de alarma con crisis producidas por fenómenos naturales, sociales o sanitarios, el estado de excepción con crisis políticas y de orden público, y el estado de sitio con situaciones de rebelión interior o de guerra, el correcto entendimiento de lo dispuesto en la Ley orgánica 4/1981 (en consonancia con lo dispuesto en el art. 55.1 CE) nos lleva a concluir que, dado el silencio del art. 116 CE sobre los supuestos de hecho habilitantes, la distinción fundamental entre unos y otros estados excepcionales descansa en el tipo de medidas que en ellos pueden adoptarse. De manera que lo que distingue al estado de alarma de los estados de excepción y sitio (y así se deriva del art. 55.1 CE) es que la menor gravedad del primero no permite la suspensión de derechos, que sí pudieran requerirlo, por su mayor gravedad, los estados de excepción y sitio. Por ello, ese principio, de extracción constitucional clara, es el que debe orientar la interpretación de las previsiones contenidas en la Ley Orgánica 4/1981".
[11]   Me remito al resumen de esta disputa realizado en Arroyo Gil, A.: "La naturaleza del estado de alarma…, pp. 39 ss.

tantes de uno y otro estados[12], lo que inevitablemente, en casos límite, puede llegar a generar cierta confusión entre ambos; confusión que solo se podrá resolver en función del criterio antedicho: la necesidad, o no, de proceder a la suspensión de algún derecho fundamental.

A partir de estas premisas básicas, y dado que la duda fundamental se planteó en relación con el alcance de las medidas tan restrictivas adoptadas durante la declaración del primer estado de alarma, el 14 de marzo de 2020, para hacer frente a la crisis sanitaria derivada de la Covid-19, y, muy especialmente, con el llamado "confinamiento domiciliario", centraremos nuestra atención en estudiar si este supuso una suspensión de ciertos derechos fundamentales, y, muy en particular, del derecho a circular libremente reconocido en el art. 19 CE[13], tal y como sostiene parte de la doctrina científica y el propio Tribunal Constitucional, en la susodicha Sentencia 148/2021, de 14 de julio, se encargó de ratificar, o si, por el contrario, lo que se produjo fue simplemente una limitación o restricción de su ejercicio, por más severa que fuese, según entiende otra parte importante de los autores[14].

---

[12] Entre otros, Solozábal Echavarría, J. J.: "Algunas consideraciones constitucionales sobre el estado de alarma", en Biglino Campos, P. / Durán Alba, J. F. (dirs.), *Los efectos horizontales de la Covid-19 sobre el sistema constitucional: Estudios sobre la primera ola*, Col. Obras colectivas 18, Fundación Manuel Giménez Abad, 2021, p. 21, señala, en efecto, que ambos estados, alarma y excepción, comparten elementos comunes.
El propio Tribunal Constitucional, en su Sentencia 148/2021, de 14 de julio, aboga por una "interpretación integradora, capaz de superar una distinción radical entre tales circunstancias habilitantes", tal y como "se manifestó ya implícitamente con ocasión del Real Decreto 1673/2010, de 4 de diciembre, por el que se declara el estado de alarma para la normalización del servicio público esencial del transporte aéreo"; y, a tal efecto, sostiene que "basta una lectura de la ley para comprobar que tales estados no constituyen 'compartimentos estancos e impermeables', en tanto la propia norma prevé la concurrencia de circunstancias habilitantes para declarar distintos estados, que justifican la ampliación de las medias disponibles (artículo 28 (...))" (FJ 11).

[13] Un estudio de esta cuestión en Arroyo Gil, A.: "El derecho a circular libremente en tiempos de pandemia", Anuario de la Facultad de Derecho de la UAM, Número extraordinario (Derecho y política ante la pandemia: reacciones y transformaciones), Tomo I (Reacciones y transformaciones en el Derecho Público), coord. por F. Velasco Caballero y B. Gregoraci Fernández, BOE, Madrid, 2021, pp. 87-106.

[14] Esta animada discusión, en efecto, estuvo muy presente en los medios de comunicación escrita y en los blogs jurídicos durante los meses de marzo y abril

Anticipo ya que, sin desconocer y, por supuesto, aceptando el sentido de la sentencia del Tribunal Constitucional, que será objeto de análisis *infra*, en mi opinión, cabe entender que lo que tuvo lugar durante esa primera declaración del estado de alarma fue una limitación, muy severa, y no una suspensión, en sentido estricto, del derecho a la libertad de circulación, tal y como trataré de explicar más adelante. Una vez resuelta esta controversia, con todas las matizaciones que al respecto quepa establecer, nos encontraremos ya en condiciones de prescindir del análisis de las demás cuestiones suscitadas en torno al alcance de dichas medidas contenidas en el Real Decreto 463/2020, de 14 de marzo[15], dada su menor incidencia en los derechos fundamentales[16].

---

de 2020. Destacadamente, defendieron que había tenido lugar una suspensión, cuando menos, de dicho derecho a circular libremente, entre otros, Díaz Revorio, F. J.: "A vueltas con la suspensión de los derechos fundamentales", Almacén de Derecho, 09.04.2020, y Aragón Reyes, M.: "Hay que tomarse en serio la Constitución", El País, 10.04.2020. Por su parte, entendieron que se había producido una mera limitación, aunque muy estricta, entre otros, Tajadura Tejada, J.: "Derecho de crisis y Constitución", El País, 20.03.2020; Martínez Alarcón, Mª. L.: "¿Es el estado de alarma en España un estado de excepción encubierto?", The Conversation, 02.04.2020; Arroyo Gil, A.: "¿Estado de alarma o estado de excepción?", Agenda Pública, 12.04.2020; Cruz Villalón, P.: "La Constitución bajo el estado de alarma", El País, 17.04.2020. Puede verse un resumen de esta discusión en Arroyo Gil, A.: "La naturaleza del estado de alarma..., pp. 32 ss.

[15]   Se puede encontrar un detallado análisis de las medidas adoptadas en el Real Decreto de declaración del estado de alarma de 14 de marzo de 2020, y en los de las sucesivas prórrogas, así como en las que se aprobaron con carácter complementario en los numerosos decretos leyes ulteriores, en Sieira Mucientes, S.: "Estado de alarma", *Eunomía*, 19, 2020, pp. 284 ss., y Álvarez García, V.: "El coronavirus (COVID-19): respuestas jurídicas frente a una situación de emergencia sanitaria", El Cronista del Estado Social y Democrático de Derecho, 86-87, 2020, pp. 16 ss.

[16]   Hubo, en efecto, otros derechos y libertades que también se vieron afectados, como la libre elección de residencia, el derecho de reunión y manifestación, el derecho de sufragio, la libertad de culto y la libertad de empresa. Véase, al respecto, Fernández de Gatta Sánchez, D.: "El estado de alarma en España por la epidemia del coronavirus y sus problemas", RGDC, 33, 2020, p. 20.

3.   LA DIFÍCIL DISTINCIÓN ENTRE "LIMITACIÓN" Y "SUSPENSIÓN" DE DERECHOS

Pese a que, como hemos visto, tenga importantes consecuencias jurídico-constitucionales (art. 55.1 CE), lo cierto es que la distinción entre "suspensión" y "limitación" de un derecho fundamental no es sencilla ni pacífica[17].

---

[17]   Y la cosa se complica aún más si añadimos el concepto "restricción", que para algunos autores englobaría tanto la "limitación" como la "suspensión" de derechos, mientras que para otros solo sería sinónimo de "limitación".

Así, por ejemplo, Solozábal Echavarría, J. J.: "Algunas consideraciones constitucionales…, p. 27, entiende que la limitación es una "restricción lícita" del derecho fundamental, "llevada a cabo por exigencias de su afirmación universal o para asegurar su compatibilidad con otros bienes y derechos", mientras que la suspensión consiste en la "privación temporal o episódica de un derecho", sin que en ningún caso ello suponga su pérdida.

En un sentido parejo, Doménech Pascual, G.: "Estado de alarma o de excepción: ¿qué nos estamos jugando?", Almacén de Derecho, 12.07.2021, sostiene que el término suspensión del art. 55.1 CE no significa restricción muy intensa, sino "cesación temporal de efectos jurídicos".

Para Aláez Corral, B.: "El concepto de suspensión general de los derechos fundamentales", en López Guerra, L. / Espín Templado, E. (coords.), La defensa del Estado, Tirant lo Blanch, Valencia, 2004, p. 235, "[d]esde una perspectiva formal, la suspensión es una operación jurídico-constitucional conforme a la cual un acto normativo expreso de quien está constitucionalmente habilitado para decidir en las situaciones de excepción deja sin efecto parcial o totalmente la obligatoriedad jurídica de un derecho fundamental. Desde una perspectiva material, por su parte, la suspensión sería el efecto jurídico que produciría el acto de quien, habilitado constitucionalmente para decidir en las situaciones de crisis, limita más intensamente de lo normal, hasta su práctico desconocimiento, los derechos fundamentales, sin necesidad de adoptar una formulación expresa o un determinado rango normativo".

Por su parte, Díez-Picazo, L. Mª.: Sistema de Derechos Fundamentales, Tirant lo Blanch, Valencia, 2021, p. 122, sostiene que la suspensión de derechos es una "variedad de la restricción de derechos fundamentales".

Tercia en este debate, con una opinión un tanto ecléctica, Escobar Roca, G.: "Los derechos humanos en estados excepcionales y el concepto de suspensión de derechos fundamentales", Revista de Derecho Político, 110, 2021, para quien "no existe diferencia sustancial entre restricción y suspensión de derechos, sino solo de matiz, y aun así, discutiblemente", hasta el punto de que podría prescindirse del concepto "suspensión" sin demasiado problema; a tal efecto, destaca cómo "resulta significativo que no aparezca en el último gran documento internacional de derechos humanos, la Carta de los Derechos Fundamentales de la Unión Europea" (p. 146). Previamente, al analizar el art. 15 CEDH ("Derogación en

Tal y como recuerda Sara Sieira, cuando el Tribunal Constitucional se ha enfrentado a ella, como sucedió en la STC 292/2000, de 30 de noviembre (FJ 11), ha llevado a efecto una diferenciación entre "restricciones directas del derecho fundamental mismo" y "restricciones al modo, tiempo, o lugar de ejercicio del derecho fundamental", lo que, según parte importante de la doctrina científica (Álvarez García, Bacigalupo, De la Quadra-Salcedo, Lozano Cutanda, Tajadura Tejada, Velasco Caballero), refrendaba el argumento a favor de la adecuación de la declaración del estado de alarma para hacer frente a la crisis sanitaria de 2020, al entender que "las medidas tomadas, en particular la obligación de confinamiento de la práctica totalidad de la ciudadanía, se trataría de restricciones de modo, tiempo y lugar, que además vendrían justificadas en su conformidad con los principios de necesidad y proporcionalidad"[18].

No es esta, sin embargo, la postura mantenida por la propia Sara Sieira, quien se muestra claramente convencida de que durante la

---

caso de estado de urgencia"), Escobar llega igualmente a la conclusión de que "suspensión y restricción son conceptos distintos pero muy próximos" (p. 123). Concretamente, en relación con la previsión del art. 55.1 CE, entiende que en la medida en que los estados excepcionales son una cláusula de garantía del orden constitucional y, por tanto, también de los derechos fundamentales, "[l]a suspensión equivale a una habilitación genérica para restringir determinados derechos fundamentales al margen de las formas y procedimientos habituales, entre ellos la reserva de ley". A su juicio, el sentido del concepto no es otro que "reforzar el Estado democrático de Derecho, de forma tal que, en situaciones excepcionales, se fuerce al ejecutivo a declarar de forma clara y expresa las medidas que adoptará, siguiendo una serie de procedimientos y formalidades más o menos tasadas, en última instancia para favorecer el control, en el sentido amplio del término" (pp. 149-150).

[18]   Vid. Sieira Mucientes, S.: "Estado de alarma"..., pp. 294-295.
En la misma línea, Garrido López, C.: "La naturaleza bifronte..., pp. 390 ss., entiende que ninguna de esas restricciones de derechos, pese a su intensidad, supuso una suspensión de los mismos (y, en particular, del derecho a circular libremente, reconocido en el art. 19.1 CE).
Por su parte, Álvarez García, V.: "El coronavirus..., p. 10, sostiene igualmente que "para la lucha contra las crisis sanitarias el estado excepcional apropiado es el de alarma (...), porque así lo establece la LOAES (que es la que realmente regula su contenido). (...) Sólo si estas emergencias (ahora sanitarias) derivasen en el futuro en gravísimas perturbaciones del orden público podría recurrirse a la declaración del estado de excepción o, en caso realmente extremo, del estado de sitio".

vigencia del estado de alarma de 2020 se produjo una auténtica suspensión de derechos y se cumplió "el supuesto de hecho del estado de excepción, sin forzar en modo alguno la dicción literal del artículo 13.1 de la LOEAES"; a su juicio, "[a] todas luces, la crisis desbordaba el marco de una simple crisis sanitaria y tenía connotaciones de quiebra grave del orden público en los términos señalados por la Ley Orgánica -pues tocaba de lleno a la participación ciudadana-"[19].

En la misma línea, Dionisio Fernández de Gatta apunta, además, que también lo han entendido así las Salas de lo Contencioso-administrativo de los Tribunales Superiores de Justicia de Navarra y Aragón, en sus Sentencias 69/2020, de 30 de abril, y 151/2020, de 30 de abril, respectivamente, en las que revocaron sendas prohibiciones de concentración y manifestación convocadas para el 1 de mayo, decretadas por la Delegación del Gobierno correspondiente, por entender que los derechos fundamentales solo se pueden suspender en el estado de excepción[20].

En un sentido parejo, Manuel Aragón sostiene que "algunas de las restricciones de derechos fundamentales (a las libertades de circulación, reunión y manifestación) establecidas por el artículo 7 del Real Decreto 463/2020, de 14 de marzo, de declaración del estado de alarma (y mantenidas por sus prórrogas de 27 de marzo, 10 y 24 de abril) cabría entenderlas más como suspensión que como limitación de derechos, y por ello propias del estado de excepción (…) y no del estado de alarma"[21].

También ha participado con énfasis en esta disputa doctrinal Francisco Javier Díaz Revorio, para quien "la respuesta adecuada requiere acudir a la idea de contenido esencial, límite infranqueable de los

---

[19]   Sieira Mucientes, S.: "Estado de alarma"..., pp. 295 ss.

[20]   Fernández de Gatta Sánchez, D.: "El estado de alarma..., pp. 23 ss., quien además realiza un exhaustivo resumen de distintos Autos del Tribunal Supremo que resuelven medidas cautelares solicitadas o recursos interpuestos en procedimientos iniciados contra la declaración del estado de alarma (pp. 31-37).

[21]   Aragón Reyes, M.: "Epílogo", en Biglino Campos, P. / Durán Alba, J. F.: *Los efectos horizontales de la Covid-19 sobre el sistema constitucional: estudios sobre la primera oleada*, Col. Obras colectivas, 18, Fundación Manuel Giménez Abad, 2021, pp. 567 ss. Del mismo autor, véase "El Covid-19 y la ley", en Revista de Libros, 30/06/2021.

límites, es decir, contralímite que nunca podrá verse afectado en la regulación de un derecho… salvo que este se haya suspendido"[22].

En esta línea, Guillermo Escobar también sostiene que "[d]eterminados contenidos de derechos nunca pueden ser afectados, lo que implica una suerte de asunción de la teoría absoluta del contenido esencial", pese a considerar que este es un concepto poco claro, sin que la doctrina del Tribunal Constitucional sirva para clarificarlo, pues es confusa y contradictoria. Precisa, eso sí, que "para que el contenido esencial resulte útil, debe entenderse en sentido absoluto, esto es, como aquella parte del contenido de los derechos (*rectius*, de algunos derechos) sobre la cual cualquier restricción resulta ilegítima sin más", tal y como se desprende de la jurisprudencia del TEDH. A juicio de Escobar, "no hay derechos absolutos y derechos limitables sino contenidos absolutos y contenidos limitables *de cada derecho*"[23].

4.   BREVE ANÁLISIS DE LA STC 148/2021, DE 14 DE JULIO, Y DE SUS VOTOS PARTICULARES[24]

La animada discusión doctrinal de la que acabamos de dar resumida cuenta tuvo lugar desde la misma declaración del primer estado de alarma para la gestión de la crisis sanitaria ocasionada por la COVID-19 por el Real Decreto 463/2020, de 14 de marzo (arts. 7,

---

[22]   Díaz Revorio, F. J.: "Desactivando conceptos constitucionales: la suspensión de derechos y los estados excepcionales", en Garrido López (coord.), *Excepcionalidad y Derecho: el estado de alarma en España*, Col. Obras colectivas, 19, Fundación Manuel Giménez Abad, Zaragoza, 2021, pp. 128 ss.

[23]   Escobar Roca, G.: "Los derechos humanos en estados excepcionales…, pp. 144 ss. y nota al pie núm. 70).
Con carácter general, sobre el alcance del contenido esencial y las limitaciones de los derechos fundamentales, vid. Alexy, R.: *Teoría de los derechos fundamentales*, CEPC, Madrid, 1993 [en especial, el Capítulo VI: El derecho fundamental y sus restricciones, pp. 267-330]; y Häberle, P.: *La garantía del contenido esencial de los derechos fundamentales*, Dykinson, Madrid, 2003.

[24]   Se actualizan y completan en este epígrafe las ideas ya recogidas en Arroyo Gil, Antonio: "El derecho a circular libremente en tiempos de pandemia", Anuario de la Facultad de Derecho de la UAM, Número extraordinario (Derecho y política ante la pandemia: reacciones y transformaciones), Tomo I (Reacciones y transformaciones en el Derecho Público), coord. por F. Velasco Caballero y B. Gregoraci Fernández, BOE, Madrid, 2021, pp. 103 ss.

9, 10 y 11), así como los Reales Decretos ulteriores, de modificación de este (RD 465/2020, de 17 de marzo) y de prórrogas del estado de alarma (RRDD 476/2020, de 27 de marzo; 487/2020, de 10 de abril; y 492/2020, de 24 de abril). La Sentencia del Tribunal Constitucional, de 14 de julio de 2021 (STC 148/2021), que ha resuelto el recurso de inconstitucionalidad interpuesto por más de cincuenta diputados del Grupo parlamentario Vox del Congreso de los Diputados contra dichas normas, pese a no cerrar el debate entre la comunidad jurídica[25], supone, sin embargo, un punto de referencia inexcusable de todo posterior estudio que pretenda delimitar el alcance del estado de alarma, y, más en concreto, la cuestión que aquí nos ocupa: la distinción entre limitación y suspensión de derechos. De ahí que nos ocupemos a continuación de analizar sus aspectos más relevantes, con especial atención a este último asunto.

La mayoría del Tribunal (6 magistrados frente a 5, que formularon votos particulares) ha considerado que son contrarias a la Constitución las medidas restrictivas del derecho a la libertad de circulación de las personas contenidas en los apartados 1, 3 y 5 del art. 7 del RD 463/2020, al entender que las mismas exceden de lo que podría considerarse una mera limitación de ese derecho reconocido en el art. 19 CE, constituyendo, de hecho, una auténtica suspensión del mismo, y ello aun cuando el propio Tribunal ha aceptado, de manera un tanto indiferenciada, que "el decreto declarativo de un estado de alarma podrá llegar a establecer restricciones o 'limitaciones' de los derechos

---

[25]   Así, por ejemplo, en su estudio sobre la misma, y pese a mantener que es la naturaleza de la emergencia lo que justifica la declaración del estado de alarma o excepción, Miguel Revenga y Juan Manuel López Ulla, entienden que, en el supuesto objeto de análisis en la sentencia, "la intensa restricción de movimientos ordenada por el artículo 7 del Real Decreto 463/2020 suspendió, efectivamente, una libertad que, de acuerdo con el artículo 55.1 CE, no se puede suspender con el estado de alarma". A su juicio, "la libertad de circulación quedó anulada, pues ni siquiera quienes podían abandonar sus casas podían ejercer tal derecho en libertad sino exclusivamente para atender las actividades que justificaban sus desplazamientos" (Revenga Sánchez, M. / López Ulla, J. M.: "El dilema limitación/suspensión de derechos y otras 'distorsiones' al hilo de la pandemia", TRC, 48, 2021, p. 224). De otra opinión, Diego López Garrido, quien en un artículo de opinión publicado en El País el 30 de agosto de 2021, deja clara su posición desde el mismo título: "El Tribunal Constitucional se olvidó del derecho a la vida".

fundamentales que excedan las ordinariamente previstas en su régimen jurídico, pues de lo contrario carecería de sentido la previsión constitucional de este específico estado de crisis (art. 116.1 y 2 CE)". El Tribunal pone énfasis en el hecho de que esas restricciones, por muy extraordinarias que puedan llegar a ser, están sujetas, lógicamente, a ciertos límites; en concreto, "no pueden llegar hasta la suspensión del derecho, so pena de vaciar (…) de sentido el art. 55.1 CE". Además, "dichas limitaciones deberán respetar, en todo caso, los principios de legalidad y de proporcionalidad, ya que de lo contrario el derecho afectado quedaría inerme ante el poder público" (FJ 3).

En el intento de diferenciar esos dos conceptos ("limitación" -o "restricción"- y "suspensión"), que, según el Tribunal, constituyen la verdadera cuestión de fondo que se ha de dirimir[26], considera este, acudiendo a una discutible teoría de la graduación, que "toda suspensión es una limitación, pero no toda limitación implica una suspensión", concluyendo, a tal efecto, que "[l]a suspensión es (…) una limitación (o restricción) especialmente cualificada, según resulta tanto del lenguaje habitual como del jurídico"[27].

Pese a esa caracterización de la suspensión como un tipo de limitación, el Tribunal realiza una aproximación autónoma al concepto de "suspensión", al entender que esta "parece configurarse como una cesación, aunque temporal, del ejercicio del derecho y de las garantías que protegen los derechos (constitucional o convencionalmente) reconocidos; y que solo en ciertos casos, y respecto de ciertos derechos,

---

[26]   Sin prestar, por tanto, mayor atención a la cuestión clave del respeto al contenido esencial del derecho fundamental afectado, así como a la doctrina de la proporcionalidad, que bien podría haber desempeñado un papel más relevante en la resolución del recurso.

[27]   Resulta, en efecto, discutible este modo de enfocar el problema por parte del Tribunal Constitucional, pues al considerar que la suspensión es una limitación especialmente agravada, en realidad, está negando la autonomía conceptual de una y otra categorías, e ignorando que la suspensión de un derecho fundamental únicamente se puede llevar a efecto en determinados supuestos constitucionalmente previstos, que demandan, en buena lógica constitucional, una declaración expresa por parte de quien es competente para acordar dicha suspensión. La limitación de los derechos, por su parte, responde a otra lógica, en la medida en que todos los derechos son, en principio, limitables.

puede venir amparada por el artículo 55.1 CE. Por el contrario, la limitación admite muchas más formas, al margen de la suspensión".

Como se puede fácilmente apreciar, esta definición del concepto "suspensión" de derechos fundamentales, que sirve de base para llevar a cabo su diferenciación conceptual de la mera "limitación", resulta, cuando menos, imprecisa, lo que inevitablemente acaba generando inseguridad jurídica. Así lo ponen de relieve, en sus respectivos votos particulares, los magistrados Balaguer y Conde-Pumpido. Sin embargo, tal objeción no evita que el Tribunal acuda a dicha diferenciación conceptual para recordar que, de conformidad con los arts. 55.1 y 116 CE, en el estado de alarma solo se pueden limitar derechos, pero no suspenderlos, cosa que únicamente se podría hacer en los estados de excepción y sitio. Asimismo, el Tribunal subraya que dicha limitación ha de ser, en todo caso, proporcional, sin que, por lo demás, extraiga de esta última exigencia ninguna otra consecuencia, limitándose tan solo a aceptar que dicha condición se cumple.

A partir de estos presupuestos, el Tribunal Constitucional entra a verificar si, tal y como se reclama en la demanda, la medida de "confinamiento domiciliario" prevista en el art. 7 del Real Decreto 463/2020, de 14 de marzo, conlleva una vulneración del derecho a circular libremente reconocido en el art. 19 CE. Y, a tal efecto, sin aportar argumentos demasiado convincentes, considera que la misma, en efecto, "limita o restringe de modo drástico, hasta el extremo de alterar o excepcionar *pro tempore*", el contenido esencial de ese derecho fundamental, garantizado en el art. 53.1 CE[28].

Constatada esta circunstancia, se ha de comprobar si dicha medida "puede encontrar amparo en la declaración del estado constitucional de alarma", en la medida en que, según el Tribunal, "es la

---

[28]   En palabras de Cruz Villalón, P.: "Destripando al Tribunal Constitucional", El País, 23.07.2021, "hubiera bastado con que el tribunal respondiese a los inconstantes recurrentes si el decreto había afectado o no al contenido esencial de la libertad pública en cuestión, es decir, al núcleo esencial del derecho fundamental cuyo respeto impone la Constitución de manera general, estado de alarma incluido. Lo que es tanto como decir que todo el esfuerzo argumentativo, sin duda considerable, hubiera debido centrarse en la compleja categoría contenido esencial. Solo en función de una respuesta desestimatoria a ese reproche, en mi personal criterio perfectamente posible, hubiera debido chequearse sucesivamente el respeto al principio de proporcionalidad".

propia Constitución la que ha previsto la posibilidad de limitaciones extraordinarias en su artículo 116 (número 1 y 2)"[29].

Una vez verificada la acomodación de la referida medida limitativa del derecho fundamental del art. 19 CE a la Ley Orgánica 4/1981, lo que corresponde es determinar si su alcance sobrepasa los contornos propios de la mera limitación para convertirse en una auténtica suspensión del derecho, "vedada para el estado de alarma"; de forma que "solo en el caso de que el derecho no haya quedado suspendido, cabrá analizar si la limitación respeta las exigencias de la proporcionalidad" (FJ 5).

A este respecto, el Tribunal, sin hacer un especial esfuerzo argumentativo, y dejando por completo de lado las consecuencias que se podrían extraer de la reconocida proporcionalidad de las medidas cuestionadas, asunto sobre el que más adelante incidiremos, se limita a sostener que estas suponen una restricción del derecho a la libre circulación de carácter "general en cuanto a sus destinatarios, y de altísima intensidad en cuanto a su contenido, lo cual, sin duda, excede lo que la LOAES permite 'limitar' para el estado de alarma ["la circulación o permanencia… en horas y lugares determinados": art. 11, letra a)]".

A partir de estas magras consideraciones, el Tribunal entiende que el art. 7.1 RD "no delimita un derecho a circular libremente en un ámbito (personal, espacial, temporalmente) menor, sino que lo suspende *a radice*, de forma generalizada, para todas 'las personas', y por cualquier medio. La facultad individual de circular 'libremente' deja pues de existir, y sólo puede justificarse cuando concurren las circunstancias expresamente previstas en el real decreto".

En conclusión, el Tribunal Constitucional sostiene que las medidas limitativas a que nos venimos refiriendo suponen "un vaciamiento de hecho o, si se quiere, una suspensión del derecho" a la libertad de cir-

---

[29]   Aunque la cuestión puede parecer menor, se puede apreciar aquí otra imprecisión del Tribunal en su argumentación, porque lo cierto es que de este precepto constitucional (art. 116 CE) no se deriva directamente que en el estado de alarma se puedan introducir limitaciones extraordinarias de derechos fundamentales. Por el contrario, el apartado 1 de este artículo tan solo se remite a una ley orgánica, que será la que se encargue de regular los estados excepcionales, estableciendo "las competencias y limitaciones correspondientes".

culación reconocido en el art. 19 CE[30], algo que -según cabe derivar de una interpretación, *a sensu contrario*, del art. 55.1 CE- está prohibido en el estado de alarma. De ahí que declare inconstitucionales los apartados 1, 3 y 5 del art. 7 del Real Decreto 463/2020[31].

A fin de reforzar esta conclusión, el Tribunal afirma que "[o]tra cosa implicaría dejar exclusivamente en manos de la autoridad competente (...) la noción misma de 'suspensión' utilizada por el constituyente, otorgándole la posibilidad de limitar otros derechos fundamentales garantizados por nuestra Norma Fundamental, de forma generalizada y con una altísima intensidad, mediante el simple expediente de afirmar (unilateralmente, sin posibilidad de debate y autorización parlamentaria previos, ni de control jurisdiccional ordinario) su carácter 'meramente' restrictivo, y no suspensivo" (FJ 5).

El problema es que, salvando las debidas distancias, esta observación crítica final del Tribunal Constitucional en relación con la actuación de la autoridad competente es perfectamente predicable de lo que él mismo hace en esta sentencia, mediante el expediente de afirmar el carácter suspensivo, no meramente limitativo, de una medida (la restricción a la libertad de circulación), sin apenas justificarlo, y sin atender a la relevancia que tiene el hecho de que el art. 7.1 del Real Decreto 463/2020 disponga un elenco de excepciones a dicha limita-

---

[30]   Y por derivación también a la posibilidad de "mantener reuniones privadas, por razones familiares o de amistad, incluso en la esfera doméstica", así como del derecho fundamental a "elegir libremente la propia residencia".

[31]   De manera difícil de comprender, el mismo Tribunal Constitucional, en su Sentencia de 27 de octubre de 2021 (FJ 4), en relación con el segundo estado de alarma de alcance general, considera que las medidas restrictivas del derecho a la libertad de circulación (por solo centrarnos ahora en este), contenidas en el art. 5.1 del RD 926/2020, de 25 de octubre, son constitucionales, aun cuando las mismas tienen un alcance similar a las contenidas en el referido art. 7.1 RD 463/2020, declaradas inconstitucionales en la STC 148/2021. La razón principal de esa radical diferenciación de trato la deriva el Tribunal de un hecho que no parece muy relevante: una misma medida se puede considerar "suspensión" de un derecho fundamental (libertad de circulación) si se aplica durante las veinticuatro horas del día, o "limitación" si se aplica únicamente siete horas al día (en horario nocturno). Descubrimos así, para nuestra sorpresa, que la libertad de circulación no tiene las mismas garantías durante todas las horas del día; o, dicho de otro modo, somos más libres para circular de noche que para hacerlo de día.

ción que no se pueden "menospreciar" sin más, incluidas aquellas a las que se refieren las letras "g) Por causa de fuerza mayor o situación de necesidad" y "h) Cualquier otra actividad de análoga naturaleza", tal y como señala la magistrada Balaguer en su voto particular.

Si en el tracto argumentativo el Tribunal hubiese tomado debidamente en consideración estas excepciones, hubiera sido posible, en mi opinión, llevar a cabo una interpretación del citado art. 7.1 del Real Decreto 463/2020 que lo hiciera perfectamente compatible con la Constitución y la LOAES, en la medida en que cabría sostener la posibilidad de efectuar, en el caso concreto, un juicio de ponderación de cuya resolución se derivaría si la actuación de una persona supone el legítimo ejercicio del derecho a circular libremente o una vulneración de la prohibición contenida en el art. 7 del Real Decreto. Una ponderación que, en ningún caso, sería posible si lo que se hubiese decretado es una suspensión (o vaciamiento) de dicho derecho fundamental, tal y como apunta en su voto particular el Presidente del Tribunal, Sr. González Rivas. También el magistrado Xiol, en su respectivo voto particular, abunda en este parecer al señalar: "Precisamente porque el art. 19 CE tiene plena eficacia puede ejercerse un control de constitucionalidad de tales medidas de acuerdo con los parámetros que, según establece la jurisprudencia del Tribunal, han de tomarse en consideración para analizar las limitaciones que conforman el contenido esencial de los derechos fundamentales (previsión legal, fin constitucionalmente legítimo y respeto del principio de proporcionalidad)".

En relación, precisamente, con esto último, en la sentencia se echa en falta una mayor atención a la vigencia del principio de proporcionalidad en relación con las medidas adoptadas en el Real Decreto[32]. A tal efecto, es muy significativo que el Tribunal no ponga en duda que las mismas eran idóneas, necesarias y proporcionales en sentido estricto para hacer frente al grave desafío pandémico. Lo sorprenden-

---

[32]   Lo que lleva a Velasco Caballero, F.: "¿Se suspendieron los derechos fundamentales en el primer estado de alarma? (I)", en La Razón, 14.07.2021, a concluir que "calificar como suspensión la restricción muy intensa de un derecho fundamental es un atajo argumental para lograr una declaración de inconstitucionalidad. Es un atajo ingenioso, pero un simple atajo con el que se pretende eludir un juicio de constitucionalidad más riguroso y complejo, basado en el principio de proporcionalidad".

te, sin embargo, es que no extraiga de ahí la conclusión evidente que de ello se deriva: reconocer que tales medidas son proporcionadas inevitablemente lleva a concluir que las mismas no rigen en el terreno de la suspensión, sino en el que les es propio, el de la limitación de los derechos. Es precisamente la patente tensión entre los derechos y bienes constitucionales en juego (libertad de circulación vs. derecho a la vida y salud pública, entre otros) lo que nos permite afirmar que las medidas limitativas de dicha libertad, por muy severas que fueran, resultaban proporcionadas (como sostienen los magistrados Xiol y Balaguer). Si se hubiera producido una auténtica suspensión de aquel derecho a circular libremente no cabría hablar de proporcionalidad alguna. El Tribunal, por tanto, se enreda en el círculo de su propia argumentación, dando la impresión de que, pese a sostener que se ha producido una "suspensión" del derecho, en realidad, está pensando en términos de "limitación" del mismo[33]. A esta idea parece que apunta también el magistrado Ollero cuando señala: "La clave, a mi juicio, radica en que al declarar el estado de excepción se decide, a priori, afectar al contenido esencial de derechos fundamentales. Por el contrario considero que el estado de alarma solo se convierte en inconstitucional cuando se detecta a posteriori -puede que incluso de modo cautelar- que la limitación de los derechos en las previsiones de la norma o en la aplicación a un caso concreto es desproporcionada, afectando por tanto a su contenido esencial".

A todo ello se ha de añadir un argumento no menor que, de nuevo, el Presidente del Tribunal Constitucional señala con claridad: en su opinión, en la sentencia se maneja un concepto sustantivo de suspensión, cuando tal cosa "solo existe cuando así se acuerda formalmente por el poder público que tiene atribuida tal facultad. Suspender los derechos fundamentales supone sustituir su vigencia por el régimen

---

[33]   Pese a compartir el sentido de la sentencia, Aragón Reyes, M.: "El Tribunal Constitucional cumplió con la sentencia sobre el estado de alarma", El País, 04.08.2021, identifica claramente esta incongruencia cuando afirma: "Es cierto que hay extremos de la sentencia que pueden ser discutibles, así la apelación, en algunos pasajes de la misma, al principio de proporcionalidad, que a mi juicio sólo debe servir para graduar las limitaciones de derechos, no la suspensión de los mismos, o la distinción entre suspensión y limitación basada en la intensidad de la restricción, cuando resulta perfectamente posible diferenciarlas de manera sustantiva".

jurídico que, a juicio del poder público habilitado para ello, conviene a la situación de emergencia. Es claro que, en este caso, no se ha adoptado una decisión formal de esta clase, con lo que ninguno de los derechos fundamentales ha sido suspendido en sentido propio"[34]. Es más, si el art. 19 CE mantiene su vigencia, como reconoce la sentencia, "es porque no se encuentra suspendido". En la misma línea se pronuncian los magistrados Xiol y Conde-Pumpido. Este último sostiene que "[l]a suspensión exige una declaración formal que explícitamente la prevea y su consecuencia es que el derecho formalmente suspendido pierde las (…) garantías constitucionales", llegando a la severa conclusión[35] de que "[l]a razón para calificar como una suspensión una restricción muy intensa de un derecho fundamental no parece ser otra que (…) permitir un atajo argumental para lograr una declaración de inconstitucionalidad. Es un atajo con el que se pretende, por un lado, eludir un juicio de proporcionalidad más riguroso y complejo, basado en el principio de proporcionalidad; y por otro, permitir que se produzca la declaración de inconstitucionalidad de la medida adoptada aun cuando la misma pudiese superar tal juicio de proporcionalidad".

Sin entrar en improcedentes juicios de intenciones, lo que sí parece posible es afirmar, en sintonía con lo defendido en su voto particular por el magistrado Xiol, que la Sentencia que estamos analizando presenta indudables carencias o debilidades argumentales. Y el fallo al que llega (estimar parcialmente el recurso de inconstitucional contra el Real Decreto 463/2020, de 14 de marzo, por el que se declara el estado de alarma) resulta, cuando menos, discutible, no solo desde un punto de vista jurídico (lo fundamental), sino también en atención a algo que todo Tribunal Constitucional debe tener siempre presente en

---

[34]   En contra de este parecer se muestra Aragón Reyes, M.: "El Tribunal Constitucional cumplió con la sentencia sobre el estado de alarma", El País, 04.08.2021, para quien "no resulta constitucionalmente aceptable el argumento de que sólo existe suspensión de derechos si la medida expresamente así lo dispone. Como es obvio, los actos jurídicos son lo que son, y no lo que ellos, de sí mismos, proclamen".

[35]   A la que, según hemos constatado, ya había llegado Velasco Caballero, F.: "¿Se suspendieron los derechos fundamentales en el primer estado de alarma? (I)", en La Razón, 14.07.2021, en términos muy similares.

su actuación: la obligada deferencia hacia el legislador[36], aunque en este caso la norma con rango de ley impugnada haya sido aprobada, en primera instancia, por el Gobierno (sin perjuicio de sus ulteriores prórrogas parlamentarias).

En conclusión, como parece que, en este caso, tal y como se ha señalado, era posible llevar a cabo una interpretación del Real Decreto que lo hiciera perfectamente compatible con la Constitución y la LOAES, merece ser objeto de crítica que el Tribunal Constitucional no lo haya entendido así.

5.   LAS MEDIDAS RESTRICTIVAS DE LA LIBERTAD DE CIRCULACIÓN DURANTE EL PRIMER ESTADO DE ALARMA: UNA LIMITACIÓN AGRAVADA QUE NO LLEGA A SER SUSPENSIÓN

Sin desconocer el sentido y alcance de la resolución constitucional analizada en el apartado anterior (corroborada por la ulterior Sentencia de 27 de octubre de 2021), y a la vista también de las diferentes posiciones doctrinales de las que hemos venido dando cuenta más atrás, interesa focalizar la atención ahora en la medida de "confinamiento domiciliario" adoptada durante la primera declaración del estado de alarma (y sus sucesivas prórrogas), desde el 14 de marzo hasta el 21 de junio, dado que fue la más restrictiva de derechos fundamentales, y, en especial, del derecho a la libre circulación del art. 19 CE. Su análisis nos permitirá responder a la cuestión de fondo que se trata aquí de dilucidar, a saber: si la misma significó una simple limitación de este derecho (que por muy grave que fuera no llegó a afectar a su contenido esencial) o si, por el contrario, en sintonía con el fallo del Tribunal Constitucional, supuso una suspensión del mismo (así como de otros asociados: derecho de reunión, libre elección de domicilio, etc.), algo que, como sabemos, resultaría contrario al 55.1 CE, que únicamente prevé esta posibilidad si se declaran los estados de excepción o de sitio.

---

[36]   A esta misma idea apela Carmona Contreras, A.: "El Tribunal Constitucional y sus circunstancias", Agenda Pública, 26.07.2021.

A tal efecto, lo primero que se ha de hacer es tener en cuenta lo previsto en el art. 7 del Real Decreto 463/2020, dado que fue el que estableció una prohibición general de circular por las vías o espacios de uso público, salvo que se fueran a realizar las siguientes actividades:

"a) Adquisición de alimentos, productos farmacéuticos y de primera necesidad, así como adquisición de otros productos y prestación de servicios de acuerdo con lo establecido en el artículo 10.

b) Asistencia a centros, servicios y establecimientos sanitarios.

c) Desplazamiento al lugar de trabajo para efectuar su prestación laboral, profesional o empresarial.

d) Retorno al lugar de residencia habitual.

e) Asistencia y cuidado a mayores, menores, dependientes, personas con discapacidad o personas especialmente vulnerables.

f) Desplazamiento a entidades financieras y de seguros.

g) Por causa de fuerza mayor o situación de necesidad.

h) Cualquier otra actividad de análoga naturaleza."

El núcleo de la discusión política y doctrinal, y de la propia resolución constitucional, no se centró en determinar si esta severa medida, a tenor de las críticas circunstancias a las que había que hacer frente, fue, o no, proporcionada[37] (tal y como exige el art. 1.2 *in fine*

---

[37]   A este respecto, Álvarez García, V.: "El coronavirus...., pp. 8 y 11, señala que "el principio de proporcionalidad no sólo entra en juego a la hora de decidir (o no) la declaración del estado de alarma, sino que rige su duración y todas y cada una de las concretas medidas de necesidad que se adopten durante su vigencia".
Sobre la necesidad de prevenir los posibles abusos (judiciales) a partir de una aplicación desmedida de esta cláusula, vid. Solozábal Echavarría, J. J.: "Algunas consideraciones constitucionales..., pp. 5 ss.
También en relación con la proporcionalidad, Guillermo Escobar, al analizar el inciso del art. 15.1 CEDH ("en la estricta medida en que lo exija la situación"), destaca cómo el TEDH paulatinamente ha ido aplicando con mayor rigor este principio a los estados excepcionales, sin perjuicio de que haya predominado en su jurisprudencia el respeto al consabido margen de apreciación nacional. A tal efecto, observa cómo esta jurisprudencia del TEDH (reconducir la suspensión de derechos al principio de proporcionalidad) se ha ido extendiendo a otros ámbitos de *soft law*, tal y como demuestra la doctrina de la Comisión de Venecia sobre estados de emergencia -compilación de 16 de abril de 2020- en la que se completa y amplía la doctrina del TEDH, "añadiendo o precisando mejor los requisitos de legalidad, temporalidad o excepcionalidad de las medidas, el carácter expreso de la proclamación del estado excepcional, y dejando aún más

LOAES), pues sobre esta cuestión existió un acuerdo ampliamente

---

claro que la eventual restricción (no se habla ya de suspensión) debe someterse a los principios de necesidad y proporcionalidad". En el ámbito de la ONU, también el Pacto Internacional de Derechos Civiles y Políticos de 1966, en su art. 4, relativo a las situaciones excepcionales, hace referencia al principio de proporcionalidad ("en la medida estrictamente limitada a las exigencias de la situación"). Según el Comité de Derechos Humanos, que desarrolla este precepto en la Observación General nº 29, de 24 de julio de 2001, asumiendo plenamente la doctrina del TEDH, 'suspensión' no solo no implica 'supresión', sino que viene a ser equivalente de 'restricción'. En virtud de todo ello, Escobar concluye que en los estados excepcionales lo relevante es que se deben de seguir determinados procedimientos, con sujeción a controles específicos, resultando indiferente que "los derechos se restrinjan (en el estado de alarma) o se 'suspendan' (en los estados de excepción y sitio), pues lo relevante en los tres supuestos es el análisis de la proporcionalidad (y así lo confirma la LO 4/1981 (…)) y el correcto uso de los procedimientos y controles establecidos. (…) En consecuencia, desde la interpretación del artículo 55 CE de conformidad con el Derecho internacional y desde el concepto de suspensión de derechos que del mismo se deriva, el debate en España sobre si durante el estado de alarma de 2020 se suspendieron o restringieron derechos fundamentales me parece estéril, además de peligroso para el futuro de los derechos, pues en todo caso debe seguirse el análisis habitual de sus presuntas vulneraciones. En otras palabras, suspensión no significa ni 'desconstitucionalización' ni 'desfundamentalización', y mucho menos supresión de derechos" [tal y como, con carácter general, había sostenido Aláez Corral, B.: "El concepto de suspensión general…, pp. 243 ss., al afirmar que la suspensión conlleva "no una mera desfundamentalización del derecho, cuyo efecto se agota en liberar a los poderes públicos, y en particular al legislador, de la obligación de respetar el contenido esencial de los derechos fundamentales cuando las circunstancias lo requieran", sino en "la desconstitucionalización de la norma iusfundamental, cuyo régimen jurídico pasa a estar compuesto por las disposiciones de la LOEAES, las previsiones de la declaración del estado de excepción o de sitio que la establecen, y cualesquiera otras disposiciones legales de desarrollo que no se vieran desplazadas en su aplicación por las anteriores"].

Asimismo, sostiene Escobar que "la función principal de nuestro Derecho de excepción radica en la alteración de nuestro sistema de fuentes, habilitando al gobierno para regular materias que estarían reservadas a la ley en un contexto de normalidad". Todo ello no le impide concluir que "seguramente las restricciones a la libertad de circulación decretadas en marzo de 2020 (*sub iudice*) sean inconstitucionales, no tanto por cuestiones materiales (proporcionalidad) como procedimentales (se establecen las medidas del art. 20 y no las del art. 11.a) de la Ley Orgánica, es decir, se actuó en un estado de alarma como si estuviéramos en un estado de excepción)". Vid. Escobar Roca, G.: "Los derechos humanos en estados excepcionales…pp. 123 ss., 134, 137 y 148 ss. (incluidas las notas al pie de página núms. 83 y 87).

generalizado al entender que, en términos generales, sí resultaba adecuada, necesaria y proporcional en sentido estricto para abordar la crisis sanitaria de origen viral[38]. Por el contrario, las discrepancias principales se focalizaron, como hemos señalado ya y desarrollaremos a continuación, en dilucidar si tal medida de "confinamiento domiciliario", dado su amplio alcance restrictivo, suponía no una limitación legítima de ese derecho a circular libremente, sino una auténtica suspensión del mismo.

A tal efecto, se ha de reconocer, en primer lugar, algo difícilmente cuestionable: la mencionada medida ha sido muy restrictiva del alcance del derecho a circular libremente, en tanto que ha convertido prácticamente en excepción lo que debería ser regla, esto es, la libertad para moverse libremente de un lugar a otro del territorio nacional sin injerencia alguna del poder público[39]. Esta regla general tan solo

---

[38] Así lo defendí en Arroyo Gil, A.: "¿Estado de alarma o estado de excepción?", Agenda Pública, 12.04.2020: podemos sostener que tales medidas "superan el célebre test de proporcionalidad, dado que son medidas idóneas o adecuadas para hacer frente a la grave crisis sanitaria a la que nos enfrentamos (el criterio científico así lo señala y la experiencia parece demostrarlo así); son medidas necesarias, en el sentido de que no es fácil (excepciones puntuales al margen) imaginar otras que siendo igualmente eficaces supongan una limitación menor de los derechos en cuestión; y son medidas proporcionales en sentido estricto, en tanto que el perjuicio que con ellas se causa (limitar la libertad deambulatoria, entre otros derechos) no es superior al beneficio que gracias a ellas se obtiene (proteger la vida y la salud de la población)".
En esta misma línea, de manera más desarrollada, véase Gómez Fernández, I.: "¿Limitación o suspensión? Una teoría de los límites a los derechos fundamentales para evaluar la adopción de estados excepcionales", en Garrido López, C. (coord.), Excepcionalidad y Derecho: el estado de alarma en España, Col. Obras colectivas, Fundación Manuel Giménez Abad, Zaragoza, 2021, pp. 114 ss.

[39] Esta es la razón fundamental que lleva a Aragón Reyes, M.: "El Tribunal Constitucional cumplió con la sentencia sobre el estado de alarma", El País, 04.08.2021, a defender, en sintonía con la STC 148/2021, que el confinamiento general supuso una suspensión del derecho a la libre circulación: "Porque lo esencial para diferenciar limitación de excepción no es distinguir entre el todo y la nada, algo completamente irreal, sino entre la regla general y la excepción. Hay limitación si la regla general es el libre ejercicio del derecho, aunque dicha libertad se encuentre restringida por algunas y tasadas excepciones y, por el contrario, hay suspensión si la regla general es el no ejercicio del derecho, aunque excepcionalmente se reconozcan algunas y tasadas excepciones a esa ausencia general de libertad. Esto último es lo que, sin duda, sucedió".

se ha visto excepcionada en aquellos casos en que concurrieran determinadas causas debidamente justificadas, previstas en el propio art. 7 del Real Decreto 463/2020, de 14 de marzo (modificado por la disposición final 1.1 del Real Decreto 492/2020, de 24 de abril). Desde ese punto de vista, es cierto que el derecho ha quedado, en buena medida, desdibujado, viéndose su contenido esencial[40] puesto en cuestión, en tanto que se impedía cualquier desplazamiento libre de un lugar a otro, salvo que concurrieran determinadas condiciones habilitantes[41].

Sin embargo, este enfoque de la cuestión parte de una premisa que necesita ser matizada: la mayor parte de los derechos fundamentales, incluido el que nos ocupa (la libertad de circulación), se encuentran formulados de manera muy general o principial, dado que la Constitución prácticamente se limita a enunciarlos. Ahora bien, en el caso concreto, dichos derechos, por lo general, no se pueden aplicar de la misma manera, esto es, con un alcance general o ilimitado. En un plano teórico de no concurrencia del derecho en cuestión con otros derechos o bienes constitucionales, aquel tendería a expandirse tanto como sea posible (mandato de optimización); sin embargo, en cada caso concreto, un derecho solo se podrá aplicar en tanto en cuanto no suponga un riesgo que se considere "insoportable" para otros derechos (dotados, por lo general, de igual *vis expansiva*) o bienes constitucionales (que merecen asimismo una alta protección); en ta-

---

[40]   Tal y como se viene entendiendo este contenido esencial desde la STC 11/1981, de 8 de abril: haz de "facultades o posibilidades de actuación necesarias para que el derecho sea recognoscible como pertinente al tipo descrito" e "intereses jurídicamente protegidos". En esta misma sentencia se concluye que "se rebasa o se desconoce el contenido esencial cuando el derecho queda sometido a limitaciones que lo hacen impracticable, lo dificultan más allá de lo razonable o lo despojan de la necesaria protección" (FJ 8).

[41]   Esta es la tesis que sostiene Díaz Revorio, F. J.: "Desactivando conceptos constitucionales...", pp. 131 ss. En la misma línea, Cotino Hueso, L.: "La (in)constitucionalidad de las restricciones y suspensión de la libertad de circulación por el confinamiento frente a la Covid", en Garrido López, C. (coord..), *Excepcionalidad y Derecho: el estado de alarma en España*, Col. Obras colectivas, Fundación Manuel Giménez Abad, Zaragoza, 2021, pp. 193 ss., defiende que "el confinamiento estricto supuso la suspensión de la libertad de circulación porque afectó a su contenido esencial", si bien concluye defendiendo la necesidad de mantener "cierta deferencia a la discrecionalidad del Gobierno a la hora de adoptar situaciones excepcionales, más en un marco jurídico incierto por falta de precedentes importantes y todo el contexto de incertidumbre generalizada".

Antonio Arroyo Gil

les supuestos, siempre que sea posible, habrá que buscar la máxima vigencia de los derechos o bienes en conflicto (el conocido principio de la concordancia práctica formulado por Konrad Hesse)[42]. Es ahí donde entran en juego la llamada "teoría de la ponderación" y el principio de proporcionalidad ya visto (con su triple test de idoneidad, necesidad y proporcionalidad en sentido estricto)[43], ideados para justificar esas limitaciones de los derechos fundamentales que, pese a que puedan llegar a ser muy severas, se consideran, sin embargo, constitucionalmente posibles e, incluso, deseables[44].

---

[42] Hesse, K.: *Escritos de Derecho Constitucional*, CEPC, Madrid, 2012, pp. 67 ss. En concreto, en relación con los bienes (no estrictamente derechos) cuya protección puede suponer un límite para ciertos derechos, merece la pena destacar que en el ámbito del Consejo de Europa, el art. 2 del Protocolo núm. 4 del CEDH, establece que, entre aquellas causas que pueden justificar restricciones a la libertad de circulación, destacan la seguridad nacional, el orden público o las exigencias sanitarias.
En este mismo sentido, comparto la opinión de González Amuchástegui, J.: "Los límites de los derechos fundamentales", en Betegón, J. / Laporta, F. J. / Páramo, J. R. de / Prieto Sanchís, L. (coords.), *Constitución y derechos fundamentales*, CEPC, Madrid, 2004, pp. 456 ss., cuando se pregunta "si la consecución de determinados bienes colectivos puede ser tan valiosa como para justificar su primacía sobre determinados derechos de los individuos": "habría que admitir que los derechos humanos -algunos- pueden en ocasiones ser desplazados por aquellos bienes colectivos que estén justificado por ser necesarios para la eficaz garantía de los derechos humanos"; "la defensa de la libertad requiere la persecución de determinados bienes colectivos que pueden justificar algunas limitaciones de la misma". Me parece que esta tesis sería perfectamente trasladable al campo que nos ocupa: el de la protección de la salud y su conflicto con el derecho a la libertad de circulación (sin descuidar que también aquí lo que se pretende proteger es el derecho a la vida y a la integridad física, garantizado en el art. 15 CE).

[43] SSTC 66/1995, de 8 de mayo, FJ 5; 207/1996, de 16 de diciembre, FJ 4; 84/2013, de 11 de abril, FJ 6, entre otras muchas. Un estudio amplio sobre el principio de proporcionalidad en Bernal Pulido, C.: *El principio de proporcionalidad y los derechos fundamentales*, CEPC, Madrid, 2005. Sobre la aplicabilidad del principio de proporcionalidad al supuesto concreto que nos ocupa (la declaración del estado de alarma para hacer frente a la pandemia de Covid-19 y las medidas adoptadas a tal efecto), véase Chano Regaña, L.: "La limitación proporcionada de los derechos fundamentales: problemas constitucionales y aportes de la proporcionalidad", Anuario de la Facultad de Derecho. Universidad de Extremadura, 36, 2020, pp. 150 ss.

[44] Como señala Naranjo de la Cruz, R.: *Los límites de los derechos fundamentales en las relaciones entre particulares*, CEPC, Madrid, 2000, p. 140, la ponderación y el principio de proporcionalidad son el sustrato sobre el que descansa la teoría

Es precisamente la existencia (y pertinencia) de esa ponderación, así como la constatación de que existe un margen suficiente para poder apreciar si una medida es o no proporcional, lo que nos permite sostener que no nos encontramos ante una auténtica suspensión de derechos, sino ante una mera limitación de los mismos (por más aguda que esta sea)[45]. Y es que, tal y como se apuntó *supra*, cuando un derecho se encuentra suspendido no hay ponderación posible (simple y llanamente porque no hay -temporalmente- con qué ponderar). De igual modo, carece por completo de sentido someter al test de proporcionalidad una medida suspensiva de un derecho, porque la suspensión será o no será tal, pero resulta incongruente con su naturaleza sostener que la misma existe solo si es proporcionada. En definitiva, las "técnicas" de la ponderación y la proporcionalidad únicamente tienen sentido en el campo de la limitación de los derechos, nunca en el de la suspensión[46].

En el supuesto concreto que nos ocupa es cierto que -tal y como se ha señalado–el art. 7 RD 463/2020 establece una prohibición *quasi* general de circulación, pese a que venga acompañada de numerosas excepciones. La razón que justifica dicha prohibición es evidente, y constitucionalmente legítima: hacer frente a una pandemia de origen

---

de los límites de los derechos fundamentales respetuosos de su contenido esencial. Por su parte, Medina Guerrero, M.: *La vinculación legislativa del legislador a los derechos fundamentales*, McGraw Hill, Madrid, 1996, p. 147, sostiene que el contenido esencial es aquella parte del derecho que comienza cuando el límite deja de ser proporcionado.

[45] Así lo sostiene García Figueroa, A.: "Estado de alarma, estado de excepción y libertad de circulación", Almacén de Derecho, 08.04.2020, cuando tras recordar la diferencia entre "reglas" y "principios", llega a la conclusión de que el "derecho fundamental a la libertad de circulación no queda suspendido hasta que deje de ser ponderable con otros" (p. 8).

[46] En esta misma línea, como recuerda Chano Regaña, L.: "La limitación proporcionada de los derechos...", p. 138, para la mayoría de la doctrina científica, "un derecho está suspendido o restringido de forma absoluta cuando la norma que lo regula pierde toda su vigencia y eficacia, es decir, cuando el derecho deja de existir y su regulación ordinaria deviene inaplicable. La inexistencia del derecho implica la ausencia de garantías y mecanismo de protección y tutela durante la suspensión y, como se constata en las diversas resoluciones judiciales de los Tribunales Superiores de Justicia de las Comunidades Autónomas y del Tribunal Constitucional, en ningún momento durante la vigencia del estado de alarma han cedido este tipo de garantías".

viral (Covid-19) que se ha demostrado altamente contagiosa y con elevado índice de mortalidad. Es, por tanto, la garantía de derechos y bienes constitucionales tan valiosos como la vida y la integridad física (art. 15 CE), la protección de la salud y la organización y tutela de la salud pública (art. 43 CE), la que justifica (ponderación) esas exigentes restricciones; restricciones que, pese a su severidad, se muestran, sin embargo, ajustadamente proporcionadas para hacer frente al gravísimo desafío que la pandemia significa (proporcionalidad).

En este mismo sentido, se ha de tener también presente que las múltiples excepciones que prevé este precepto resultan suficientes para entender que, en sentido estricto, no nos encontramos ante una suspensión del derecho a la libre circulación, dado que el mismo no ha perdido por completo su vigencia (siquiera sea temporalmente), sobre todo, teniendo en cuenta la apertura que ofrecen los apartados g) y h) del citado art. 7 RD 463/2020 ("Por causa de fuerza mayor o situación de necesidad" y "Cualquier otra actividad de análoga naturaleza", respectivamente), que permiten llevar a cabo, sin lugar a dudas, el referido juicio de ponderación y proporcionalidad para determinar si se ha conculcado, o no, la prohibición *quasi* general de no circular[47].

6.   DERECHO ORDINARIO VS. DERECHO DE EXCEPCIÓN EN LA LIMITACIÓN DEL DERECHO A CIRCULAR LIBREMENTE

Una vez que, según acabamos de ver, hemos afirmado que la medida de "confinamiento domiciliario" no llegó a suponer una suspensión, sino tan solo una (muy aguda) limitación de la libertad de circulación garantizada en el art. 19 CE, desde otra perspectiva, y aunque resulte un tanto reduccionista, se plantea también la cuestión de decidir si este derecho a circular libremente por el territorio na-

---

[47]   Eso es lo que hace precisamente el propio Tribunal Constitucional en su posterior Sentencia de 27 de octubre de 2021, en la que al analizar las medidas adoptadas durante el segundo estado de alarma de alcance general, considera que las mismas no son suspensivas del derecho a la libre circulación (básicamente porque solo restringen el ejercicio de dicho derecho durante una determinada franja horaria) y que superan el test de proporcionalidad (FJ 4).

cional puede ser limitado por el Real Decreto que declara el estado de alarma de un modo tal que resulta imposible para la legislación ordinaria de alcance sectorial (ya sea en materia de salud pública, sanidad, protección civil o seguridad)[48], o si, por el contrario, a partir de las previsiones de esta, que ofrece asimismo respuestas para una intervención pública en situaciones de crisis, también hubiera sido posible llevar a efecto tal limitación.

Pues bien, si se llegase a esta última conclusión, esto es, que a través del Real Decreto 463/2020 no se pueden llevar a cabo restricciones más intensas del derecho a circular libremente que las que cabe acordar mediante la legislación ordinaria sectorial, resultaría necesario justificar por qué se declaró el estado de alarma (legislación de excepción) en lugar de aplicar esa legislación ordinaria.

Si nos centramos en la ley que más se ha invocado a este respecto, la Ley Orgánica 3/1986, de 14 de abril, de medidas especiales en materia de salud pública, observaremos que la misma prevé en su artículo primero que "[a]l objeto de proteger la salud pública y prevenir su pérdida o deterioro, las autoridades sanitarias de las distintas Administraciones Públicas podrán, dentro del ámbito de sus competencias, *adoptar las medidas previstas en la presente Ley cuando así lo exijan razones sanitarias de urgencia o necesidad*"; y, más específicamente, en el artículo tercero establece que "[c]on el fin de controlar las enfermedades transmisibles, la autoridad sanitaria, además de realizar las acciones preventivas generales, podrá adoptar las medidas oportunas para el control de los enfermos, de las personas que estén o hayan estado en contacto con los mismos y del medio ambiente inmediato, así como *las que se consideren necesarias en caso de riesgo de carácter transmisible*".

A partir de estas previsiones algunos autores han entendido que esta normativa sanitaria ofrece cobertura suficiente para tomar medidas restrictivas de la libertad de circulación como las que se han adoptado con el Real Decreto que declara el estado de alarma, por lo que se

---

[48]   Ley Orgánica 3/1986, de 14 de abril, de medidas especiales en materia de salud pública; Ley 14/1986, de 25 de abril, General de Sanidad; Ley 33/2011, de 4 de octubre, General de Salud Pública; Ley 17/2015, de 9 de julio, del Sistema Nacional de Protección Civil; y Ley 36/2015, de 28 de septiembre, de Seguridad Nacional.

han mostrado críticos con la declaración de este último[49]. Otros, sin embargo, han señalado que aunque esas medidas se podían, en efecto, poner en práctica mediante la aplicación de esta legislación sectorial, razones de eficacia justificaban declarar el estado de alarma, al entender que era preferible centralizar en una sola autoridad (estatal) la adopción de unas medidas que, en otro caso, hubiera correspondido adoptar a las autoridades autonómicas, las principales competentes en situación de normalidad[50]. Sin embargo, para una parte también relevante de la doctrina esas previsiones de la Ley Orgánica 3/1986 resultan excesivamente genéricas o indeterminadas, al carecer del suficiente grado de certeza y previsibilidad[51], siendo, en consecuencia, insuficientes para amparar la adopción de medidas limitativas de derechos fundamentales tan drásticas como las que se incluyeron en el Real Decreto que declaró el estado de alarma, pues, como ha declarado el Tribunal Constitucional[52], tal cosa exige una mayor concreción en la ley.

A este respecto, se ha de tener además en cuenta que la exigencia de la reserva de ley para la limitación de derechos fundamentales, en tanto que único modo efectivo de asegurar que estos "no se vean afectados por ninguna injerencia estatal no autorizada por sus repre-

---

[49]   Valgan por todos, Álvarez García, V.: "El comportamiento del Derecho de crisis durante la segunda ola de la pandemia", y Muñoz Machado, S.: "El poder y la peste de 2020", ambos en El Cronista del Estado Social y Democrático de Derecho, 90-91, 2020-2021, pp. 34 ss. y 124 ss., respectivamente; así como Baño León, J. M.: "Confusión regulatoria en la crisis sanitaria", Almacén de Derecho, 29.10.2020, pp. 2 ss.

[50]   Valga por todos, Nogueira López, A.: "Confinar el coronavirus. Entre el viejo derecho sectorial y el derecho de excepción", El Cronista del Estado Social y Democrático de Derecho, 86-87, 2020, p. 30.

[51]   Valgan por todos, Quadra-Salcedo Janini, T. de la: "Estado autonómico y lucha contra la pandemia", en Biglino Campos, P. / Durán Alba, J. F.: *Los efectos horizontales de la Covid-19 sobre el ordenamiento constitucional: estudios sobre la primera oleada*, Col. Obras colectivas, Fundación Manuel Giménez Abad, Zaragoza, 2021, p. 73; y Barnés, J.: "Falsos dilemas en la lucha contra la pandemia", Almacén de Derecho, 27.08.2020, para quien "la privación, suspensión o grave limitación de los derechos fundamentales con un alcance general (...) no pueden ser adoptadas por las autoridades sanitarias en nuestro ordenamiento jurídico, y requieren con carácter previo la correspondiente declaración de emergencia del Gobierno".

[52]   Vid., entre otras, la STC 76/2019, de 22 de mayo, FJ 5.d).

sentantes" y de "garantizar las exigencias de seguridad jurídica en el ámbito de los derechos fundamentales y las libertades públicas" (STC 49/1999, de 5 de abril, FJ 4)[53], se había visto satisfecha porque el Tribunal Constitucional ya había afirmado que el Real Decreto declarativo del estado de alarma tiene rango o valor de ley[54].

Es ahí, en efecto, donde se encuentra la clave de bóveda de esta disputa doctrinal: el derecho a la libertad de circulación no puede ser limitado por el gobierno competente (estatal o autonómico) de forma tan severa como lo ha sido a través de la actuación del Gobierno de España mediante el Real Decreto 463/2020 si no se dispone de una cobertura legal que sea lo suficientemente precisa, y que por necesidad ha de venir establecida en una ley orgánica, pues lo que se está afectando, en realidad, es la propia configuración de los contornos esenciales del derecho (su desarrollo, en definitiva)[55].

Dado que la Ley Orgánica 3/1986 carece de suficiente concreción ("previsibilidad y certeza") para garantizar las exigencias del principio de legalidad y de reserva de ley, tal y como lo ha venido exigiendo el Tribunal Constitucional desde hace tiempo[56], fue necesario declarar el estado de alarma, que, por su propia naturaleza de derecho excepcional al que se remite la Constitución (art. 116), y que encuentra desarrollo en la Ley Orgánica 4/1981, en principio, sí ofrecería

---

[53]   Véanse, asimismo, entre otras muchas, las SSTC 184/2003, de 23 de octubre; y 112/2006, de 5 de abril.

[54]   El Real Decreto que declara el estado de alarma integra, "sumándose a la Constitución y a la Ley Orgánica 4/1981, el sistema de fuentes del derecho de excepción, al complementar el derecho de excepción de aplicación en el concreto estado declarado. Y esta legalidad excepcional que contiene la declaración gubernamental desplaza durante el estado de alarma la legalidad ordinaria en vigor" (STC 82/2016, de 28 de abril, FJ 10).

[55]   Recordemos que el Tribunal Constitucional "ha calificado la ley orgánica como legislación extraordinaria o 'excepcional' (SSTC 76/1983; 160/1987, fundamento jurídico 2°, entre otras), en la medida en que 'tiene una función de garantía adicional que conduce a reducir su aplicación a las normas que establecen restricciones de esos derechos o libertades o las desarrollan de modo directo, en cuanto regulan aspectos consustanciales a los mismos, excluyendo por tanto aquellas otras que simplemente afectan a elementos no necesarios sin incidir directamente sobre su ámbito y límites' (STC 101/1991, fundamento jurídico 2°)" (STC 173/1998, de 23 de julio, FJ 7).

[56]   Valga por todas la STC 76/2019, de 22 de mayo, FJ 5.d).

cobertura suficiente para llevar a efecto dichas severas limitaciones expresadas en el Real Decreto correspondiente.

No obstante, también aquí se ha de hacer alguna observación crítica, pues si nos fijamos bien, la regulación contenida en esta Ley Orgánica 4/1981 tampoco se caracteriza por su gran precisión. En concreto, el art. 11 prevé, simplemente, que el decreto de declaración del estado de alarma, entre otras medidas, podrá acordar "a) Limitar la circulación o permanencia de personas o vehículos en horas y lugares determinados, o condicionarlas al cumplimiento de ciertos requisitos"[57]. Lo que se ha de ver complementado con lo previsto en el art. 12.1, en donde, a los efectos que aquí interesan, se prevé que, en caso de crisis sanitarias, tales como epidemias, "la Autoridad competente podrá adoptar por sí, según los casos, además de las medidas previstas en los artículos anteriores, las establecidas en las normas para la lucha contra las enfermedades infecciosas, la protección del medio ambiente, en materia de aguas y sobre incendios forestales".

Así las cosas, cabría preguntarse si el Real Decreto declarativo del estado de alarma tiene rango suficiente para proceder a esa seria restricción del derecho a la libre circulación que supone el llamado "confinamiento domiciliario", pues pese a que el Tribunal Constitucional haya reconocido que el mismo tiene rango o valor de ley (STC 83/2016), la cuestión es si no debería haber sido una ley orgánica (en concreto, la LOAES) la que debiera haber precisado con mayor detalle las limitaciones que, en el caso concreto, impone el Real Decreto, en la medida en que mediante ellas, en realidad, lo que se está haciendo es dotar de unos contornos al derecho fundamental a la libre circulación que bien podrían entenderse configuradores del mismo. Dicho de otro modo, parecería que nos encontramos más en el terreno del desarrollo del derecho (por ley orgánica) que en la mera regulación de su ejercicio (por ley ordinaria), dado que son los contornos de su contenido esencial los que se verían afectados por dichas limitaciones. Y, a tal efecto, cabe dudar de que la Ley Orgánica 4/1981, pese a su expresa

---

[57]   Lo que, por cierto, no se diferencia mucho de lo previsto en relación con el estado de excepción en el art. 20 LOAES: "prohibir la circulación de personas y vehículos en las horas y lugares que se determine", tal y como destaca Doménech Pascual, G.: "Estado de alarma o de excepción: ¿qué nos estamos jugando?", Almacén de Derecho, 12.07.2021.

cobertura constitucional, cumpla con los requisitos de concreción que son exigibles para que, posteriormente, una limitación tan seria de un derecho fundamental sea admisible a través de un Real Decreto que, por mucho que tenga rango de ley, llega a establecer unas limitaciones tales de un derecho fundamental que bien pueden entenderse configuradoras del mismo.

7.   CONCLUSIÓN

Una vez que hemos llegado a la conclusión contraria a la sostenida por el Tribunal Constitucional en su Sentencia 148/2021, de 14 de julio, al entender que la medida de "confinamiento domiciliario" adoptada para hacer frente a la crisis sanitaria provocada por la pandemia de Covid-19, pese a su gravedad, resulta proporcionada, y que la misma no constituye una suspensión del derecho a circular libremente reconocido en el art. 19.1 CE, sino tan solo una limitación, resulta preciso, para concluir, explicar por qué dicha medida no podía ser adoptada en aplicación de la legislación sectorial ordinaria (en particular, a través de la Ley Orgánica 3/1986), y sí a través de la legislación de excepción, una vez que hemos puesto de manifiesto las dudas que también esta ofrece a causa de su inconcreción.

Y a este respecto la única respuesta que podemos ofrecer apunta más a razones de necesidad (y eficacia) que de estricta legalidad (o constitucionalidad). Se puede aceptar que una medida como el "confinamiento domiciliario" cabe bajo la cobertura del derecho de excepción, pero no del ordinario sectorial, precisamente apelando a la propia naturaleza de aquel, al que la Constitución se remite para hacer frente a situaciones críticas que necesariamente demandan una respuesta excepcional. Dicho de otro modo: el respeto estricto a la legalidad (incluida la jurisprudencia del Tribunal Constitucional), exigible en todo caso en el ámbito del derecho ordinario, se puede interpretar con más laxitud en el ámbito del derecho de excepción, si es que la situación crítica a la que se ha de responder demanda inexcusablemente la adopción de medidas que, aunque no se encuentren previstas con suficiente precisión en la Ley Orgánica 4/1981, resultan, sin embargo, proporcionadas y eficaces para hacer frente a la situación que ha alterado la normalidad, con el único fin de recuperar esta tan pronto como se pueda.

En todo caso, lo que esta dolorosa experiencia pandémica ha puesto claramente de manifiesto es que urge proceder a una reforma de nuestra legislación ordinaria y de excepción, para que se encuentre en mejores condiciones de hacer frente a la próxima crisis[58]. En último

---

[58]   Recientes sentencias del Tribunal Supremo así lo ponen de manifiesto: SSTS 719/2021, de 24 de mayo, y 2176/2021, de 3 de junio. En la última, el Alto Tribunal anuló dos medidas adoptadas por el Gobierno de Baleares (el llamado "toque de queda" -libertad de circulación- y la limitación del número de personas que se podían reunir -derecho a la intimidad-), que habían sido ratificadas por el TSJ de esta Comunidad autónoma, por considerar que las mismas, adoptadas al amparo del art. 3 de la Ley Orgánica 3/1986, de medidas especiales en materia de salud pública, no habían sido justificadas suficientemente. De manera un tanto incongruente, el TS reconoce que ese art. 3, pese a "su carácter escueto y genérico", no es inidóneo "para dar cobertura a medidas restrictivas de derechos fundamentales tan intensas como las aquí consideradas", sino que, por el contrario, este precepto "puede utilizarse como fundamento normativo siempre que la justificación sustantiva de las medidas sanitarias -a la vista de las circunstancias específicas del caso- esté a la altura de la intensidad y la extensión de la restricción de derechos fundamentales de que se trate. Y ni que decir tiene que, cuando se está en presencia de restricciones tan severas y generalizadas como la prohibición de salir del propio domicilio durante determinadas horas del día o de reunirse con más de seis personas, la justificación pasa por acreditar que tales medidas son indispensables para salvaguardar la salud pública, tal como hemos dicho que es preciso hacer en la sentencia n.º 719/2021" (FJ Séptimo).
Muy crítico con esta sentencia, Ruiz Robledo, A.: "Vuelve la justicia del cadí", Diario de Sevilla, 08.06.2021, por entender que permite que al amparo de una norma como la Ley Orgánica 3/1986 se puedan adoptar restricciones generales y excepcionales de derechos fundamentales, cuando -en su opinión- de la Constitución se deduce que algo así únicamente cabe al amparo de la Ley Orgánica 47/981, de 1 de junio, de los estados de alarma, excepción y sitio.
Por su parte, Carmona Contreras, A.: "Las restricciones de derechos al final de la pandemia", El País, 09.06.2021, subraya cómo el TS, al reconducir el ámbito de aplicación de la Ley Orgánica 3/1986 a supuestos excepcionales, reduce drásticamente la competencia de las autoridades sanitarias autonómicas para afrontar la pandemia, preguntándose, finalmente, de manera retórica, si "resulta admisible mantener que nuestro ordenamiento cuenta con los instrumentos jurídicos adecuados". La respuesta, tal y como hemos apuntado en el texto principal, parece evidente.
A tal efecto, Revenga Sánchez / López Ulla, J. M.: "El dilema limitación/suspensión de derechos…, p. 230, abogan "por sacar las crisis sanitarias del marco de los estados de emergencia y por aprobar una ley sanitaria *ad hoc* que con las

término, son nuestros derechos fundamentales los que se encuentran en juego, así que... pocas bromas.

8.   BIBLIOGRAFÍA

Aláez Corral, B.: "El concepto de suspensión general de los derechos fundamentales", en López Guerra, L. / Espín Templado, E. (coords.), La defensa del Estado, Tirant lo Blanch, Valencia, 2004

Alexy, R.: Teoría de los derechos fundamentales, CEPC, Madrid, 1993

Álvarez García, V.: "El coronavirus (COVID-19): respuestas jurídicas frente a una situación de emergencia sanitaria", El Cronista del Estado Social y Democrático de Derecho, 86-87, 2020

Álvarez García, V.: "El comportamiento del Derecho de crisis durante la segunda ola de la pandemia", El Cronista del Estado Social y Democrático de Derecho, 90-91, 2020-2021

Aragón Reyes, M.: "Hay que tomarse en serio la Constitución", El País, 10.04.2020

Aragón Reyes, M.: "¿Alarma o excepción? La función del Tribunal Constitucional", El País, 06.07.2021

Aragón Reyes, M.: "El Covid-19 y la ley", en Revista de Libros, 30.06.2021

Aragón Reyes, M.: "El Tribunal Constitucional cumplió con la sentencia sobre el estado de alarma", El País, 04.08.2021

---

debidas garantías, por lo que a los derechos fundamentales que pudieran quedar restringidos se refiere, prevea la manera de afrontar las situaciones semejantes que el futuro nos pueda deparar".
En esta línea, Aragón Reyes, M.: "El Covid-19 y la ley", Revista de Libros, 30.06.2021, defiende igualmente la conveniencia de modificar la LOAES "para regular mejor el estado de alarma, señalando cuidadosamente las limitaciones de derechos que fuesen necesarias, excluyendo, claramente, la posibilidad de suspenderlos, especificando, de manera más completa que ahora, las medidas de orden sanitario, etc., que las autoridades del Estado pueden adoptar con validez para todo el territorio nacional, desplazando en ese caso las competencias autonómicas, aclarando que las prórrogas del estado de alarma únicamente podrán establecerse por un plazo máximo de quince días, y determinando que el desarrollo de los decreto de declaración y prórroga no permitirá que, por reglamentos, se establezcan límites sustantivos a los derechos fundamentales". En su opinión, también convendría "modificar la LO con objeto de regular mejor el estado de excepción, incluyendo entre sus supuestos de hecho las crisis sanitarias (o incluso originadas por desastres naturales) de tal magnitud que no pudieran ser remediadas a través de las medidas propias del estado de alarma".

Aragón Reyes, M.: "Epílogo", en Biglino Campos, P. / Durán Alba, J. F.: Los efectos horizontales de la Covid-19 sobre el sistema constitucional: estudios sobre la primera oleada, Col. Obras colectivas, 18, Fundación Manuel Giménez Abad, 2021

Arroyo Gil, A.: "¿Estado de alarma o estado de excepción?", Agenda Pública, 12.04.2020

Arroyo Gil, A.: "El derecho a circular libremente en tiempos de pandemia", Anuario de la Facultad de Derecho de la UAM, Número extraordinario (Derecho y política ante la pandemia: reacciones y transformaciones), Tomo I (Reacciones y transformaciones en el Derecho Público), coord. por F. Velasco Caballero y B. Gregoraci Fernández, BOE, Madrid, 2021

Arroyo Gil, A.: "La naturaleza del estado de alarma y su presupuesto habilitante", en Garrido López (coord.), Excepcionalidad y Derecho: el estado de alarma en España, Col. Obras colectivas, Fundación Manuel Giménez Abad, Zaragoza, 2021

Baño León, J. M.: "Confusión regulatoria en la crisis sanitaria", Almacén de Derecho, 29.10.2020

Barnés, J.: "Falsos dilemas en la lucha contra la pandemia", Almacén de Derecho, 27.08.2020

Bernal Pulido, C.: El principio de proporcionalidad y los derechos fundamentales, CEPC, Madrid, 2005

Carmona Contreras, A.: "El Tribunal Constitucional y sus circunstancias", Agenda Pública, 26.07.2021

Carmona Contreras, A.: "Las restricciones de derechos al final de la pandemia", El País, 09.06.2021

Chano Regaña, L.: "La limitación proporcionada de los derechos fundamentales: problemas constitucionales y aportes de la proporcionalidad", Anuario de la Facultad de Derecho. Universidad de Extremadura, 36, 2020

Cotino Hueso, L.: "La (in)constitucionalidad de las restricciones y suspensión de la libertad de circulación por el confinamiento frente a la Covid", en Garrido López, C. (coord..), Excepcionalidad y Derecho: el estado de alarma en España, Col. Obras colectivas, Fundación Manuel Giménez Abad, Zaragoza, 2021

Cruz Villalón, P.: "La Constitución bajo el estado de alarma", El País, 17.04.2020

Cruz Villalón, P.: "Destripando al Tribunal Constitucional", El País, 23.07.2021

Cruz Villalón, P.: Estados excepcionales y suspensión de garantías, Tecnos, Madrid, 1984

Díaz Revorio, F. J.: "A vueltas con la suspensión de los derechos fundamentales", Almacén de Derecho, 09.04.2020

Díaz Revorio, F. J.: "Desactivando conceptos constitucionales: la suspensión de derechos y los estados excepcionales", en Garrido López (coord.), Excepcionalidad y Derecho: el estado de alarma en España, Col. Obras colectivas, 19, Fundación Manuel Giménez Abad, Zaragoza, 2021

Díez-Picazo, L. Mª.: Sistema de Derechos Fundamentales, Tirant lo Blanch, Valencia, 2021

Doménech Pascual, G.: "Estado de alarma o de excepción: ¿qué nos estamos jugando?", Almacén de Derecho, 12.07.2021

Escobar Roca, G.: "Los derechos humanos en estados excepcionales y el concepto de suspensión de derechos fundamentales", Revista de Derecho Político, 110, 2021

Fernández de Gatta Sánchez, D.: "El estado de alarma en España por la epidemia del coronavirus y sus problemas", RGDC, 33, 2020

García Figueroa, A.: "Estado de alarma, estado de excepción y libertad de circulación", Almacén de Derecho, 08.04.2020

Garrido López, C.: "La naturaleza bifronte del estado de alarma y el dilema limitación-suspensión de derechos", TRC, 46, 2020

Garrido López, C.: Decisiones excepcionales y garantía jurisdiccional de la Constitución, Marcial Pons, Madrid, 2021

Gómez Fernández, I.: "¿Limitación o suspensión? Una teoría de los límites a los derechos fundamentales para evaluar la adopción de estados excepcionales", en Garrido López, C. (coord.), Excepcionalidad y Derecho: el estado de alarma en España, Col. Obras colectivas, Fundación Manuel Giménez Abad, Zaragoza, 2021

González Amuchástegui, J.: "Los límites de los derechos fundamentales", en Betegón, J. / Laporta, F. J. / Páramo, J. R. de / Prieto Sanchís, L. (coords.), Constitución y derechos fundamentales, CEPC, Madrid, 2004

Häberle, P.: La garantía del contenido esencial de los derechos fundamentales, Dykinson, Madrid, 2003

Hesse, K.: Escritos de Derecho Constitucional, CEPC, Madrid, 2012

López Garrido, D.: "El Tribunal Constitucional se olvidó del derecho a la vida", El País, 30.08.2021

Martínez Alarcón, Mª. L.: "¿Es el estado de alarma en España un estado de excepción encubierto?", The Conversation, 02.04.2020

Medina Guerrero, M.: La vinculación legislativa del legislador a los derechos fundamentales, McGraw Hill, Madrid, 1996

Muñoz Machado, S.: "El poder y la peste de 2020", El Cronista del Estado Social y Democrático de Derecho, 90-91, 2020-2021

Naranjo de la Cruz, R.: Los límites de los derechos fundamentales en las relaciones entre particulares, CEPC, Madrid, 2000

Nogueira López, A.: "Confinar el coronavirus. Entre el viejo derecho sectorial y el derecho de excepción", El Cronista del Estado Social y Democrático de Derecho, 86-87, 2020

Quadra-Salcedo Fernández del Castillo, T. de la: "La terrible confusión entre limitar y suspender derechos", Agenda Pública, 05.07.2021

Quadra-Salcedo Janini, T. de la: "Estado autonómico y lucha contra la pandemia", en Biglino Campos, P. / Durán Alba, J. F.: Los efectos horizontales de la Covid-19 sobre el ordenamiento constitucional: estudios sobre la primera oleada, Col. Obras colectivas, Fundación Manuel Giménez Abad, Zaragoza, 2021

Revenga Sánchez, M. / López Ulla, J. M.: "El dilema limitación/suspensión de derechos y otras 'distorsiones' al hilo de la pandemia", TRC, 48, 2021

Ruiz Robledo, A.: "Vuelve la justicia del cadí", Diario de Sevilla, 08.06.2021

Sieira Mucientes, S.: "Estado de alarma", Eunomía, 19, 2020

Solozábal Echavarría, J. J.: "Algunas consideraciones constitucionales sobre el estado de alarma", en Biglino Campos, P. / Durán Alba, J. F. (dirs.), Los efectos horizontales de la Covid-19 sobre el sistema constitucional: Estudios sobre la primera ola, Col. Obras colectivas 18, Fundación Manuel Giménez Abad, 2021

Tajadura Tejada, J.: "Derecho de crisis y Constitución", El País, 20.03.2020

Teoría y Realidad Constitucional: "Derecho de excepción", 48, 2021

Velasco Caballero, F. / Gregoraci Fernández, B.: Derecho y política ante la pandemia: reacciones y transformaciones, Tomos I (Reacciones y transformaciones en el Derecho Público) y II (Reacciones y transformaciones en el Derecho Privado), Anuario de la Facultad de Derecho de la UAM, Número extraordinario, BOE, Madrid, 2021

Velasco Caballero, F.: "¿Se suspendieron los derechos fundamentales en el primer estado de alarma? (I)", en La Razón, 14.07.2021

Estado de alarma y libertad religiosa

ABRAHAM BARRERO ORTEGA

Catedrático de Derecho Constitucional
Universidad de Sevilla

1. INTRODUCCIÓN

El Estado Constitucional debe prever el funcionamiento de las instituciones no sólo en una situación de normalidad sino también en una situación de excepcionalidad o, si se quiere, crisis. Y se suele hacer a través de la denominada protección extraordinaria del Estado o Derecho de excepción; es decir, una situación de anormalidad que, tradicionalmente, se resume en la previsión de dos medidas: de un lado, la suspensión de derechos y garantías individuales y, de otro, la alteración del equilibrio o reglas de reparto de funciones entre los poderes legislativo y ejecutivo. La anormalidad o emergencia incide, pues, tanto en la parte dogmática como en la parte orgánica de la Constitución[1].

Bajo estas premisas, el estado de alarma es el estado excepcional de, por así decir, menor gravedad dentro de los tres posibles que contempla la Constitución española de 1978 (CE) y que se regulan con detalle en la Ley Orgánica 4/1981, de 1 de junio, de los estados de alarma, excepción y sitio. Los supuestos en los que cabe su declara-

---

[1]   Cruz Villalón, P., "La protección extraordinaria del Estado", en García de Enterría-Martínez Carande, E. y Pedrieri, A. (coords.), *La Constitución española de 1978*, Civitas, Madrid 1981, pp. 689-720.

ción son graves alteraciones del orden público de diferente índole, como epidemias, contaminaciones, terremotos, inundaciones o incendios de gran magnitud y la paralización de servicios públicos esenciales para la comunidad.

La declaración del estado de alarma implica una puesta de todas las autoridades civiles de la Administración Pública del territorio afectado bajo las órdenes directas de la autoridad competente, concepto éste referido al gobierno o, por delegación de éste, al presidente de una comunidad autónoma cuando la declaración afecte exclusivamente a todo o parte de su territorio. Se produce una concentración de potestades en el Estado cuya constitucionalidad ha sido ratificada en atención a que en estos supuestos concurre un interés general que la justifica.

Es posible, asimismo, que el estado de alarma ocasione una afectación importante en derechos fundamentales como consecuencia de las medidas previstas en el artículo 11 de la Ley Orgánica 4/1981, que faculta al gobierno para imponer límites a la circulación o permanencia de personas o vehículos en horas y lugares determinados, practicar requisas temporales de bienes, imponer prestaciones personales obligatorias, ocupar transitoriamente todo tipo de industrias y explotaciones, racionar el consumo de artículos de primera necesidad e imponer las órdenes necesarias para asegurar el funcionamiento de los servicios afectados por una huelga o una medida de conflicto colectivo[2]. Ahora bien, "a diferencia de los estados de excepción y sitio, la declaración del estado de alarma no permite la suspensión de ningún derecho fundamental (art. 55.1 CE *contrario sensu*), aunque sí la adopción de medidas que pueden suponer limitaciones o restricciones a su ejercicio" (SSTC 83/2016 y 148/2021).

La libertad religiosa es la inmunidad de coacción para abrazar o no la fe religiosa y ordenar la propia vida individual o social de acuerdo con tales creencias. Un espacio de inmunidad que incluye el derecho de toda persona a "practicar los actos de culto y recibir asistencia religiosa de su propia confesión, conmemorar sus festividades, celebrar sus ritos matrimoniales, recibir sepultura digna, sin discriminación

---

[2]   Aba Catoira, A., "El estado de alarma en España", *Teoría y realidad Constitucional*, 28, 2011, pp. 305-334.

por motivos religiosos, y no ser obligado a practicar actos de culto o a recibir asistencia religiosa contraria a sus convicciones personales"[3]. En la historia del constitucionalismo el término culto equivalía a religión, por ser la parte más aparente de las creencias religiosas[4]. El culto puede ser privado (individual o en grupo) o público (cuando se manifiesta de acuerdo con los ritos de una confesión religiosa y de manera socialmente ostensible).

La jurisprudencia constitucional ha precisado que la libertad religiosa "garantiza la existencia de un claustro íntimo de creencias y, por tanto, un espacio de autodeterminación intelectual ante el fenómeno religioso, vinculado a la propia personalidad y dignidad individual"[5]. Pero junto a esta dimensión interna, "la libertad religiosa, al igual que la ideológica del mismo artículo 16.1 CE, incluye también una dimensión externa de *agere licere* que faculta a los ciudadanos para actuar con arreglo a sus propias convicciones y mantenerlas frente a terceros"[6].

El Tribunal Constitucional ha insistido igualmente en que la libertad religiosa no es un derecho absoluto o ilimitado, sino que está sometido a límites más allá de los cuales su ejercicio resulta ilegítimo[7]. Todos los derechos fundamentales presentan sus límites (expresos o implícitos) y, en ocasiones, se justifican restricciones. La sociedad democrática no puede ni siquiera tolerar lo que implique o represente, ya sea como doctrina, ya sea como práctica, una clara negación de los valores ínsitos en esa sociedad democrática, lo que *lato sensu* se denomina orden público, o un cuestionamiento de otros derechos, bienes o valores legítimos. El artículo 16.1 CE no protege, pues, cualquier acto motivado o inspirado por una creencia.

Como quiera que sea, parece razonable circunscribir las posibles restricciones a la manifestación de esas convicciones o creencias, puesto que la adhesión interna a una cosmovisión religiosa, la convicción íntima, es un acto esencialmente incoercible. En cambio, cuando las

---

[3] Art. 2.1 b) de la Ley Orgánica 7/1980, de 5 de julio, de Libertad Religiosa.
[4] Barrero Ortega, A., "Sobre la libertad religiosa en la historia constitucional española", *Revista Española de Derecho Constitucional*, 61, 2001, pp. 131-185.
[5] STC 177/1996.
[6] SSTC 19/1985, 120/1990 y 137/1990.
[7] SSTC 141/2000, 154/2002 y 101/2004.

percepciones internas trascienden al orden exterior puede producirse una colisión con otros derechos, bienes y valores constitucionales. Esto es, las limitaciones a la libertad religiosa tan sólo pueden imponerse legítimamente sobre su dimensión externa[8].

El contrapeso de la limitabilidad de la libertad religiosa es que la limitación precisa ser proporcionada. La proporcionalidad se concibe, así, como un límite frente a la actividad limitadora de las convicciones o creencias a fin de filtrar o moderar el sacrificio. Una limitación, para ser justa, ha de estar, en primer lugar, establecida en la ley, que el ordenamiento la haya previsto con anterioridad a su aplicación efectiva (*idoneidad*); ha de ser, en segundo lugar, necesaria o indispensable, en el sentido de que no exista otra medida más moderada para conseguir el fin perseguido con igual eficacia (*necesidad*); y, por último, proporcionada con relación al fin, esto es, debe darse una relación razonable entre costes y beneficios (*proporcionada en sentido estricto*)[9]. Ningún límite puede ser excesivo por desproporcionado.

En su dimensión objetiva, la libertad religiosa comporta la neutralidad del poder público con respecto a las diferentes opciones de conciencia, la no preferencia por alguna ideología o religión particular. La neutralidad es una condición necesaria para la adecuada protección de la libertad religiosa, en condiciones de igualdad y no discriminación. El artículo 16.3 CE "impide que los valores o intereses religiosos se erijan en parámetros para medir la legitimidad o justicia de las normas y actos de los poderes públicos e impide cualquier confusión entre funciones religiosas y funciones estatales"[10]. También la igualdad constituye un principio modulador del Estado aconfesional, "que adquiere particular relevancia en la esfera del tratamiento del fenómeno religioso"[11]; la igualdad genera la obligación de no discriminar a los ciudadanos por razón de sus creencias.

En lo que sigue se ofrecen algunas consideraciones sobre la libertad religiosa durante el estado de alarma para hacer frente a la situación de crisis sanitaria ocasionada por el COVID-19. Consideraciones

---

8   STC 46/2001.
9   STC 141/2000.
10 STC 24/1982.
11 STC 24/1982.

centradas en el estado de alarma vigente entre el 14 de marzo y el 21 de junio de 2020, y no tanto en el decretado el 25 de octubre de 2020 y prorrogado hasta el pasado 9 de mayo de 2021. Como es sabido, el propósito, el alcance y la intensidad de uno y otro han sido diferentes[12], más revelador en cualquier caso el primero en lo que alude a las restricciones impuestas al ejercicio del derecho fundamental reconocido en el artículo 16 CE. El primer estado de alarma, por así decir, marcó la pauta; el segundo no incorporó novedades significativas, al menos en relación al tema que anima esta reflexión. Así, pues, lo que sirve al primero, al otro aprovecha.

Aclárese desde el comienzo que, a la hora de valorar el impacto de las medidas destinadas a gestionar la crisis sanitaria sobre la libertad religiosa, conviene tener en cuenta no sólo normas e interpretaciones de esas normas, sino también, máxime en el contexto de la excepcionalidad vivida, actuaciones materiales de los poderes públicos, amparadas o no por una cobertura jurídica. Y es que el problema no ha sido tanto la letra del marco regulador del estado de alarma como el cúmulo de interpretaciones y actuaciones materiales restrictivas de los derechos fundamentales que, en ocasiones, se produjo con base en esa situación excepcional[13]. Interpretaciones y actuaciones restrictivas que, en último análisis, ponen de manifiesto la incapacidad de algunos operadores jurídicos (órganos políticos, Administración, Fuerzas y Cuerpos de Seguridad del Estado y jueces y tribunales) para realizar una interpretación del estado de alarma conforme a la Constitución que afiance el mayor valor de los derechos fundamentales en nuestro sistema democrático (art. 10.1 CE)[14].

---

[12] Álvarez García, V., 2020, *El año de la pandemia de la COVID-19*, Iustel, Madrid 2021, 153 pp.

[13] Se alude a episodios concretos contra la libertad religiosa en Simón Yarza, F., "Reflexiones sobre la libertad religiosa ante las restricciones impuestas como consecuencia del Covid-19", en Biglino Campos, P. y Durán Alba, F., *Los efectos horizontales de la COVID sobre el sistema constitucional*, Colección obras colectivas, Fundación Manuel Giménez Abad, Zaragoza 2020, pp. 10 y 11.

[14] Barrero Ortega, A., "Estado de alarma y restricción de derechos fundamentales", en García Mayo, M. (coord..) y Cerdeira Bravo de Mansilla, G. (dir.), *Coronavirus y Derecho en estado de alarma*, Reus, Madrid 2020, pp. 107-121.

2.   ALCANCE DE LAS MEDIDAS RESTRICTIVAS

El Real Decreto 463/2020, de 14 de marzo, con el que se abrió el estado de alarma, condicionaba la asistencia a los lugares de culto y a las ceremonias religiosas, incluidas las fúnebres, a la adopción de medidas organizativas consistentes en evitar aglomeraciones de personas, en atención a las dimensiones y características de esos lugares, de modo que se garantizara a los asistentes la posibilidad de respetar la distancia entre ellos de, al menos, un metro (art. 11).

Se venía así a corroborar, en cuanto a la libertad religiosa, el criterio del artículo 55.1 CE: durante el estado de alarma se puede limitar o restringir el ejercicio de los derechos fundamentales, pero no suspenderlos (STC 148/2021). Es constitucionalmente admisible fijar límites o condiciones a su disfrute, pero en ningún caso diferirlos, interrumpirlos o dejarlos sin efecto durante un tiempo (STC 83/2016). El decreto 463/2020, en efecto, restringía la libertad religiosa, sin clausurarla temporalmente. El ejercicio legítimo del derecho a practicar actos de culto –dentro o fuera de los lugares de culto- quedaba condicionado a una distancia mínima entre los asistentes. En todo caso, no se puede ignorar que, durante el confinamiento domiciliario, casi todos los responsables de las distintas confesiones fueron consecuentes y la práctica totalidad de los templos permanecieron cerrados. Se incrementaron exponencialmente las celebraciones por *streaming*.

Jurídicamente, nótese que las restricciones impuestas –medidas organizativas para evitar aglomeraciones y distancia de seguridad- incidían exclusivamente en la dimensión externa del derecho y, más exactamente, en el ejercicio público del culto (ritos, actos o celebraciones religiosas). Se era perfectamente consciente de que la libertad religiosa no es un derecho absoluto o ilimitado, sino que está sometido a límites más allá de los cuales su ejercicio resulta abusivo. Pero, en el caso de la libertad religiosa, parece razonable circunscribir las posibles restricciones a la manifestación de las creencias, puesto que la adhesión interna a una cosmovisión ideológica o religiosa, la convicción íntima, es un acto esencialmente incoercible. En cambio, cuando las percepciones internas trascienden al orden exterior perturbando la convivencia, entonces han de operar los mecanismos limitadores de la libertad. Es, pues, la dimensión externa de la libertad religiosa la, por así decir, conflictiva. Y es con ocasión de la manifestación pública de las creencias cuando suelen darse colisiones con otros derechos, bienes y valores dignos de protección, y entre ellos la salud pública (STC 154/2002).

Así, el artículo 9.2 CEDH indica que "la libertad de manifestar su religión o sus convicciones no puede ser objeto de más restricciones que las que, previstas por la ley, constituyan medidas necesarias, en una sociedad democrática, para la seguridad pública, la protección del orden, de la salud o de la moral públicas, o la protección de los derechos o las libertades de los demás". Enuncia una serie de intereses generales que podrían justificar una limitación, si bien dejando claro que esa limitación cabría exclusivamente respecto a la manifestación o exteriorización de una convicción o creencia. En sentido análogo, el artículo 16.1 de nuestra Constitución garantiza "la libertad ideológica, religiosa y de culto (…) sin más limitación, en sus manifestaciones, que la necesaria para el mantenimiento del orden público protegido por la ley".

Es evidente, de otra parte, que la asistencia al acto religioso comprendía la libre circulación por las vías o espacios de uso público con tal propósito, de suerte tal que esa asistencia constituía un desplazamiento autorizado aunque no figurase en el catálogo de excepciones al confinamiento (art. 7.1 del decreto 463/2020). En lo esencial, lo que se dispuso fue que las personas únicamente pudiéramos circular por las vías o espacios de uso público para la realización de una lista tasada de actividades, que debían realizarse individualmente, a no ser que se acompañase a personas con discapacidad, menores, mayores, o por otra causa justificada.

El hecho de que el artículo 7.1 no mencionase la asistencia a lugares de culto o a ceremonias religiosas entre los supuestos en los que estaba permitido circular por la vía pública debe ser interpretado en el sentido de que ese desplazamiento tenía una especial regulación en el art. 11 (STC 148/2021). Interpretarlo de otra manera (en el sentido de que, al no estar previsto ese desplazamiento entre los supuestos en el artículo 7.1, no se podía salir a la calle para acudir a lugares de culto) haría incomprensible, contradictorio e inaplicable el decreto[15].

---

[15]   No obstante, alguna doctrina ha denunciado cierta "desconsideración" hacia la libertad religiosa y "el lamentable limbo jurídico en que fueron abandonados los

Esto es, del mismo decreto se deducía la posibilidad de realizar ciertos desplazamientos adicionales a los previstos en el artículo 7.1, como la asistencia a lugares de culto del artículo 11. En último extremo, debiera tenerse en cuenta el principio general de interpretación de toda medida restrictiva de los derechos fundamentales "en el sentido más favorable a la eficacia y a la esencia de tales derechos"[16].

Dos semanas después, la Orden SND/298/2020, de 29 de marzo, fijó una serie de medidas excepcionales en relación con los velatorios y ceremonias fúnebres para limitar la propagación y el contagio. Se prohibían los velatorios en todo tipo de instalaciones públicas y privadas, así como en los domicilios privados[17], de tal manera que la celebración de cultos religiosos o ceremonias civiles fúnebres se posponía a la finalización del estado de alarma[18]. La orden permitía, eso sí, una sencilla ceremonia de enterramiento o despedida para la cremación, con asistencia de un máximo de tres familiares, además de, en su caso, el ministro de culto o asimilado[19]. Se debía respetar siempre la distancia de uno a dos metros entre ellos.

Ya en el contexto del denominado Plan de transición hacia la nueva normalidad, dentro del proceso de reducción gradual de las medidas extraordinarias de limitación de la movilidad y del contacto social contempladas en el decreto 463/2020, la Orden SND/399/2020, de 9 de mayo, para la flexibilización de determinadas restricciones de ámbito nacional en aplicación de la fase 1 del referido Plan, establecía ciertas condiciones para la celebración de velatorios en todo tipo de instalaciones, públicas o privadas: quince personas en espacios al aire libre o diez personas en espacios cerrados, como límite máximo[20]. La participación en la comitiva para el enterramiento o despedida para cremación de la persona fallecida se restringía a un máximo de quince

---

actos de culto". Así, Simón Yarza, F., "Reflexiones sobre la libertad religiosa ante las restricciones impuestas como consecuencia del Covid-19", en Biglino Campos, P. y Durán Alba, F., *Los efectos horizontales de la COVID sobre el sistema constitucional*, Colección obras colectivas, Fundación Manuel Giménez Abad, Zaragoza 2020, p. 4.

[16] SSTC 159/1986 y, más recientemente, 172/2020 y 148/2021.
[17] Tercero.
[18] Quinto.
[19] Quinto.
[20] Art. 8.1.

personas, entre familiares y allegados, además de, en su caso, el ministro de culto o asimilado de la confesión[21]. Debían respetarse las medidas de seguridad e higiene establecidas por las autoridades sanitarias, relativas al mantenimiento de una distancia mínima de seguridad de dos metros, higiene de manos y etiqueta respiratoria[22].

Asimismo, se permitía la asistencia a lugares de culto siempre que no se superase un tercio de su aforo y que se cumpliesen las medidas generales de seguridad e higiene establecidas por las autoridades sanitarias[23]. La duración de los encuentros o celebraciones se contraía "al menor tiempo posible"[24]. Determinado el tercio del aforo disponible, había de mantenerse la distancia de seguridad de, al menos, un metro entre las personas[25]. El aforo máximo debía publicarse en lugar visible del espacio destinado al culto. En ningún caso podía utilizarse el exterior de los edificios ni la vía pública para la celebración de actos de culto[26].

A la semana siguiente, la Orden SND/414/2020, de 16 de mayo, para la flexibilización de determinadas restricciones de ámbito nacional en aplicación de la fase 2, relajaba las condiciones para la celebración de velatorios en todo tipo de instalaciones, públicas o privadas: veinticinco personas en espacios al aire libre o quince personas en espacios cerrados[27]. La participación en la comitiva para el enterramiento o despedida para cremación de la persona fallecida se restringía ahora a un máximo de veinticinco personas, entre familiares y allegados, además de, en su caso, el ministro de culto o asimilado de la confesión[28].

Se permitía la asistencia a lugares de culto siempre que no se superase el cincuenta por ciento de su aforo[29]. Como novedad, las ceremonias nupciales podían realizarse en todo tipo de instalaciones, públi-

---

[21] Art. 8.2.
[22] Art. 8.3.
[23] Art. 9.1.
[24] Art. 9.3 h).
[25] Art. 9.2.
[26] Art. 9.2.
[27] Art. 8.1.
[28] Art. 8.2.
[29] Art. 9.1.

cas o privadas, ya fuese en espacios al aire libre o espacios cerrados, siempre que no se superase el cincuenta por ciento de su aforo, y en todo caso un máximo de cien personas en espacios al aire libre o de cincuenta personas en espacios cerrados[30].

Finalmente, la Orden SND/458/2020, de 30 de mayo, para la flexibilización de determinadas restricciones de ámbito nacional establecidas tras la declaración del estado de alarma en aplicación de la fase 3, ampliaba de nuevo el límite máximo de posibles asistentes a velatorios: cincuenta personas en espacios al aire libre o de veinticinco personas en espacios cerrados[31]. La participación en la comitiva para el enterramiento o despedida para cremación de la persona fallecida se restringía a un máximo de cincuenta personas, entre familiares y allegados, además de, en su caso, el ministro de culto o asimilado de la confesión[32].

Se autorizaba la asistencia a lugares de culto siempre que no se superase el setenta y cinco por ciento de su aforo[33]. Las ceremonias nupciales podían realizarse en todo tipo de instalaciones, públicas o privadas, ya fuese en espacios al aire libre o espacios cerrados, siempre que no se superase el setenta y cinco por ciento de su aforo, y en todo caso un máximo de ciento cincuenta personas en espacios al aire libre o de setenta y cinco personas en espacios cerrados[34].

3.   EL DEBATE EN TORNO A LA PROPORCIONALIDAD "POR COMPARACIÓN"

Obviamente podría discutirse, y mucho, en torno a la proporcionalidad de algunas de las restricciones descritas, pero, en general, teniendo en cuenta la gravedad de la situación epidemiológica y asistencial, así como el razonable margen de apreciación que hay que conceder

---

[30]   Art. 10.1.
[31]   Art. 8.1.
[32]   Art. 8.2.
[33]   Art. 9.1.
[34]   Art. 10.1.

a las autoridades para aquilatar el nivel de esa gravedad[35], no resulta fácil cuestionar su idoneidad y necesidad y, en último término, evaluar si existían alternativas de intervención menos gravosas[36]. La epidemia, además, ha ido evolucionando de manera muy rápida y, con ello, el conocimiento sobre el nuevo virus: sus características y evolución, cómo se produce la infección y la respuesta inmunitaria, cómo afecta a diferentes grupos de riesgo y los distintos métodos diagnósticos. Las medidas restrictivas se decretaron en función del conocimiento científico del que se disponía cuando estalló una crisis sanitaria de una magnitud sin precedentes.

El examen en sí de la proporcionalidad se complica, no obstante, si las restricciones impuestas a las actividades religiosas no se evalúan aisladamente sino en comparación con otras restricciones impuestas a actividades laicas o seculares, de similar naturaleza. ¿Las diferencias de criterio en cuanto a aforos o número máximo de asistentes resultan admisibles o incurren en agravios comparativos? ¿Esas diferencias de criterio están motivadas, son razonables y proporcionadas *stricto sensu*?

El Consejo de Estado francés ha observado que la prohibición de toda reunión en lugares de culto (salvo para ceremonias funerarias, con un máximo de veinte personas), decretada con ocasión de la declaración del estado de emergencia sanitaria, puede ser conforme a la Constitución, pero no en cualquier circunstancia[37]. La prohibición de actividades de culto pueda ser, sin duda, una medida útil para evitar el contagio. Ahora bien, en la fase de desconfinamiento gradual, tal medida, sin dejar de ser adecuada, dejó de ser proporcionada. El Consejo de Estado, más que valorar la evolución de la situación epidemiológica, fundamentó su decisión en un juicio de proporcionalidad "por comparación". Si para otras actividades colectivas, como el transpor-

---

[35]   Bonet Pérez, J., "El estado de alarma en España y la cláusula derogatoria del Convenio Europeo para la Protección de los Derechos Humanos y las Libertades Fundamentales", *Revista de Derecho Comunitario Europeo*, 67, pp. 873-919.

[36]   Simón Yarza, F., "Reflexiones sobre la libertad religiosa ante las restricciones impuestas como consecuencia del Covid-19", en Biglino Campos, P. y Durán Alba, F., *Los efectos horizontales de la COVID sobre el sistema constitucional*, Colección obras colectivas, Fundación Manuel Giménez Abad, Zaragoza 2020, pp. 6-9.

[37]   Fortier, V., "La liberté de religion, en France, aux temps du coronavirus", *Revista General de Derecho Canónico y Derecho Eclesiástico del Estado*, 54, 2020.

te urbano o la compra en establecimientos comerciales, el Decreto del Primer Ministro 2020/548 había flexibilizado las iniciales prohibiciones, ¿por qué no para las actividades de culto? De esta manera, poniendo en relación unas y otras actividades sociales o colectivas, el Consejo de Estado llegó a la conclusión de que la prohibición total de congregación de fieles en lugares de culto era desproporcionada. Pero no porque el severo sacrificio fuese desequilibrado en relación con el beneficio que la prohibición aportaba a la salud pública, sino a la vista de que otras actividades colectivas sí estaban permitidas, aun con limitaciones. Si otras prohibiciones se relajaron, fue lógicamente porque la situación epidemiológica, y por tanto el riesgo para la salud pública, así lo permitía[38].

Para el Tribunal Constitucional Federal alemán, en una primera aproximación, debe prevalecer la valoración comprehensiva de las circunstancias concurrentes - previa consulta a las autoridades sanitarias competentes- y, por ende, una posición de autorrestricción de los tribunales[39]. La proporcionalidad de las restricciones es presumible, siempre salvo que hayan incurrido las autoridades en una equivocación clara y contraria a la posibilidad de una dispensa excepcional de actos de culto para casos particulares en los que pueda excluirse un previsible incremento del riesgo de contagio. Tampoco se puede descartar completamente que algunas peculiaridades de las actividades de culto, en particular su duración, simultaneidad en la oración, cánticos comunitarios y —en casos como el Ramadán— posibilidad de congregaciones numerosas, comporten un aumento sensible de tales riesgos. Por tal razón, las celebraciones en espacios religiosos -mezquitas, iglesias y sinagogas- estarían más próximas a los conciertos, eventos deportivos y, en general, actividades de ocio y tiempo libre -prohibidas o severamente restringidas— que a las concentraciones en espacios comerciales. No cabría apreciar, pues, tratamiento desfavorable debido a las creencias religiosas o discriminación por religión[40].

---

[38]   Decisión del Consejo de Estado de Francia de 18 de mayo de 2020.
[39]   Mückl, S., "Libertad religiosa y COVID-19: la situación en Alemania", *Revista General de Derecho Canónico y Derecho Eclesiástico del Estado*, 54, 2020.
[40]   Sentencias del Tribunal Constitucional de Alemania de 10 de abril y 29 de abril de 2020.

El Tribunal Supremo de los Estados Unidos consideró, en un principio, que la proporcionalidad de las restricciones era un asunto controvertido e intensamente dependiente de unos hechos que son cambiantes (*fact-intensive matter*). En un contexto repleto de incertidumbres científicas, compete a las autoridades velar por la preservación de la salud pública, para lo que disponen de un amplio margen de maniobra. Por consiguiente, las estimaciones de las autoridades no debieran estar sometidas a un escrutinio jurisdiccional demasiado estricto, por parte, además, de quien carece de pericia para valorar los escenarios de riesgo[41]. Con todo, la Corte Suprema admite que las restricciones de las actividades de culto son comparables a las de otras actividades seculares, como las educativas, conciertos, proyecciones cinematográficas o espectáculos deportivos. Y si bien otras actividades sociales están menos limitadas (como la presencia en tiendas de alimentación, bancos o lavanderías) esto se debe a que, en estos locales, el público se concentra en grupos menores y por menos tiempo. Los actos del culto público son equiparados a las reuniones sociales numerosas. California, en suma, había establecido restricciones en general, sin discriminación, respecto a aquellas actividades en las que grandes grupos de personas se reúnen en estrecha proximidad durante largos periodos de tiempo.

Posteriormente, sin embargo, la Corte Suprema ha privilegiado en su jurisprudencia la exigencia de neutralizar cualquier trato administrativo diferente y desfavorable para el ejercicio de la libertad religiosa, a partir de una valoración diferente de las actividades sociales equiparables a las de culto[42]. El test del escrutinio estricto se escora hacia lo religioso: se sigue exigiendo evaluar el sacrificio de la libertad religiosa a la vista de otras actividades colectivas que sí están permitidas, pero ahora se es más generoso en la apreciación del término de comparación adecuado para formular el juicio de igualdad –no sólo

---

[41]   Sentencia del Tribunal Supremo de los Estados Unidos de 29 de mayo, en el caso *South Bay United Pentecostal Church et al. v. Gavin Newsom, Governor of California*, y de 24 de julio de 2020, en el caso *Calvary Chapel Dyaton Valley v. Steve Sisolak, Governor of Nevada, et al.*.

[42]   No cabe duda de que la entrada de la magistrada Amy Coney Barrett, en sustitución de la magistrada Ruth Bader Ginsburg, fue uno de los factores que determinó el viraje jurisprudencial dc la Corte Suprema.

las actividades en las que grandes grupos de personas se reúnen en estrecha proximidad-. Se insiste en que la religión no puede erigirse en factor determinante de consecuencias jurídicas negativas.

Y así, el Tribunal Supremo estimó el recurso interpuesto por dos congregaciones judías y la diócesis católica de Brooklyn frente a las limitaciones de aforo impuestas por el gobernador de Nueva York, Andrew M. Cuomo, para frenar la pandemia. Nueva York decidió el cierre de negocios no esenciales en algunos distritos que presentaban altas tasas de contagio, incluidos algunos de Brooklyn, el epicentro de la comunidad judía ultraortodoxa en la ciudad. A la vez, limitó la asistencia a las actividades de culto a diez personas en algunas áreas (las calificadas como zonas rojas) y a veinticinco en otras (las naranjas). Las congregaciones afectadas arguyeron que las restricciones violaban la primera enmienda (más exactamente la cláusula de la práctica libre o *free exercise clause*), pues no era de recibo que sus oratorios vieran su actividad más constreñida que negocios esenciales como las tiendas de alimentación[43]. Si antes se había estimado que una celebración religiosa es equiparable a un concierto o espectáculo deportivo, ahora se considera que es equiparable a la compra en un centro comercial o supermercado.

En otro caso similar, la Corte Suprema llegó a la conclusión de que California no podía imponer restricciones al ejercicio de la libertad religiosa en los hogares (reuniones de oración o estudio bíblico). Un elemento de la regulación de salud pública que, sin duda, podría resistir un escrutinio estricto es la distinción entre reuniones en interiores y exteriores, ya que el nuevo coronavirus parece transmitirse más fácilmente en interiores. Y lo mismo ocurre con otros elementos como el tiempo, lugar, movimiento y, en general, la modalidad de interacción social. Pero la verificación del escrutinio estricto exige el juicio comparativo entre las medidas restrictivas aplicables a las actividades de culto y a otras no religiosas pero similares o equiparables. Escrutinio estricto que no superan las restricciones impuestas a las reuniones de oración o estudio bíblico en casa. No es admisible dar un trato prefe-

---

[43]   Sentencia del Tribunal Supremo de los Estados Unidos de 26 de noviembre de 2020, en el caso *Roman Catholic Diocese of Brooklyn, New York v. Andrew M. Cuomo, Governor of New York*.

rente a las reuniones laicas en detrimento de las religiosas. Dispensar a actividades seculares equiparables un trato más favorable que a la práctica religiosa en casa es contrario a la cláusula del libre ejercicio de la primera enmienda a la Constitución[44].

4.   PROTOCOLOS DE AISLAMIENTO Y ASISTENCIA RELIGIOSA

Desde una perspectiva algo más crítica, se ha denunciado con razón la aplicación excesivamente rígida, sin excepciones, de los protocolos de aislamiento o confinamiento de enfermos de COVID en sus habitaciones o en las UCIS, impidiéndose la asistencia religiosa de la propia confesión, especialmente en el tramo final de la vida. Muchos enfermos murieron solos, sin ningún familiar o allegado a su lado, y sin que recibieran asistencia espiritual.

Es obligada la previsión de procedimientos y medidas preventivas y de control, tanto en hospitales como en residencias de ancianos, para que la asistencia religiosa pueda prestarse de manera real y efectiva, tutelando obviamente la salud del personal sanitario y trabajadores de las residencias, así como del resto de enfermos y ancianos (obligando, acaso, a estas personas a guardar una posterior cuarenta), en vez de aplicar de manera inflexible los protocolos de aislamiento o confinamiento. Una asistencia religiosa, en suma, adaptada a las diversas situaciones y circunstancias[45], apostando por una interpretación de esos protocolos con criterios restrictivos y en el sentido más favorable a la eficacia y a la esencia de esa faceta del derecho fundamental.

---

[44]   Sentencia del Tribunal Supremo de los Estados Unidos de 9 de abril de 2021, en el caso *Ritesh Tandon, et al. v. Gavin Newsom, Governor of California, et al.*.

[45]   Contreras Mazarío, J. M., "Implicaciones del Covid-19 en la asistencia religiosa en centros públicos", en García Mayo, M. (coord..) y Cerdeira Bravo de Mansilla, G. (dir.), *Coronavirus y Derecho en estado de alarma*, Reus, Madrid 2020, pp. 305-326.

5.   HOMENAJE CIVIL DE ESTADO A LAS VÍCTIMAS

En lo que concierne a la vertiente objetiva o institucional de la libertad religiosa, debe valorarse positivamente, en tanto solución respetuosa con la aconfesionalidad o laicidad estatal, el homenaje civil de Estado a las víctimas del COVID-19 y sus familias que tuvo lugar el 16 de julio de 2020. Un homenaje con un valor sustantivo y simbólico apreciable, al que acudieron representantes de las instituciones y de la sociedad civil y al que, asimismo, fueron invitados representantes de las distintas confesiones religiosas. El funeral fue la demostración práctica de un coherente saber estar de las autoridades públicas; un duelo público adecuado que inaugura una liturgia constitucionalmente reconocida en la naturaleza aconfesional del Estado.

La laicidad indica, ante todo, lo contrario de confesionalidad, de ahí que no tolere que los valores o intereses religiosos se erijan en parámetros para medir la legitimidad de las leyes ni tampoco la confusión entre funciones estatales y religiosas. El Estado laico es aquél que no coacciona ni suple al acto de fe. Y que el Estado no pueda creer representa algo más que la descripción de una imposibilidad física; constituye más bien una exigencia de la adecuada protección de la libertad religiosa. La libertad sólo puede ser real en una situación de igualdad y, sin duda, el fenómeno del Estado creyente distorsiona de tal modo la atribución de los derechos individuales que propiamente éstos tienden a quedar asfixiados bajo el peso del poder. La esencia de la libertad de religión radica, por el contrario, en la elevación del individuo a autoridad suprema en la esfera religiosa. La cuestión religiosa no es tarea de la competencia estatal y los poderes públicos deben ser neutrales[46].

La organización y participación activa del poder público en celebraciones religiosas implica una confusión de funciones contraria a la neutralidad proclamada en el artículo 16.3 CE, ya que implica la asunción del factor religioso en cuanto tal como algo propio por parte de un poder laico. Supone la implicación del Estado en algo que le es ajeno por completo a su propia naturaleza. Desconociendo la cualidad íntima del acto de culto, como acto personal, el poder público

---

[46]   Barrero Ortega, A., "El Estado y las Iglesias en España (1978-2004)", *Claves de razón práctica*, 151, 2005, pp. 64-71.

concurre, sustituye y coacciona al organizar ese acto. Alcanzado el convencimiento de que la celebración por los poderes públicos de una festividad religiosa tiene clara implicación religiosa, debiera reputarse inconstitucional por atentar contra la aconfesionalidad del Estado y hasta contra la libertad declarativa de los individuos (art. 16.2 CE)[47].

6. A GUISA DE CONCLUSIÓN

A modo de conclusión, puede afirmarse que la vigencia de la libertad religiosa (art. 16.1 CE) bajo el primer estado de alarma, entre el 14 de marzo y el 21 de junio de 2020, se ajustó a lo previsto en el artículo 55.1 CE. La libertad de culto se limitó para el mantenimiento de la salud pública, pero no se suspendió (STC 148/2021).

En efecto, tanto el Real Decreto 463/2020, de 14 de marzo, como las sucesivas órdenes que lo desarrollaron establecieron -tomando en cuenta la gravedad de la situación epidemiológica y asistencial, el razonable margen de apreciación que hay que conceder a las autoridades para aquilatar el nivel de esa gravedad y la naturaleza misma de las actividades religiosas- restricciones proporcionadas al ejercicio del culto público y a la celebración de ritos.

En todo caso, conviene no perder de vista que, al inicio de la pandemia, decretado el confinamiento domiciliario, la solución adoptada por la mayoría de las confesiones fue que las actividades religiosas de concurrencia pública se realizasen de modo no presencial, de suerte tal que el creyente las pudiera seguir bien por televisión bien por cualquier otro medio *on line*, mientras que en las fases de "desescalada" se optó por la presencialidad, aun siempre con limitaciones de aforo.

Acaso hubiera sido deseable incorporar alguna referencia o regla de ponderación concreta relativa a la asistencia religiosa en hospitales y residencias de ancianos. Cierto es que algunas interpretaciones restrictivas de alguna otra faceta del derecho, en el marco de la situación excepcional creada por el estado de alarma, resultan cuestionables,

---

[47]   Barrero Ortega, A., "La celebración institucional de festividades religiosas: análisis exclusivamente constitucional", *Revista de Derecho político*, 66, 2006, pp. 235-274.

pero no lo es menos que, en general, no pasaron de lo meramente anecdótico.

Por lo demás, el homenaje civil de Estado a las víctimas y sus familias, que tuvo lugar el 16 de julio de 2020, ha de valorarse favorablemente desde la perspectiva del principio de aconfesionalidad estatal; un duelo público oportuno que inaugura una liturgia constitucionalmente adecuada a la naturaleza del Estado laico (art. 16.3 CE).

7.   BIBLIOGRAFÍA

Aba Catoira, A., "El estado de alarma en España", *Teoría y realidad Constitucional*, 28, 2011.

Álvarez García, V., 2020, *El año de la pandemia de la COVID-19*, Iustel, Madrid 2021.

Barrero Ortega, A., "Sobre la libertad religiosa en la historia constitucional española", *Revista Española de Derecho Constitucional*, 61, 2001.

Barrero Ortega, A., "El Estado y las Iglesias en España (1978-2004)", *Claves de razón práctica*, 151, 2005.

Barrero Ortega, A., "La celebración institucional de festividades religiosas: análisis exclusivamente constitucional", *Revista de Derecho político*, 66, 2006.

Barrero Ortega, A., "Estado de alarma y restricción de derechos fundamentales", en García Mayo, M. (coord..) y Cerdeira Bravo de Mansilla, G. (dir.), *Coronavirus y Derecho en estado de alarma*, Reus, Madrid 2020.

Bonet Pérez, J., "El estado de alarma en España y la cláusula derogatoria del Convenio Europeo para la Protección de los Derechos Humanos y las Libertades Fundamentales", *Revista de Derecho Comunitario Europeo*, 67.

Contreras Mazarío, J. M., "Implicaciones del Covid-19 en la asistencia religiosa en centros públicos", en García Mayo, M. (coord..) y Cerdeira Bravo de Mansilla, G. (dir.), *Coronavirus y Derecho en estado de alarma*, Reus, Madrid 2020.

Cruz Villalón, P., "La protección extraordinaria del Estado", en García de Enterría-Martínez Carande, E. y Pedrieri, A. (coords.), *La Constitución española de 1978*, Civitas, Madrid 1981.

Fortier, V., "La liberté de religion, en France, aux temps du coronavirus", *Revista General de Derecho Canónico y Derecho Eclesiástico del Estado*, 54, 2020.

Mückl, S., "Libertad religiosa y COVID-19: la situación en Alemania", *Revista General de Derecho Canónico y Derecho Eclesiástico del Estado*, 54, 2020.

Simón Yarza, F., "Reflexiones sobre la libertad religiosa ante las restricciones impuestas como consecuencia del Covid-19", en Biglino Campos, P. y Durán Alba, F., *Los efectos horizontales de la COVID sobre el sistema constitucional*, Colección obras colectivas, Fundación Manuel Giménez Abad, Zaragoza 2020.

Elecciones en pandemia: la afectación del derecho fundamental al sufragio en el estado de alarma

ESPERANZA GÓMEZ CORONA
Profesora Titular de Derecho Constitucional
Universidad de Sevilla

1.   CUESTIONES PREVIAS

De entre todas las cosas que la pandemia del coronavirus ha puesto en tensión –nuestro sistema sanitario, el modelo de cuidado a los mayores, la ausencia de medidas de conciliación, la brecha digital, nuestra capacidad productiva de bienes básicos en una crisis sanitaria, como mascarillas y EPIS, etc-, la más grave, sin duda, guarda relación con el funcionamiento de nuestras instituciones.

Durante la vigencia de los dos estados de alarma proclamados en todo el Estado por este motivo, se han adoptado decisiones muy cuestionables desde el punto de vista de nuestro sistema democrático, empezando por la casi nula actividad de las Cortes Generales durante una primera etapa del estado de alarma proclamado en marzo de 2020, hasta el establecimiento de una única prórroga del segundo, de seis meses de duración, en una interpretación más que cuestionable del Derecho vigente, aprovechando el vacío de la ley que no establece la duración de las sucesivas prórrogas.

La situación se complicaría aún más con el segundo estado de alarma, dado el margen que el Decreto dejaba a las Comunidades Autónomas para establecer medidas limitativas de derechos como el establecimiento de toques de queda -si bien dentro de un margen determinado- y el cierre de municipios enteros. Esta situación desplazó el centro de gravedad de la política a la justicia, otorgando un protagonismo inusitado al poder judicial que ha ido resolviendo, plaza a plaza, sobre medidas que deberían contar con la adecuada cobertura del estado de alarma por su clara afectación a derechos fundamentales.

Más allá de los problemas planteados acerca de los derechos a la circulación, reunión y otros que son abordados en este trabajo, en las páginas que siguen vamos a centrarnos en la afectación al derecho de sufragio.

2. LA SUSPENSIÓN DE ELECCIONES DURANTE EL ESTADO DE ALARMA

La declaración del estado de alarma en marzo de 2020 pilló disueltos los Parlamentos gallego y vasco, que tenían previstas sus elecciones para el 5 de abril. La disyuntiva que se planteaba era si, en una situación de crisis sanitaria como la que estaba viviendo el país, podían celebrarse unas elecciones con las mínimas garantías de seguridad para la ciudadanía. Ante esta disyuntiva, vida o elecciones, en un momento en el que casi no había información sobre el virus, se optó por la suspensión de la convocatoria electoral sin avanzar cuando se celebrarían. Fue una suspensión *sine die*. Y se suspendió todo el proceso electoral, reanudándose en cuanto fue posible desde el inicio, dando lugar a un nuevo proceso.

La decisión en sí misma no carece de lógica desde un punto de vista sanitario. No era la única solución porque en algunos países que tenían convocadas elecciones, se celebraron[1]. Sin embargo, la nece-

---

[1]   En Europa se mantuvo la primera vuelta de las elecciones locales en Francia, que se celebraron el 15 de marzo; las del Land de Baviera en Alemania, los días 15 y 19 de marzo y las cantonales de Turgovia y Schwytz en Suiza, el día 22 de marzo. La información completa sobre las elecciones que se celebraron y las que se retrasaron puede consultarse para el ámbito del Consejo de Europa en la pla-

sidad de tomar una decisión en unas circunstancias tan graves, que incluso habían llevado al confinamiento domiciliario y, sobre todo, el desconocimiento general sobre el virus, constituyen causas de peso para la suspensión. Vaya por delante esa apreciación.

Pero, eso no significa que podamos obviar algo tan importante como la necesidad de un fundamento legal para adoptar una medida de este calibre. Un estudio de la legalidad vigente permitía concluir, sin necesidad de mucho análisis, que la suspensión de elecciones no está prevista en nuestro sistema. No lo está en la LOREG, en la Ley Orgánica de Régimen Electoral General y no lo está en las leyes autonómicas de las Comunidades Autónomas afectadas. Vayamos por partes.

La LOREG, que en su Disposición Adicional Segunda enumera una larga lista de artículos que se aplican también a las Asambleas Legislativas de las Comunidades Autónomas, no contiene ninguna previsión relativa a la suspensión de elecciones. Por su parte, tampoco las Comunidades Autónomas que contienen regulación específica incluyen esta posibilidad[2]. Y desde luego, no lo tienen ni Galicia ni País Vasco.

Ante este vacío legal, se optó por una solución por la vía de los hechos que marca un peligroso precedente. Se aprobaron sendos Decretos autonómicos para la suspensión de las elecciones. Esto es, los gobiernos que ya estaban en funciones porque sus respectivos Parlamentos estaban disueltos, optaban por aplazar ellos mismos las elecciones. Y lo hacían sin fecha, a través de un Decreto y sin cobertura legal.

La solución legal sólo podría haber venido de la mano de una reforma exprés de la LOREG, dado que los Parlamentos de las Comunidades afectadas estaban disueltos. Como nos recordaba Presno Linera entonces, "entre agosto y septiembre de 2011 nuestras Cámaras fueron capaces de aprobar la reforma del artículo 135 de la Consti-

---

taforma Elecdata, en https://www.coe.int/fr/web/electoral-assistance/elecdata-covid-impact

2   Presno Linera ha hablado, con acierto, de la pereza del legislador autonómico "que en general se ha limitado a trasladar a las leyes propias lo que ya contemplaba la LOREG, sin aprovechar su margen de decisión para introducir innovaciones de calado". Presno Linera, M., "Coronavirus SARS-CoV-2 y derechos fundamentales (5): el derecho de voto (suspensión de elecciones vascas y gallegas)", Blog *El Derecho y el revés*, 20 de abril de 2020.

tución en un tiempo mínimo (13 días) y era un asunto, en apariencia, mucho más complejo y con menos acuerdo parlamentario que el que nos ocupa"[3].

No se trata de banalizar la amenaza que supone el coronavirus. Ahí están las cifras de personas fallecidas. Ni relativizar la situación de desconocimiento y confusión de marzo de 2020, un momento en el que sabíamos mucho menos de lo que sabemos ahora. Pero claro, la situación sirve para justificar algunas cosas. No otras.

2.1. La suspensión en el País Vasco. El Decreto 7/2020, de 17 de marzo

El **País Vasco** aprobó el "Decreto 7/2020, de 17 de marzo, del Le-hendakari, por el que dejaba sin efecto la celebración de las elecciones al Parlamento Vasco del 5 de abril de 2020, debido a la crisis sanita-ria derivada del Covid-19, y se determina la expedición de la nueva convocatoria". Una lectura atenta a la Exposición Motivos permite entender los motivos de esa decisión:

"Tanto la situación de emergencia sanitaria descrita, como las me-didas preventivas de contención adoptadas, especialmente aquellas que suponen la suspensión de actividades públicas o privadas que agrupen o concentren a personas o las medidas de aislamiento social, suponen un grave trastorno al normal desarrollo de las elecciones al Parlamento Vasco… Las medidas de suspensión de actividades públi-cas y de aislamiento social para contener la propagación del virus su-ponen un impedimento a la realización de las normales actividades de propaganda y captación de sufragios propia de la campaña electoral. Una votación en la que no cupiera efectuar una campaña electoral en condiciones dificulta el debate público entre las personas candidatas y las posibilidades de que el electorado pueda conocer los progra-mas de las diferentes candidaturas para orientar su elección de voto. Aunque la temporalidad inicial de las medidas hasta ahora adoptadas no alcanza al día de la votación, su incidencia directa en la campaña electoral afectaría a la propia elección y, además, existe la probabili-dad cierta, conforme a las previsiones de los expertos epidemiólogos,

---

de que la situación de emergencia sanitaria dure varias semanas hasta llegar a su fase descendente, incluyendo, por supuesto, la fecha de votación inicialmente prevista..."

La Exposición de Motivos deja ver la preocupación por la campaña electoral, cuyo desarrollo difícilmente podía llevarse a cabo en un momento de confinamiento domiciliario y reconoce que "la Administración electoral había previsto ya un conjunto de medidas preventivas para el desarrollo de la jornada electoral, si bien el propio Decreto admite que se han convertido en insuficientes «para garantizar la protección de la salud pública y el normal desenvolvimiento de las elecciones sin que se afecte al derecho de participación de la ciudadanía y al libre ejercicio del derecho de sufragio». Y más adelante se especifica: «No existen mecanismos alternativos que permitan garantizar en las próximas semanas al conjunto de la ciudadanía, y en especial a las personas que pudieran estar en aislamiento o contagiadas, el derecho de participación del conjunto de la ciudadanía y el libre ejercicio del derecho de sufragio con riesgo cero para la salud pública»"[4]. Por tanto, parece que la imposibilidad de garantizar el derecho de voto en igualdad de condiciones se convierte en el fundamento fáctico en este caso para aplazar las elecciones. Curioso este dato si atendemos a lo que pasó luego, cuando las elecciones se celebraron. Pero no adelantemos acontecimientos.

En lo que respecta a la fundamentación jurídica de la decisión, cuestión difícil dada la ausencia de previsiones legales que ampararan una decisión de tal calibre, el Decreto alude al artículo 46 de la Ley 5/1990, de elecciones al Parlamento Vasco y al artículo 51 de la Ley 7/1981, sobre ley de Gobierno, que "confieren al Lehendakari la capacidad para realizar la convocatoria de elecciones al Parlamento Vasco fijando la fecha de votación, previa deliberación del Consejo de Gobierno[5]. Facultades que se mantienen también tras la publicación de dicho Decreto hasta la celebración de las elecciones. Por todo lo

---

4   Cebrián Zazurca, E., "COVID-19 y anulación de los procesos electorales autonómicos en País Vasco y Galicia", *Revista General de Derecho Constitucional*, 33, 2020, p. 5.

5   Artículo 46 de la Ley 5/1990, de elecciones al Parlamento Vasco.
     1. El Decreto de convocatoria será dictado por el Lehendakari, de acuerdo con lo establecido en la vigente Ley de Gobierno.

cual, y tras haber oído a los partidos con representación parlamentaria[6], y a la Junta Electoral de la Comunidad Autónoma de Euskadi, previa deliberación del Consejo de Gobierno en reunión celebrada el día 17 de marzo de 2020…"

En suma, conforme al artículo 1 "se procede a dejar sin efecto la celebración de las elecciones al Parlamento Vasco convocadas para el próximo 5 de abril de 2020 por Decreto 2/2020, de 10 de febrero, del Lehendakari, por el que se disuelve el Parlamento Vasco y se convocan elecciones" y, según el artículo 2, "la convocatoria de elecciones al Parlamento vasco se activará una vez levantada la declaración de emergencia sanitaria. Se realizará de forma inmediata, oídos los partidos políticos, y por Decreto del Lehendakari".

---

2. Salvo en los supuestos de disolución anticipada del Parlamento Vasco expresamente previstos en la vigente Ley de Gobierno, el Decreto de convocatoria de elecciones se expedirá el día vigésimo quinto anterior a la expiración del mandato del Parlamento Vasco, entendiéndose ésta a los cuatro años de la fecha de la última votación electoral equivalente, y se publicará al día siguiente en el «Boletín Oficial del País Vasco».
3. En el decreto se fijará el día de la votación, que habrá de celebrarse el quincuagésimo cuarto día posterior a la publicación de la convocatoria en el "Boletín Oficial del País Vasco".
4. El decreto de convocatoria para las elecciones entrará en vigor el mismo día de su publicación.
Artículo 51 de la Ley 7/81, sobre Ley de Gobierno, del País Vasco:
Artículo 51. El Decreto de disolución deberá hacer constar la fecha de convocatoria y celebración de las nuevas elecciones de acuerdo con la legislación electoral vigente.

[6]   El 16 de marzo se reunió el Lehendakari Urkullu con representantes de Equo Berdeak, Partido Popular, Partido Socialista de Euskadi, Elkarrekin Podemos, Euskal Herria Bildu y Partido Nacionalista Vasco, acordando los siguientes tres puntos: "1. En la actual situación de Emergencia Sanitaria y Estado de Alarma no pueden celebrarse las Elecciones al Parlamento Vasco con las debidas garantías, tanto para la salud pública como para el ejercicio del derecho de sufragio. 2. En consecuencia, procede dejar sin efecto, mediante Decreto del Lehendakari, la convocatoria de Elecciones al Parlamento Vasco del próximo 5 de abril. Esta decisión se adoptará y publicará en el Boletín Oficial del País Vasco antes del inicio de la campaña electoral este jueves a las 24:00 horas. 3. La convocatoria de elecciones al Parlamento Vasco se activará una vez levantada la Declaración de Emergencia Sanitaria. Se realizará de forma inmediata, oídos los partidos políticos, y por Decreto del Lehendakari".

No hace falta insistir en que la facultad de disolver el Parlamento y convocar elecciones, propia del sistema parlamentario, no entraña la facultad de aplazar después esas elecciones. Y más aún, hacerlo sin fecha. La disolución lleva siempre aparejada la fijación de la fecha de las elecciones, que debe producirse además en un plazo determinado. Asumir lo contrario implicaría que el gobierno puede disolver el Parlamento y continuar en funciones durante un tiempo indefinido, según su propia voluntad. Así ocurre en el ordenamiento vasco que establece en su artículo 51 de la Ley del Gobierno que el Decreto de disolución debe contener la fecha de celebración de las elecciones. Si no lo hiciera sería nulo porque se estaría atribuyendo al Gobierno la facultad de disolver al Parlamento sin que ello afectara a su propia continuidad, contraviniendo los postulados básicos del sistema parlamentario de gobierno.

El propio Gobierno vasco es consciente de la importancia de un fundamento legal y encarga un Informe a sus Servicios Jurídicos para preguntar, entre otras cuestiones, si la Diputación Permanente del Parlamento ya disuelto contaba con la atribución de reformar la legislación electoral[7]. Ante la respuesta lógicamente negativa, se procede a la suspensión mediante el Decreto que estamos analizando, no sin

---

[7]   El 17 de marzo se daba a conocer un "Informe jurídico a los partidos políticos sobre gestión de la convocatoria electoral 2020 al Parlamento Vasco y el contexto actual de crisis de salud pública", que venía firmado por el Servicio Jurídico Central del Gobierno Vasco (en concreto, por el Viceconsejero de Régimen Jurídico, D. Sabino Torre Díez) y por la Dirección de Régimen Jurídico, Servicios y Procesos Electorales. También se había recabado la opinión de los Servicios Jurídicos del Parlamento Vasco, siendo unánimes y compartidas tanto la argumentación como las conclusiones, si bien se prefería no incluir esta otra firma, en aras de preservar la independencia del Parlamento. Se trataba de una respuesta a una petición trasladada por el Consejero de Gobernanza Pública y Autogobierno, que a su vez había sido transmitida al Lehendakari por parte de los partidos políticos en relación a tres cuestiones: "a) Si la Diputación Permanente del Parlamento Vasco tiene capacidad para legislar y, más concretamente, para acometer una reforma de la Ley de Elecciones al Parlamento vasco. b) Si dejar sin efecto la convocatoria electoral supone suspender el proceso ya iniciado, con posibilidad de reiniciarlo con posterioridad, o significa anular la convocatoria obligando a iniciar una nueva, y c) Si aplazar las elecciones, supone retomar el proceso ya iniciado en el mismo punto en el que se encontraba en el momento del aplazamiento". Sobre este particular, Cebrián Zazurca, E., "COVID-19 y anulación de los procesos electorales autonómicos en País Vasco y Galicia", ob. cit., p. 8.

antes consultar con la Junta Electoral de la Comunidad Autónoma, que avaló la situación[8].

Con independencia del consenso alcanzado entre las fuerzas políticas con representación parlamentaria, los Servicios Jurídicos del Gobierno Vasco y la Junta Electoral de la Comunidad Autónoma, resulta preocupante como se fuerza la letra de la norma para hacerla decir algo que realmente no dice. Y utilizarlo nada más y nada menos que para aplazar unas elecciones ya convocadas.

Conviene insistir, una vez más, en que una cuestión de tanta relevancia como la celebración de elecciones debe contener la necesaria previsión legal en las normas correspondientes (Estatuto de Autonomía y leyes de desarrollo). O, como ya hemos señalado, en la LOREG. Pero, si nos encontramos en una situación inédita, no prevista por el legislador y que entraña nada más y nada menos que aplazar, *sine die*, la manifestación de voluntad de la ciudadanía, mejor argumentarlo en base a lo inédito y excepcional de la situación. Porque recurrir a una interpretación, más que forzada, torcida, de la letra de la norma que regula esta cuestión entraña muchos riesgos.

2.2. La suspensión de las elecciones en Galicia. El Decreto del Presidente de la Xunta 45/2020, de 18 de marzo

Galicia también tenía previstas sus elecciones autonómicas para el día 2 de abril, convocadas por el Decreto 12/2020, de 10 de febrero, que disolvía el Parlamento gallego y, como ocurriera en el caso vasco, ninguna previsión relativa a la suspensión en su legislación. La Ley 8/1985, de 13 de agosto, de elecciones al Parlamento de Galicia, no menciona siquiera esta cuestión, como ya se ha dicho.

Ante este silencio legal se recurre a la aprobación del "Decreto del Presidente de la Xunta, el 45/2020, de 18 de marzo, por el que se deja sin efecto la celebración de las elecciones al Parlamento de Galicia de 5 de abril de 2020 como consecuencia de la crisis sanitaria derivada de la COVID-19", donde también se explican los motivos que justifican

---

[8]   En reunión mantenida el 17 de marzo, tal y como relata Cebrián Zazurca, E., "COVID-19 y anulación de los procesos electorales autonómicos en País Vasco y Galicia", ob. cit., p. 9.

la decisión y se reconoce que, ante el silencio legal, hay que buscar una solución integradora entre las medidas de obligado cumplimiento que regían durante el estado de alarma y, por otro, entre las exigencias del derecho fundamental de sufragio, dada su trascendencia democrática.

También en esta ocasión existe un pronunciamiento de la Junta Electoral de la Comunidad Autónoma que sostiene, entre otras apreciaciones, que "Esta Junta Electoral garantiza, en el seno de sus competencias, el normal desarrollo del proceso electoral convocado, y entiende que, ante la ausencia de una regulación expresa que autorice cualquier aplazamiento del mismo, son los mecanismos propios del Estado de Derecho y el consenso de las candidaturas concurrentes los que han de orientar las decisiones que vengan impuestas, de ser el caso, por el devenir de la crisis sanitaria"[9]. De esta manera, la Junta Electoral parecía dar vía libre a la suspensión[10].

En el decreto se hace hincapié en que se ha oído a los grupos políticos más representativos, y que, tras la previa deliberación del Consejo de Gobierno, *en ejercicio de sus atribuciones*[11], han decidido dejar sin efecto las elecciones al Parlamento gallego, estableciendo que se activarían una vez levantado el estado de alarma y la situación de emergencia sanitaria. Se habla de que cuando eso sucediese, habría que realizarla en el plazo más breve posible, oídos los partidos políticos y por decreto.

En este caso se fuerza algo menos el sentido literal de las normas que regulan la convocatoria electoral, aun cuando se afirma que la suspensión entra dentro de las atribuciones del Consejo de Gobierno. Igual que sucedía en el caso vasco, afirmaciones de ese calibre, recogidas en normas jurídicas que obvian la realidad para interpretar el ordenamiento jurídico de ese modo, entrañan un riesgo para el Estado de Derecho.

---

9   Acuerdo de la Junta Electoral gallega de 12 de marzo.
10   La Junta Electoral volvería a pronunciarse unos días después, en relación con el proyecto de Decreto de la disolución, y da por buena, entre otras cuestiones, la suspensión acordada por el Presidente de la Xunta.
11   Se alude expresamente a la Ley 1/1983, de 22 de febrero, de normas reguladoras de la Xunta y de su Presidencia, y a la Ley 8/1985, de 13 de agosto, de elecciones al Parlamento de Galicia.

Como ya se ha destacado, creo que en aquel momento podía compartirse que la situación no permitía celebrar elecciones, pero la situación se resolvió de la peor manera posible: sin reformar el ordenamiento para dotarlo de la necesaria cobertura legal y, ante esta ausencia de fundamentación jurídica, retorciendo el sentido de las normas que regulan la disolución y convocatoria.

Los problemas, sin embargo, no acaban aquí. Las elecciones finalmente se celebraron, limitando el derecho de sufragio de muchos ciudadanos que no pudieron acudir a votar.

3.   LA CELEBRACIÓN DE LAS ELECCIONES APLAZADAS: LIMITACIÓN DEL DERECHO DE SUFRAGIO

Las elecciones vascas y gallegas se celebraron finalmente el día 12 de julio de 2020, en una situación en la que no se garantizó el derecho de voto de toda la ciudadanía. Los gobiernos gallego y catalán, a pesar de los rebrotes de la enfermedad que se habían producido en determinados puntos, decidieron no tomar ninguna medida extraordinaria para permitir el voto de las personas que se encontraban confinadas, bien por estar pasando la enfermedad o bien por tener síntomas compatibles con la misma.

Estas decisiones, o más bien la falta de ellas, supusieron en la práctica la limitación del derecho de sufragio de cientos de personas que tendrían que haber podido participar[12]. Y no lo hicieron por el hecho de estar contagiadas y en consecuencia, confinadas. O por haber tenido un contacto estrecho con una persona contagiada.

Esta situación, fruto de la falta de adopción de medidas que permitieran votar a estas personas, provocó la limitación de un derecho que, además de definir la condición de ciudadanía y hacer posible el principio de soberanía popular proclamado en la Constitución, únicamente puede ser limitado por sentencia judicial firme. No caben

---

[12]   Muñoz Sánchez, O., "El derecho de sufragio en tiempos de pandemia", en Biglino Campos, P., Durán Alba, J.F. (dirs.), *Los efectos horizontales de la Covid-19 sobre el sistema constitucional: estudios sobre la primera oleada*, Fundación Giménez Abad, 2021, p. 271.

excepciones. Como ha destacado Pérez Royo, "la democracia no se puede poner en cuarentena"[13].

El hecho reviste una gravedad que a mi juicio no se ha destacado suficientemente, y que permite cuestionar la actuación de los poderes públicos implicados, sentando además un precedente muy peligroso, otro más.

"¿Pueden considerarse válidas unas elecciones en las que el Gobierno decide privar del ejercicio del derecho de sufragio a ciudadanos por estar infectados por un virus? ¿Puede la enfermedad ser causa de privación del ejercicio de tal derecho? ¿Somos conscientes del precedente que se está estableciendo?"[14]. Son preguntas de lo más pertinente.

Una vez que hemos dado por válida la suspensión de unas elecciones ya convocadas sin fundamento legal, con el argumento de que no se podía garantizar el derecho de participación de toda la ciudadanía, que las elecciones se celebren en estas condiciones no se entiende.

Se podría argumentar que sólo fueron unos cientos de personas las afectadas, en consecuencia, unos cientos de votos. Pero, ¿depende la legitimidad de un proceso electoral de cuantas personas se han visto privadas injustificadamente de su derecho al voto? No se me ocurre otra respuesta posible que un rotundo no. No es cuestión de números.

4.   LA CELEBRACIÓN DE LAS ELECCIONES CATALANAS

La disolución del Parlamento catalán y la correspondiente convocatoria de elecciones se produce por el Decreto 147/2020, de 21 de diciembre, de disolución automática del Parlamento de Cataluña y de convocatoria de elecciones.

El caso catalán es diverso por varios motivos. Para empezar, la disolución del Parlamento se produce muchos meses después del aplazamiento de los comicios vascos y gallegos y con una circunstancia

---

[13]   Pérez Royo, J., "Derecho de sufragio en tiempos de COVID-19", en Eldiario.es, 10 de julio de 2020.
[14]   Pérez Royo, J., *Ibidem.*

adicional: se produce tras el paso de los dos meses de plazo que la legislación establece para elegir a un nuevo presidente de la Generalitat tras el cese del anterior. En consecuencia, la convocatoria se produce con un gobierno en funciones, que provenía de la legislatura anterior, que convoca y, veremos, luego suspende los comicios. Las elecciones no eran inevitables pero se producen por la imposibilidad del *Parlament* de nombrar al nuevo titular de la presidencia.

Pero, contra de todo pronóstico y tras la convocatoria de elecciones por el Decreto del 21 de diciembre, el Gobierno catalán decide el aplazamiento de las mismas por Decreto 1/2021, de 15 de enero, por el que se deja sin efecto la celebración de las elecciones al Parlamento de Cataluña del 14 de febrero de 2021 debido a la crisis sanitaria derivada de la pandemia causada por la Covid-19, fijando como nueva fecha el 30 de Mayo de 2021. A diferencia de los casos anteriores, no había acuerdo político en la necesidad de la suspensión y los partidos políticos se enzarzaron en una discusión muy poco edificante sobre este extremo. Discusión en la que parecieron primar los intereses electoralistas de los distintos partidos por encima de la necesidad de salvaguardar la legitimidad del proceso de elección.

La decisión sería finalmente anulada por una resolución del Tribunal Superior de Justicia de Cataluña, que dejaría sin efecto la suspensión de las elecciones, enmendando la plana al Govern y manteniendo la convocatoria del 14 de febrero. La resolución judicial es contundente: se produce una "vulneración del artículo 23 de la CE al limitarse el derecho fundamental de sufragio sin cumplirse los requisitos de necesidad, idoneidad y proporcionalidad exigibles, lo cual se proyecta asimismo en la falta de competencia de la autoridad para desconvocar las elecciones, quien carece de habilitación legal expresa para ello, y al no darse una situación de fuerza mayor impeditiva de la celebración de las elecciones que pudiera justificar dicha decisión"[15].

Para el Tribunal Superior de Justicia de Cataluña, no sólo no existe previsión legal que lo permita, sino que la limitación no cumple con el principio de proporcionalidad. Se reconoce en la sentencia, además, la falta de competencia para aplazar las elecciones y, sobre todo, la

---

[15]   Fundamento Jurídico Noveno, STSJ CAT 3324/2021, de 1 de Febrero.

inexistencia de una situación de causa mayor que justificara la decisión. Razones todas de entidad suficiente como para anular la decisión.

Pero más allá de la fundamentación jurídica de la resolución del TSJ de Cataluña, que compartimos, lo que nos muestra este caso es el enorme riesgo que entraña la toma de decisiones tan relevantes como la suspensión de unas elecciones sin la oportuna previsión legal.

Una vez que se dio por válida la suspensión de las elecciones vascas y gallegas, amparada en la crisis sanitaria, pero sin necesidad de reforma exprés de la LOREG y, pasado un plazo de casi un año sin que se hubiera procedido a hacerlo, no es tan extraño que algún gobierno autonómico como el catalán en este caso, intentara volver a aplazar las elecciones con intereses partidistas.

Como no estamos libres de que situaciones de este tipo se vuelvan a dar, hay que proceder a la reforma de esta cuestión, incluyendo la posibilidad de aplazar las elecciones en el sentido que ahora se explica.

5.   CONCLUSIONES. PROPUESTAS DE *LEGE FERENDA*

En las páginas precedentes hemos apostado de manera clara por la necesidad de reformar la LOREG, apuntada muy pronto por autores como Presno Linera. Sin duda, hubiera sido lo deseable, antes incluso de la suspensión de las elecciones vascas y gallegas, aprovechando el clima de relativo consenso en torno a la necesidad de suspender unas elecciones en las que no se garantizaba la salud pública.

Para la suspensión de las elecciones vascas y gallegas ya no hay remedio. Pero, una vez suspendidas y ante la gravedad que supone haberlo hecho sin previsión legal, habría que haber procedido a legislar sobre la materia, dejando así claro, que estábamos en una situación absolutamente excepcional que no volvería a darse sin la oportuna cobertura legal.

Compartimos, con Tajadura, que "la reforma de la LOREG debería abordar dos cuestiones. La primera, establecer los supuestos que justificarían un aplazamiento electoral. Habría que hacerlo con la máxima precisión para garantizar la seguridad jurídica al máximo en una cuestión esencial para el funcionamiento del sistema democrático. En todo caso, la mera declaración del estado de alarma no sería motivo suficiente; debería tratarse de una alarma provocada por causas que impiden el normal desarrollo de las elecciones, como es una epidemia. Y la segunda, determinar la autoridad competente para decretar el aplazamiento, ya sea el presidente que las convocó o la Junta Electoral Central. El ejercicio de esa facultad sería controlable en ambos casos por la jurisdicción contencioso-administrativa"[16].

Añadiría, además, la posibilidad de adoptar medidas tendentes a facilitar la votación en sí, como la ampliación del plazo para ejercer el voto de manera presencial, que podría desarrollarse durante dos o tres días, la ampliación del plazo para solicitar el voto por correo y la posibilidad de trasladar la urna al domicilio de las personas confinadas, garantizando la seguridad de las personas que intervienen en el proceso, establecimiento de las Mesas electorales en lugares abiertos cuando fuera posible, etc.

En esta línea, la reforma en la LOREG tendría que ser muy restrictiva: únicamente en casos en los que estuviera declarado uno de los estados excepcionales y, además, fuera necesario mantener el distanciamiento social. Digo esto porque tiene que quedar claro, clarísimo, que la suspensión es un supuesto absolutamente excepcional. Tanto que, a mi juicio, y con independencia del avance de la pandemia o de los rebrotes, creo que hoy no sería posible aplazar otras elecciones. Es decir, creo que hoy no hay motivos para ello. No sólo por la menor incidencia del virus, sino por lo que ya conocemos del mismo y las formas de contagio.

Es decir, la reforma no sólo tendría que incluir la posibilidad de aplazamiento, sin la cual no sería posible volver a suspender unas elecciones, sino la modificación de algunas de las normas que regulan el proceso de votación en sí, para permitir la celebración de unas elecciones seguras.

Mi propuesta de *lege ferenda*. Suspensión sólo si está vigente el estado de alarma, por el tiempo imprescindible y si es necesario el confinamiento domiciliario o el aislamiento social. Si no, modificación de las condiciones generales en las que se celebran las elecciones:

---

[16]   Tajadura Tejada, J., "Estado de alarma y aplazamiento electoral", *El Correo*, 19 de marzo de 2020.

ampliación de los plazos, adaptación de las condiciones para que se puedan celebrar las elecciones, etc.

6.   BIBLIOGRAFÍA

Cebrián Zazurca, E., "COVID-19 y anulación de los procesos electorales autonómicos en País Vasco y Galicia", *Revista General de Derecho Constitucional*, 33, 2020.

Muñoz Sánchez, O., "El derecho de sufragio en tiempos de pandemia", en Biglino Campos, P., Durán Alba, J.F. (dirs.), *Los efectos horizontales de la Covid-19 sobre el sistema constitucional: estudios sobre la primera oleada*, Fundación Giménez Abad, 2021.

Pérez Royo, J., "Derecho de sufragio en tiempos de COVID-19", en Eldiario.es, 10 de julio de 2020.

Presno Linera, M., "Coronavirus SARS-CoV-2 y derechos fundamentales (5): el derecho de voto (suspensión de elecciones vascas y gallegas)", Blog *El Derecho y el revés*, 20 de abril de 2020.

Tajadura Tejada, J., "Estado de alarma y aplazamiento electoral", *El Correo*, 19 de marzo de 2020.

Discriminación en tiempos de crisis: gestión del COVID-19 y exclusión social

BLANCA RODRÍGUEZ RUIZ
Profesora Titular de Derecho Constitucional
Universidad de Sevilla

1.   INTRODUCCIÓN

Si para conocer a una persona debemos observar cómo se desenvuelve fuera de su zona de confort, allí donde inercias y convenciones ceden protagonismo a la espontaneidad y el instinto; si lo anterior se aplica también, quizás especialmente, a nuestro proceso de autoconocimiento; y si la misma idea es aplicable a colectivos humanos; si asumimos todo lo anterior, tenemos que concluir que la gestión de la crisis sanitaria provocada por el Covid-19 ha ofrecido a las sociedades democráticas una singular oportunidad de introspección crítica individual y colectiva. Más que ninguna otra, esta crisis nos ha alejado de nuestra zona de confort para introducirnos en un escenario en el que nuestros hábitos no siempre encuentran acomodo. Ello nos está obligando a contemplarnos desde una perspectiva nueva, que arroja una imagen poco habitual de quiénes somos. Para las sociedades democráticas, la gestión de la crisis provocada por el Covid-19 está suponiendo pues un reto que va más allá de lo sanitario para adentrarse en lo identitario.

Ciertamente, se dirá, no es ésta la primera crisis a que hacen frente las sociedades democráticas. Después de todo, se dirá, las crisis en las democracias liberales tienen perfil estructural, fruto de los equilibrios necesariamente inestables que es preciso alcanzar entre los ingredientes de su fórmula de convivencia, ingredientes que con frecuencia apuntan en direcciones diversas, incluso en sentidos opuestos. Sin ir más lejos, este joven siglo acumula al menos dos crisis previas, financiera una, de legitimidad de las instituciones representativas la otra, crisis ambas de dimensiones también globales, a las que se suman en su caso otras locales (pensemos en nuestra crisis territorial, en peligro de cronificación), y cuyos efectos se solapan con los de la actual crisis sanitaria: los de la crisis financiera distan de haber sido superados; la crisis de legitimidad de nuestras instituciones no ha sido mínimamente abordada. Las democracias tienen pues experiencia en convivir con escenarios de crisis. Hasta ahora, sin embargo, ninguno nos había llevado más allá de su propia fórmula de convivencia. Ni siquiera la lucha antiterrorista, con su aparente contraposición entre seguridad y el disfrute de los derechos de que se nutren las democracias liberales, nos había llevado tan lejos. Y es que en democracia la lucha antiterrorista se ha cifrado siempre en términos de auto-preservación física, sí, pero también axiológica, como la necesidad de hacer frente a ataques violentos dirigidos tanto contra la vida de la ciudadanía como contra el orden democrático en que esa vida se desenvuelve y cobra sentido. Este doble compromiso de auto-preservación se ha traducido en un esfuerzo, más o menos exitoso, por integrar la lucha antiterrorista dentro de ese orden.

En este sentido, la gestión de la actual crisis sanitaria está suponiendo un reto singular. Si la importancia de hacer valer el orden constitucional democrático se hace evidente cuando abordamos sus crisis sistémicas, o cuando nos enfrentamos a amenazas violentas contra él, en una crisis sanitaria ese objetivo parece perder peso específico. En una crisis sanitaria, el fin de preservar la vida humana se impone con tanta fuerza que se corre el riesgo de perder perspectiva sobre los medios articulados para alcanzarlo: sobre su encaje institucional, sobre su proporcionalidad, sobre sus efectos secundarios y la distribución social de éstos, incluso sobre su propia efectividad. En el afán de expresar nuestro compromiso con ese fin, corremos el riesgo de considerar legítima cualquier medida que se nos presente como mínimamente adecuada para alcanzarlo, perdiendo la perspectiva sobre su encaje constitucional y democrático. Corremos incluso el riesgo de banalizar la importancia de dicho encaje. El resultado es que a las tensiones constitutivas de nuestras democracias liberales viene a superponerse una pretendida tensión entre la protección de la vida de la ciudadanía y el respeto de sus parámetros de convivencia, incluidos los derechos fundamentales en que éstos descansan. En la gestión de la crisis sanitaria provocada por el Covid-19 se ha difundido la idea de que tenemos que optar entre una y otros, de que para preservar la vida la única opción viable es situarnos más allá del orden democrático constitucionalmente garantizado, que para alcanzar ese fin este orden se revela como inadecuado.

Con tales consideraciones como telón de fondo, el objetivo de estas páginas no es insistir en la singularidad de los retos constitucionales, democráticos, suscitados por la actual crisis sanitaria, y la disyuntiva "orden democrático o vida" en que se ha inspirado su gestión. Es más bien sacar a la luz el encaje sistémico de las consecuencias de esa disyuntiva. Es destacar que, más allá de la singularidad de esta crisis y de su gestión en términos de "orden democrático o vida", las repercusiones económicas y sociales de una y de otra se alinean con las de crisis estructurales, incidiendo como las de éstas sobre los contornos excluyentes de nuestras democracias liberales, profundizando pues en la exclusión también estructural que en ellas sufren determinados colectivos. Se pretende de este modo conectar los efectos de la gestión de la crisis provocada por el Covid-19, aparentemente externa a nuestros parámetros de convivencia democrática, con las tensiones de que estos parámetros de convivencia se alimentan, y que entre otras consecuencias producen, en lo que aquí interesa, dinámicas de exclusión social. El fin último es subrayar tanto el perfil sistémico de estas dinámicas excluyentes como el riesgo de exacerbación a que se exponen en contextos de crisis, sistémicas o no. Y es alertar sobre el riesgo adicional de que, dado el perfil sanitario de la crisis actual, estas dinámicas queden ocultas tras el destello que irradian las medidas adoptadas para hacerle frente.

2.   PRESUNCIÓN DE IGUALDAD EN TIEMPOS DE CRISIS

A nadie se le oculta que la crisis sanitaria provocada por el Covid-19 ha venido a acentuar situaciones previas de exclusión ciudadana, económica y social. Estas se ponen de manifiesto en la desigual incidencia de la pandemia, que por razones diversas se ensaña especialmente con zonas desfavorecidas[1], pero también en la incidencia desigual de las medidas introducidas para combatirla. Especialmente evidentes son los efectos diferenciales del Real Decreto 463/2020, de 14 de marzo, por el que se declara el [primer] estado de alarma para la gestión de la situación de crisis sanitaria ocasionada por el COVID-19, Real Decreto promulgado al amparo de la Ley Orgánica 4/1981, de 1 de junio, de los estados de alarma, excepción y sitio (LOAES). Como medida estrella, el Real Decreto 463/2020 impuso el confinamiento domiciliario en todo el territorio del Estado, con la paralización en él de toda actividad económica presencial no esencial. Pese a su uniformidad, o mejor, precisamente por ella, esta medida ha tenido una incidencia distinta, de forma tanto directa como indirecta, sobre distintos sectores poblacionales. Distinta han sido también, como veremos en el apartado 4, la incidencia que sobre ellos han tenido las medidas sociales adoptadas para amortiguar las consecuencias de dicha paralización.

Sobre la conformidad constitucional del Real Decreto 463/2020 se ha pronunciado el Tribunal Constitucional en su STC 148/2021, de 14 de julio, estimando parcialmente el recurso de inconstitucionalidad interpuesto contra el mismo. En concreto, y en línea con buena parte de la doctrina, su FJ 5 afirma que el confinamiento domiciliario previsto en dicho Real Decreto vulneró los derechos a la libre circulación por el territorio del Estado y a la libre elección de residencia (artículo 19 CE). Aunque estos derechos pueden verse sujetos a límites excepcionales en el marco de un estado de alarma, razona el Tribunal, por su generalidad en cuanto a sus destinatarios y su intensidad en cuanto a su contenido el confinamiento domiciliario impuesto por el Real

---

[1]   Baena-Díez, J.M.; Barroso, M.; Cordeiro-Coelho, S.I.; Díaz, J.L. & Grau, M., "Impact of COVID-19 outbreak by income: hitting hardest the most deprived", *Journal of Public Health*, vol. 42, n° 4 (2020), pp. 698–703.

Decreto 436/2020 va más allá de tales límites (artículo 11.a) LOAES). Ello es así en la medida en que con él nos encontramos, no ante una limitación extraordinaria de estos derechos, sino ante su suspensión, ante la prohibición de su ejercicio; una posibilidad contemplada dentro del derecho de excepción, sí, pero no en el marco de un estado de alarma, sino de los estados de excepción y de sitio (artículos 55.2 y 116 CE -*vid.* artículo 20.1 LOAES).

Lo que el Tribunal Constitucional no cuestiona, sin embargo, es la constitucionalidad del contenido de las medidas restrictivas de los derechos de libre circulación y libre elección de residencia. Su vulneración se imputa, no al contenido suspensivo de dichas restricciones, sino al instrumento jurídico a través del cual se adoptaron: la declaración del estado de alarma, no del estado de excepción (FJ 11a). En su STC 148/2021 no duda pues el Tribunal, como no lo hace ninguno de los firmantes de los votos particulares a la misma, de la proporcionalidad de dichas medidas en términos sustantivos. Ninguno se cuestiona si, en su afán por expresar su compromiso con la protección de la vida, nuestras/os representantes impusieron a dichos derechos, no restricciones imprescindibles, ni proporcionales en sentido estricto, sino restricciones de máximos; ni se cuestiona si, ante la insuficiencia de las medidas de protección de población de riesgo (el número de fallecimientos en residencias para la tercera edad sólo puede calificarse de escandaloso[2]), dichas restricciones eran siquiera idóneas, si tenían capacidad, esto es, en ausencia de otras, para proteger la vida de la ciudadanía; tampoco ponderó, en términos de proporcionalidad, el coste que para la salud pudiera tener la prohibición de ciertas actividades, frente a los beneficios de realizarlas (pensemos en la prohibición durante siete semanas de realizar en solitario actividades físicas o deportivas al aire libre[3], o en que durante seis semanas, sal-

---

[2]   Según datos del IMSERSO, las muertes en residencias para la tercera edad por COVID-19 confirmado o con síntomas compatibles desde el 14 de marzo de 2020 hasta el 20 de septiembre de 2021 asciende a 30.644 personas, el 35,7% del total, y llegó a ser, durante la vigencia del Real Decreto 463/2020, de más del 70% (cifr. https://www.rtve.es/noticias/20210625/radiografia-del-coronavirus-residencias-ancianos-espana/2011609.shtml [consulta: 24/09/2021]).

[3]   A esta prohibición puso fin la Orden SND/380/2020, de 30 de abril, sobre las condiciones en las que se puede realizar actividad física no profesional al aire libre durante la situación de crisis sanitaria ocasionada por el COVID-19.

vo causas de fuerza mayor o situaciones de necesidad, niñas y niños estuvieron bajo un encierro domiciliario absoluto, sin más matices que la posibilidad de asistir a centros, servicios o establecimientos sanitarios[4]); como no reparó, en fin, en el diseño uniforme del confinamiento, previsto para ser aplicado por igual en todo el territorio y a todas las personas dentro del Estado, sin atención a circunstancias diferenciadoras. Es en esto último en lo que me gustaría incidir aquí, en que dicho diseño uniforme tuvo efectos diferenciales sobre distintos sectores poblacionales cuya constitucionalidad también debe ser puesta en duda.

Es sabido, y ha sido criticado, que el Real Decreto 463/2020 no atendió a peculiaridades territoriales, aplicándose por igual en zonas tan dispares como la capital del Estado, a la cabeza de la incidencia de la pandemia, y otras (pueblos, comarcas, islas) donde ésta era prácticamente nula. Menos atención se ha prestado al hecho de que en su afán de uniformidad este Real Decreto no atendiera a circunstancias socio-económicas y/o personales diversas, que no atendiera en concreto a la singularidad de zonas urbanas que albergan a población en riesgo de exclusión socio-económica, y donde la densidad de convivientes por metro cuadrado de vivienda suele ser significativamente superior a la media. No se reparó en el riesgo diferencial de un confinamiento domiciliario para la salud física y psicológica de quienes habitan en estas zonas. Ni se pensó por tanto en la conveniencia sanitaria de que, al menos aquí, la movilidad se limitase a través de medidas de confinamiento perimetral y restricciones de aforo, como las adoptadas en el Real Decreto 926/2020, de 25 de octubre (por el que se declara a nivel estatal un segundo estado de alarma para contener la propagación de infecciones causadas por el SARS-CoV-2), y en el Real Decreto 956/2020, de 3 de noviembre (por el que se prorrogó el estado de alarma declarado por el Real Decreto 926/2020), y cuya constitucionalidad ha sido validada por el Tribunal Constitucional en Sentencia de 27 de octubre de 2021. Simplemente no se reparó en la existencia de estas zonas, ni se reparó por ende en sus necesidades especiales. Este olvido es políticamente difícil de excusar en un país

---

[4]   Artículo 7 del Real Decreto 463/2020.

en el que, en 2019, y según Eurostat[5], el 25,3% de la población se encontraba en riesgo de pobreza o exclusión social, un porcentaje que no ha hecho sino ascender durante la crisis[6]. Y es difícil de justificar en términos jurídicos.

Ciertamente, en su interpretación por el Tribunal Constitucional, el artículo 14 CE impone a los poderes públicos la obligación de relacionarse con la población en términos de igualdad de trato, reconociendo un derecho fundamental a dicha igualdad que obliga a justificar todo trato diferenciador, mientras la igualdad de trato goza de presunción *iuris et de iure* de constitucionalidad. Lo mismo se aplica al derecho a no sufrir discriminación, entendido como el derecho a no sufrir trato diferenciador, no ya a título personal, sino en calidad de integrante de algún colectivo social. En esa interpretación, "el art. 14 CE no consagra un derecho a la desigualdad de trato" (STC 198/2012, de 6 de noviembre, FJ 3); como tampoco reconoce el derecho a no sufrir lo que se conoce como discriminación por indiferenciación (*ibídem*). Esta línea jurisprudencial ha suscitado críticas por sus efectos sustantivamente discriminatorios[7]. Se ha apuntado incluso a su contradicción con alguna sentencia del Tribunal Europeo de Derechos Humanos, que el Tribunal Constitucional no ha incorporado en su interpretación del artículo 14 CE[8]. A solventar esta carencia apunta, a nivel legislativo, la proposición de ley integral para la igualdad de trato y la no discriminación, presentada ante la Mesa del Congreso por el Grupo Parlamentario Socialista, cuando hace referencia a "la denegación de ajustes razonables"[9] como supuesto de discriminación

---

5   Eurostat, Statistic Explained, *Living conditions in Europe – poverty and social exclusion*, octubre 2020. Disponible en: https://ec.europa.eu/eurostat/statistics-explained/index.php?title=Living_conditions_in_Europe_-_poverty_and_social_exclusion#Poverty_and_social_exclusion [consulta: 10/06/2021].

6   Oxfam Intermon, *Superar la pandemia y reducir la desigualdad. Cómo hacer frente a la crisis sin repetir errores*, 2021. Disponible en: https://oxfam.app.box.com/s/2izodgd8e3eeqg51cl20qx8pf3xyf78q [consulta: 10/06/2021].

7   Cobreros Mendazona, E. "Discriminación por indiferenciación: estudio y propuesta", *Revista Española de Derecho Constitucional*, núm. 81; 2007, pp. 71-114.

8   Caso *Thlimmenos v. Greece*, recurso núm. 34369/97, Sentencia del TEDH de 6 de abril de 2000 -*cifr. ibídem.*

9   Disponible en: https://www.congreso.es/public_oficiales/L14/CONG/BOCG/B/BOCG-14-B-146-1.PDF [consulta: 10/06/2021].

(artículos 4 y 6). A nivel constitucional, con todo, seguimos sin contar con un derecho fundamental a la diferencia de trato normativo, a que éste pueda ajustarse a las circunstancias de cada cual, o a no sufrir discriminación por indiferenciación.

Con o sin tal derecho, lo cierto en todo caso es que el artículo 9.2 CE obliga a los poderes públicos a dispensar un trato diferenciador como instrumento al servicio de la libertad y la igualdad efectivas, a su vez instrumental para la plena participación de toda la ciudadanía en las distintas esferas de lo público. Es más, allí donde ese trato diferenciado no se dispense, *contra* artículo 9.2 CE, podríamos encontrarnos ante supuestos de discriminación indirecta, un concepto sí integrado dentro del artículo 14 CE, y que se refiere a la discriminación que deriva de parámetros normativos formalmente neutros, pero cuya aplicación produce perjuicios comparativos para determinados colectivos (*vid*. por todas STC 145/1991, FJ 2). Atajarla es tanto más urgente cuanto mayor sea la relevancia ciudadana de estos perjuicios, por su impacto diferencial desfavorable sobre derechos fundamentales o sobre otros bienes constitucionalmente protegidos que condicionan la participación en las distintas esferas de lo público.

En clave de discriminación indirecta, llama la atención que el confinamiento domiciliario se impusiera para proteger la vida y la salud de las personas sin atender a las necesidades diferenciales de tutela de algunos sectores poblacionales. Llama asimismo la atención que no se atendiera al impacto diferencial que la restricción extrema de otros derechos, califíquese o no de suspensión, tendría sobre esos mismos sectores. Mención especial merece, por su relevancia ciudadana (STC 236/2007, de 7 de noviembre, FJ 8), la afectación diferencial del derecho a la educación (artículo 27 CE).

La suspensión de las clases presenciales supuso la exclusión del ámbito educativo de algunos sectores poblacionales, especialmente en zonas socio-económicamente desfavorecidas, en un país que cuenta con bajos resultados escolares a nivel internacional y con las cifras de fracaso escolar más altas en la Unión Europea, especialmente en dichas zonas[10]. Es aquí donde sobre todo se deja sentir la llamada brecha digital. Esta nueva fuente de exclusión social, que ha venido a superponerse a otras, se pone de manifiesto a tres niveles: el acceso a dispositivos digitales adecuados, el acceso a una conectividad adecuada y la competencia digital, fruto de la posesión tanto de la capacidad y como de los conocimientos necesarios; niveles todos ellos mediatizados por la actitud de los poderes públicos hacia la erradicación de dicha brecha. Salvo que esa actitud lo remedie, cada uno de estos niveles produce efectos excluyentes independientes, que se concitan para excluir especialmente a colectivos en situación socio-económica precaria[11]. Los tres se han dejado sentir en la gestión de la pandemia, especialmente durante el confinamiento domiciliario, muy especialmente, aunque no de forma exclusiva (pensemos en la población con diversidad funcional), entre estos colectivos. Y se han hecho sentir en terrenos donde la inclusión de estos colectivos se hace más urgente: baste pensar en el acceso a ayudas públicas, incluido el Ingreso Mínimo Vital, en un contexto de creciente digitalización de las relaciones con las administraciones públicas; o baste pensar, como apuntaba, en el terreno de la educación.

Como sabemos, la educación constituye en nuestra Constitución un supuesto excepcional, junto con el derecho al trabajo, de derecho social reconocido como derecho fundamental, el único además que es objeto de protección reforzada. Como derecho social, el contenido subjetivo directamente reivindicable del derecho a la educación es muy reducido. El Tribunal Constitucional lo ha cifrado en la capacidad de exigir el acceso a una plaza educativa, tanto en la enseñanza básica, obligatoria y gratuita (artículo 27.4) como en la no obligatoria, incluida también en el artículo 27.1 CE. El resto del contenido del derecho, incluidas las condiciones para acceder a una plaza concreta, es de configuración legal (*vid.* por todas STC 86/1985, de 10 de julio,

---

10   OECD, *PISA Results* 2018. Disponible en: https://www.oecd.org/pisa/publications/ [consulta: 10/06/2021]. *Vid.* también Soler, A., et al, *Mapa del abandono educativo temprano en España. Informe general*, Fundación Europea Sociedad y Educación, Madrid, 2021. Disponible en: https://www.sociedadyeducacion.org/sitc/wp-content/uploads/INFORME-GENERAL-AET_WEB_23032021.pdf. [consulta: 10/06/2021].

11   Disponible en: https://www.ine.es/jaxi/Datos.htm?path=/t25/p450/base_2011/a2020/l0/&file=09001.px [consulta: 10/06/2021].

FJ 3). Para que tenga sentido, con todo, el contenido subjetivo del derecho a la educación no puede agotarse en la adjudicación sin más de una plaza educativa; ha de abarcar también la posibilidad de disfrutar de dicha plaza, y la obligación de los poderes públicos de procurar que así sea (STC 86/1985, FJ 3).

No es éste, con todo, el razonamiento que nuestro Tribunal Constitucional ha seguido en su reciente STC 148/2021. Antes bien, en ella este Tribunal ha confirmado la conformidad constitucional de la suspensión de clases presenciales. La "excepción temporal" de la enseñanza presencial, afirma, "no conlleva, por sí sola, una incidencia en la ordenación constitucional de la enseñanza, pues el artículo 27 CE 'no consagra directamente el deber de escolarización', entendido como asistencia personal del alumno al centro docente, ni excluye, por tanto, 'otras opciones legislativas que incorporen una cierta flexibilidad al sistema educativo y, en particular, a la enseñanza básica' (STC 133/2010, de 2 de diciembre, FJ 9)" (FJ 8). Hasta ahí, nada que objetar. El problema es que el Tribunal Constitucional olvida que, como él mismo sigue afirmando en el párrafo de su STC 133/2010 aquí citado, ese margen de discrecionalidad del legislador no le permite "dejar de dar satisfacción a la finalidad que ha de presidir su configuración normativa (art. 27.2 CE) así como a otros de sus elementos ya definidos por la propia Constitución (art. 27.4, 5 y 8 CE)" (FJ 9). Olvida el Tribunal Constitucional que, según dispone el artículo 27.2 CE, la educación "tendrá por objeto el pleno desarrollo de la personalidad humana en el respeto a los principios democráticos de convivencia y a los derechos y libertades fundamentales". Y olvida que entre esos principios y estos derechos se encuentran la igualdad y la interdicción de discriminación (artículo 14 CE), así como la obligación de los poderes públicos de promover las condiciones que permitan la efectividad de ambas, y de remover los obstáculos que la impidan.

La STC 148/2021 no analiza hasta qué punto la suspensión de clases presenciales tuvo una incidencia diferencial en el disfrute del derecho a la educación por parte de sectores poblacionales distintos, especialmente como consecuencia de la brecha digital. No se detiene pues a analizar en qué medida esa incidencia diferencial afecta especialmente a sectores que ya sufren mayores porcentajes de fracaso escolar y de exclusión socio-económica, viniendo a profundizar en uno y en otra. No explora, en consecuencia, en qué medida el derecho a la educación exige de los poderes públicos proveer medidas para reducir en lo posible los efectos de esa brecha digital, especialmente en contextos de suspensión de la enseñanza presencial; ni entiende que la no provisión de las mismas en el Real Decreto 463/2020 sea motivo de inconstitucionalidad, por vulneración del derecho a la educación (artículo 27 CE), especialmente en una lectura conjunta con los artículos 9.2 y 14 CE. La incidencia socio-económica diferencial de la suspensión de clases presenciales es algo en lo que no han reparado ni el legislador de excepción ni el Tribunal Constitucional, o, peor, que ambos han asumido con naturalidad como efecto colateral de medidas restrictivas de derechos fundamentales cuya finalidad es, después de todo, proteger la vida.

Pareciera que, en este como en otros terrenos, el afán por mostrar una actitud firme ante la protección de la vida se impuso por encima de toda consideración sobre el impacto diferencial de las medidas puestas al servicio de la misma, sobre su conformidad, pues, con los principios constitucionales que rigen nuestra convivencia democrática; pareciera, en definitiva, que lo incuestionable del fin convertía en incuestionables también a los medios articulados para alcanzarlo. A ello se unen otros afanes: compensar con esa actitud firme por la tardanza en responder a los indicios de pandemia; ocultar en lo posible las carencias de nuestra sanidad pública, en concreto de nuestra atención primaria; adoptar medidas restrictivas de fácil implementación y fácil control público y social. El resultado fue un confinamiento domiciliario generalizado y uniforme, impuesto por encima de la obligación constitucional de los poderes públicos de atender a las circunstancias de zonas y colectivos poblacionales distintos, y prolongado en el tiempo más allá de lo imprescindible para evaluar y responder a la diversidad de sus situaciones sanitarias. El resultado fue el diseño de medidas restrictivas que, en su uniformidad, acentuaron la precariedad de los colectivos con mayores niveles y riesgo de exclusión socio-económica.

La falta de atención hacia la situación de colectivos desfavorecidos pone en evidencia que los poderes públicos operan con un modelo de ciudadanía cuyo perfil responde al de un individuo independiente, de clase media y rasgos masculinos. El confinamiento domiciliario se impuso así bajo la presunción de que toda la ciudadanía goza de condiciones habitacionales en las que hacerle frente en términos mínimamente saludables. Se impuso también sin reparar en el impacto diferencial de género que un confinamiento domiciliario tendría sobre las mujeres. No se reparó así en las consecuencias que sobre éstas tendría el previsible aumento del riesgo de violencia de género[12], o el incremento exponencial de las tareas de cuidado, asumidas principalmente por ellas, incluidas las tareas educativas[13]. A todo ello se suma que, como los de todas, los efectos socioeconómicos de esta crisis afectan diferencialmente a las mujeres, resultado de que entre ellas los niveles de precariedad laboral, económica y social son comparativamente mayores[14]. Hay que sumar, además, que las mujeres que forman parte de colectivos socio-económicamente excluidos sufren dinámicas de exclusión singulares, resultado de lo que se conoce como discriminación interseccional.

---

[12]　Aunque se adoptaron medidas para atajar la violencia de género durante el confinamiento (https://violenciagenero.igualdad.gob.es/informacionUtil/covid19/home.htm [consulta: 10/06/2021]), éstas no alteran la mayor vulnerabilidad de las mujeres a la misma en estas circunstancias. *Vid.* Ruiz-Pérez I., Pastor-Moreno G., "Medidas de contención de la violencia de género durante la pandemia de COVID-19", *Gac Sanit.* 2021 July-August 35(4): 389–394. Disponible en: https://www.ncbi.nlm.nih.gov/pmc/articles/PMC7181996/ [consulta: 10/06/2021]; Carmen Vives-Cases, Daniel La Parra-Casado, Jesús F. Estévez, Jordi Torrubiano-Domínguez, Belén Sanz-Barbero, "Intimate Partner Violence against Women during the COVID-19 Lockdown in Spain", *Int J Environ Res Public Health*, 2021 May; 18(9): 4698. Disponible en: https://www.ncbi.nlm.nih.gov/pmc/articles/PMC8125103/ [consulta: 10/06/2021]; Lorente Acosta, M. et al. *Impacto de la pandemia por COVID19 en la Violencia de Género en España*, Universidad de Granada, Granada, 2022. Disponible en: https://violenciagenero.igualdad.gob.es/violenciaEnCifras/estudios/investigaciones/2022/pdf/Estudio_Impacto_COVID-19.pdf [consulta: 04/05/2022].

[13]　Según los datos del INE correspondientes a 2016, las mujeres asumimos 34 horas semanales más que los varones a tareas de cuidados doméstico. Disponibles en: https://www.ine.es/jaxi/Datos.htm?path=/t00/mujeres_hombres/tablas_1/l0/&file=ctf03002.px [consulta: 29/06/2021].

[14]　*Vid.* los datos del Instituto Nacional de Estadística (disponibles en: https://www.ine.es [consulta: 10/06/2021]); *vid.* Instituto de la Mujer, *La perspectiva de género, esencial en la respuesta a la COVID-19.* (disponible en: https://www.inmujeres.gob.es/diseno/novedades/IMPACTO_DE_GENERO_DEL_COVID_19_(uv).pdf [consulta: 10/06/2021]).

3. GÉNERO Y DISCRIMINACIÓN INTERSECCIONAL. CONSIDERACIONES PRELIMINARES

Sabemos que pobreza y postergación social tienen perfil de mujer[15]; y sabemos que exclusión económica y exclusión social van de la mano, se retroalimentan. La presente crisis no ha hecho sino evidenciar las raíces estructurales de estas dinámicas excluyentes[16]. Me gustaría, en este punto, hacer una breve referencia a dichas raíces, al perfil fundacionalmente exclusivo y excluyente del Estado como modelo liberal y democrático de organización política, un perfil que, por obvio, obviamos con demasiada frecuencia. Me gustaría en concreto recordar que, pese a apelar a los principios de libertad y de igualdad como sus columnas basilares, y pese a imbuir dichos principios de aparente universalidad, el Estado fue diseñado por y para una fracción reducida de la población, integrada por varones (personas reconocidas genitalmente como tales) heterosexuales, caucásicos, de clase media y formación cristiana. Fue esta fracción poblacional la que tomó las riendas del Estado, empezando por controlar el perfil y el alcance de esos principios. De ahí las dificultades estructurales con que otros sectores sociales tropiezan al intentar acogerse a ellos. Y de ahí que quienes ocupan el núcleo central del Estado se resistan a abandonarlo, reconociéndose en dichos principios y reclamándolos como propios en términos que podrían calificarse de identitarios.

La exclusión de las mujeres tiene aquí especial relevancia, no sólo por sus dimensiones cuantitativas (estamos hablando de la mitad aproximada de la población), sino por su papel fundacional, porque el perfil masculino del Estado forma parte de la médula espinal de

---

[15]   "Aunque las mujeres realizan el 66% del trabajo en el mundo y producen el 50% de los alimentos, solo reciben el 10% de los ingresos y poseen el 1% de la propiedad", según datos de Amnistía Internacional, y son más susceptibles de sufrir otros tipos de violencia institucional. Disponible en: https://www.es.amnesty. org/en-que-estamos/blog/historia/articulo/la-pobreza-tiene-genero/   [consulta: 10/06/2021].

[16]   Fraser, N "Social Justice in the Age of Identity Politics: Redistribution, Recognition and Participation", en N. Fraser & A. Honneth, *Redistribution or Recognition? A political-philosophical exchange*, Verso, London-New York, 2003, pp. 7-109.

éste, y ponerlo en cuestión equivale a cuestionar sus premisas. En efecto, y como Carole Pateman teorizara, el Estado descansa sobre un contrato sexual[17], un pacto heterosexual[18] de fraternidad que subyace al contrato social, su mito fundacional, y lo impregna de sentido. Ese pacto articula el compromiso fraternal de los varones de desplazar toda manifestación de dependencia humana hacia el espacio doméstico, cobijo del nuevo modelo de familia nuclear, donde las mujeres asumen la responsabilidad de gestionar dependencias propias y ajenas. Es ese pacto el que permitió definir en masculino la esfera pública y los principios de igualdad y de libertad que la rigen, al tiempo que se la separaba de la esfera doméstica, definida en femenino. Surge así un reparto dicotómico de tareas ciudadanas, público-masculinas y doméstico-femeninas, que incluye a las mujeres en el pacto social, sí, pero desde su periferia, a través de un pacto sexual que las convierte en "forjadora(s), en el espacio privado, de las condiciones de posibilidad de lo cívico"[19].

A lo anterior puede oponerse la creciente incorporación de mujeres en las distintas esferas de lo público. Su presencia aquí, con todo, dista mucho de ser paritaria, y dista más aún de traducirse en capacidad paritaria de participar en el poder del Estado. Esa presencia, además, no se reparte a su vez entre las mujeres en términos paritarios, equitativos. Antes bien, y por lo general, las mujeres que acceden a lo público son las que más cercanas están al modelo masculino de ciudadanía, las que mejor encajarían en él si fueran varones, mujeres en quienes el género es el principal, si no el único, motivo de exclusión del mismo. En el mismo sentido, el ingreso de las mujeres en las distintas esferas de lo público no se articula mediante el cuestionamiento estructural, sistémico, del pacto sexual. Más bien descansa en la introducción de matices dentro de dicho pacto, en un abanico de sub-pactos sexuales, de pactos menores de desplazamiento de las tareas de gestión de dependencias, en virtud de los cuales las mujeres asumen estas tareas en medidas diversas, en función de su distancia respecto del perfil

---

[17]   Pateman, C., *The Sexual Contract*, Polity Press, Stanford, CA, 1988.
[18]   Wittig, M., "On the Social Contract", *The Straight Mind and other Essays*, Beacon Press, Boston, 1992, pp. 33-45.
[19]   Amorós, C., *Tiempo de feminismo. Sobre feminismo, proyecto ilustrado y postmodernidad*, Cátedra, Madrid, 2000, p. 152.

ciudadano que la modernidad quiso convertir en modelo universal. Se pone así de manifiesto que, como modelo de organización política, el Estado tiene un problema estructural con la gestión de dependencias, que necesita desplazar hacia los márgenes de lo público para mantener intacto en su centro esos míticos principios de libertad e igualdad que lo informan; y se pone de manifiesto que esos márgenes tienen mayoritariamente rostro de mujer.

Estos pactos menores de desplazamiento de la gestión de dependencias nos enfrentan a la diversidad de posiciones ciudadanas en que pueden encontrarse las mujeres. Nos sitúan de bruces ante un escenario en el que, mientras algunas logran integrarse en el núcleo del Estado, otras siguen instaladas en su periferia. Y mientras el perfil tozudamente masculino de lo público somete en él a las mujeres a dinámicas discriminatorias, las que permanecen en sus fronteras son objeto de dinámicas discriminatorias adicionales, fruto a su vez de nuevos pactos de exclusión. El pacto sexual adquiere de este modo matices y graduaciones, sometiendo a distintos colectivos de mujeres a niveles también distintos de discriminación, en función de qué otros factores de exclusión puedan estar en juego. Nos encontramos de bruces, en definitiva, con que la discriminación puede tener, y con frecuencia tiene, un perfil interseccional.

La expresión "discriminación interseccional", acuñada por Kimberlee Crenshaw a finales de la pasada década de los ochenta[20], hace referencia a dinámicas discriminatorias que afectan a colectivos en que se dan cita varios motivos sospechosos de discriminación, colectivos que se encuentran en la intersección entre más de uno de esos motivos. No se trata pues de una mera acumulación de motivos discriminatorios, cada cual con su propia dinámica; se trata de dinámicas que sólo entran en juego allí donde se concitan motivos de discriminación diversos, en la medida en que éstos interactúan entre sí. El concepto de discriminación interseccional nos lleva así a tomar consciencia de la complejidad que puede encerrar el fenómeno discriminatorio, de la posibilidad de que se acumulen en él distintos factores, en modo

---

[20] Crenshaw, K.W., "Demarginalising the intersection of race and sex", *University of Chicago Legal Forum*, 1989, pp. 139-167.

variable y con consecuencias distintas, de la importancia pues social y jurídica de hacer frente a dicho fenómeno en toda su complejidad.

La complejidad de la discriminación interseccional aumenta si tenemos en cuenta que las dinámicas que en ella confluyen pueden a su vez ser tanto directas como indirectas, fruto tanto de un trato directamente infligido a determinadas personas por razón de su pertenencia a determinado/s colectivo/s, como de normas formalmente neutras cuya aplicación tiene efectos distintos sobre colectivos diversos. De ahí que la discriminación interseccional no siempre resulte fácil de detectar y combatir. No ayuda a ello el escaso desarrollo doctrinal con que este concepto cuenta en España y a nivel europeo[21], ni su también escaso reconocimiento jurisprudencial y normativo. Si bien el Tribunal Europeo de Derechos Humanos (TEDH) ha recurrido en alguna ocasión al concepto de discriminación múltiple, nuestro Tribunal Constitucional no parece de momento receptivo a la complejidad que puede adquirir el fenómeno discriminatorio. Tampoco parece estarlo el Tribunal de Justicia de la Unión Europea (TJUE)[22]. Puede que la sensibilidad del TJUE aumente con el reconocimiento de la

---

[21]   Hay, por supuesto, notables excepciones. Sobre la aplicación del concepto de interseccionalidad y discriminación interseccional en el ámbito de la Unión Europea pueden consultarse, entre otras aportaciones, Fredman, S, *Intersectional discrimination in EU gender equality and non-discrimination law*, European Commission: Directorate-General for Justice and Consumers, 2016, pp. 69-70; Lombardo, E. y Verloo, M., "La 'interseccionalidad' del género con otras desigualdades en la política de la Unión Europea", *Revista Española de Ciencia Política*, nº 23, 2010, pp. 11-30; Schiek, D., "Intersectionality and the Notion of Disability in EU discrimination law", *Common Market Law Review*, vol. 53(1), 2016, pp. 35-63; Schiek, D. y Lawson, A., *European Union Non-Discrimination Law and Intersectionality. Investigating the Triangle of Racial, Gender and Disability Discrimination*, Ashgate, Aldershot, 2011. En nuestra doctrina destacan las contribuciones de Barrère Unzueta, M., "La interseccionalidad como desafío al mainstreaming de género en las políticas públicas", *Revista Vasca de Administración Pública*, nº 87, 2010, pp. 225-252; Rey Martínez, F., "La discriminación múltiple, una realidad antigua, un concepto nuevo", *Revista Española de Derecho Constitucional*, nº 84, 2008, pp. 251-283.

[22]   Rodríguez Ruiz, B., "Discapacidad y la interseccionalidad de la discriminación por razón de sexo en el ámbito laboral" en *Construyendo un estándar europeo de protección de los derechos: Un recorrido por la jurisprudencia del TJUE a partir de la entrada en vigor de la Carta de Derechos Fundamentales de la Unión* (A. Carmona Contreras, coord.), Aranzadi, Cizur Menor, 2018, pp. 151-165.

interseccionalidad como principio transversal en la *Estrategia para la igualdad de género* (2020-2025), aprobada por la Comisión Europea en marzo de 2020[23]. No podría encontrar para ello mejor momento. Y es que la gestión de la crisis sanitaria está afectando de forma desproporcionada a mujeres, especialmente a mujeres de colectivos preteridos en términos económicos, sociales y ciudadanos, acentuando la diversidad de matices discriminatorios del pacto sexual.

4.   GESTIÓN DE LA CRISIS Y DINÁMICAS INTERSECCIONALES

Asumir una mirada interseccional nos obliga a poner en cuestión el compromiso expresado por el Ministerio de Igualdad de incluir a todas las mujeres en la gestión de la crisis sanitaria. Pese al lema #NingunaMujerDesprotegida, los colectivos con mayor precariedad socioeconómica, especialmente golpeados por la pandemia, son colectivos altamente feminizados. Pensemos que tanto el sector de los cuidados como el de los servicios, en los que no cabe el teletrabajo, cuentan con una sobrerrepresentación de mujeres, especialmente de mujeres inmigrantes, que presentan niveles mayores tanto de desempleo[24] como de contagios Covid-19 (el 14,2%)[25]. Y pensemos sobre todo en sectores que se mueven en los márgenes de nuestro sistema socio-económico, sectores también feminizados que sufren altos niveles de abandono normativo y desprotección social, en los que el género interactúa con otros factores de exclusión, como la nacionalidad, la raza, la posición socio-económica, la orientación sexual y/o la identidad de género. El comercio ambulante, el trabajo agrícola temporero, de camareras/os

---

23   Disponible en: https://ec.europa.eu/info/policies/justice-and-fundamental-rights/gender-equality/gender-equality-strategy_es [consulta: 06/01/2021].

24   La tasa de desempleo entre mujeres extranjeras (30,99%) es superior tanto a la de varones extranjeros (21,64%) como a la de mujeres nacionales (16,06%). Datos disponibles en: https://www.ine.es/jaxiT3/Datos.htm?t=4249 [consulta: 15/06/2021].

25   Gobierno de España, *Estudio ENE-COVID: Cuarta Ronda. Estudio nacional de sero-epidemiología de la infección por sars-cov-2 en España*, 15 de diciembre de 2020. Disponible en: https://www.mscbs.gob.es/gabinetePrensa/notaPrensa/pdf/15.12151220163348113.pdf [consulta 15/07/2021].

de pisos, el trabajo doméstico o el trabajo sexual son algunos de ellos. La situación de abandono público en que se encuentran estos sectores se ha puesto de manifiesto tanto en las medidas de confinamiento y restricción de derechos y libertades introducidas para hacer frente a la pandemia, como en el marco de las ayudas articuladas para contrarrestar las consecuencias socio-económicas de esas medidas.

Según un informe de Comisiones Obreras[26], antes de que estallara la necesidad de hacer frente a la crisis sanitaria los hoteles empleaban en España a casi 400.000 personas, de ellas a un 35% como personal de pisos, la inmensa mayoría, unas 140.000, mujeres. Estas camareras de piso, popularmente conocidas como *kellys* ("las que limpian"), padecen una situación de deterioro sanitario crónico, fruto de la falta de reconocimiento como enfermedades profesionales de algunas específicas de su actividad (es el caso del síndrome del túnel carpiano por comprensión del nervio mediano en la muñeca, que produce entumecimiento, hormigueo, debilidad, o daño muscular en la mano y dedos), y que no se mencionan en el Decreto 1299/2006, de 10 de noviembre (por el que se aprueba el cuadro de enfermedades profesionales en el sistema de la Seguridad Social y se establecen criterios para su notificación y registro). Pese a que, como el Tribunal Supremo recordó en su STS 725/2020, de 11 de febrero (Sala 4ª), este Decreto recoge una lista meramente ejemplificativa de enfermedades; y pese a que el 30 de agosto de 2018 el Gobierno acordó con Comunidades Autónomas y agentes sociales el reconocimiento como enfermedades profesionales propias de las *kellys* todas las "relacionadas con determinados movimientos repetitivos en brazos y manos propios de su trabajo"; pese a todo lo anterior, la falta de inclusión legislativa expresa de las enfermedades profesionales de las *kellys* lleva a que éstas no sean objeto de reconocimiento uniforme por parte de las aseguradoras. Ello deriva en altos niveles de automedicación, y a una mayor vulnerabilidad en términos de salud[27].

En su desprotección normativa inciden los altos niveles de precariedad laboral de las *kellys*, fruto de bajos salarios y de altos niveles

---

[26] Disponible en: https://www.ccoo.es/noticia:375646 [consulta: 06/01/2021].
[27] Disponible en: https://www.ccoo.es/noticia:375646; *vid.* también https://www. ccoo-servicios.es/html/44170.html [consulta: 06/01/2021].

de fraude en la contratación. Éste resulta tanto del encadenamiento fraudulento de contratos como de altos niveles de externalización de su actividad. Ésta última se produce pese a que se trata de un servicio estructural en la hostelería, y pese a que es la empresa principal la que en todo momento planifica la mayor parte de la organización y gestión de la actividad contratada. La subcontratación de servicios estructurales es una posibilidad abierta desde la reforma laboral de 2012, que sigue vigente tras la reforma recientemente operada por el Real Decreto-Ley 32/2021, de 28 de diciembre, de medidas urgentes para la reforma laboral, la garantía de la estabilidad en el empleo y la transformación del mercado de trabajo (sobre la cesión ilegal de trabajadoras/es, véase la STS 17 de diciembre 2019, Sala 4ª). Para atajarla, las *kellys* reivindican una reforma de la Ley del Estatuto de los Trabajadores que expresamente prohíba su subcontratación. A la espera de la misma, la externalización deja a muchas *kellys* fuera del convenio colectivo aplicable a la empresa principal, lo que se traduce en salarios más bajos y menos derechos[28]. Ha dejado a muchas fuera de los Expedientes de Regulación Temporal de Empleo (ERTE) a que en el contexto de gestión de la crisis sanitaria se han acogido los hoteles en que trabajan.

No es mejor la situación de quienes se dedican al trabajo doméstico, entendiendo por tal el desarrollo de tareas remuneradas de mantenimiento de un domicilio ajeno. Según datos de la Unión Sindical Obrera (USO)[29], de las personas que desarrollan actividades de trabajo doméstico en España (unas 600.000), el 96% son mujeres. Estas actividades no se incluyen en el Régimen General de la Seguridad Social, sino en el Sistema Especial para Empleados del Hogar introducido por el Real Decreto-ley 29/2012, de 28 de diciembre, y cuyas características específicas fomentan la precariedad de quienes

---

[28]   La reforma del Estatuto de los Trabajadores operada por el Real Decreto-Ley 32/2021 mantiene este estado de la cuestión (artículo 42.6). Sobre este tema, véase Alabao, N., "La nueva reforma laboral cierra la puerta a 'las kellys'", *Ctxt*, 25 de diciembre de 2021. Disponible en: https://ctxt.es/es/20211201/Politica/38247/Nuria-Alabao-Ernest-Canada-reforma-laboral-precariedad-kellys-convenio.htm [consulta: 04/05/2022].

[29]   Disponible en: https://www.uso.es/el-subsidio-para-empleadas-de-hogar-solo-3-millones/ [consulta: 30/06/2021].

las desempeñan. Especialmente llamativas resultan, entre otras, la posibilidad de despido por desistimiento de la persona empleadora, la menor indemnización por despido, o la ausencia de prestación por desempleo. Esta falta de seguridad laboral se ha hecho sentir durante la pandemia, que las ha castigado además especialmente: según el estudio de seroprevalencia llevado a cabo a nivel estatal, las trabajadoras dedicadas a las tareas de limpieza están entre los colectivos (feminizados) que más contagios acumulan (13,9%), después del personal sanitario (un 16,8%) y de las cuidadoras a domicilio (un 16,3%) (en el momento del Estudio de referencia, la incidencia en el conjunto de la población era del 9,9%)[30].

Se estima, además, que entre un tercio y la mitad de quienes realizan trabajo doméstico por cuenta ajena carecen de afiliación a la Seguridad Social, y por ende de protección por parte del Estado. Esta exclusión ha supuesto, durante la gestión de la crisis sanitaria, la exclusión de estas trabajadoras como beneficiarias del subsidio extraordinario por falta de actividad previsto en el Real Decreto-Ley 11/2020, de 31 de marzo, por el que se adoptan medidas urgentes complementarias en el ámbito social y económico para hacer frente al Covid-19. Su artículo 30 cubre situaciones de cese de actividades, total o parcial, temporal o por despido, de quienes estuvieran de alta en el Sistema Especial de Empleados del Hogar del Régimen General de la Seguridad Social antes la entrada en vigor del Real Decreto 463/2020, de 14 de marzo. A la tardía llegada de este Decreto-Ley, y a su escasa dotación económica (tres millones de euros en total, que según USO se traducen en 100 euros para cada trabajadora), hemos de añadir la exclusión de quienes no tuvieran formalizada su relación laboral, quienes más necesitaban pues el mencionado subsidio.

La exclusión estructural del sistema es la nota que caracteriza a quienes se dedican al trabajo sexual. A ella se suma, además, en este caso, el estigma que acompaña a esta actividad, y que determina que, aun sin ser objeto de prohibición en nuestro sistema jurídico, carezca de reconocimiento, situándose por ende fuera de las redes institucio-

---

[30]   Gobierno de España, *Estudio ENE-COVID: Cuarta Ronda. Estudio nacional de sero-epidemiología de la infección por sars-cov-2 en España*, 15 de diciembre de 2020. Disponible en: https://www.mscbs.gob.es/gabinetePrensa/notaPrensa/pdf/15.12151220163348113.pdf [consulta: 15/07/2021].

nales de protección social[31]. Que la prestación de servicios sexuales no tenga reconocimiento jurídico, que no quepa pues entablar una relación laboral que tenga dicha prestación por objeto, no significa que en la práctica no existan relaciones que encajan en este perfil. Más bien se traduce en la desprotección de las trabajadoras del sexo en el marco de dichas relaciones y frente a un eventual "despido" de las mismas. Esta situación contrasta con la plena regularización, como espacios de ocio o de hospedaje, de los clubes de alterne en que muchas trabajadoras del sexo prestan sus servicios, si bien se presume que no lo hacen como empleadas de los mismos (STS de 27 de noviembre de 2004, Sala 4ª).

Lo cierto, con todo, es que con frecuencia lo son; es que con frecuencia los clubes les alquilan además sus habitaciones en condiciones abusivas para que presten en ellas sus servicios, para algunas la única solución habitacional disponible. Lo hacen sin asumir obligaciones patronales, pudiendo imponer condiciones laborales también abusivas y "despedirlas" a voluntad, lo que con frecuencia implica también su desahucio habitacional. Ante esta situación, hay ya jurisprudencia que reconoce la existencia de relación laboral entre un club de alterne y una trabajadora del sexo que residía y prestaba sus servicios en él, reconociendo en consecuencia la existencia de despido en caso de extinción unilateral de dicha relación por parte del club (STSJ Madrid 104/2019, de 18 de febrero, Sala 4ª, confirmada por el Tribunal Supremo, Sala 4ª, en su Auto de 9 de marzo de 2021). En todo caso, los clubes que hoy por hoy se nutren de facto de un trabajo sexual jurídica y socialmente no reconocido gozan, ellos sí, de reconocimiento jurídico y social. En coherencia con ello han podido acogerse a las ayudas económicas por cierre de negocios decretadas para la protección del sector del ocio y el hospedaje en el marco de la gestión de la crisis sanitaria. Mientras, las trabajadoras del sexo que en ellos prestan sus servicios han quedado en situación de desprotección. Algunas han quedado incluso sin vivienda, consecuencia del cierre de clubes de alterne que el Ministerio de Igualdad solicitó el 21

---

[31]   La STS 584/2021, de 1 de junio (Sala 4ª, pleno), al reconocer la licitud del sindicato OTRAS, da un paso hacia el reconocimiento del trabajo sexual en sus distintas modalidades como actividad lícita cuando se realiza de forma voluntaria, en el caso de la prostitución cuando ésta se ejerza de forma además autónoma.

de agosto de 2020 a las Comunidades Autónomas como medida sanitaria, y al que se acogieron comunidades autónomas como Castilla La
Mancha, Cataluña, La Rioja, País Vasco o Extremadura, sin atención
a la situación laboral y habitacional de las trabajadoras del sexo que
en ellos trabajan y residen[32].

Estos y otros colectivos feminizados encuentran además dificultades para acceder al Ingreso Mínimo Vital (IMV), introducido
por el Decreto-Ley 20/2020, de 29 de mayo. Estas dificultades son
tanto normativas como fácticas. Las primeras afectan, para empezar, a las personas menores de 23 años, edad mínima exigida por el
Decreto-Ley 20/2020 para ser titular del mismo a titulo individual,
y no como parte de una unidad de convivencia (artículo 5.2). Afectan también a las personas que se encuentran en situación irregular
en nuestro país, que constituyen un porcentaje importante dentro de
sectores feminizados y desregularizados como el del trabajo sexual,
y que aparecen expresamente excluidas del ámbito de cobertura del
Decreto-Ley 20/2020. Su artículo 7 exige, en efecto, como requisito
para acceder al IMV haber residido de forma legal e ininterrumpida
en España durante al menos el año anterior a la presentación de la
solicitud. En uno y otro caso hay, ciertamente, excepciones. Se exime
así del cumplimiento del requisito de edad y del de residencia a las
víctimas de violencia de género y a las víctimas de trata de seres humanos y explotación sexual. No se hace lo propio, sin embargo, con
quienes voluntariamente ejercen el trabajo sexual. Ello es así pese a
que, en su Plan de Contingencia contra la violencia de género ante la
crisis del Covid-19, presentado el 21 de abril de 2020, el Ministerio
de Igualdad presentó medidas adicionales dirigidas, no sólo a víctimas
de trata y explotación sexual, sino también a mujeres en contextos de
prostitución (apartado 3.3), es decir, a quienes la ejercen de forma voluntaria. Parecía pues, en esa fecha temprana, que en la gestión de la
crisis se tendrían en cuenta las necesidades especiales de tutela de este
colectivo. Lo cual parecía augurar que se facilitaría su acceso al IMV.
En el diseño definitivo de éste, sin embargo, las condiciones de edad
y de residencia para acceder a él se flexibilizan para las mujeres vícti

---

[32]   Sobre este tema, *vid.* Medina Martín, R., "Desahuciar a las prostitutas en nombre del feminismo", *Revista Contexto*, nº 264, septiembre 2020.

mas de violencia de género y víctimas de trata y explotación sexual, pero no para las trabajadoras del sexo que no lo sean, pese a que ello afecta a las más desprotegidas, y por ende más vulnerables, dentro de un colectivo ya enormemente postergado.

Difícil de satisfacer para muchas trabajadoras del sexo, especialmente para aquellas que se encuentran aquí en situación irregular, es también el requisito de haber estado en situación de alta durante al menos un año en cualquiera de los regímenes que integran el sistema de la Seguridad Social. Este requisito se impone a quienes teniendo menos de treinta años pretenden acceder al IMV al margen de una unidad de convivencia. Para hacerlo, deben acreditar haber vivido de forma independiente en España durante al menos los tres años inmediatamente anteriores a la indicada fecha (las personas mayores de 30 años deben acreditar haber tenido en España domicilio distinto al de sus progenitores, tutores o acogedores durante el año inmediatamente anterior a la solicitud), y haber permanecido en dicho periodo al menos doce meses, continuados o no, en situación de alta en cualquiera de los regímenes que integran el sistema de la Seguridad Social, incluido el de Clases Pasivas del Estado, o en una mutualidad de previsión social alternativa al Régimen Especial de la Seguridad Social de los Trabajadores por Cuenta Propia o Autónomos (artículo 7.2). Se trata de un requisito difícil de satisfacer para un colectivo, el de las trabajadoras del sexo, cuya actividad carece de reconocimiento jurídico y para el que no siempre resulta fácil darse de alta como trabajadoras autónomas.

Súmese a todo lo anterior el impacto diferencial que la brecha educacional, la brecha informativa y, sobre todo, la brecha digital, tienen en este y otros colectivos postergados, y el resultado es su situación de abandono por parte de los poderes públicos. Ello supone el incumplimiento de la obligación constitucional de éstos de adoptar medidas que fomenten las condiciones de participación de toda la ciudadanía (artículo 9.2 CE), además de un fracaso en términos de salud democrática. Para fomentar las condiciones de participación ciudadana de todas las personas es preciso comenzar por tomarse en serio que todas, con independencia de los colectivos en que se integren, con independencia pues de en qué medida estos colectivos responden al perfil de ciudadano que la modernidad nos impuso como modelo, que todas, decía, forman parte de esa ciudadanía.

5.   DEMOCRACIA, AUTONOMÍA Y CRISIS: LA NECESARIA DIFERENCIACIÓN NORMATIVA

La gestión de la crisis sanitaria nos obliga más que nunca a cuestionar los principios de igualdad y libertad como bases de una ciudadanía genuinamente democrática. Nos compele, al hacerlo, a asumir en su lugar el principio de autonomía, la consagración de nuestra capacidad de auto-normarnos, como piedra de toque del Estado que debe informar todas sus esferas, las que integran lo público y lo privado, lo doméstico[33], nuestra participación en procesos de toma de decisiones colectivas y nuestra capacidad de tomar decisiones individuales.

Autonomía no es sinónimo de igualdad. La igualdad es relevante para la autonomía, sí, pero no como fin en sí misma, sino como instrumento a su servicio. Como tampoco es autonomía sinónimo de libertad, de la aspiración universal a la ausencia estructural de vínculos. Frente a ella, la autonomía parte de las personas como seres contextualizados, inmersos en entramados de redes relacionales que se interseccionan, se solapan, y entre las que se generan tensiones y sinergias. Lejos de dar la espalda a nuestra realidad situacional, relacional, interdependiente, la autonomía la asume como punto de partida, desplegando su normatividad dentro del complejo entramado relacional del que somos parte y que forma a su vez parte de nuestra identidad. Así entendida, la autonomía puede servirse puntualmente de la afirmación de nuestra igualdad y/o de nuestra libertad, frente a personas concretas y en escenarios determinados, pero no se identifica con la una ni con la otra. Lo relevante para la autonomía no es la igualdad ni la libertad, sino la interdicción de la discriminación, la erradicación de dinámicas discriminatoria que sitúan a individuos que forman parte de cierto/s colectivo/s social/es en situación de subordinación estructural frente a quienes se integran en otro/s.

En un contexto de crisis, cuando las desigualdades se exacerban y nuestras carencias democráticas se hacen más visibles, se hace especialmente importante subrayar que autonomía e interdicción de discriminación van necesariamente de la mano, que la erradicación de dinámicas discriminatorias depende de que sepamos hacer valer la

---

[33]   Habermas, J., *Faktizität und Geltung, Beiträge zur Diskurstheorie des Rechts und des demockratischen Rechtsstaats* Suhrkamp, Frankfurt am Main, 1992.

autonomía relacional de toda la población. Y en un contexto de crisis sanitaria, pero también de crisis socio-económica y de legitimidad, se hace preciso diseñar soluciones incluyentes, que lejos de profundizar en exclusiones y postergaciones que ya existen apunten hacia su corrección. Hacerlo requerirá la adopción de medidas de trato diferenciado que permitan incluir a sectores excluidos, tan excluidos que con frecuencia pasan por debajo del radar de las políticas sociales, y cuyo perfil se feminiza a medida que se intensifica su nivel de exclusión. Requerirá, en fin, que nos tomemos en serio la obligación de los poderes públicos de garantizar a todas las personas, con independencia de los grupos en que se integren, similares posibilidades de participación ciudadana (artículo 9.2 CE).

6.   BIBLIOGRAFÍA

Alabao, N., "La nueva reforma laboral cierra la puerta a 'las kellys'", *Ctxt*, 25 de diciembre de 2021. Disponible en: https://ctxt.es/es/20211201/politica/38247/nuria-alabao-ernest-canada-reforma-laboral-precariedad-kellys-convenio.htm [consulta: 04/05/2022].

Amorós, C., *Tiempo de feminismo. Sobre feminismo, proyecto ilustrado y postmodernidad*, Cátedra, Madrid, 2000.

Baena-Díez, J.M.; Barroso, M.; Cordeiro-Coelho, S.I.; Díaz, J.L. & Grau, M., "Impact of COVID-19 outbreak by income: hitting hardest the most deprived", *Journal of Public Health*, vol. 42, n° 4, 2020, pp. 698–703.

Barrère Unzueta, M., "La interseccionalidad como desafío al mainstreaming de género en las políticas públicas", *Revista Vasca de Administración Pública*, n° 87, 2010, pp. 225-252.

Cobreros Mendazona, E., "Discriminación por indiferenciación: estudio y propuesta", *Revista Española de Derecho Constitucional*, núm. 81, 2007, pp. 71-114.

Crenshaw, K.W., "Demarginalising the intersection of race and sex», *University of Chicago Legal Forum*, 1989, pp. 139-167.

Eurostat, Statistic Explained, *Living conditions in Europe – poverty and social exclusion*, octubre 2020 (https://ec.europa.eu/eurostat/statistics-explained/index.php?title=Living_conditions_in_Europe_-_poverty_and_social_exclusion#Poverty_and_social_exclusion) [consulta: 10/06/ 2021].

Fraser, N., "Social Justice in the Age of Identity Politics: Redistribution, Recognition and Participation", en N. Fraser & A. Honneth, *Redistribution or Recognition? A political-philosophical exchange*, Verso, London-New York, 2003, pp. 7-109.

Fredman, S, *Intersectional discrimination in EU gender equality and non-discrimination law*, European Commission: Directorate-General for Justice and Consumers, 2016, pp. 69-70.

Habermas, J., *Faktizität und Geltung, Beiträge zur Diskurstheorie des Rechts und des demockratischen Rechtsstaats* Suhrkamp, Frankfurt am Main, 1992.

Lombardo, E. y Verloo, M., "La 'interseccionalidad' del género con otras desigualdades en la política de la Unión Europea", *Revista Española de Ciencia Política*, n° 23, 2010, pp. 11-30.

Lorente Acosta, M. et al. *Impacto de la pandemia por COVID19 en la Violencia de Género en España*, Universidad de Granada, 2022. Disponible en: https://violenciagenero.igualdad.gob.es/violenciaEnCifras/estudios/investigaciones/2022/pdf/Estudio_Impacto_COVID-19.pdf [consulta: 04/05/2022].

Medina Martín, R., "Desahuciar a las prostitutas en nombre del feminismo", *Revista Contexto*, n° 264, septiembre 2020.

Oxfam Intermon, *Superar la pandemia y reducir la desigualdad. Cómo hacer frente a la crisis sin repetir errores*, 2021 (https://oxfam.app.box.com/s/2i zodgd8e3eeqg51cl20qx8pf3xyf78q [consulta: 10/06/ 2021].

Pateman, C. *The Sexual Contract*, Polity Press, Stanford, CA, 1988.

Rey Martínez, F., "La discriminación múltiple, una realidad antigua, un concepto nuevo", *Revista Española de Derecho Constitucional*, n° 84, 2008, pp. 251-283.

Rodríguez Ruiz, B., "Discapacidad y la interseccionalidad de la discriminación por razón de sexo en el ámbito laboral" en *Construyendo un estándar europeo de protección de los derechos: Un recorrido por la jurisprudencia del TJUE a partir de la entrada en vigor de la Carta de Derechos Fundamentales de la Unión* (A. Carmona Contreras, coord.), Aranzadi, Cizur Menor, 2018, pp. 151-165.

Ruiz-Pérez I., Pastor-Moreno G., "Medidas de contención de la violencia de género durante la pandemia de COVID-19", *Gac Sanit.* 2021 July-August 35(4): 389–394. Disponible en: https://www.ncbi.nlm.nih.gov/pmc/articles/PMC7181996/ [consulta: 10/06/2021].

Schiek, D., "Intersectionality and the Notion of Disability in EU discrimination law", *Common Market Law Review*, vol. 53(1), 2016, pp. 35-63.

Schiek, D. y Lawson, A., *European Union Non-Discrimination Law and Intersectionality. Investigating the Triangle of Racial, Gender and Disability Discrimination*, Ashgate, Aldershot, 2011.

Soler, A., et al, *Mapa del abandono educativo temprano en España. Informe general*, Fundación Europea Sociedad y Educación, Madrid, 2021. Disponible en: https://www.sociedadyeducacion.org/site/wp-content/

uploads/INFORME-GENERAL-AET_WEB_23032021.pdf   [consulta: 10/06/2021].

Vives-Cases, C., La Parra-Casado, D., Estévez, J.F., Torrubiano-Domínguez, J., Sanz-Barbero, B., "Intimate Partner Violence against Women during the COVID-19 Lockdown in Spain", *Int J Environ Res Public Health*, 2021 May; 18(9): 4698. Disponible en: https://www.ncbi.nlm.nih.gov/pmc/articles/PMC8125103/ [consulta: 10/06/2021].

Wittig, M. "On the Social Contract", *The Straight Mind and other Essays*, Beacon Press, Boston, 1992, pp. 33-45.

El ejercicio de los derechos fundamentales durante el estado de alarma (el ejemplo de la libertad de expresión)

JOAQUÍN URÍAS
Prof. Titular de Derecho Constitucional
Universidad de Sevilla

1.   INTRODUCCIÓN

La experiencia de la pandemia de COVID-19 a partir de 2020 y la sucesiva declaración de estado de alarma en dos ocasiones ha planteado problemas de orden prácticos a los que hasta ahora no había tenido que enfrentarse nuestro derecho constitucional. En esa situación ha dado la impresión de que nuestra doctrina científica carecía de un *corpus* doctrinal sólido capaz de ofrecer soluciones jurídicas a los problemas que se plantean. Entre ellos destaca la cuestión del ejercicio de los derechos fundamentales durante este estado excepcional. Los derechos fundamentales durante la vigencia del estado de alarma no están suspendidos, pero parece que su ejercicio pueda verse modificado. Esta situación obliga a repensar con criterios operativos la naturaleza misma de los derechos fundamentales y su valor constitucional y social.

En esta nota sucinta se tratan de apuntar algunas de las cuestiones que han surgido al hilo de esta situación realmente excepcional y su posible encuadre en una teoría operativa de los derechos fundamentales. Para explicar de manera práctica las posibilidades y los límites del ejercicio de derechos que no están suspendidos se recurre al ejemplo de la libertad de expresión que es, sin duda, uno de los derechos más versátiles para entender cómo funcionan los que se reconocen como fundamentales.

1.1. El estado de alarma

El reconocimiento de la eficacia jurídica de la Constitución ha ido históricamente parejo a la constatación de que existen situaciones en que, precisamente para garantizar dicha vigencia, es necesario dejar de aplicar jurídicamente parte del texto constitucional. Esta paradoja originaria del derecho de excepción ha sido perfectamente explicada en las obras clásicas de la materia[1]. La regulación jurídica de la excepcionalidad tiene en sí misma mucho de contradicción, pues se trata de regular jurídicamente las situaciones en las que no es posible asegurar la eficacia jurídica plena de las disposiciones constitucionales. Esa contradicción se ha intentado superar a partir de la idea de que el derecho de excepción configura una Constitución alternativa, que es la que se aplica de manera temporal y excepcional mientras se logra acabar con la situación que origina la inaplicabilidad de la norma. Se prefiere renunciar a la vigencia de determinadas disposiciones antes que arriesgarse a que la falta de flexibilidad vuelva inaplicables muchas más.

Pese a ello, nuestra Constitución, en los artículos 116 y 55, solo prevé las modalidades de tramitación de los distintos estados excepcionales y la intensidad de la alteración del régimen ordinario que suponen, dejando la concreción de sus presupuestos habilitantes a la ley. En este caso la ley Orgánica 4/1981 que, por su cercanía temporal y material con el debate constituyente, suele considerarse como algo parecido a lo que en otros Estados se denominan «leyes constitucionales».

---

[1]   Vid. CRUZ VILLALÓN, Pedro, *Estados excepcionales y suspensión de garantías*, Tecnos, Madrid, 1984, p. 15 y ss.

Así, ante diferentes escenarios de crisis la Constitución se prevén las medidas disponibles para atajarlos y los mecanismos que controlan su aplicación, en un sistema que la centraliza esencialmente en el Gobierno y las Cortes Generales. Aunque la intensidad de la excepcionalidad varía entre alarma, excepción y sitio lo que permite su aplicación -pese al silencio constitucional sobre la materia- no es tanto el tipo de medidas permitidas como la naturaleza de la amenaza contra el normal funcionamiento del Estado que originan cada uno de ellos. Razonablemente parece que hay que entender que no se trata de que según la intensidad de la restricción deseada el Gobierno pueda elegir qué mecanismo aplicar, sino que depende de la naturaleza misma del riesgo que enfrenta la sociedad el que se pueda optar por una u otra opción. Las medidas que se permiten en cada situación excepcional son progresivamente de más intensidad. Así durante la alarma no es posible suspender derechos fundamentales, algo que sí sucede tras la declaración de los estados de sitio o excepción. Sin embargo esta gradación de intensidad se refiere a la respuesta autorizada según la naturaleza de cada situación. Nuestro sistema no autoriza a los poderes públicos a elegir qué estado declara; bien al contrario, limita la excepcionalidad de tal manera que cuando se da determinada situación en la vida real es posible acudir a determinado grado de excepción y sólo a ese. Más allá, pese a algunas vacilaciones iniciales[2], el legislador orgánico de los estados de excepción ha distinguido entre presupuestos habilitantes totalmente diferenciados en cuanto a su naturaleza que no guardan entre sí una relación de gravedad o intensidad

Ante catástrofes, crisis sanitarias, paralización de servicios públicos esenciales para la comunidad, o situaciones de desabastecimiento lo que procede es el estado de alarma. En estos casos, y tras cumplir con las formalidades que establece la Constitución respecto a la iniciativa del Gobierno y la intervención de las Cortes, la esencia del nuevo régimen instaurado durante el estado de alarma radica en una

---

[2]   La ponencia inicial de lo que después sería la LO 4/1981 hablaba de la que las alteraciones leves del orden público podrían dar lugar al estado de alarma y las más graves al de excepción. Sobre ello, vid. GARRIDO LÓPEZ, Carlos, «Las limitaciones como derecho del Derecho constitucional de excepción», en Garrido López, C. (coord.) *Excepcionalidad y Derecho: el estado de alarma en España*, Fundación Manuel Giménez Abad, Zaragoza, 2021, p. 9.

alteración del orden habitual de competencias. La excepcionalidad de la alarma consiste esencialmente en la posibilidad de hacer frente a una emergencia centralizando decisiones que normalmente corresponderían a distintas administraciones. Pero no es constitucionalmente posible suspender derechos fundamentales.

En principio carece de sustento constitucional y legal la idea, que tuvo cierto éxito en un primer momento durante la Pandemia del COVID-19, de que si una crisis sanitaria el gobierno considera que necesita suspender el ejercicio de los derechos fundamentales puede, sin más, recurrir a declarar el estado de excepción[3]. Ello sólo puede suceder si se aprecia una alteración del orden público, que es la circunstancia habilitante prevista para ello. Cuando se dan tan sólo las circunstancias propias del estado de alarma, no cabe la declaración del estado de excepción: no es una elección discrecional de los poderes ejecutivos y legislativo, sino una facultad reglada limitada a los supuestos previstos para ello.

2. LA SUSPENSIÓN DE DERECHOS DURANTE EL ESTADO DE ALARMA

2.1. La prohibición de suspensión de derechos

El capítulo V del título primero de la Constitución se titula "De la suspensión de derechos y libertades". En el mismo, el artículo 55.1 CE establece que ciertos derechos[4] "podrán ser suspendidos cuando se acuerde la declaración del estado de excepción o de sitio". Nada

---

3   Puede encontrarse un elenco muy completo de diversas posiciones dogmáticas defendidas esencialmente en la prensa y en blogs de actualidad en GÓMEZ FERNÁNDEZ, Itziar, «¿Limitación o suspensión? Una teoría de los límites a los derechos fundamentales para evaluar la adopción de estados excepcionales», en GARRIDO LÓPEZ, Carlos. (coord.) «Excepcionalidad y Derecho: el estado de alarma en España», Fundación Manuel Giménez Abad, Zaragoza, 2021, especialmente en las notas 15 a 17.

4   Se trata de los derechos a la libertad personal (art. 17 CE), inviolabilidad del domicilio (art. 18.2 CE), secreto de las comunicaciones (art. 18.3 CE); libertad de circulación (art. 19 CE); libertad de expresión[art. 20.1 a) CE]; libertad de información [art. 20.1 d) CE]; prohibición del secuestro de comunicaciones (art.

dice del estado de alarma. En consecuencia, vigente la eficacia general de los derechos fundamentales, el Tribunal Constitucional señala de manera tajante y razonable en la STC 83/2016 (FJ8) que: "A diferencia de los estados de excepción y de sitio, la declaración del estado de alarma no permite la suspensión de ningún derecho fundamental (art. 55.1 CE *contrario sensu*), aunque sí la adopción de medidas que pueden suponer limitaciones o restricciones a su ejercicio. En este sentido, se prevé, entre otras, como medidas que pueden ser adoptadas, la limitación de la circulación o permanencia de personas o vehículos en lugares determinados o condicionarlas al cumplimiento de ciertos requisitos; la práctica de requisas temporales de todo tipo de bienes y la imposición de prestaciones personales obligatorias; la intervención y la ocupación transitoria de industrias, fábricas, talleres, explotaciones o locales de cualquier clase, con excepción de domicilios privados; la limitación o el racionamiento del uso de servicios o del consumo de artículos de primera necesidad; la adopción de las órdenes necesarias para asegurar el abastecimiento de los mercados y el funcionamiento de los servicios de los centros de producción afectados por una paralización de los servicios esenciales para la comunidad cuando no se garanticen los servicios mínimos; y, en fin, la intervención de empresas o servicios, así como la movilización de su personal, con el fin de asegurar su funcionamiento, siéndole aplicable al personal movilizado la normativa vigente sobre movilización".

De esta manera queda resuelta de manera satisfactoria cualquier duda prexistente sobre el sentido del silencio constitucional respecto a la posibilidad de suspender derechos tras la declaración del estado de alarma. En lo que la Constitución no prevé expresamente la aplicación de un régimen excepcional, se mantiene la vigencia de la Constitución ordinaria... o no. Porque la asunción expresa de que los derechos fundamentales pueden ser limitados de manera específica durante esta situación, a pesar de la total ausencia de referencias constitucionales sobre ello, plantea sin duda problemas. El Tribunal, en definitiva, parece aceptar que el régimen jurídico de los derechos fundamentales y su eficacia se ven alterados por esa declaración de

---

20.5 CE); derecho de reunión y manifestación (art. 21 CE); derecho de huelga (art. 28.2 CE) y derecho a adoptar medidas de conflicto colectivo (art. 37. 2 CE).

alarma. Sobre ello se vuelve más adelante, pero antes es preciso detenerse en cómo funciona la prohibición de suspensión.

2.2. *La naturaleza de los derechos fundamentales de cara a su suspensión*

En general, las discusiones sobre la naturaleza jurídica de instituciones perfectamente conocidas corren el riesgo de convertirse en mero virtuosismo bizantino; la cuestión de cuál es la fuerza vinculante de los derechos fundamentales en nuestra Constitución ha provocado discusiones de innegable calidad técnica, aunque no siempre se hayan sacado de estas reflexiones las consecuencias prácticas correspondientes.

En términos muy simplistas, la discusión sobre la naturaleza de los derechos fundamentales parte a menudo de la clásica distinción de Ronald Dworkin, reformulada por Robert Alexy[5], entre principios y reglas. La idea sería que en el mundo del derecho junto a los mandatos normativos cerrados conviven mandatos abiertos, basados en conceptos jurídicos indeterminados, que necesitan ser concretados jurisprudencialmente caso por caso. Estos mandatos, que son los principios, operan de manera diferente a las reglas. Su objetivo es facilitar la toma de decisiones, pero necesitan de un operador jurídico que basándose en ellos adopte tal decisión. En cuanto inspiradores de las decisiones jurídicos su aplicación es gradual, del mismo modo que pueden ser inaplicados sin necesidad de derogación.

Así, Alexy define los principios como mandatos de optimización que se caracterizan por el hecho de que pueden ser cumplidos en diferentes grados y de que la medida ordenada en que deben cumplirse, no solo depende de las posibilidades fácticas, sino también de las posibilidades jurídicas. En este sentido, acaba por enmarcar los derechos en la categoría de principios normativos, por más que acepte que están integrados por una combinación de reglas y principios de optimización.

---

5   DWORKIN, Ronald M. "The Model of Rules» *University of Chicago Law Review*: Vol. 35 : Iss. 1, 1967, Article 3. ALEXY, Robert *Teoría de los Derechos Fundamentales*, trad. E. Garzón Valdés, Madrid, Centro de Estudios Políticos y Constitucionales, (2ª. reimp.), 1986.

A partir de esta construcción sobre su naturaleza -que ha sido aceptada acríticamente en sistemas muy diferentes de aquél para que el que fue formulada- el contenido de los derechos queda sometido al principio de proporcionalidad. Los derechos entendidos como mandatos de optimización parecen estar en permanente conflicto entre sí, resuelto mediante decisiones de preferencia condicional, a partir de los elementos fácticos y jurídicos de cada caso concreto. La motivación de las decisiones judiciales de ponderación adoptadas relativa a los elementos de la proporcionalidad permite su control por los órganos superiores. Esta construcción resulta adecuada para entender la dimensión objetiva de los derechos fundamentales entendidos como mandatos. Sin embargo, en lo que hace a los derechos fundamentales entendidos como derechos subjetivos debilita la seguridad jurídica de quien aspira a ejercerlos y debe aventurarse a una eventual decisión de ponderación con resultados inciertos. Ciertamente, los defensores de esta tesis pretenden atribuir al legislador la capacidad de concretizar la Constitución, reduciendo la capacidad de creación autónoma de los tribunales constitucionales[6]. Sin embargo, lo cierto es que en la vida real el resultado es un decisionismo judicial variable caso por caso y de escasa previsibilidad.

Realmente, la doble naturaleza de los derechos, que de una parte son posiciones subjetivas disponibles para la ciudadanía resistentes a cualquier invasión estatal y de otra mandatos de optimización dirigidos a los poderes públicos para configurar un determinado sistema jurídico, casa mal con cualquier perspectiva que ignore uno de sus dos caracteres. La constatación de que en cada derecho hay un mandato al legislador y los poderes públicos para que orienten su acción hacia la mayor eficacia de determinados principios no excluye que paralelamente operen como derechos subjetivos con un contenido mínimo inalterable que ofrece al ciudadano un espacio de libertad que no puede ser ignorado ni reducirse.

---

[6]   Hay que señalar que las teorías de Alexy surgen a partir de un rechazo al excesivo dogmatismo de las construcciones alemanas objetivas basadas en los valores que llevaban al puro decisionismo judicial en la determinación del contenido protegido. Vid. BÖCKENFORDE, Ernst-Wolfgang, *Escritos sobre derechos fundamentales*, Nomos Verlagsgesellschaft, Baden-Baden, 1993.

A la hora de la aplicación práctica es más fácil aprehender el mandato genérico correspondiente a cada derecho que la regla concreta de contornos delimitados y jurídicamente vinculante que se impone a la voluntad de cualquier poder público. Esa dificultad, que sólo puede resolverse con una tarea minuciosa de interpretación constitucional[7]. La dificultad para delimitar apriorísticamente los requisitos constitucionales que permiten para un derecho de tal modo que se evite su colisión con otros derechos y bienes constitucionalmente protegidos lleva en ocasiones a negar el carácter mismo de los derechos como reglas. La consecuencia es que en lugar de reglas absolutas que aseguren las distintas manifestaciones del principio de libertad quedan solo principios que pueden ser inaplicados. La ciudadanía pierde parte de su facultad de actuar en libertad que se ve sometida a la voluntad de los poderes públicos.

De este modo, si por ejemplo la libertad de expresión se entiende como un mandato de que en la medida de lo posible se permita la máxima libertad a la hora de difundir los propios pensamientos, siempre y cuando el Estado no crea que ello choca con otros valores, el ciudadano nunca puede saber de antemano si su discurso va a estar o no protegido constitucionalmente. Pese a eso, parte de la doctrina española más influyente parece adscribirse recientemente a la concepción de los derechos fundamentales como meros principios normativos. Al mismo tiempo reserva la categoría de las reglas casi exclusivamente a normas muy puntuales y marginales que identifica con prohibiciones definidas y expresas al legislador como la de la censura previa[8]. Sin duda, detrás de esa concepción que le quita toda eficacia jurídica individual a derechos como la libertad de expresión, se esconde la dificultad para delimitar su contenido esencial sin una reflexión profunda acerca del sentido constitucional del derecho y sus posibilidades de vigencia práctica.

---

[7]   Sobre ello, vid. HÄBERLE, Peter. *La garantía del contenido esencial de los Derechos Fundamentales en la Ley Fundamental de Bonn. Una contribución a la concepción institucional de los derechos fundamentales y a la teoría de reserva de ley.* Madrid: Centro de Estudios Políticos y Constitucionales, 2008.

[8]   Cfr. PRESNO LINERA, Miguel, en Francisco BASTIDA y otros, *Teoría general de los derechos fundamentales en la Constitución Española de 1978* , Madrid, 2004, Cap. 2.

La tensión entre expectativa y ejercicio, como algo consustancial a los derechos fundamentales. Así, del carácter fundador de los derechos fundamentales se desprendería una expectativa de conducta amparada por el derecho que no se correspondería en la práctica con la conducta efectivamente protegida en cada caso concreto. Esta visión extrajurídica lleva, por ejemplo, a afirmar que "insultar a una persona puede ser una expectativa de conducta objeto de la libertad de expresión"[9]. Esta expectativa sólo existe en un ámbito iusnaturalista superior al derecho positivo, pero no en la Constitución. En el ordenamiento jurídico español no existe una expectativa de ese tipo por la sencilla razón de que los insultos no forman parte del derecho a la libertad de expresión. Sin embargo, ese tipo de afirmaciones lleva a construir una teoría del conflicto entre derechos que descansa sobre la necesidad de limitar los derechos.

Frente a ello, Una teoría racional de los derechos fundamentales debe girar sobre el concepto de contenido del derecho, antes que sobre el de los límites. El contenido del derecho es el ámbito concreto de libertad garantizado por la Constitución: lo que ésta realmente asegura y protege frente a todos los poderes públicos. Nada en el texto de la Constitución permite afirmar que los derechos tengan *a priori* un contenido expansivo total que sea necesario limitar o delimitar. En ningún momento dice la Constitución que exista un derecho de cualquier aglomeración de personas en la vía pública a permanecer en ella; ni que todo grupo de personas siempre y en todo caso pueda formar una asociación o un sindicato; tampoco dice que la Constitución proteja cualquier tipo de expresión comunicativa. La idea de que las libertades de manifestación, de asociación o de expresión incluyan una expectativa ilimitada de protección a todo tipo de conductas está quizás en las concepciones personales de algunos autores, pero no aparece en la Constitución. Cuando nuestro texto constitucional garantiza el derecho a la integridad corporal no asegura que ningún ciudadano en ningún caso pueda ser tocado por un miembro del poder público. Lo mismo que el derecho a la huelga no permite entender como tal a cualquier acto reivindicativo, ni el derecho al *habeas corpus* incluye la

---

[9]   Cfr. BASTIDA, Francisco, *Teoría general de los derechos fundamentales en la Constitución española de 1978*, Tecnos, Madrid, 2004, p. 126.

expectativa de que toda persona privada de libertad pueda ser llevada cada vez que lo solicite ante un juez.

Los derechos, en cuanto facultades subjetivas, tienen un contenido muy específico. Otorgan a los ciudadanos un ámbito muy concreto de libertad y autodeterminación. Que haya zonas grises o que la brevedad del texto constitucional no siempre defina detalladamente el ámbito del derecho no permite creer que exista una "expectativa" de protección infinita para conductas que de algún modo se parezcan a las efectivamente garantizadas. Los derechos han de tener un contenido definido e intangible. Por eso son derechos. Y ese contenido jurídicamente garantizado no puede ser restringido por aquellos frente a quienes se garantiza.

Los derechos tienen su razón de ser en la garantía de un espacio de libertad para el ciudadano, inmune frente a las intromisiones del poder. Su eficacia va más allá del mero voluntarismo de las autoridades encargadas de aplicar un principio que pueden armonizar libremente con otros de su elección. Todo derecho fundamental tiene, por el hecho de serlo, un carácter de regla jurídica que implica la aplicabilidad directa y la intangibilidad de su contenido protegido o esencial (art. 53.1 CE). Ese contenido jurídico -que solo es aprehendible mediante una tarea de delimitación[10] en la que concurren decisiones aplicativas y de control jurisdiccional- no agota sin embargo la fuerza constitucional de los derechos fundamentales, que funcionan también como principios ordenadores de todo nuestro sistema jurídico y fundamentos del orden político, en los términos del art. 10.1 CE. En esa calidad, los derechos tienen también un valor institucional que obliga a construir todo el ordenamiento jurídico del modo más favorable a la vigencia de los derechos entendidos como principio. Los derechos fundamentales son, por tanto, regla jurídica en lo que afecta a la intangibilidad de su contenido protegido y principios ordenadores del ordenamiento en lo que hace a los valores y objetivos constitucionales que encarnan.

---

[10]   Cfr. DE OTTO PARDO, Ignacio, «La regulación del ejercicio de los derechos y libertades», en Lorenzo Martín-Retortillo Baquer, Ignacio de Otto y Pardo, *Derechos fundamentales y Constitución*, Madrid, 1988, p. 141.

Así, la libertad de expresión como regla sólo protege la libre exposición de ideas relativas a la sociedad, pero como principio obliga a los poderes públicos a mantener una comunicación pública libre lo más amplia posible en la que tienen cabida otros discursos carentes de ese valor de reflexión social. Mientras que la regla es inalterable y resiste cualquier intromisión, el principio necesita armonización. Y la validez de tal armonización depende de su proporcionalidad. La proporcionalidad no justifica en ningún caso la reducción del contenido esencial del derecho, pero sí es un criterio adecuado para articular la armonización y desarrollo de los derechos entendidos como principios estructurales del ordenamiento: ahí los poderes públicos tienen un amplio margen de libertad de acción y el triple examen de proporcionalidad actúa como garante de que no se produzcan sacrificios injustificados que mermen el valor inspirador de los derechos.

2.3. La naturaleza de la suspensión de derechos

Intuitivamente, suspender un derecho significa privar temporalmente de vigencia a su reconocimiento constitucional. En esencia, mientras el derecho está suspendido es como si no existiera su reconocimiento constitucional: desaparece la eficacia directa y la resistencia al legislador que configuran al derecho como una regla jurídica vigente frente a todos los poderes del Estado.

En contra de esta comprensión intuitiva, se ha defendido que la suspensión no significa desaparición radical y absoluta de los derechos, sino su subordinación a otros principios, sometida siempre a la proporcionalidad[11]. Desde esta perspectiva -que parte de una muy discutible distinción entre derechos fundamentales absolutos y relativos- la suspensión de derechos sólo facultad para la adopción de las medidas estrictamente necesarias para el restablecimiento de la normalidad. De ello deducen que los derechos suspendidos permanecen en el ordenamiento y que a lo que se afecta realmente durante el período de suspensión es sólo a la vigencia de sus garantías. En esa perspectiva, desaparece el control judicial de las entradas en domici-

---

11   Vid. DE LA QUADRA-SALCEDO FERNÁNDEZ DEL CASTILLO, T., (1983) «La naturaleza de los derechos fundamentales en situaciones de suspensión», en *Anuario de Derechos Humanos*, núm. 2, p 434.

lio, pero sigue siendo necesario justificar cualquier entrada gubernativa en el mismo conforme a la proporcionalidad a la vista del origen y el objetivo de la legislación concreta de emergencia.

Aunque esta postura voluntarista sigue teniendo adeptos[12] lo cierto es que explica mal la naturaleza misma de la suspensión y, sobre todo, resulta incompatible con una correcta comprensión de la naturaleza de los derechos fundamentales. La distinción entre derechos absolutos (como sería, para estos autores, la libertad de expresión) y derechos relativos que se plasman en una garantía específica establece una gradación de efectos que carece de cualquier justificación en el texto constitucional. Más allá parece obviar la realidad de que cada derecho tiene un contenido protegido que es necesario identificar y delimitar pero que resiste absolutamente cualquier intromisión del legislador. Adicionalmente, la eficacia directa de los derechos fundamentales implica que no pueden someterse a recortes que alteren su contenido y valor jurídico sin perder la categoría misma de derecho.

Detrás de esta visión late con frecuencia una comprensión de los derechos como principios antes que como reglas jurídicas. En la misma, resulta coherente entender que la fuerza vinculante del principio se modula en cada ocasión y tiene diversa intensidad en razón de los principios con los que se enfrente. Se pretende, pues, denominar suspensión a lo que en realidad sería la sumisión del principio a determinados valores que temporalmente se consideran prevalentes y constituyen el fundamento de la excepcionalidad.

En realidad, la suspensión de un derecho implica sin duda su derogación temporal. Así se desprende no sólo de la lógica constitucional e histórica sino incluso de los tratados internacionales que se refieren a ella[13]. Sin embargo, esta derogación se refiere esencialmente a los derechos entendidos como regla jurídica. Así se desprende tanto del tenor del art. 55.1 CE que hace una descripción pormenorizada de los apartados concretos susceptibles de suspensión (en materia de

---

[12]   Cfr. ARROYO GIL, Antonio, «La naturaleza del estado de alarma y su presupuesto habilitante", en Garrido Lopez, Carlos (Coord.), *Excepcionalidad y derecho: el estado de alarma en España*, Zaragoza, 2021, p. 33.

[13]   Notablemente, el art. 15 CEDH se refiere a "derogación" para la inaplicación de algunos de los derechos reconocidos en el Convenio durante las situaciones excepcionales.

libertad de expresión, por ejemplo, es suspendible la prohibición de secuestro administrativo pero no la de censura previa), como del hecho que el art. 10 CE y el resto de los que -como el 1.1 CE- recogen los principios inspiradores de nuestro ordenamiento no pueden ser suspendidos.

De ese modo, vigente un estado excepcional, es posible suspender los derechos entendidos como reglas jurídicas pero se mantiene la vigencia de su valor inspirador e institucional como principios que impregnan todo el sistema jurídico[14]. Eso significa que también se mantiene la vigencia del principio de proporcionalidad en cuanto mecanismo regulador de la armonización de principios contrapuestos. Efectivamente, cualquier reducción del espacio hipotético que podría alcanzar el derecho como principio inspirador debe venir justificado por el principio de proporcionalidad. La suspensión del derecho no implica también la desaparición de esa vinculación. Si el principio de proporcionalidad sirve (lo que resulta cada día más discutible, aunque esa es otra cuestión) para justificar que la eficacia del mandato de optimización no abarque a conductas que eventualmente quedar cubiertas por él, ello es necesario incluso cuando el derecho "matriz" esté suspendido en cuanto regla jurídica.

La suspensión de la vigencia implica, por tanto, que no desaparece la necesidad de esa justificación implícita en la aplicación del principio de proporcionalidad. Ello se traduce, a efectos prácticos, en que es posible "derogar" la regla jurídica ignorando su contenido[15] pero ha de hacerse de manera motivada, justificando la proporcionalidad de la medida. Así, la suspensión de la prohibición absoluta de secuestro administrativo de publicaciones implicaría que la autoridad gubernativa puede ordenar el secuestro de publicaciones incluso ya distribuidas pero al hacerlo ha de justificar que dicha medida sea necesaria y

---

14   Vid. DÍAZ REVORIO, Francisco Javier, «Desactivando conceptos constitucionales. La suspensión de derechos y los estados excepcionales», en Garrido López, C. (coord.) *Excepcionalidad y Derecho: el estado de alarma en España*, Fundación Manuel Giménez Abad, Zaragoza, 2021.

15   Vid. ALÁEZ CORRAL Benito, «El concepto de suspensión general de los derechos fundamentales», en LÓPEZ GUERRA y ESPÍN TEMPLADO (coord), *La defensa del Estado*, Tirant lo Blanch, Valencia, 2004, p. 243. (la suspensión es la desaparición)

adecuada para alcanzar fines vinculados con la causa que justificó la declaración del estado excepcional.

Eso no significa que durante la suspensión las conductas habitualmente garantizadas como espacios de libertad por el derecho fundamental en tanto que regla pierdan necesariamente toda protección jurídica. Ausente la garantía constitucional, algunas de esas conductas pueden quedar protegidas por otro tipo de normas: especialmente las leyes en vigor en tanto no se cambien, pero también otras normas reglamentarias que reconozcan derechos. Lo que desaparece es el reconocimiento constitucional con la fuerza vinculante que ello implica frente a todos los poderes estatales.

Resulta, por tanto, ontológicamente erróneo entender que entre suspensión del derecho y limitación de su contenido adicional hay una relación de intensidad, por más que recientemente ciertos sectores doctrinas se vienen sumando a esta teoría que algunos denominan gradualista[16]. El concepto mismo de restricción legítima de los derechos fundamentales resulta contradictorio con la afirmación de su eficacia jurídica como regla. Normalmente, quienes hablan de limitaciones de derechos fundamentales parten de un concepto amplio de derechos, con contenido difuso, a la forma de los principios y no de las reglas. Se dice entonces, por ejemplo, que cuando se castiga a alguien por proferir un insulto (ya sea civilmente, ya por concurrir un delito de injurias, ya mediante la aplicación de normas administrativas sancionadoras) se le está limitando la libertad de expresión. La realidad es que los insultos no forman parte de la libertad de expresión. Tampoco se incluye en la protección constitucional del art. 20.1.a) el proferir amenazas, inducir a alguien a cometer un delito o crear pánico deliberado. No existe en nuestro ordenamiento un derecho genérico a la palabra, de modo que los discursos que no buscan la difusión pública de una idea para aportar una visión a la reflexión social no forman parte del contenido intangible de dicha libertad. Denominar técnicamente 'limitación' del derecho a cualquier restricción de la palabra sólo contribuye a aumentar la confusión en el debate

---

[16]   DOMENECH PASCUAL, Gabriel, «Dogmatismo contra pragmatismo. Dos maneras de ver las restricciones de derechos fundamentales impuestas con ocasión de la COVID-19», en *InDret, Revista para el Análisis del Derecho*, Nº4–2021 p. 379 y ss.

público: crea inseguridad jurídica y termina por negar el valor mismo de los derechos. Si un cartel que prohíbe el cante es una limitación de la libertad de expresión, y las reglas relativas a la publicidad de tabaco otra, ciertamente resulta complicado que la libertad de expresión termine por ser nada con valor jurídico directo.

Frente a esta ligereza terminológica, parece mucho más correcto aceptar que el contenido protegido como regla jurídica no puede ser limitado de ninguna forma y es -por ello- resistente a cualquier ataque del poder público. En cambio, el mandato genérico de optimización que conlleva cada derecho fundamental (en la libertad de expresión, ya se dijo, se concretaría en el mantenimiento de una comunicación pública lo más libre posible) sí que puede modularse en aras a la protección de otros bienes o valores constitucionales de relevancia con el único requisito de la motivación que, seguramente, puede controlarse mediante la proporcionalidad. Si existe algo parecido a la limitación de derechos es evidente que sólo puede afectar a aquellos contenidos adicionales añadidos legislativamente al contenido esencial intangible o, más posiblemente, al valor expansivo del derecho entendido como mandato general en su carácter de principio institucional.

Pese a lo dicho, desafiando las categorías jurídicas esenciales, en el debate público en nuestro país se llegó a identificar una restricción severa del contenido no esencial del derecho con la suspensión del mismo[17]. Seguramente se trataba de una manera impropia de expresar un juicio de valor sobre la ilegitimidad constitucional de dichas restricciones o incluso a violaciones constitucionales. Cuando las autoridades restringen un derecho de manera desproporcionada o vulneran directamente su contenido protegido estarían suspendiendo el derecho. Realmente, toda restricción inconstitucional del contenido de un derecho por parte de los poderes públicos implica que éstos

---

[17]   Vid. ARAGÓN REYEZ, Manuel, «Hay que tomarse la Constitución en serio», El País, 9 de abril de 2020, que entiende que en el caso de la aplicación de los estados de alarma de 2020 se había producido esta limitación suspensiva. También SOLOZÁBAL ECHAVARRÍA, Juan José «Algunas consideraciones constitucionales sobre el estado de alarma», en BIGLINO y DURÁN (ed.), Los efectos horizontales de la COVID sobre el sistema constitucional, Fundación Giménez Abad, Zaragoza, 2020, p. 12, que defiende que las limitaciones no alcanzan tal intensidad y por tanto no llegan a ser suspensión.

actúen como si el derecho no existiera o estuviera suspendido. Del mismo modo que cualquier acto inconstitucional puede presentarse como una "pretensión de suspensión" del texto de nuestra norma fundamental. Quien, de un modo u otro, actúa ignorando la existencia de los derechos fundamentales en cualquiera de sus manifestaciones están operando como si la norma estuviera suspendida.

Sin embargo, denominar suspensión a toda inconstitucionalidad es como señalar que cualquier ley inconstitucional es una ley de reforma constitucional que no ha seguido el procedimiento prescrito en la Constitución. La inconstitucionalidad es una violación del orden jurídico del Estado. La suspensión, en cambio, es un mecanismo previsto por las normas constitucionales vigentes como válvula de escape ante situaciones de excepcionalidad. En ese sentido la suspensión de un derecho en los términos del art. 55 CE supone la aplicación de las previsiones constitucionales. Es un acto plenamente constitucional siempre y cuando se respeten los límites formales y materiales establecidos en la Constitución.

De ese modo, la delimitación restrictiva en exceso de un derecho fundamental jamás puede considerarse como suspensión del mismo. Si esa delimitación aparece en un Decreto de estado de alarma debidamente adoptado (y, eventualmente, ratificado parlamentariamente) puede suceder que se trate de una norma inconstitucional, pero en ningún caso podrá entenderse que el Decreto ha operado una suspensión del derecho fundamental.

2.4. Suspensión de derechos en la STC 148/2021

La primera vez que el Tribunal Constitucional tuvo que enfrentarse a la cuestión del "exceso" en la suspensión de derechos fue a propósito de la suspensión individual de garantías prevista en el art. 55.2 CE durante la investigación de delitos relacionados con el terrorismo. La STC 199/1987 anuló diversos preceptos de la ley orgánica dictada en desarrollo de este artículo porque suponían una auténtica suspensión de derechos no incluidos en el ámbito del precepto. Se trataba de la aplicación de la llamada "ley antiterrorista" a quienes "hicieran apología" de los delitos de terrorismo. El Abogado del Estado defendía la corrección de esta inclusión ante la posibilidad de que no se tratase de un delito independiente en sus motivaciones o en su relación con las organizaciones terroristas. Señalaba, pues, la conveniencia en aras de la eficacia aplicar especiales medidas de investigación en los casos de apología. Frente a ello el Tribunal señala que "el problema planteado no es el de la razonabilidad de tal inclusión, sino el de si el legislador estaba habilitado para ello por el art. 55.2 de la Constitución. La manifestación pública, en términos de elogio o de exaltación, de un apoyo o solidaridad moral o ideológica con determinadas acciones delictivas, no puede ser confundida con tales actividades, ni entenderse en todos los casos como inductora o provocadora de tales delitos. Los supuestos que menciona el Abogado del Estado de posible concierto o relación de los apologistas con organizaciones terroristas, son precisamente supuestos en los que se excede del ámbito de la pura apología, pudiendo incluirse, en su caso, en el art. 1.2 k) de la propia Ley Orgánica 9/1984. Por todo ello, debe considerarse contraria al art. 55.2 de la Constitución la inclusión de quienes hicieran apología de los delitos aludidos en el art. 1 de la Ley en el ámbito de aplicación de esta última en la medida en que conlleva una aplicación a dichas personas de la suspensión de derechos fundamentales prevista en tal precepto constitucional, es decir, en relación con los arts. 13 a 18 de la Ley Orgánica 9/1984".

Así, concluye que cuando la ley suspende derechos de personas no incluidas en la habilitación constitucional se está ante una evidente inconstitucionalidad. El precepto en cuestión se anula sin necesidad de razonar si habría sido posible tal suspensión aplicando o no otra figura de derecho excepcional.

Sorpresivamente, no ha sido esa la perspectiva utilizada por el Tribunal Constitucional en la STC 148/2021, de 14 de julio, donde por vez primera aborda la cuestión. En esta decisión nuestro juez constitucional comienza proclamando que efectivamente "la suspensión —que es, sin duda, una limitación— parece configurarse como una cesación, aunque temporal, del ejercicio del derecho". Sin embargo, cuando entra a examinar la constitucionalidad de las medidas concretas incluidas en el Decreto de estado de alarma impugnado, el Tribunal señala que la categoría 'contenido esencial' del derecho (y otras fórmulas similares como "contenido absoluto", "contenido indisponible", "contenido central" etc.) sólo son utilizables en el régimen ordinario de definición del contenido y alcance de los derechos fundamentales. En vez de ello, cuando se examina el contenido de normas de emergencia, "su enjuiciamiento constitucional solo se puede abordar a partir de categorías propias del régimen extraordinario de limitación de derechos fundamentales". Estas categorías diferentes van a concretarse en analizar la intensidad de cada medida para concluir si entraña una *cesación del derecho fundamental*, que solo pudiera adoptarse mediando la suspensión de vigencia del mismo.

Esta construcción, sin duda imaginativa, incurre en una contradicción grosera toda vez que resulta imposible decidir si se ha producido tal cesación sin utilizar un concepto jurídico de cuál es el contenido del derecho fundamental. Si el Tribunal renuncia a analizar el contenido esencial del derecho a la libertad deambulatoria (que es el que está aquí en juego) no puede saber si en el caso concreto se ha actuado como si no existiese, vulnerando la regla jurídica que impide incidir en determina esefra reservada a la libertad propia de cada ciudadano.

De hecho, a renglón seguido, el Tribunal Constitucional afirma que "es inherente a esta libertad constitucional de circulación su irrestricto despliegue y práctica en las vías o espacios de uso público". Ahí está intentando delimitar el contenido del derecho (de manera muy poco convincente, por cierto, a la vista de que en la vida cotidiana son numerosas las restricciones posibles a la libertad "irrestricta" de circular en la vía pública). La mayor incongruencia se da cuando afirma que la norma impugnada -que efectivamente convertía en regla la que sólo se pudiera circular en determinados casos configura "una restricción de este derecho que es, a la vez, general en cuanto a sus destinatarios, y de altísima intensidad en cuanto a su contenido". En definitiva, vuelva a la idea de que la intensidad de la limitación que sufre un derecho al que ha denominado irredento determina si se está o no ante una suspensión. La suspensión vendría a ser un vaciamiento de hecho del derecho que resulta absolutamente imposible de distinguir de la mera vulneración del mismo.

La argumentación material resulta muy discutible. Cualquier limitación de circulación de personas y vehículos no supone, ni de lejos, la lesión del derecho a la libertad deambulatoria del art. 19 CE. Si así se entendiera, la primera consecuencia sería la inconstitucionalidad flagrante de la propia LO 4/1981 que entre las medidas previstas para el estado de alarma incluye la de "limitar la circulación o permanencia de personas o vehículos en horas y lugares determinados o condicionarlas al cumplimiento de ciertos requisitos". Siendo así, también es cierto que no es la ley -sea orgánica u ordinaria- la que debe determinar la extensión de unos derechos que se caracterizan por su resistencia al legislador. Un trabajo más detenido de delimitación del contenido esencial de la libertad deambulatoria, identificando las facultades intangibles de decisión que atribuye a la ciudadanía, habría llevado a la conclusión de que no se protege como regla jurídica un supuesto "derecho a decidir autónomamente por dónde moverse", que sería equivalente al falso 'derecho a decidir cualquier cosa' incluido en la libertad de expresión. La realidad de la vida cotidiana demuestra que son numerosas las situaciones en las que el estado y otros ciudadanos establecen restricciones de movimiento[18]. Seguramente sería más razonable hallar en el derecho del art. 19 CE un reconocimiento de la autodeterminación espacial que ampara de manera absoluta la libertad de tomar decisiones personales de trascendencia relativas a la ubicación espacial. Vulneraría el contenido esencial del derecho la privación de esta capacidad trascendental (por ejemplo, prohibir la residencia en determinado territorio) pero no las limitaciones singulares de movimiento. Éstas sólo afectan al derecho entendido como mandato de optimización encaminado a asegurar la máxima libertad de movimientos y su legitimidad constitucional depende exclusivamente de que vengan motivadas y resulten proporcionales para la protección de bienes constitucionales.

Huyendo de la distinción entre contenido esencial y mandato de optimización, el Tribunal Constitucional recurre a un control absoluto. Identifica un contenido amplio del derecho y resuelve que cualquier limitación intensa de este contenido amplio supone una suspensión inconstitucional, con independencia de la proporcionalidad de la medida. De este modo lo que hace, en última instancia, es aplicar el modo de razonar reservado por el art. 53.1 CE para el contenido esencial de los derechos también a su aspecto de principio, como mandato a los poderes públicos. Si se impide de manera especialmente intensa el ejercicio del derecho entendido como principio amplio, el derecho estará suspendido. Puede decirse así que, una vez ampliado el contenido protegido, utiliza la categoría 'suspensión' para aludir a

---

18   Vid. COTINO HUESO Lorenzo, *loc. cit.*

su vulneración. Esta alteración de categorías básicas lleva a no pocas contradicciones en nuestro régimen constitucional.

De una parte, deja sin solución la posibilidad de que en un Decreto de estado de alarma se vulneren otras libertades más allá de las previstas en el art. 55 CE. Efectivamente. Si el decreto vulnerara, por ejemplo, la prohibición de censura previa ahí no cabría hablar de suspensión, porque la prohibición de censura no es suspendible. Algo así señalan algunos autores a propósito de la libertad de empresa, que a tenor de los recurrentes se habría lesionado en aquel caso mediante las medidas de cierre de establecimientos abiertos al público[19]. El Tribunal Constitucional prefiere obviar las alegaciones sobre este derecho sin aplicarles su teoría sobre la suspensión. Evidentemente, de haber entendido que se imponían -en su terminología- limitaciones tan intensas que suponían una cesación del derecho, habría tenido problemas para dictar que se había suspendido tal derecho garantizado en el art. 38 CE. Al contrario, al no hacerlo, evita el control de proporcionalidad al que en principio debería someter cualquier restricción del contenido institucional de este derecho en su faceta de principio ordenador.

Toda esta complicación doctrinal resulta innecesaria. Al final el juez constitucional necesita delimitar un contenido protegido del derecho y un mandato de optimización intrínseco al mismo, pues de otro modo carecería de parámetro alguno de constitucionalidad de las medidas. La única innovación de esta decisión radica en la apodíptica referencia a la intensidad de las limitaciones y la utilización de la categoría 'suspensión' para aludir a la vulneración de derechos. Parece que el único sentido de toda esta complejidad es poder concluir que en el caso concreto las autoridades habrían debido recurrir a la declaración del estado de excepción.

Nada, desde el punto de vista jurídico, justifica que el Tribunal Constitucional entre a valorar la posibilidad de que se hubiera optado por otra de las figuras previstas en el art. 116 CE y desarrolladas por la LO 4/1981. No le corresponde al juez constitucional construir alternativas a las opciones políticas, sino que debe limitarse a juzgar la legitimidad de las decisiones que se tomaron. Sin embargo, en este

---

[19]   Vid, DOMENECH, *op. cit*, 2021, p. 383.

caso, gran parte de la argumentación de la sentencia intenta justificar que, pese a la literalidad de los dispuesto en nuestro ordenamiento jurídico, la gravedad de la crisis hubiera podido justificar la declaración del estado de excepción, aunque para ello hubiera sido necesario una interpretación imaginativa de la ley y la Constitución. Al entender que los derechos vulnerados han sido en realidad "suspendidos", tratándose de derechos suspendibles conforme al art. 55 CE, se busca reforzar la idea de que existía una figura alternativa, que habría sido la del estado de excepción.

La argumentación relativa al estado de excepción incurre, además, en una visión puramente gradual de los estados excepcionales. Efectivamente, el Tribunal Constitucional insiste en la necesidad de "superar una distinción radical entre las circunstancias habilitantes" de cada uno de los estados del art. 116 CE y parece inclinarse en última instancia por la opción de que el Gobierno, a la vista de las medidas que necesita tomar, puede inclinarse por una u otra modalidad de excepcionalidad. No es posible abordar aquí los riesgos de este planteamiento, que pone en duda al sentido mismo de la excepcionalidad constitucional, de modo que basta apuntar estas cuestiones.

3. LA LIMITACIÓN DE DERECHOS DURANTE LA VIGENCIA DEL ESTADO DE ALARMA

Ya en la STC 83/2016, el Tribunal Constitucional parte de la idea de que la declaración del estado de alarma permite "la adopción de medidas que pueden suponer limitaciones o restricciones a su ejercicio". Esta idea de la "limitación" de derechos supondría que -aún siendo imposible su suspensión- la declaración del estado de alarma incide sobre el régimen ordinario de los derechos fundamentales permitiendo que pierdan eficacia. Se trata de una afirmación apodíctica que implica una buena dosis de relativismo a la hora de reconocer eficacia a los derechos fundamentales.

Efectivamente, al hilo de la aprobación del estado de alarma en octubre de 2020 y, sobre todo, de su finalización en mayo de 2021 se alzaron algunas voces académicas defendiendo que la restricción de movimientos con motivo de una epidemia es una medida que sólo puede adoptarse durante la vigencia del estado de alarma[20]. La tesis de fondo viene a ser que la declaración de este estado excepcional permite unas limitaciones en el ejercicio de los derechos fundamentales que de ordinario no son posibles en nuestro ordenamiento constitucional. Así planteada, esta tesis resulta difícilmente compatible con una teoría jurídica de los derechos fundamentales que los entienda como reglas de derecho y, en última instancia, podría llegar a poner en duda la noción misma de contenido esencial e intangible de los derechos, diluyendo la diferencia entre suspensión y limitación. Ciertamente, a menudo se presenta como preludio de la idea de la suspensión como limitación de espacial intensidad: la alarma permite limitar mucho el derecho pero sin que dicha limitación llegue al extremo de la suspensión. Así la valoración de si hay o no suspensión se convierte en una cuestión subjetiva en razón de lo intensamente que se haya restringido el contenido inicial o posible del derecho.

Frente a ello hay que volver a recordar el sentido de los derechos fundamentales. Las concepciones relativistas que presentan los derechos como aspiraciones sociales sometidas siempre a la posibilidad de que los poderes públicos las pasen por alto si justifican la concurrencia de otros bienes desprecian el valor fundador de los derechos como sustento de la democracia. El respeto a los derechos fundamentales garantiza a los ciudadanos la disposición de un espacio de libertad en el que tomar libremente decisiones y autodeterminarse sin posibilidad de injerencias externas. No son meros principios orientativos que deban guiar a los poderes públicos, sino que al delimitar el espacio intangible a disposición de cada ciudadano protegen a la minoría frente a las decisiones de la mayoría y convierten la democracia en un sistema en el que es absolutamente imposible violentar la esencia de la persona, más allá del método mayoritario de toma de decisiones. Esta garantía democrática exige que los derechos tengan un contenido absolutamente resistente a cualquier intromisión, que construye la noción jurídica de libertad. Esa libertad resulta además determinada por la seguridad jurídica a la hora de su ejercicio.

---

[20]   CARMONA CONTRERAS, Ana, «Pandemia y restricción de derechos fundamentales», El País, 24 de octubre de 2020.

3.1. La posibilidad de limitar derechos

Más allá de la discusión ontológica acerca de la naturaleza de los derechos, la teoría de los derechos fundamentales se centra sobre todo en la cuestión de sus supuestos límites. Los límites de los derechos fundamentales serían, según se admite acríticamente, las acciones que permiten "una restricción de las facultades que, en cuanto derechos subjetivos, constituyen el contenido de los citados derechos"[21]. Es decir, cuando se habla se límites se suele aludir a la posibilidad de que en determinadas circunstancias los poderes públicos restrinjan el ejercicio de los derechos reconocidos por la Constitución. Es una idea que a menudo se acepta sin más, aunque supone aceptar que la eficacia jurídica de los derechos es eternamente variable, más allá de cualquier atisbo de seguridad jurídica.

Esta idea, de influencia iusnaturalista, pretende destacar que los derechos fundamentales son mucho más que simples derechos subjetivos. Al asignarles un valor ético, a menudo se ve a los derechos fundamentales como un ideal inalcanzable. Esa posición como elementos inspiradores de la democracia crea una dicotomía entre los derechos como ideal filosófico y su eficacia real que se articula a través de la idea de que los derechos fundamentales, incluso en su vertiente de derecho subjetivo, son limitables. La teoría de los derechos fundamentales gira demasiado a menudo en torno a los límites, sin plantearse siquiera si los derechos tienen límites. El mantra de que todos los derechos son limitados es seguramente una coletilla poco razonada, válida en términos coloquiales pero inaceptable jurídicamente[22].

En realidad, la doctrina científica tampoco parece tener claro qué significa exactamente limitar un derecho. La mayoría parece defender un vago criterio de intensidad según el cual la limitación supone una restricción de su ejercicio que no tiene tanta intensidad como para entender que el derecho ha desaparecido[23]. Ese tipo de afirmaciones

---

21   AGUIAR DE LUQUE, Luis, «Los límites de los derechos fundamentales», Revista del Centro de Estudios Constitucionales, Núm. 14, 1993, p. 10.

22   Así, SANCHÍS PRIETO, Luis, «La limitación de los derechos fundamentales y la norma de clausura del sistema de libertades», en *Derechos y Libertades*, 5, 2000, p. 430.

23   REQUEJO RODRÍGUEZ, Paloma, «Teoría vs. práctica del Estado de alarma en España», en *Constitución y democracia. Ayer y hoy: libro homenaje a Antonio*

resultan poco útiles en sentido práctico y normalmente llevan sencillamente a la desaparición del derecho como regla jurídica indisponible y su sustitución por un principio sometido a proporcionalidad[24].
Es decir, algo muy parecido a la suspensión. De hecho, en la jurisprudencia constitucional es habitual el uso de la expresión "limitación de derechos" como equivalente al de vulneración[25]. Otras veces,
sin embargo, ciertamente el Tribunal Constitucional ha admitido la
posibilidad de determinados límites externos[26] en una posición muy
criticada por la doctrina[27].

El único pronunciamiento constitucional al respecto se produce
al hilo, precisamente, de las libertades de la comunicación. En el art.
20.4 CE se habla de que "tienen su límite" en los demás derechos
constitucionales, las leyes y, especialmente los derechos al honor, la
imagen y la protección de la infancia. Es evidente que la generalidad y
amplitud de esta declaración impide darle un valor jurídico literal. Está claro que no se trata de un precepto técnicamente perfilado y desde
muy pronto la jurisprudencia constitucional se encargó de aclarar que
si algún derecho limita a otro es siempre de manera recíproca y que

Torres del Moral, Vol. 2, 2012, p. 1501. habla de negación transitoria de ejercicio
que no implica la "completa desaparición" del contenido del derecho; GARRI-
DO, *loc. cit.*, se refiere a "una constricción en el ejercicio del derecho, no en su
regulación".

24 Cfr. COTINO HUESO Lorenzo, «Confinamientos, libertad de circulación y personal, prohibición de reuniones y actividades y otras restricciones de derechos
por la pandemia del Coronavirus», Diario la Ley, 9608, 30 de marzo de 2020,
respecto a las limitaciones de la libertad de circulación en 2020 durante la pandemia, dice que *"pese a que pueden incidir sobre el contenido esencial, estas graves restricciones de la circulación aún siguen posibilitando niveles importantes
de movilidad y circulación".* La idea de que se puede reducir el contenido esencial del derecho implica que éste se convierte en un principio que queda sometido
sólo a la proporcionalidad.

25 Son la paradigmáticas las SSTC 131/2016, de 18 de junio, FJ 6 y 233/2007, de
5 de noviembre, FJ 7. También SSTC 71/2020, de 29 de junio, Fj 3; 42/2020, de
9 de marzo, Fj 4; 108/2019, de 30 de septiembre, FJ 2; 14/2017, de 30 de enero,
FJ 5.

26 Vid. MEDINA GUERRERO, Manuel, *La vinculación negativa del legislador a
los derechos fundamentales,* Madrid, 1996., sobre el abuso de derecho y la moral
como límites en la jurisprudencia constitucional.

27 Cfr. DE OTTO, Ignacio, *op. cit.* 1988, p. 115.

dicha "limitación" tiene más de técnica interpretativa a la hora de delimitar su contenido protegido que de límite en el sentido absoluto.

3.2. *El valor institucional de los derechos*

La idea del doble carácter de los derechos fundamentales es una constante en todos los estudios y declaraciones en torno a la naturaleza de estos derechos y libertades. Sin embargo, lo cierto es que rara vez se sacan todas las consecuencias normativas implícitas en la categoría en cuestión.

El carácter institucional de los derechos fundamentales supone que la Constitución diseña un modelo específico de Estado en el que la estructura institucional y el funcionamiento de los poderes públicos se oriente a facilitar la máxima vigencia de todos ellos. No se trata de un modelo único y cerrado: en su vertiente institucional los derechos adquieren carácter de principios y funcionan como mandato de optimización que, por su propia naturaleza, han de ser armonizados a través de elecciones de carácter político. En efecto, el valor institucional de los derechos desborda con mucho la visión defensiva de su contenido esencial protegido. Se trata de entender los derechos no ya como facultades subjetivas protegidas mediante posiciones jurídicas normativas resistentes a toda intromisión sino como aspiraciones sociales indefinidas.

Así, la libertad de información en cuanto derecho subjetivo protege la transmisión de hechos noticiosos que sean veraces y relevantes socialmente. En cuanto principio inspirador del ordenamiento constituye un mandato a los poderes públicos para que faciliten la máxima circulación posible de información y que afecta a áreas tales como la existencia de medios suficientes de comunicación, la garantía del pluralismo o la facilidad de acceso a la información. De ese principio se desprende también seguramente un mandato *pro informatione*, que actúa como presunción de legitimidad de toda información.

Los mandatos implícitos en el valor institucional de los derechos fundamentales van muchísimo más allá de su contenido esencial protegido. De hecho tienen tendencia al infinito y por eso es fácil que entren en colisión con otros mandatos derivados de otros derechos y que tienen esa misma naturaleza principial de maximización. Por eso, los poderes públicos deben elegir y priorizar entre diversos principios constitucionales, eligiendo dar prevalencia a los que consideren más necesarios. Esa tarea es esencialmente política, o ideológica si se quiere. Y encuentra su límite no ya en la prohibición de anular por completo los principios enfrentados, sino en la de establecerles sacrificios innecesarios. Esa obligación de respeta se garantiza mediante el sometimiento de la acción pública de selección de unos principios y su priorización sobre otros al principio de proporcionalidad.

3.3. Una teoría operativa de la limitación de derechos durante el estado de alarma

Ante el silencio del texto constitucional, no resulta posible defender que la declaración del estado de alarma altere la eficacia de los derechos fundamentales en nuestro ordenamiento. La excepcionalidad, entendida como vigencia de un sistema constitucional alternativo al actual, está estrictamente limitada a los supuestos y la extensión previstos en la Constitución. Su misma existencia se basa en que se sea la Constitución en vigor u ordinaria la que prevea los casos y la manera en que resulta posible inaplicarla. Cualquier interpretación extensiva de los supuestos o efectos de la excepcionalidad supone alterar la vigencia del texto constitucional sin habilitación para ello. En definitiva: la afirmación jurisprudencial de que los derechos fundamentales pueden ser limitados de manera intensa a causa de la declaración del estado de alarma necesita ser interpretada para integrarla adecuadamente en lo previsto en la Constitución.

Si por limitación entendemos la reducción de su contenido protegido es evidente que resulta constitucionalmente vedado. La declaración del estado de alarma no permite, por ejemplo, sancionar a quien se limita a expresar una opinión política. Tampoco permite prohibir una manifestación en la que no hay peligro para las personas o los bienes. Ni faculta para detener a una persona sin que haya indicios de que ha cometido un delito o supone un peligro; ni entrar en un domicilio, intervenir una comunicación o secuestrar una publicación sin intervención de la autoridad judicial. Todo eso constituye el contenido esencial de los derechos fundamentales en cuestión, que no se ve alterado ni un ápice por la declaración del estado de alarma.

En términos generales, la idea de "limitar" derechos sólo puede usarse referida a su contenido institucional como principio inspirador del ordenamiento. En ocasiones, sin embargo, también se usa impropiamente para referirse a la apreciación de los elementos definidores (requisitos de ejercicio) del contenido protegido. Así, por ejemplo, si el derecho de manifestación del art. 21 CE ampara la reunión de personas en lugares públicos con fines de trascendencia social siempre que no supongan un riesgo cierto para las personas o los bienes, es necesario apreciar caso por caso cuándo concurre dicho riesgo. La tarea -realizada inicialmente por la administración y revisable por los tribunales- de valorar si una reunión comporta un riesgo para las personas no es estrictamente limitar el derecho, sino comprobar sus requisitos de ejercicio. Sin embargo, en la práctica se trata de una operación en la que puede darse cierto margen de apreciación por parte de los operadores jurídicos. En este sentido, la situación que da origen a la declaración de estado de alarma puede influir en la apreciación de la concurrencia de estos requisitos de ejercicio. Así, en el ejemplo citado, una situación de pandemia puede utilizarse para valorar el riesgo para las personas de una concentración. Eventualmente se puede llegar a prohibir una pretensión de ejercer el derecho de manifestación porque durante la pandemia la concentración de personas implique un riesgo especialmente grave de contagios. En este caso, en términos técnicos, no se trata de que se haya limitado el derecho de manifestación por el estado de alarma, sino de que la situación que actúa como presupuesto habilitante contribuye a delimitar los requisitos habituales de ejercicio[28].

Es lo mismo que sucede si por ejemplo -en el caso de la libertad de información- a la hora de decidir sobre la legitimidad constitucional de una información alarmista difundida durante una pandemia se utiliza la abundancia de datos médicos fiables proporcionadas por los poderes públicos para valorar su veracidad. En nuestro sistema constitucional al difusión de hechos está sometida al límite de la veracidad que ha de apreciarse caso por caso. Según la jurisprudencia la veracidad se aprecia a partir de la diligencia profesional, teniendo

---

[28]   Se trata del supuesto abordado en el ATC 40/2020, de 30 de abril, relativo a la prohibición de una manifestación conmemorativa del 1 de mayo durante la vigencia de un estado de alarma a acusa de una epidemia.

en cuenta lo noticioso del hecho difundido, las posibilidades reales de contrastarlo y la fiabilidad de las fuentes utilizadas (por todas, STC 240/1992, de 21 de diciembre). De este modo, la existencia de información abundante y constante por parte de las autoridades que sin duda ha de ser conocida por quien difunde la información influiría en la apreciación de la veracidad. En cierto modo cabría entonces decir que la acción de los poderes públicos en el marco de la pandemia ha limitado la libertad de información de quien no puede ya acogerse a la ignorancia de determinados datos. Sin embargo, como no está suspendido el derecho a transmitir información veraz, durante el estado de alarma es del todo imposible prohibir la difusión de ninguna información veraz, en el sentido que le da la jurisprudencia, cosa que sí podría suceder vigente los estados de excepción o sitio. El derecho mantiene incólume su contenido esencial, pero la valoración de sus requisitos de ejercicio opera de manera diferente.

Otra cosa es, como se ha dicho, el contenido institucional de los derechos como principios inspiradores del ordenamiento. Ahí, la armonización de los mandatos de optimización, que tienen siempre ilimitada vocación expansiva, exige continuamente sacrificar o postponer determinadas orientaciones para priorizar otras. En ese juego de elecciones no hay más límite que la proporcionalidad; incluso ésta se manifiesta más a menudo como exigencia de una motivación determinada que como auténtica garantía material. En ese modelo, resulta posible y seguramente inevitable que las circunstancias fácticas que sirven de presupuesto habilitante para los estados de alarma o excepción sean tomadas en cuenta y determinen las prioridades a la hora de armonizar derechos (no sólo de los mencionados en el art. 55 CE) y valores constitucionales. Ése es el único sentido jurídicamente razonable en el que puede hablarse de limitación de derechos con ocasión de la declaración de estado de alarma. Un ejemplo de este uso podría estar en la limitación de la publicidad de determinados tratamientos médicos. En cuando el sentido de este tipo de anuncios no es aportar ideas al debate social, ni transmitir datos veraces, ni mostrar un contenido científico o artístico sino convencer al consumidor para que adquiera un producto, no es libertad de expresión. Sin embargo, el principio rector que podemos denominar como 'favorecimiento de la comunicación pública libre' hace que no se puedan limitar este tipo de mensajes si no es para la protección de otros bienes constitucionales y de manera proporcionada. Pues bien, durante el estado de alarma con ocasión de una pandemia, la eficacia de la lucha contra la enfermedad resulta un bien de entidad suficiente como para que estas restricciones se entiendan *prima facie* como proporcionadas.

En definitiva, el contenido protegido de los derechos permanece inalterable, pero el estado de alarma puede incidir en la apreciación de los requisitos de ejercicio conforme a la realidad social y puede oponerse como un valor relevante que se priorice sobre manifestaciones del derecho en tanto que principio expansivo.

4.   BIBLIOGRAFÍA

Aguiar de Luque, Luis, "Los límites de los derechos fundamentales", Revista del Centro de Estudios Constitucionales, Núm. 14, 1993.

Aláez Corral Benito, "El concepto de suspensión general de los derechos fundamentales", en López Guerra y Espín Templado (coord), *La defensa del Estado*, Tirant lo Blanch, Valencia, 2004.

Alexy, Robert *Teoría de los Derechos Fundamentales*, trad. E. Garzón Valdés, Madrid, Centro de Estudios Políticos y Constitucionales, (2ª. reimp.), 1986.

Aragón Reyes, Manuel, "Hay que tomarse la Constitución en serio", *El País*, 9 de abril de 2020

Arroyo Gil, Antonio, "La naturaleza del estado de alarma y su presupuesto habilitante", en Garrido Lopez, Carlos (Coord.), *Excepcionalidad y derecho: el estado de alarma en España*, Zaragoza, 2021.

Bastida, Francisco, *Teoría general de los derechos fundamentales en la Constitución española de 1978*, Tecnos, Madrid, 2004,.

Carmona Contreras, Ana, "Pandemia y restricción de derechos fundamentales", *El País*, 24 de octubre de 2020.

Cotino Hueso Lorenzo, "Confinamientos, libertad de circulación y personal, prohibición de reuniones y actividades y otras restricciones de derechos por la pandemia del Coronavirus", *Diario la Ley*, 9608, 30 de marzo de 2020.

Cruz Villalón, Pedro, *Estados excepcionales y suspensión de garantías*, Tecnos, Madrid, 1984.

De la Quadra-Salcedo Fernández Del Castillo, T., (1983) "La naturaleza de los derechos fundamentales en situaciones de suspensión", en *Anuario de Derechos Humanos*, núm. 2.

De Otto Pardo, Ignacio, "La regulación del ejercicio de los derechos y libertades", en Lorenzo Martín-Retortillo Baquer, Ignacio de Otto y Pardo, *Derechos fundamentales y Constitución*, Madrid, 1988.

Díaz Revorio, Francisco Javier, "Desactivando conceptos constitucionales. La suspensión de derechos y los estados excepcionales", en Garrido López, C. (coord.) *Excepcionalidad y Derecho: el estado de alarma en España*, Fundación Manuel Giménez Abad, Zaragoza, 2021.

Domenech Pascual, Gabriel, "Dogmatismo contra pragmatismo. Dos maneras de ver las restricciones de derechos fundamentales impuestas con ocasión de la COVID-19", en *InDret, Revista para el Análisis del Derecho*, Nº4–2021.

DWORKIN, Ronald M. *The Model of Rules, University of Chicago Law Review*: Vol. 35 : Iss. 1, 1967, Article 3.

Garrido López, Carlos, "*Las limitaciones como derecho del Derecho constitucional de excepción*", en Garrido López, C. (coord.) *Excepcionalidad y Derecho: el estado de alarma en España*, Fundación Manuel Giménez Abad, Zaragoza, 2021.

Gómez Fernández, Itziar, "¿Limitación o suspensión? Una teoría de los límites a los derechos fundamentales para evaluar la adopción de estados excepcionales", en Garrido López, Carlos. (coord.) *Excepcionalidad y Derecho: el estado de alarma en España*, Fundación Manuel Giménez Abad, Zaragoza, 2021.

Medina Guerrero, Manuel, *La vinculación negativa del legislador a los derechos fundamentales*, Madrid, 1996.

Presno Linera, Miguel, en Francisco BASTIDA y otros, *Teoría general de los derechos fundamentales en la Constitución Española de 1978* , Madrid, 2004.

Requejo Rodríguez, Paloma, "Teoría vs. práctica del Estado de alarma en España", en *Constitución y democracia. Ayer y hoy: libro homenaje a Antonio Torres del Moral*, Vol. 2, 2012, p. 1501.

Sanchís Prieto, Luis, "La limitación de los derechos fundamentales y la norma de clausura del sistema de libertades", en *Derechos y Libertades*, 5, 2000, p. 430.

Solozábal Echavarría, Juan José "Algunas consideraciones constitucionales sobre el estado de alarma", en Biglino y Durán (ed.), *Los efectos horizontales de la COVID sobre el sistema constitucional*, Fundación Giménez Abad, Zaragoza, 2020.

Sobre el *efecto contagio* de la excepcionalidad sanitaria o cómo ha afectado la de los Estados miembros a los principios de funcionamiento de la Unión Europea[1]

MIRYAM RODRÍGUEZ-IZQUIERDO SERRANO
Profesora Titular de Derecho Constitucional
Universidad de Sevilla

Sumario: 1. Introducción. 2. El *contagio*: la Unión ante las declaraciones de emergencia, alarma y excepción en los Estados miembros. 3. Síntomas leves: algunas derogaciones *más que justificadas* de obligaciones de DUE. 4. Agravamiento y necesidad de asistencia urgente: del colapso de la libertad de circulación a la gestión y certificación de vacunas. 4.1. Los momentos iniciales. 4.2. Primeros remedios medicinales: el empleo del *soft law*. 4.3. *Vacuna*, sanaciones y secuelas: de la jefatura de compras farmacéuticas a las propuestas de Reglamento sobre certificados covid digitales. 5. Dos conclusiones y una anécdota, a modo de epílogo. 6. Bibliografía.

1. INTRODUCCIÓN

Desde la perspectiva del Derecho Constitucional, y como se muestra en el resto de los capítulos de esta obra colectiva, la pandemia de la COVID-19 ha puesto a prueba muchas garantías del Estado de Derecho en países miembros de la Unión Europea y más allá. Los análisis de la situación en España evidencian las dificultades que las democracias constitucionales han encontrado para mantener indemne el

---

[1]   Este trabajo se ha elaborado en el marco del proyecto de investigación I+D, financiado por el Ministerio de Economía y Competitividad «Desafíos del proceso de construcción de un espacio europeo de derechos fundamentales» (DER2017-83779-P).

sistema de libertades y derechos fundamentales, con sus garantías, y combatir una catástrofe sanitaria de tal dimensión. Más allá de nuestras redescubiertas fronteras, incluso recurriendo a declaraciones regladas de emergencia, excepción o alarma, no hay Estado de la Unión Europea en el que no se haya llevado al límite el sacrificio de derechos y libertades. Y acá, en España, se ha llegado a situaciones indeseables y *kafkianas* de cuyo ominoso recuerdo intentamos desprendernos. Valga el ejemplo de la limitación del derecho de sufragio activo a las personas infectadas en sendas elecciones autonómicas[2].

También en varios países, y este no se libra, se han producido alteraciones de mecanismos tan basilares del constitucionalismo como la reserva de ley o la separación de poderes. Valga un nuevo ejemplo: en la fecha en la que se redactaba este trabajo se seguían realizando limitaciones generales de derechos fundamentales, ya fuera del Estado de alarma, sobre la base de resoluciones de consejos de gobierno de Comunidades Autónomas que luego convalidaban, o no, los jueces de lo contencioso-administrativo, esto último sin que los anónimos destinatarios de las medidas pudieran ser parte de un proceso en el que se dirime sobre la restricción de sus libertades constitucionalmente proclamadas[3]. Si después de pensar en esto se vuelve a leer el inciso final del artículo 53.1 de nuestra ley fundamental, cuesta encajar su mandato de que "solo por ley, que en todo caso deberá respetar su

---

2   La referencia apunta a las elecciones autonómicas gallegas y vascas celebradas ambas en julio de 2020 tras su aplazamiento durante el estado de alarma decretado en marzo de 2020. Véase el comentario de Presno Linera, M., «Prohibido prohibir votar», *Agenda Pública*, 2020, disponible en https://agendapublica.es/prohibido-prohibir-votar/ [consulta 09/05/2021].

3   Se alude a la controvertida modificación de la Ley de la Jurisdicción contencioso-administrativa, introducida por la Ley 3/2020, de 18 de septiembre, de medidas procesales y organizativas para hacer frente al COVID-19 en el ámbito de la Administración de Justicia, que ha sido objeto de cuestión de inconstitucionalidad por parte del Tribunal Superior de Justicia de Aragón (Auto de 3 de diciembre de 2020 del Tribunal Superior de Justicia de Aragón) y posteriormente modificada, potenciando la intervención de los jueces a través del recurso de casación que resolverá el Tribunal Supremo, por el Real Decreto-ley 8/2021, de 4 de mayo. Azpitarte Sánchez, M., «Coronavirus y Derecho Constitucional. Crónica Política y legislativa del año 2020», *Revista Española de Derecho Constitucional*, núm. 121, 2021, pp. 105-138, p. 135 y 136, DOI: https://doi.org/10.18042/cepc/redc.121.04.

contenido esencial, podrá regularse el ejercicio" de los derechos del capítulo II Título I, con el empleo de la ley orgánica 3/1986 de 14 de abril, de Medidas Especiales en Materia de Salud Pública, como presupuesto habilitante para que los ejecutivos autonómicos adoptasen cualesquiera medidas restrictivas de cualesquiera derechos fundamentales "que sean urgentes y necesarias para la salud pública", aunque sea afectando a "destinatarios no identificados individualmente"[4].

Sin embargo, este capítulo no va a insistir en cuestiones de constitucionalidad estatal, sino que su objetivo es indagar en la repercusión que la excepcionalidad sanitaria ha tenido sobre el orden constitucional de la Unión Europea. Para ello, en primer lugar se reflexionará sobre la situación en la que la Unión quedó tras las iniciales declaraciones de estados de excepción en los distintos Estados miembros. A través de esa reflexión se expondrá cómo las restricciones a la movilidad y la paralización de la actividad económica en los Estados supusieron el *contagio*, sin remedio, de la excepcionalidad instaurada en estos a la Unión. La escasa capacidad de reacción que los Tratados europeos conceden a la Unión, para situaciones como estas, está en el origen de lo que se califica como irremediable. En segundo lugar, se insistirá en uno de los aspectos de la constitución económica de la Unión que más afectados resultaron en el impacto: la libertad de circulación. Ello conducirá al análisis de la propuesta de certificado de vacunación que lanzó la Comisión y que finalmente fue aprobada como Reglamento (UE) 2021/953 del Parlamento Europeo y del Consejo de 14 de junio de 2021 relativo a un marco para la expedición, verificación y aceptación de certificados COVID-19 interoperables de vacunación, de prueba diagnóstica y de recuperación (certificado COVID digital de la UE) a fin de facilitar la libre circulación durante la pandemia de COVID-19.

---

[4]   El énfasis remite a la nueva redacción del artículo 10 de la Ley de Jurisdicción Contencioso-Administrativa en la redacción que le ha dado la 3/2020 de 18 de septiembre a la que se refiere la nota anterior.

2.   EL *CONTAGIO*: LA UNIÓN ANTE LAS DECLARACIONES DE EMERGENCIA, ALARMA Y EXCEPCIÓN EN LOS ESTADOS MIEMBROS

A nadie se le escapa que las acciones y decisiones protectoras de los Estados miembros de la Unión, desde la primavera de 2020 hasta hoy, han alcanzado y alterado varios principios y reglas basilares de la constitución económica diseñada por los Tratados y que desarrolla el Derecho derivado bajo el control de la Comisión y del Banco Central Europeo[5]. Cierto es que existe una lógica de la excepción, consustancial al Derecho de la Unión, que ha ayudado a mitigar el golpe. Esa cualidad del orden normativo supranacional se ha unido a la naturaleza posibilista de sus mecanismos decisorios para impedir que, en el caso de la UE, se puedan señalar desviaciones directas de su particular *rule of law* o, al menos, desviaciones distintas de las provocadas por las decisiones de los socios europeos. Pero no es menos cierto que todo este tiempo la Unión ha tenido que: funcionar bajo la consigna de la crisis; constatar que no dispone de un marco jurídico suficiente como para vigilar la adecuación y proporcionalidad de las medidas de urgencia adoptadas por los diferentes gobiernos[6]; y, como consecuencia de ello, aceptar la suspensión de distintas reglas consustanciales al diseño del mercado interior que hasta entonces se habían defendido a capa y espada.

---

[5]   Sobre la repercusión de la crisis sanitaria en la Unión Europea en términos de constitución económica escribe Azpitarte Sánchez, M., «Crisis económica: un problema constitucional –A propósito de la COVID», *Icade. Revista de la Facultad de Derecho*, núm. 110, 2020, pp. 1-14, p. 2, DOI: https://doi.org/10.14422/icade.i110.y2020.001. Sobre los conceptos de Constitución y Constitución económica aplicados a la realidad de la Unión Europea desde una perspectiva ordoliberal escribían Gordillo Pérez, L. I. y Canedo Arrillaga, J. R., «Los fundamentos de la constitución económica de la Unión Europea», *Revista de Derecho de la Unión Europea*, 2016, núm. 30-31, pp. 23-56.

[6]   El carácter generalizado de las declaraciones de excepción y emergencia, no reducidas a uno o dos Estados miembros, ha provocado confusión sobre el verdadero papel que tiene la Unión en la garantía de los derechos fundamentales y del Estado de Derecho, proclamados como valores en el artículo 2 del TUE y asumidos como misión por la Comisión desde el año 2014. Rojas, D., «L'État de droit en période de Covid-19: l'Union européenne mise à l'épreuve», *Revue Trimestrielle de Droit Européen*, Vol. 56/3, 2020, pp. 531-550, p. 535

El *contagio* se constató, al fin y al cabo, inevitable, dada la fuerte interdependencia entre las economías de los Estados miembros y también dada la efectiva dependencia de sentido entre los órdenes constitucionales de estos y el de la Unión[7]. Del mismo modo era impensable que el DUE no tuviera que ceder, como todos los sistemas normativos lo hicieron, ante la emergencia sanitaria. La lógica competencial avalaba que fueran los Estados miembros los que tomasen, con urgencia, las determinaciones sobre la excepcionalidad que consideraron necesarias. La protección de la salud es uno de los ámbitos de competencia que permanece en manos de los Estados miembros, salvo por la facultad, limitada, de adoptar acciones de apoyo y complemento a las de los Estados que concede a la Unión el artículo 168 TFUE.

Sobre la base de esa sola competencia de apoyo, estaba fuera de discusión que la Unión, liderada por la Comisión, pudiera adoptar normas armonizadoras en la materia. A todas luces era imperiosa la necesidad de que los Estados actuasen. Se trataba de contener la expansión de una enfermedad infecciosa y las indicaciones de los expertos recomendaban aislamiento, distancia interpersonal y freno a la movilidad. Todas eran medidas que solo podían hacerse efectivas sobre la base de la proximidad y de la capacidad coercitiva frente a la población, requisitos ajenos al diseño institucional e instrumental de la Unión. Lo más lógico, y lo que finalmente acabó haciendo esta, era primero apoyar a los Estados y después intentar coordinarlos, en la medida en que dentro del ámbito de acción de la Unión se pudiese incidir en las decisiones sobre seguridad, protección y prevención tomadas por los Estados miembros[8].

---

[7]   La afirmación de la Unión Europea como comunidad constitucional, definida también en su relación con las comunidades constitucionales estatales, se toma del trabajo de Cruz Villalón, P., «El valor de la posición de la Carta de Derechos Fundamentales en la Comunión Constitucional europea», *Teoría y Realidad Constitucional*, núm. 39, 2017, pp. 85-101, p. 88, DOI: https://doi.org/10.5944/trc.39.2017.19146.

[8]   Con un entendimiento algo más amplio de las competencias en que la UE podría haberse apoyado para actuar, y entre las que incluye las de apoyo a protección civil del 196 TFUE y la cláusula de solidaridad del 222 TFUE, llega a esa conclusión: Blumann, C., «L'adaptation du fonctionnement du système institutionnel à la crise Covid», *Revue Trimestrielle de Droit Européen*, Vol. 56/3, 2020, pp. 621-637, p. 622.

3.   SÍNTOMAS LEVES: ALGUNAS DEROGACIONES *MÁS QUE JUSTIFICADAS* DE OBLIGACIONES DE DUE

Los expertos coinciden en que las suspensiones de reglas basilares del mercado interior comienzan a darse desde el mismo momento en que, en marzo de 2020, lo hacen las declaraciones de emergencia, alarma y excepción en los Estados miembros, adoptando medidas de protección frente al virus. Inmediatamente esas actuaciones se traducen en derogaciones de disposiciones de DUE, algunas de ellas justificables desde la misma letra de los Tratados y otras aceptadas como justificadas de manera expresa por la Comisión. En concreto, los análisis consultados se centran en tres tipos de derogaciones: de las libertades económicas; de reglas del Derecho de la competencia; y de los mecanismos de financiación mediante deuda pública y de estabilidad presupuestaria[9].

En relación con los mecanismos de estabilidad presupuestaria, desde muy pronto se previó que las consecuencias económicas de la paralización de muchos sectores productivos y las necesidades de gasto impactarían sin remedio en el déficit público de los Estados miembros. La combinación de descenso de ingresos y aumentos de gastos abocaba a la medida obvia de activar, por primera vez, la cláusula suspensiva general del Pacto de Estabilidad y Crecimiento[10]. La decisión se produjo ordenadamente, sin controversia, sin politización y muy rápido[11], a propuesta de la Comisión y con la aprobación del Consejo. La primera se comprometió a no tener en cuenta la incidencia presupuestaria de las medidas de los gobiernos para la contención de la pandemia y a suavizar la evaluación del impacto económico de la

---

[9]   Véanse los trabajos siguientes: Genschel, P. y Jachtenfuchs, M., «Postfunctionalism reversed: solidarity and rebordering during the COVID-19 pandemic», *Journal of European Public Policy*, Vol. 28/3, 2021, pp. 350-369, https://doi.org/10.1080/13501763.2021.1881588; Ritleng, D., «L'Union européenne et la pandémie de Covid-19: de la vertu des crises», *Revue Trimestrielle de Droit Européen*, Vol. 56/3, 2020, pp. 483-492; o Dani M., y Menéndez Menéndez, A. J., «El Gobierno europeo ante la crisis del coronavirus», *Revista de Derecho Constitucional Europeo*, núm. 34, 2020, disponible en http://www.ugr.es/~redce/REDCE34/articulos/11_DANIA_MENENDEZ.htm.

[10]   Ritleng, D., *op. cit.* p. 486.

[11]   Genschel P. y Jachtenfuchs, M., *op. cit.*, p. 360.

misma a la hora de revisar el cumplimiento del Pacto[12]. En cuanto a la financiación, se relajó también la regla que prohibía al BCE comprar deuda pública, permitiéndolo de manera asimétrica y en función de las necesidades de financiación de cada Estado[13].

Algo similar ocurrió con las reglas de derecho de la competencia que restringen y someten a control las ayudas que los gobiernos puedan conceder a empresas[14]. La Comisión, en este caso, se comprometió a realizar una aplicación *específica* y *proporcionada* del control de las ayudas estatales, es decir, un control relativo, para facilitar que las medidas gubernamentales y ayudas fueran eficaces para mantener el tejido empresarial[15]. A grandes rasgos, el resultado fue que ciertas medidas generales de ayudas a empresas, por no ser selectivas, quedaron fuera del concepto de DUE de "ayudas de Estado" y otras se incluyeron dentro de las excepciones del artículo 107.3 TFUE[16].

En tercer lugar, las barreras estatales a la libertad deambulatoria, provocadas por las declaraciones de emergencia, se concretaron, más allá de los encierros domiciliarios, en restablecimiento de controles fronterizos, prohibiciones de desplazamiento y, con más controversia jurídica sobre si Schengen realmente lo permitía o no, cierre de fronteras[17]. Todo ello se tradujo en limitaciones, sin precedentes en la historia de la integración, no solo para la libertad de circulación de los ciudadanos de la Unión[18], sino obviamente también para la de estos

---

[12]   Comunicación de la Comisión al Consejo de 20 de marzo de 2020 relativa a la activación de la cláusula general de salvaguardia del Pacto de Estabilidad y Crecimiento [COM(2020) 123 final].

[13]   Dani, M. y Menéndez Menéndez, A. J., *op. cit.*, p. 6. Remiten a la Decisión (UE) del Banco Central Europeo, de 24 de marzo de 2020, sobre un programa temporal de compras de emergencia en caso de pandemia (BCE/2020/17).

[14]   Dani, M. y Menéndez Menéndez, A. J., *op. cit.*, p. 5.

[15]   Comunicación de la Comisión de 19 de marzo de 2020, Marco Temporal relativo a las medidas de ayuda estatal destinadas a respaldar la economía en el contexto del actual brote de COVID-19 (2020/C 91 I/01).

[16]   Ritleng, P., *op. cit*, p. 486.

[17]   Bouveresse, A., «La libre circulation des personnes à l'épreuve de la Covid-19: *extremis malis extrema remedia?*», *Revue Trimestrielle de Droit Européen*, Vol. 56/3, 2020, pp. 509-530, p. 514.

[18]   Artículos 20 y 21 del Tratado de Funcionamiento de la Unión Europea; Artículo 45 de la Carta de Derechos Fundamentales de la Unión Europea. Se vio impedida la libertad de los ciudadanos de la Unión y "de los miembros de su familia",

como trabajadores y para las libertades de establecimiento, prestación de servicios y mercancías[19]. Por este motivo, así como por el simple hecho de que la libertad de circulación tiene un doble componente esencial en el constitucionalismo de la Unión Europea, principio de contenido económico pero también derecho fundamental, es por el que en las páginas siguientes se profundizará especialmente en las circunstancias de su derogación.

4. AGRAVAMIENTO Y NECESIDAD DE ASISTENCIA URGENTE: DEL COLAPSO DE LA LIBERTAD DE CIRCULACIÓN A LA GESTIÓN Y CERTIFICACIÓN DE VACUNAS

4.1. Los momentos iniciales

Las restricciones de las libertades económicas derivadas de las decisiones de excepción de los Estados miembros se aceptaron inicialmente desde la Unión. En particular, la Comisión tuvo que claudicar, además de por la cruda realidad de hospitalizaciones, ingresos en UCIs y muertos, por el hecho de que podían considerarse cubiertas por las derogaciones que permite el propio DUE.

En el caso de las fronteras, el Código Schengen autoriza su restablecimiento en caso de amenaza grave al orden público o a la seguridad interior. Permite, incluso, que la duración de tal restablecimiento esté sujeta a la de la amenaza, siempre y cuando tanto el alcance de la

---

alcanzando a otros derechos tales como el de reagrupamiento familiar. Se relata en particular el caso de doscientos cincuenta mil trabajadores temporeros, de nacionalidad rumana, que al quedarse sin trabajo no podía permanecer legalmente en el Estado miembro de acogida y tuvieron que volver a su país, con todos los obstáculos que representaba el restablecimiento de controles en las diferentes fronteras interiores y las prohibiciones de desplazamiento dentro de cada Estado que atravesaban. Bouveresse, A., *op. cit.*, p. 511.

[19]   En relación con las mercancías, entre finales de febrero y principios de marzo de 2020 fue muy controvertida en la reunión del Consejo de sanidad, la prohibición, repetida en los distintos Estados, de exportar mascarillas y otros instrumentos y equipos de protección sanitaria. Genschel P. y Jachtenfuchs, M., *op. cit.*, p. 354.

medida como su tiempo de vigencia sean proporcionales y necesarios para contener el peligro o remediar la situación[20].

En cuanto a las libertades económicas en sentido estricto, las distintas disposiciones de los Tratados que las reconocen contienen cláusulas de excepcionalidad que abarcan las restricciones motivadas por medidas de protección del orden y de la salud públicas, así como de la vida de las personas, entendiendo estas justificaciones como objetivos de interés general comunes a la Unión y a los Estados miembros[21]. En concreto la salud, y el objetivo de combatir enfermedades "potencialmente epidémicas" es también una posible causa justificante de restricciones estatales a la libertad de circulación recogidas por la directiva 2004/38/CE[22].

En un primer momento, frente a las decisiones de los Estados miembros que limitaban la libertad de circulación, la Comisión defendió que no había razón para suspender Schengen[23]. Sin embargo, al poco tiempo solo le quedó ceder. Entonces pasó a poner en marcha un intento de coordinación. Empezó a trabajar para que se establecieran criterios comunes respecto a los cierres fronterizos y para que se salvaguardaran algunos elementos esenciales de la libertad de circulación, como la prohibición de discriminación por nacionalidad, siempre aceptando el hecho de que esos criterios tendrían que combinarse

---

[20]   Artículos 25 a 28 del Reglamento (UE) 2016/399 del Parlamento Europeo y del Consejo, de 9 de marzo de 2016, por el que se establece un Código de normas de la Unión para el cruce de personas por las fronteras (Código de fronteras Schengen). Algunos Estados europeos comenzaron por aplicar el restablecimiento de fronteras más provisional que prevé el artículo 28 y luego decidieron prorrogar la duración de la medida acogiéndose, en su lugar, a la medida más permanente del artículo 25, que había sido la utilizada por países como Dinamarca o Francia por razón de la amenaza terrorista o de la crisis migratoria. Bouveresse, A., *op. cit.*, p. 512 y 513.

[21]   Artículos 36, 45.3 y 52.1 TFUE.

[22]   Artículo 29 de la Directiva 2004/38/CE, del Parlamento Europeo y del Consejo, de 29 de abril de 2004, relativa al derecho de los ciudadanos de la Unión y de los miembros de sus familias a circular y residir libremente en el territorio de los Estados miembros.

[23]   Genschel P. y Jachtenfuchs, M., *op. cit.*, p. 354.

con la urgencia de preservar la salud y que esa responsabilidad estaba en manos de los Estados[24].

En este sentido, la acción de la Unión se caracterizó, a partir de ese momento, por tres factores: la preferencia por el *soft law*, es decir, por actos no vinculantes que preparan el camino para *europeizar* de manera paulatina una problemática que estaba siendo abordada de manera diferente en los distintos Estados miembros, a la espera de que estos estuvieran preparados para que se adoptasen criterios uniformizadores desde el orden supranacional[25]; el protagonismo de la Comisión en ese impulso; y, aun con ese protagonismo, la precaución de no recurrir, de momento, al procedimiento por incumplimiento frente a los Estados miembros del que la Comisión es motor principal[26]. En concreto respecto a esto último, dada la gravedad de la situación sanitaria y el desconcierto sobre la lesividad del virus, hubiera sido inútil y contraproducente que la Comisión hubiera optado por la vía del recurso por incumplimiento. Esto no quería decir que no fuera a hacerlo más adelante si, una vez desarrollados criterios, incluso en instrumentos de mínimos y *soft law*27, se mantuviesen las restricciones más allá de lo necesario. No debe olvidarse que el TJUE desde hace tiempo reservó para el DUE la facultad de evaluar la adecuación

---

[24]   Comunicación de la Comisión Covid-19 de 16 de marzo de 2020: Directrices sobre medidas de gestión de fronteras para proteger la salud y garantizar la disponibilidad de los bienes y de los servicios esenciales (2020/C 86 I/01).

[25]   Con ello se hace referencia a una función inclusiva: atraer al ámbito del DUE cuestiones que aún siguen sin aunar un consenso suficiente por parte de los Estados, preparando el terreno para lanzar propuestas legislativas. Peters, A. «Soft law as a new mode of governance» en U. Diedrichs, W. Reiners y W. Wessels, *The Dynamics of Change in EU Governance*, Edward Elgar, Cheltehham, 2011, pp. 21-50, p. 34

[26]   Bouveresse, A., *op. cit.*, p. 522. Del evidente protagonismo de la Comisión como impulsora de recursos por incumplimiento se da cuenta con la brevísima enumeración de recursos interpuestos por un Estado miembro frente a otros. Entre otros menos recientes, véase el trabajo de Gormley, L. W. «Infringement proceedings» en A. Jakab y D. Kochenov (eds.), *The enforcement of EU law and values: ensuring member states' compliance*. Oxford: Oxford University Press Gormley, 2017, pp. 65-78, p. 65.

[27]   Es sabido que a menudo el soft law ha servido para fundamentar, en su conjunción con principios de los Tratados, recursos por incumplimiento como estrategia de integración encubierta. Peters, A., *op. cit.*, p. 36.

de las medidas adoptadas por un Estado miembro que se pudieran justificar sobre la base de una excepción permitida por aquel[28].

4.2. *Primeros remedios medicinales: el empleo del soft law*

Junto a la pionera Comunicación de la Comisión de 16 de marzo de 2020 sobre la gestión de fronteras, ya citada[29], entre los instrumentos de *soft law* que intentaron aunar criterios para el restablecimiento de la libertad de circulación cabe destacar la hoja de ruta común para el levantamiento de restricciones, de 17 de abril de 2020, emitida conjuntamente con el Consejo Europeo[30]. También es reseñable la Comunicación de 15 de mayo de 2020 sobre la coordinación para el levantamiento de controles en fronteras interiores y la recuperación de la libre circulación[31].

Meses después, otoño de 2020, ante el incremento de contagios en toda Europa y las nuevas decisiones restrictivas de los gobiernos estatales, hay que referirse a la Recomendación del Consejo de 13 de octubre, la cual propone un enfoque coordinado de las restricciones a la libre circulación. Con esta recomendación, el Consejo se pronuncia a instancias de la Comisión sobre la base de lo previsto en el artículo 292 TFUE. El acto no vinculante se apoya conjuntamente en la base jurídica del artículo 21 del TFUE, libre circulación como derecho de los ciudadanos europeos, y en la competencia complementaria de salud pública del 168 TFUE. El texto llama la atención sobre "las graves consecuencias" que las medidas necesarias para la protección de aquella han tenido "para la libertad de circulación" y cómo han repercutido "en el funcionamiento del mercado interior". A continuación, afirma que "es prioritario" restablecer la libertad de circulación"

---

28   Por ejemplo, y en relación con los derechos fundamentales como principios generales de las antiguas Comunidades Europeas, véase la Sentencia del Tribunal de Justicia de la Comunidad Europea de 18 de junio de 1991 *ERT*, asunto C-260/89, ECLI:EU:C:1991:254, apartado 43.

29   Cit. *supra &*. nota 24.

30   Hoja de ruta común europea para el levantamiento de las medidas de contención de la COVID-19 2020/C 126/01-C/2020/2419.

31   Comunicación de la Comisión de 15 de mayo de 2020: Por un enfoque gradual y coordinado de la restauración de la libertad de circulación y del levantamiento de los controles en las fronteras interiores — COVID-19 (2020/C 169/03).

en un sentido amplio, "ya sea por motivos laborales, familiares o de ocio".

Sin dejar a un lado la otra prioridad, la de evitar la expansión del virus, la recomendación de octubre apelaba al artículo 45 de la CDFUE para recordar que las restricciones, aun persiguiendo ese objetivo, deben atenerse a estos mandatos normativos: moverse dentro del respeto al principio de proporcionalidad; ceñirse a lo estrictamente necesario; y responder a los objetivos de interés general reconocidos por la Unión[32]. En otras palabras, se avisaba de que a partir de ese momento las limitaciones a los desplazamientos internos que decidan los Estados miembros van a estar vigiladas más de cerca por las instituciones de la Unión. El objetivo de la protección de la salud, objetivo también de la Unión y que por ello estará presente en las propuestas que esta vaya haciendo, no podrá ser una justificación absoluta para los Estados, al menos no en la medida en que lo fue en aquel primer momento, cuando se desconocía todo sobre el virus y cundía el pánico.

Dos frases, en los considerandos 16 y 17 de la recomendación, resumen bien esta firme intención: "la decisión de introducir restricciones a la libre circulación *por motivos de salud pública* sigue siendo responsabilidad de los Estados miembros, que *no obstante* deben cumplir los requisitos del Derecho de la Unión"; y "las restricciones a la libre circulación deben contemplarse únicamente cuando los Estados miembros dispongan de pruebas suficientes que las justifiquen desde el punto de vista de su beneficio para la salud pública y tengan motivos razonables para creer que serán eficaces", *pues si no es así podrá considerarse que se incumplen obligaciones del DUE.*

Los anteriores énfasis en cursiva no están en el texto original. Son añadidos que se hacen aquí y que pretenden explicitar lo que la recomendación da por sobreentendido. Todo ello se confirma, meses después, en el mandato de negociación con el Parlamento que el Consejo publica en abril de 2021, en relación con las propuestas de la Comisión sobre el certificado verde digital: aunque los Estados pue-

---

[32] Recomendación (UE) 2020/1475 del Consejo de 13 de octubre de 2020 sobre un enfoque coordinado de la restricción de la libre circulación en respuesta a la pandemia de COVID-19.

dan seguir restringiendo la movilidad por razones de salud pública, esas restricciones deberán basarse estrictamente en motivos de interés público, tal y como se especificó en la recomendación de octubre de 2020. Del mismo modo, esas restricciones tendrán que ser conformes con los principios de proporcionalidad y no discriminación, como principios de DUE, y con el ejercicio de las libertades económicas[33].

A continuación, la recomendación suministra una serie de criterios comunes que van conformando, en conjunto, lo que se considerará restricción justificada a la libertad de circulación en esa fase de la emergencia sanitaria. Esos criterios, condiciones y umbrales de carácter epidemiológico, se combinan sobre la doble base jurídica que da apoyo a la resolución: índices acumulados de contagios, tasas de pruebas, composición de la cartografía por zonas de riesgo que elaborará el Centro Europeo para la Prevención y el Control de las Enfermedades, restricciones aplicables según la coloración del riesgo, etc. En definitiva, la recomendación es el primer paso de una estrategia de redefinición, mientras dure la emergencia, de las condiciones de ejercicio de la libertad de circulación en el mercado interior.

4.3. Vacuna, sanaciones y secuelas: de la jefatura de compras farmacéuticas a las propuestas de Reglamento sobre certificados covid digitales

Sin embargo, la acción de la Unión Europea en la recuperación y reconstrucción del mercado interior no iba a reducirse a las señalar los requisitos mínimos de respeto a las libertades económicas. En el contexto de la crisis generada por la pandemia, por un lado había que tomar una decisión, o varias, sobre las aportaciones financieras necesarias para mitigar los inesquivables daños y para la reconstrucción económica. Por otro lado, había que respaldar la investigación y la posterior producción de vacunas, como único camino para volver a generar confianza en el mercado e impulsar de nuevo las comunicaciones físicas, la reapertura de fronteras y los desplazamientos.

---

[33]   Mandato de negociación con el Parlamento del Consejo de 14 de abril de 2021, 7796/21, apartado 6.

En el primero de los dos campos, se han ido componiendo diversos mecanismos financieros, en parte a cargo del Banco Central Europeo, en parte a través de programas específicos. Uno de ellos es el programa SURE, también llamado el MEDE sanitario, orientado al desempleo; otro es REACT; y, por fin, el conocido como Instrumento de Recuperación que promete repartir fondos a solicitud de los Estados y sobre la base de planes específicos que vigilará la Comisión[34].

En el campo de las vacunas, a través del Instrumento de Asistencia Urgente se llegó a diversos acuerdos de compra anticipada y previsiones de contratos de compra con las farmacéuticas productoras, de manera que la Unión anticiparía también el coste de las vacunas y posteriormente se encargaría de su distribución. En este caso sí que hubo una articulación normativa en sentido estricto, pues no hubieran bastado los instrumentos de *soft law*: con la Decisión de la Comisión de 18 de junio de 2020. La Comisión y los Estados miembros llegaban al acuerdo de que estos daban a la primera la potestad para negociar, mientras que la compra en sí y la política de vacunas, en sentido estricto, les seguiría correspondiendo a ellos. La decisión tenía su base en el Reglamento (UE) 2016/369 del Consejo relativo a la prestación de asistencia urgente en la Unión, que había sido modificado y adaptado con motivo de la pandemia[35].

Una vez conseguidas las primeras vacunas, y a medida que el proceso de vacunación iba avanzando en los Estados, la Comisión volvería a insistir: había que recuperar la libertad de circulación en el mayor grado posible; había que hacerlo de manera coordinada; había

---

[34]   Una explicación sencilla de estos instrumentos, apta para legos en la materia, puede consultarse en el trabajo de Azpitarte Sánchez, M., «Crisis económica: un problema constitucional…, *op. cit.*, pp. 9 y ss. También en Dani, M. y Menéndez Menéndez, A. J., *op. cit.*, pp. 17 y ss.

[35]   Decisión de la Comisión de 18 de junio de 2020 aprobando un acuerdo con los Estados miembros para la obtención de vacunas contra la Covid-19 en favor de los Estados miembros y procedimientos relacionados C(2020) 4192 final. Reglamento (UE) 2016/369 del Consejo relativo a la prestación de asistencia urgente en la Unión(1), modificado por el Reglamento (UE) 2020/521 del Consejo, de 14 de abril de 2020, por el que se activa la asistencia urgente en virtud del Reglamento (UE) 2016/369, cuyas disposiciones se modifican considerando el brote de COVID-19.

que conseguir seguridad y garantías sanitarias; y había que pasar de las recomendaciones y el *soft law* al terreno normativo[36].

Con el fin de aunar todos esos objetivos, la Comisión presentó sus propuestas de Reglamento sobre el originariamente llamado certificado verde digital, que en las últimas negociaciones entre el Consejo y el Parlamento pasó a denominarse, sin verde, certificado covid digital de la Unión Europea[37]. Se elaboraron dos propuestas: una relativa al certificado que desde su entrada en vigor permitirá la libre circulación a los ciudadanos de la UE y otro que hará lo propio con los nacionales de terceros países que residan o se encuentren legalmente en el territorio de los Estados miembros[38]. Las bases jurídicas de una y otra propuesta son distintas, puesto que la primera se apoya en el artículo 21 del TFUE, sobre la libre circulación de los ciudadanos de la Unión, y la segunda en el 77. 2. c), que permite adoptar actos legislativos sobre la libertad de circulación interna de ciudadanos de terceros países. A grandes rasgos, y en el lenguaje en el que ha trascendido al público general, se tratará de documentos que certificarán uno de estos extre-

---

[36]   Comunicación de la Comisión al Parlamento Europeo, al Consejo Europeo y al Consejo de 17 de marzo de 2021: Por una senda común hacia una reapertura segura y sostenida [COM(2021) 129 final].

[37]   Así se publicó en las páginas institucionales de la Comisión y del Parlamento Europeo el 20 de mayo de 2021, refiriéndose a un acuerdo *provisional* que, de concretarse, haría que el certificado pudiese operar a partir del 1 de julio del mismo año. La notica en la web de la Comisión [consulta 30.05.2021]: https://ec.europa.eu/commission/presscorner/detail/es/ip_21_2593. En la del Parlamento Europeo [consulta 30.05.2021]: https://www.europarl.europa.eu/news/es/press-room/20210517IPR04111/certificado-digital-ue-covid-acuerdo-provisional-entre-el-pe-y-el-consejo.

[38]   Propuesta de Reglamento del Parlamento Europeo y del Consejo relativo a un marco para la expedición, verificación y aceptación de certificados interoperables de vacunación, de test y de recuperación para facilitar la libre circulación durante la pandemia de COVID-19 (certificado verde digital) [COM(2021) 130 final]; y Propuesta de Reglamento del Parlamento Europeo y del Consejo relativo a un marco para la expedición, verificación y aceptación de certificados interoperables de vacunación, de test y de recuperación para los nacionales de terceros países que residan legalmente o se encuentren legalmente en el territorio de los Estados miembros durante la pandemia de COVID-19 (certificado verde digital) [COM(2021) 140 final]. Las sucesivas referencias se harán sobre la base de la regulación propuesta en el primero de los dos documentos y se citará como Propuesta de Reglamento sobre el Certificado Verde Digital.

mos: bien que el titular está vacunado contra la COVID-19; bien que se ha sometido a un test con resultado negativo; bien que ha superado recientemente la enfermedad. Al ser verificables en el territorio de cualquier Estado miembro de la Unión, los certificados quieren lograr que se retomen los desplazamientos entre los territorios de estos, minimizando al mismo tiempo las posibilidades de transmisión del virus.

El certificado covid digital no deja de plantear, sin embargo, ciertas suspicacias relacionadas con aspectos constitucionales. Serían estas las *secuelas* que va a dejar la enfermedad de la excepcionalidad. Durarán más o menos dependiendo de cuánto tiempo se mantenga vigente. En los títulos de ambas propuestas se alude a un marco aplicable "durante la pandemia de COVID-19". En la ficha de la Comisión, apartado 1.6, se proponía vincular la vigencia de la exigencia del certificado a la de la pandemia, limitarla al momento en el que "el director general de la OMS haya declarado, de conformidad con el Reglamento Sanitario Internacional, que ha finalizado la emergencia de salud pública de alcance internacional causada por el SARS-CoV2". El Parlamento Europeo, por su parte, consiguió que la vigencia del certificado sea de doce meses, vigencia sujeta a revisión una vez transcurrido ese periodo[39].

Por más que temporal y provisional, el hecho es que la UE ha introducido una excepción interna a la libertad de circulación. Téngase en cuenta que hasta febrero de 2020, y en cuanto a los desplazamientos internos, todos los esfuerzos de la actual Unión Europea se encaminaron a que esta se llegase a ejercer sin apenas condicionantes. Habrá que esperar para ver si, pasado el tiempo, las *secuelas* desaparecen y la recuperación del paciente se confirma en su totalidad.

Las suspicacias a las que se alude giran en torno a principios constitucionales de DUE y a principios constitucionales comunes, en concreto ciertos derechos fundamentales como la privacidad y la protección de datos. "Habida cuenta de la urgencia" en su aprobación, así lo explican las propias propuestas, la Comisión ha prescindido de la evaluación de impacto al elaborarlas, por lo que en caso de que las suspicacias confirmen afectaciones a principios constitucionales y derechos, la responsabilidad apuntará a esa institución.

---

[39]   Véase la noticia publicada en la web del Parlamento Europeo citada *&. supra* nota 36.

Entre las primeras, suspicacias en torno a principios constitucionales de DUE, cabe destacar una en relación con la categoría de "ciudadanos vacunados contra la COVID". Se vincula al hecho de que los certificados Covid digitales solo vayan a ser de obligado reconocimiento en todos los Estados miembros de la Unión si la vacuna certificada es una de las aprobadas por la Agencia Europea del Medicamento. Será opción de cada Estado dar un tratamiento equivalente a quienes hayan recibido otras que hayan sido aprobadas en los Estados miembros de origen o residencia del vacunado[40]. Es posible, como se ha denunciado[41], que esto provoque un efecto de discriminación *por razón de vacuna*. La misma afectaría a los que hubieran recibido sueros distintos y, no obstante, de eficacia probada y reconocidos por otras organizaciones internacionales como la OMS.

En otro orden de cosas, y de manera adicional al apellido de la vacuna, la existencia del certificado de vacunación creará categorías de ciudadanos de la Unión, vacunados y no vacunados. Tal categorización corre el riesgo de incentivar otros sesgos discriminatorios al menos en dos sentidos: durante un tiempo habrá población no vacunada por no estar incluida en los grupos de riesgo o de turno de edad de vacuna en contra de su deseo; y permanentemente estarán los ciudadanos que opten por no vacunarse, por cualesquiera cuestiones ideológicas o aprensiones que les puedan llevar a adoptar esa decisión. Tanto unos como otros podrán desplazarse en el territorio del mercado interior, pero a través del certificado deberán presentar una prueba negativa de COVID-19 que constate que no están infectados. Solo así se les eximirá de posibles trabas en el ejercicio de su libertad de circulación, pues las razones de salud pública justificarán, como hasta ahora, que a estos se les impongan cuarentenas o condiciones de otro tipo al cruzar las fronteras de un país de la Unión. Entre otras cosas, de ahí que haya opiniones que defienden que si la vacuna es

---

[40]   Artículo 5 de la Propuesta de Reglamento sobre el Certificado Verde Digital, *cit.*, apartados 5 y 6.

[41]   Kochenov, D. y Veraldi, J. D., «The Commission Against the Internal Market and EU Citizens Rights: Trying to Shoot down Sputnik with the 'Digital Green Certificate'?», *European Journal of Risk Regulation*, núm. 12, 2021, disponible en SSRN: https://ssrn.com/abstract=3826649. DOI: http://dx.doi.org/10.2139/ssrn.3826649.

gratuita los test de COVID-19 también debieran serlo, al menos a efectos de la libre circulación.

Sobre las suspicacias en torno a derechos fundamentales, principalmente protección de datos y privacidad, las propuestas de la Comisión insisten en que el certificado no supondría excepción alguna al régimen de protección de datos de la Unión, asegurando que los datos solo estarán en el certificado expedido. Se entiende que la encriptación de los datos en códigos de barras interoperables haría que su empleo quede reservado para la finalidad para la que el certificado se expide, la libre circulación. Existe, sin embargo, el riesgo de entrar en un régimen de exclusiones en otros ámbitos sobre la base de los certificados, que frecuentemente se ha invocado en relación con las restricciones de entrada al ocio y a la hostelería en varios Estados miembros[42].

5.   DOS CONCLUSIONES Y UNA ANÉCDOTA, A MODO DE EPÍLOGO

La reacción de la Unión Europea ante las declaraciones de excepción y emergencia de los Estados miembros, desde marzo de 2020 hasta hoy, ha ido evolucionando desde una primera actitud prudente, de dejar hacer a estos, hacia la toma de decisiones efectivas para la recuperación del mercado interior. En esas decisiones, la Unión se ha acogido a las competencias que los Tratados le atribuyen y la Comisión ha tenido un protagonismo claro. Ha entendido, en primer lugar, que salvar el mercado interior pasaba por ser flexible en materia de Derecho de la competencia y control de fronteras, así como por hacer lo propio con las reglas de estabilidad presupuestaria que obligaban a los Estados, y, en particular, con las que dificultaban el recurso al endeudamiento para conseguir financiación. En segundo lugar, ha tenido claro que el restablecimiento de la libre circulación en estas circunstancias tendría que combinarse con la finalidad de proteger la

---

[42]   Alertaba sobre esta posibilidad, que puede llegar a la consigna *sin vacuna no hay trabajo,* el artículo editorial de Dye, C. y Mills, M. C., «COVID-19 vaccination passports», *Science*, Vol. 371/6535, 19 de marzo de 2021, pp. 1184, DOI: 10.1126/science.abi5245, disponible en https://science.sciencemag.org/.

salud y prevenir los contagios. Por ello ha ideado un instrumento de *excepción*, el certificado covid digital, que se mueve en los límites y despierta dudas de constitucionalidad, si bien promete durar solo el tiempo necesario y ni un día más.

Por último, la pandemia ha vuelto a poner de manifiesto que la Unión Europea cuenta con los instrumentos que cuenta y con ninguno más. Han sido los Estados miembros los que han tenido que tomar las determinaciones de cierre y control de la población, conforme a las competencias en materia de salud y orden público que les corresponden. La capacidad de reacción de la Unión frente a las decisiones de excepción tomadas por los gobiernos de los Estados miembros ha decepcionado a algunos, pero ciertamente no ha podido ir más allá. En parte la realidad ha mandado, en parte lo han hecho los marcos competenciales en los que la Unión puede moverse.

Como epílogo, se reseñará la anécdota de uno de esos que seguramente se sintió decepcionado al constatar que la Unión nada podía hacer por su caso. Se trata de un juez de paz de Lanciano, un pequeño pueblo de los Abruzos, en el centro de Italia.

La historia empieza cuando, tras la declaración del estado de emergencia en Italia por el Consejo de Ministros, en febrero de 2020, nuestro juez se ve directamente afectado por el Decreto-ley que, en marzo, establece una serie de medidas relativas a los procesos judiciales mientras dure la situación de excepción. En concreto, el Decreto-ley indica cuáles serán los procesos que podrán seguir su curso durante los meses siguientes y, en su caso, en qué modos.

El juez de Lanciano comprueba que las medidas le impiden continuar un pleito del que está conociendo, relativo a una indemnización por accidente de circulación. Aunque el Decreto-ley le permitía seguir con las actuaciones, bien de manera telemática bien garantizando una serie de protocolos de higiene y prevención de contagios, la falta de medios del juzgado de paz hacía inviable tanto una opción como la otra. El juez consideró que aquello atentaba contra la dignidad de su función, así como contra su independencia, dado que no cobraría honorario alguno, como juez de paz, hasta que no se retomasen las audiencias. Estimó, adicionalmente, que las medidas atentaban también contra los derechos de las partes a la tutela judicial efectiva. Entendiendo que el Derecho de la Unión era aplicable, puesto que las disposiciones estatales que regían el litigio derivaban de otras de DUE, como parte de las actuaciones en aquel juicio del accidente remitió al Tribunal de Justicia de la Unión Europea una cuestión prejudicial: ¿se oponían el TUE, el TFUE y la CDFUE, cada uno de ellos en varios artículos relativos al Estado de Derecho, la identidad nacional, los derechos fundamentales, el espacio de libertad, seguridad y justicia y la cooperación judicial, a una declaración de estado de emergencia nacional que suponía la paralización de la justicia civil y penal y vulneraba la independencia del órgano jurisdiccional remitente y el principio del derecho a un juicio equitativo de las partes?

El TJUE contestó mediante auto. Declaró el asunto inadmisible, pues no encontró, ni en relación con el fondo del asunto que se juzgaba ni en relación con el procedimiento empleado, un vínculo de conexión con las disposiciones de los Tratados que el juez le señalaba[43]. Aunque nada de esto dijo, quizás el TJUE comprobó aliviado que el juez de Lanciano no invocaba el artículo 19 del TUE ni, junto a este, su sentencia de 2018 en el asunto *Associação Sindical dos Juízes Portugueses*[44].

Barcelona, mayo de 2021

6.   BIBLIOGRAFÍA

Azpitarte Sánchez, M., «Coronavirus y Derecho Constitucional. Crónica Política y legislativa del año 2020», *Revista Española de Derecho Constitucional*, núm. 121, 2021, pp. 105-138, DOI: https://doi.org/10.18042/cepc/redc.121.04.

---

[43]   Auto del Tribunal de Justicia de la Unión Europea de 10 de diciembre de 2020 *XX contra OO*, asunto C-220/20, ECLI:EU:C:2020:1022.

[44]   Sentencia del Tribunal de Justicia de la Unión Europea de 27 de febrero de 2018 *Associação Sindical dos Juízes Portugueses*, asunto C-64/16, ECLI:EU:C:2018:117. La sentencia confería al artículo 19 del TUE una interpretación autónoma, atribuyendo a la independencia judicial condición de principio general del DUE y, por ello, justiciable. La sentencia sirvió, posteriormente, para condenar a Polonia por incumplimiento en relación con las leyes de reforma del poder judicial de su país. Véase el trabajo de Campos Sánchez-Bordona, M., «La protección de la independencia judicial en el derecho de la Unión Europea», *Revista de Derecho Comunitario Europeo*, núm. 65, pp. 11-31, DOI: https://doi.org/10.18042/cepc/rdce.65.01 .

Azpitarte Sánchez, M., «Crisis económica: un problema constitucional –A propósito de la COVID», *Icade. Revista de la Facultad de Derecho*, núm. 110, 2020, pp. 1-14, DOI: https://doi.org/10.14422/icade.i110.y2020.001.

Blumann, C., «L´adaptation du fonctionnement du système institutionnel à la crise Covid», *Revue Trimestrielle de Droit Européen*, Vol. 56/3, 2020, pp. 621-637.

Bouveresse, A., «La libre circulation des personnes a l´épreuve de la Covid-19: extremis malis extrema remedia?», *Revue Trimestrielle de Droit Européen*, Vol. 56/3, 2020, pp. 509-530.

Campos Sánchez-Bordona, M., «La protección de la independencia judicial en el derecho de la Unión Europea», *Revista de Derecho Comunitario Europeo*, núm. 65, pp. 11-31, DOI: https://doi.org/10.18042/cepc/rdce.65.01.

Cruz Villalón, P., «El valor de la posición de la Carta de Derechos Fundamentales en la Comunión Constitucional europea», *Teoría y Realidad Constitucional*, núm. 39, 2017, pp. 85-101, DOI: https://doi.org/10.5944/trc.39.2017.19146.

Dani M., y Menéndez Menéndez, A. J., «El Gobierno europeo ante la crisis del coronavirus», *Revista de Derecho Constitucional Europeo*, núm. 34, 2020, disponible en http://www.ugr.es/~redce/REDCE34/articulos/11_DANIA_MENENDEZ.htm.

Christopher Dye, C. y Mills, M. C., «COVID-19 vaccination passports», *Science*, Vol. 371/6535, 19 de marzo de 2021, pp. 1184, DOI: 10.1126/science.abi5245, disponible en https://science.sciencemag.org/.

Genschel, P. y Jachtenfuchs, M., «Postfunctionalism reversed: solidarity and rebordering during the COVID-19 pandemic», *Journal of European Public Policy*, Vol. 28/3, 2021, pp. 350-369, https://doi.org/10.1080/13501763.2021.1881588

Gordillo Pérez, L. I. y Canedo Arrillaga, J. R., «Los fundamentos de la constitución económica de la Unión Europea», *Revista de Derecho de la Unión Europea*, 2016, núm. 30-31, pp. 23-56.

Gormley, L. W. «Infringement proceedings» en A. Jakab y D. Kochenov (eds.), *The enforcement of EU law and values: ensuring member states' compliance*. Oxford: Oxford University Press Gormley, 2017, pp. 65-78.

Kochenov, D. y Veraldi, J. D., «The Commission Against the Internal Market and EU Citizens Rights: Trying to Shoot down Sputnik with the 'Digital Green Certificate'?», *European Journal of Risk Regulation*, núm. 12, 2021, disponible en SSRN: https://ssrn.com/abstract=3826649. DOI: http://dx.doi.org/10.2139/ssrn.3826649.

Peters, A. «Soft law as a new mode of governance» en U. Diedrichs, W. Reiners y W. Wessels, *The Dynamics of Change in EU Governance*, Edward Elgar, Cheltehham, 2011, pp. 21-50.

Presno Linera, M., «Prohibido prohibir votar», *Agenda Pública*, 2020, disponible en https://agendapublica.es/prohibido-prohibir-votar/ [consulta 09/05/2021].

Ritleng, D., «L´Union européenne et la pandémie de Covid-19: de la vertu des crises», *Revue Trimestrielle de Droit Européen*, Vol. 56/3, 2020, pp. 483-492.

Rojas, D., «L´État de droit en période de Covid-19: l´Union européenne mise à l´épreuve», *Revue Trimestrielle de Droit Européen*, Vol. 56/3, 2020, pp. 531-550.

COVID-19 y suspensión del Convenio Europeo de Derechos humanos: ¿una necesidad?[1]

FERNANDO ÁLVAREZ-OSSORIO MICHEO
Prof. Titular de Derecho Constitucional
Universidad de Sevilla

1. EL SACRIFICIO DE LOS DERECHOS

Si los dioses no responden a nuestras peticiones, ¿para qué seguir sacrificándoles reses? El ara es una piedra que dejamos de usar hace décadas. Tanto tiempo de esto que ya nadie recuerda cuando fue la última vez que sobre ella se derramó la sangre de esas pobres bestias inocentes. Aún pueden verse sobre el amarillento mármol los restos del fuego que todo consumía. El humo se disipó, evidentemente, pero no su olor. Si te acercas lo percibirás. Descreídos a causa del abandono en que nos dejaron, decidimos volver nuestras cabezas a la razón que, es verdad, no tiene la forma ni las maneras de nuestras vetustas diosas, pues es cosa mundana y por lo tanto imperfecta. Y de este modo, con la vista puesta en esta nueva deidad antropomórfica, concluimos que nada de lo más sagrado que tenemos, nuestras vidas,

---

[1]   Este trabajo se ha elaborado en el marco del proyecto de investigación I+D, financiado por el Ministerio de Economía y Competitividad «Desafíos del proceso de construcción de un espacio europeo de derechos fundamentales» (DER2017-83779-P).

podía ser entregado en vano al fuego purificador. Desde entonces todo sacrificio, porque aunque pueda resultar extraño oírlo seguimos practicándolos, debe tener una razón poderosa que lo sustente y le dote de sentido, un algo que lo justifique, por decirlo de forma resumida. Es por eso que lo pensamos mucho antes de tomar una decisión de ese calibre. La elección del chivo expiatorio, del cuchillo y de la leña más apropiados no puede hacerse de cualquier forma, sino con profundo sentido de humanidad. Fue entonces cuando se nos ocurrió reglamentarlo todo, para evitarnos sobresaltos de última hora, que la improvisación no suele llevar a nada bueno. Ante catástrofes extraordinarias mejor sería disponer de recursos excepcionales reglados y previstos. Una forma de adelantarnos razonablemente a las inclemencias.

El soberano ya no lo es por disponer del estado de excepción a su antojo, con necesidad o sin ella, sino por ser él el que decide *ex ante* quién, cómo, cuándo y con qué límites puede hacer uso de esos poderes extraordinarios. De esta forma el actor final de la excepción pasa a estar encorsetado, sujeto a reglas estrictas. Lógicamente, como bien se comprenderá, no puede ser tenido por soberano quién tiene un guión marcado para su actuación, por más vibrante e intensa que esta pueda resultarle. Los sacrificios mutaron en consecuencia de naturaleza: de inútiles en el mundo antiguo a (posiblemente) adecuados y eficaces en el mundo moderno. Pero también mudaron, y esto es de suma importancia, de arbitrarios a racionales. El que todo lo puede en el mundo de los hombres libres, a ese que se conoce con el nombre de Constituyente, no quería competidores. Si hubiese que sacrificar su obra, la Constitución, sólo podría hacerse con causa justa y respetando en todo caso los procedimientos establecidos. Todo ello con un único ánimo, como decimos, el de reponer cuanto antes las cosas a su lugar primigenio una vez contenida y vencida la emergencia. Por eso el interprete real de la excepción debe estar controlado en todo momento, para evitar principalmente su endiosamiento y la tentación de que quiera regresar a la llama purificadora que no se extingue nunca. Limitar los poderes excepcionales, es decir, contrapesarlos y sujetarlos a tiempo y proporcionalidad, eran los elementos que conformaban nuestra razón, la que arrojaría como resultado la conservación de nuestra libertad frente al déspota que cree ser un dios al que deba rendírsele tributo y sacrificio permanente.

El sacrificio de nuestros derechos cuando hemos escrito en letras doradas que la dignidad de la persona es el fundamento de nuestro orden político y de la paz social no cabe más que por legítimas razones: bien para conciliarlos con otros bienes o derechos de similar naturaleza con los que hayan podido entrar en colisión, bien para preservarlos ante una contingencia que los ponga en peligro y frente a la cual, para conjurarla, se impone el dar un paso atrás, sacrificando derechos, pero con el único ánimo de volver al punto de partida, es decir, salvar nuestra libertad al precio de, durante un periodo, restringirla. Un leviatán ajustado y proporcionado a la situación que se debe combatir, pues de no hacerlo todo aquello que pretende conservarse quedaría aniquilado, como tabula rasa. Es la hora de concentrar el poder y dotarlo de instrumentos adecuados, pero siempre con las bridas tensas, para no dejar que la fiera se desboque: tiempo y medida, plazo y proporción, además de por supuesto control y responsabilidad. Es soberano quién, en resumen, domestica al titular de los poderes excepcionales constitucionalizados, aquel que es capaz de prever y regular los mecanismos de defensa extraordinaria del Estado para preservar a este de su destrucción. Así que al soberano le corresponderá imaginarse los presupuestos de hecho, vislumbrar los peligros a los que pudiéramos enfrentarnos en la diacronía constitucional, así como disponer las medidas necesarias para enfrentarlos, pero también diseñar las cláusulas que aseguren que todo se hace para atender la finalidad última de recuperar la normalidad, el orden jurídico que se dice querer defender, que no es otro que el de la Constitución en la normalidad.

Pese a todas las cautelas la activación de los mecanismos de defensa de la Constitución emparenta a quién tiene ese poder con su predecesor constituyente. Los estados excepcionales implican siempre un acto de disposición del orden constitucional, de alteración del orden normativo de base. ¿Qué otra cosa puede querer significar si no la suspensión de la Constitución? Suspender es sinónimo en este contexto de disponer y de sustituir, pues cuando se suspende no se cancela simple y llanamente la vigencia de la norma suspendida, sino que se la sustituye por otra regulación habitualmente preordenada. De este modo, los estados de excepción se diferencia del estado de necesidad. En este último, ante la ausencia de previsión, solo cabe que se imponga la fuerza jurídica de lo fáctico, con todo lo que eso implica de alteración incontrolada del orden constitucional. En ambos casos, sin embargo, el remedio pasa por alterar el medio ambiente constitucional con la finalidad de armarlo frente a su enemigo.

El nudo de los estados de excepción, cuando previstos, se coloca lo suficientemente lejos como para que no sea ni sencillo ni habitualmente necesario el tener que alcanzarlo, en el extremo de una larga cuerda en la que, hasta llegar hasta allí, se convive constitucionalmente entre límites y proporcionalidad. Estado de excepción y situación extraordinaria como presupuesto de hecho van de la mano, de modo que habría desviación del uso de esos poderes si el presupuesto de hecho es inexistente o no alcanza un grado de peligro objetivable para el orden constitucional. Los mecanismos de protección extraordinaria están rodeados de urgencia, excepcionalidad, peligro y riesgo grave. No se activan ni siquiera de forma subsidiaria, pues responden a concretas situaciones en las que la normalidad no ofrece respuesta eficiente frente a una situación que pone en riesgo la propia pervivencia del Estado. Es por ello que las medidas que arrastra la declaración de la excepción son de suspensión de derechos y de alteración de la separación de poderes, un Estado transfigurado. Es verdad igualmente que en la Constitución de la normalidad, como antítesis de la Constitución de la excepción, los derechos y libertades tampoco son absolutos, sino limitables. Pero para limitar un derecho en condiciones de estabilidad constitucional solo puede ocurrir en situaciones en las que se trate de preservar otro derecho fundamental o un valor constitucional de idéntico rango, y siempre con el principio de proporcionalidad como notario de un ajuste que ha de evitar todo sacrificio innecesario de los derechos. En la excepción, como hemos dicho, se trata de otra cosa, se requiere de otra intensidad en el vaciamiento del contenido normal de los derechos, al punto de hacer de ellos otra cosa distinta.

Un alto de grado de civilización, valdría decir de conciencia constitucional y democrática, lleva al Constituyente a limitar materialmente el poder del legislador de la excepción. Le dice lo que nunca se podrá suspender y le traza una línea infranqueable sobre determinados derechos. Es este un acto supremo de contención del propio poder del Estado en el ejercicio de su defensa y quizás el mejor ejemplo de cómo los estados excepcionales han sido imbuidos por la Constitución para atraerlos a su lógica de que la dignidad de la persona y los derechos inviolables que le son inherentes son fundamento de nuestro sistema incluso cuando este se encuentra en riesgo grave.

2.   PANDEMIA: ¿DE QUÉ RIESGO HABLAMOS?

Y en esto llegó la pandemia, declarada así por la OMS el 11 de marzo de 2020. Por formar parte de nuestra biografía, creo que sirve de muy poco el reproducir aquí las consecuencias de la expansión incontrolada del virus Covid-19. ¿O tal vez sea necesario hacerlo? Porque los términos del debate que aquí nos ocupan tienen que ver con esa concreta situación. Estos eran y son los elementos del debate: si el riesgo que para la salud pública y para el sistema sanitario suponía una expansión incontrolada del virus podía ser amortiguado desde la normatividad ordinaria o si se imponía la necesidad de recurrir a alguno de los estados de excepción que la Constitución reconoce y el legislador orgánico reguló y desarrollo en 1981. Es decir, si para contener la transmisión de la enfermedad bastaba con limitar derechos o se requería proceder a la suspensión de su vigencia.

En términos de Constitución estatal la cuestión fue zanjada por el Tribunal Constitucional, aunque no sin polémica a las afueras de su sede además de con una fuerte división en su interior. Si el Gobierno se inclinó por declarar por dos veces el estado de alarma, el TC corregiría esta decisión afirmando que la intensidad de las medidas hubieran exigido la declaración del estado de excepción, pues de facto algunas de las medidas adoptadas como límites a los derechos resultaban ser una suspensión de los mismos, es decir, su cancelación y su sustitución por un nuevo marco regulatorio para ese ámbito de libertad. De modo que hemos de asumir, si bien de esta forma indirecta, que las medidas restrictivas de derechos en nuestro país lo han sido en forma de suspensión y no de limitación de derechos que es lo que hubiera consentido el estado de alarma. La diferencia no es baladí. Entre estado de alarma y de estado de excepción hay una distancia que va más allá del aspecto formal sobre la forma en que se declara una u otra situación. Lo importante es saber que en el segundo caso, la excepción, hay disposición por el legislador constituido de la Constitución, suspensión de la misma y, como consecuencia, de su virtualidad como parámetro último de las medidas que puedan ser adoptadas. Por el contrario con el estado de alarma solo cabe que los derechos puedan ser limitados. La Constitución en este último caso sigue operando con toda su intensidad de modo que, llegado el caso, es desde el contenido genuino de los derechos desde donde habrá de realizarse la operación de contraste con las medidas adoptadas para combatir la emergencia sanitaria declarada.

La diferencia es cualitativa, por lo tanto. Es por ello que la decisión política al declarar un estado excepcional se revista de un mayor control, pues lo que se hace es sustituir el orden normativo constitucional por un nuevo orden temporal que, apto para devolver las cosas a su inicio, difumina la separación de poderes y hace excepción del disfrute de los derechos. Una decisión política que, en nuestro sistema constitucional, encuentra su razón de ser material en el art. 55.1 CE, precepto en el que se inscriben los derechos que pueden ser suspendidos caso de que se declare un estado de excepción o de sitio, a diferencia de lo que ocurre con el estado de alarma donde los derechos, insistimos, solo podrán ser limitados. La decisión de optar por uno u otro de los estados de excepción entendidos *lato sensu* (pues incluimos en esta expresión al estado de alarma ex art. 116 CE), no es por lo tanto un acto que dependa de la mayor o menor intensidad con el que el contenido de los derechos se haya visto afectada. Alarma, excepción y sitio no son estadios de una regla que mida la intensidad de la emergencia, sino opciones jurídicas para presupuestos fácticos diferentes. De modo que, declarado un estado de alarma y limitado el derecho de circulación, por ejemplo, no porque se haya hecho con excesiva intensidad habría de recurrirse al estado de excepción. Más sencillamente cabría decir que la medida amparada por la alarma no ha sido bien justificada o que no supera el test de proporcionalidad. Cada estado excepcional responde a un presupuesto de hecho distinto, bastando con que se lea en su integridad la Ley Orgánica 4/81 de desarrollo del art. 116 CE para comprobarlo. Y entre la alarma y los otros dos, excepción y sitio, hay además una diferencia cualitativa, pues como venimos reiterando el acto de disponer de la Constitución y de sustituirla por otra de emergencia solo cabe que se realice bajo el paraguas de la excepción o el estado de sitio, no así con la declaración del estado de alarma.

Hay además un complejo problema que está lejos de ser resuelto y es el de saber cuándo estamos en presencia de una limitación o de una suspensión de los derechos, máxime cuando el resultado sobre el contenido del derecho, se practique una operación o la otra, puede conducir al mismo resultado. Por esta razón, creemos, el escrutinio de constitucionalidad de un estado de excepción declarado debe operar sobre todo por exceso y casi nunca por defecto, y siempre, en primera instancia, sobre los presupuestos materiales. Si ante una emergencia el poder político con potestad para adoptar las medidas extraordinarias evalúa de forma generosa los riesgos sistémicos y se inclina por declarar un estado excepcional sin acreditarse su estricta necesidad, es en este supuesto cuando la justicia constitucional, de demandársele, debiera hilar muy fino su respuesta, pues lo que nos estamos jugando es precisamente que alguien pueda disponer de la excepción sin causa necesaria. En cambio, cuando la emergencia es admitida y no se discute, solo cabrá que se analicen las medidas adoptadas desde las hechuras del estado de excepción que el agente político decidió poner en marcha, siempre en el supuesto de que se optó por un mecanismo de defensa extraordinaria del Estado a la altura e incluso por debajo de lo que la situación hubiese podido demandar. Así, en el supuesto que aquí nos trae, el legislador de la emergencia que solo puede limitar derechos tendrá a los derechos fundamentales como parámetros vivos y al test de proporcionalidad como prueba de carga de las limitaciones practicadas (a sensu contrario, en un caso en que se admitiese la suspensión de ciertos derechos, la proporcionalidad jugará en abstracto respecto de la nueva configuración que se le dé a esos ámbitos de libertad en función de la crisis que se quiera combatir pero, una vez declaradas conformes las nuevas regulaciones jurídicas de esos espacios de libertad, los actos concretos de aplicación ya no tendrán como parámetro a los derechos en su forma genuina, constitucional, sino desde la nueva regulación que se haga de los mismos).

Con todo, nuestro TC parece llevarnos la contraria en su primera y segunda sentencia por la que se declaró la inconstitucionalidad de la declaración del estado de alarma para hacer frente a la propagación del virus Covid-19[2]. Según interpreta el alto Tribunal las medidas adoptadas eran de tal intensidad que solo suspendiendo la Constitución hubiese sido posible tenerlas como constitucionales (sin que sea

---

paradójico el razonamiento). Que el estado de alarma esté pensado para emergencias sanitarias como las pandemias y el estado de excepción para graves crisis de orden público no es un impedimento para que el TC llegue a concluir de este modo, lo que es sin duda una forma de reconocer que las medidas eran idóneas, necesarias y debemos entender que proporcionadas al alto riesgo de transmisión de un virus cuyo contagio puede derivar en la muerte de quien lo contraiga, además de suponer un grave riesgo para el sistema de salud nacional y autonómico a la vista del enorme número de infectados. Pero entre suspender y limitar derechos, como hemos pretendido razonar, media un abismo. Disponer de la Constitución y sustituir sus dictados por una constitución de emergencia. Limitar, en cambio, es un ejercicio de ponderación entre bienes o valores de alcance constitucional.

Hay derechos fundamentales porque somos un Estado constitucional, mas no solo. También somos un Estado convencional, en el sentido que puede bien intuirse en este contexto, de Estado con obligaciones internacionales en materia de derechos humanos. Obligaciones que, además, hemos incorporado como parámetro interno de nuestros propios derechos fundamentales, pues es eso lo que se deduce de lo establecido en el art. 10.2 CE: "las normas relativas a los derechos fundamentales y a las libertades que la Constitución reconoce se interpretarán de conformidad con la Declaración Universal de Derechos Humanos y los tratados y acuerdos internacionales sobre las mismas materias ratificados por España". *Quid*, en consecuencia, de los derechos humanos que cumplen todas estas funciones cuando se suspenden o deben ser suspendidos los derechos fundamentales para salvar a la comunidad política constituida de un riesgo cierto, inminente y grave[3].

---

[3]   Vid. por ejemplo, Bernard, F., "Lutte contre le noveau coronavirus et respect des droits fondamentaux", Sécurité et Droit, n° 3, pp. 130-141, 2020; Le Bris, C., "La crise sanitaire en France au regard du droit international des droits de l'homme ou les limitations des libertés en quête d'un juste équilibre", La Revue dese droits de l'homme", n° 19, 2021; Hottelier, M., "Démocratie, État de droit et droits fondamentaux face à la pandemie de Covid-19. La situation en Suisse", Confluence des droits_La revue, n° 7, 2020.

3. DERECHOS FUNDAMENTALES Y DERECHOS HUMANOS COMO CARAS DE UNA MISMA MONEDA

La pregunta correcta sería esta: si según nuestro Tribunal Constitucional las restricciones a los derechos fundamentales producidas para hacer frente a la pandemia solo pueden ser válidas si se las entiende como suspensión de los mismos, ¿debe suspenderse asimismo la vigencia de los tratados y convenios que obligan a respetar y reconocer esos derechos a toda persona dependiente de la jurisdicción de nuestro Estado? Resultaría jurídicamente conflictivo que no se hiciese, pues no tendría sentido alguno dejar vigente lo que materialmente ha sido suspendido. Sobre todo una vez que nuestro Tribunal Constitucional quiso dejar claro hace algunos años que el principio de constitucionalidad no está reñido, sino que debe ser acompasado, con el principio de convencionalidad. La posición preferente que los tratados y convenios tienen frente a la ley estatal en virtud de la Constitución (art. 96 CE), permite a los jueces españoles la inaplicación de aquellas leyes que estimen sean contrarias a los derechos reconocidos en los convenios y tratados sobre derechos humanos. Siguiendo este principio sería contradictorio un régimen de suspensión de derechos *ex Constitutione* y un orden internacional de derechos plenamente vigente. De mantenerse esta ambigua situación, insistimos, convivirían dos órdenes jurídicos de los derechos antagónicos: de un lado, el de la suspensión formal y materialmente declarada y, de otro, el del sistema convencional de derechos. Por la propia naturaleza de las cosas, y sin que sea difícil de entender el por qué, anómalo sería que un marco jurídico de suspensión de derechos puede ser compatible con el régimen convencional de los derechos con plena virtualidad y vigencia.

No siendo un convencido de la existencia un doble paradigma como tal en nuestro sistema constitucional, básicamente por mor del art. 10.2 CE y lo que este precepto contiene de engarce obligado entre ambos regímenes de protección de derechos, siempre he sostenido que (especialmente con el CEDH) toda duda de convencionalidad lo suele ser también de constitucionalidad[4]. Este principio de semejanza reforzaría aún más lo patente de la contradicción que se plantea al soste-

---

[4]   Recientemente, Alvarez-Ossorio Micheo, F., "Des traités internationaux et du contrôle de conventionnalité", en la obra colectiva, Alcaraz, H., y Lecucq, O.,

ner la suspensión de los derecho fundamentales y, al propio tiempo, mantener la plena vigencia de los derechos humanos. La suspensión de los derechos, pese a ser un acto materialmente constitucional, solo tiene fuerza de ley. Sin embargo, pese a su rango, produce un efecto de sustitución del orden normativo de los derechos fundamentales por otro restrictivo de los mismos que, a partir de la declaración de la excepción, será el nuevo parámetro de control de los actos de aplicación que se adopten. Este nuevo marco regulatorio excepcional y extraordinario, de seguir vigentes los derechos humanos, tendría a estos como canon activo de la convencionalidad. De modo que para evitar esta disfunción y dar coherencia al entero sistema, lo razonable sería que cuando un derecho fundamental se suspenda, como acto reflejo quede también suspendido el derecho humano que proteja ese mismo ámbito de libertad. Una doble suspensión para que el nuevo orden excepcional, siempre que resulte constitucionalmente justificado, sea el único parámetro válido para medir la corrección o no de las medidas de aplicación subsiguientes que deban adoptarse.

La subsidiariedad de los sistemas internacionales de protección de derechos me ha valido para sostener en estudios anteriores que los derechos humanos encuentra en los derechos fundamentales su mejor forma de aplicación. De la misma forma que, a la inversa, los derechos humanos nacen con la finalidad de mejor garantizar los derechos fundamentales. Este entender el sistema de los derechos como un todo, sin compartimentos estancos (detrás de todo esto se encuentra la idea de subsidiariedad), refuerza y explica la necesidad de suspenderlo todo llegado el caso de tener que hacerlo para salvar el propio sistema de derechos, al Estado de Derechos. La constitucionalidad y la convencionalidad, pese a sus diferencias de mayor o menor protección concretas o de mínimo garantizado, van de la mano tanto en tiempos de normalidad como en tiempos de excepción.

Así las cosas, queda por analizar una cuestión conocida, que no es otra que si existe la posibilidad de suspender la vigencia del Convenio Europeo de Derechos Humanos en caso de ser necesaria la suspensión de derechos y la alteración de la división de poderes para hacer

---

40 ans d'application de la Constitution espagnole, Institut Francophone pour la Justice et la Démocratie, Colloques & Essais,, 2020.

frente a un riesgo que ponga en peligro la propia supervivencia de la comunidad política[5].

4. LA SUSPENSIÓN DEL CONVENIO: QUIÉN, CÓMO, CUÁNDO Y CON QUÉ EFECTOS

El Convenio Europeo de Derechos Humanos obliga a los Estados parte desde su ratificación. Un Convenio que cuenta con vida propia y que es independiente del reconocimiento que de esos mismos derechos y libertades se haga en los textos constitucionales, por más que su simbiosis sea la mejor forma de darles virtualidad. Es por esta razón que la dicotomía de derecho positivo entre derechos humanos y derechos fundamentales adquiere en este contexto pleno significado. De suspenderse los derechos fundamentales mediante declaración de un "estado de urgencia", los derechos humanos no se verían afectados por la misma. De modo que para los individuos dependientes de un Estado que así actuase, para nada imaginario, la situación quedaría extrañamente constituida, pues por una parte habría visto suspendidos sus derechos constitucionales y, por otra, sería titular de esos mismos derechos desde el nivel convencional en plenitud, abriéndose-

---

[5]   Aunque nos refiramos permanentemente al CEDH, somos conscientes de la existencia de un derecho internacional de los derechos humanos al que el Estado español se encuentra sujeto. Véase así, por ejemplo, lo dispuesto en el art. 4 PIDCP: "1. En situaciones excepcionales que pongan en peligro la vida de la nación y cuya existencia haya sido proclamada oficialmente, los Estados Partes en el presente Pacto podrán adoptar disposiciones que en la medida estrictamente limitada a las exigencias de la situación, suspendan las obligaciones contraídas en virtud de este Pacto, siempre que tales disposiciones no sean incompatibles con las demás obligaciones que les impone el derecho internacional y no entrañen discriminación alguna fundada únicamente en motivos de raza, color, sexo, idioma, religión u origen social. 2. La disposición precedente no autoriza suspensión alguna de los artículos 6, 7 y 8 (párrafos 1 y 2), 11, 15, 16 y 18. 3. Todo Estado Parte en el presente Pacto que haga uso del derecho de suspensión deberá informar inmediatamente a los demás Estados Partes en el presente Pacto, por conducto del Secretario general de las Naciones Unidas, de las disposiciones cuya aplicación haya suspendido y de los motivos que hayan suscitado la suspensión. Se hará una nueva comunicación por el mismo conducto en la fecha en que haya dado por terminada tal suspensión".

le las vías de recurso oportunas, tanto a nivel interno como externo, para la defensa de los mismos.

Esta antinomia estructural se concilia cuando se conoce la existencia de una clausula que permite encajar el estatuto global de los derechos. El CEDH contiene una cláusula de suspensión del Convenio similar en factura y sentido a la de los estados excepcionales que contemplan las Constituciones. Concretamente, el art. 15 CEDH[6] permite a los Estados tomar medidas que deroguen las obligaciones previstas en el Convenio en caso de guerra o de otro peligro público que amenace la vida de la nación, pero siempre que se haga en la medida estricta que la situación lo exija y supuesto que tales medidas no estén en contradicción con las otras obligaciones que dimanan del derecho internacional[7].

De accionarse ambas palancas al mismo tiempo la situación quedaría en cierta forma empatada, alcanzándose un equilibrio estable en el medio jurídico tras el nuevo estatuto que adquirirían los derechos una vez suspendidos desde ambos órdenes normativos. En cambio, como bien puede colegirse, si solo se activase la emergencia en el plano nacional, soslayando la cláusula derogatoria contenida en el Convenio Europeo de Derechos Humanos, el TEDH quedaría en plenitud

---

[6] Art. 15 CEDH: "Derogación en caso de estado de urgencia: 1. En caso de guerra o de otro peligro público que amenace la vida de la nación, cualquier Alta Parte Contratante podrá tomar medidas que deroguen las obligaciones previstas en el presente Convenio en la medida estricta en que lo exija la situación, y supuesto que tales medidas no estén en contradicción con las otras obligaciones que dimanan del Derecho internacional. 2. La disposición precedente no autoriza ninguna derogación al artículo 2, salvo para el caso de muertes resultantes de actos lícitos de guerra, y a los artículos 3, 4 (párrafo 1) y 7. 3. Toda Alta Parte Contratante que ejerza este derecho de derogación tendrá plenamente informado al Secretario general del Consejo de Europa de las medidas tomadas y de los motivos que las han inspirado. Deberá igualmente informar al Secretario general del Consejo de Europa de la fecha en que esas medidas hayan dejado de estar en vigor y las disposiciones del Convenio vuelvan a tener plena aplicación.

[7] En números y hasta la fecha, pero dejando a un lado ahora todo lo relativo a la emergencia de la Covid-19, ocho Estados partes en el Convenio han hecho uso del art. 15 CEDH: Albania, Armenia, Francia, Georgia, Grecia, Irlanda, Reino Unido e Irlanda y solo cuatro de ellos han debido justificar sus medidas ante el TEDH: Grecia, Irlanda, Reino Unido y Turquía. En todos estos casos, salvo el griego, estaba detrás el fenómeno terrorista y la legislación excepcional que tal emergencia conlleva.

de competencias para, desde los derechos humanos en plenitud de vigencia, poder ejercer un control de validez de las actuaciones derivadas del régimen suspendido de los derechos. Asimismo, los jueces nacionales se encontrarían en una situación paradójica en el control de esas mismas actuaciones. Si desde la perspectiva constitucional su función estaría condicionada por el nuevo régimen excepcional de los derechos, desde la perspectiva del control de convencionalidad el parámetro de control de los derechos humanos debería actuar con plena y eficaz virtualidad. La conclusión de todo esto, con los matices que más tarde desarrollaremos, solo permiten concluir que la activación de un estado de emergencia/excepcional que implique suspensión de derechos exige la suspensión de la vigencia de los derechos humanos y fundamentales, la suspensión de la Constitución y del Convenio. Si no se actúa de este modo, la suspensión de los derechos constitucionalmente practicada traerá como consecuencia su posible control como mero límite a los derechos desde la perspectiva de los derechos humanos. Y si la suspensión implica por su propia naturaleza un vaciamiento importante del contenido esencial de los derechos difícilmente esas medidas podrán resistir un estricto control de proporcionalidad, por más que las razones que la justifiquen puedan ser importantes.

No obstante, entre limitación de un derecho y su suspensión debe haber una previa toma de conciencia por parte de quien está llamado constitucionalmente a practicar bien la primera de ellas, bien la segunda. Los presupuestos de hecho que habilitan para *disponer* de la Constitución y el Convenio, y no tanto la intensidad con la que se constriña a los derechos, es la piedra de toque que, a nuestro juicio, sirve para delimitar un espacio de otro. La lectura del art. 15 CEDH impone que solo en caso de guerra o de otro peligro que amenace la vida de la nación puede suspenderse la vigencia de los derechos convencionales. Fuera de ese presupuesto no cabe que se desplace a los derechos humanos de su función de parámetro de las actuaciones restrictivas de los mismos, como tampoco sería admisible lo contrario, es decir que se les configure bajo un régimen de ejercicio en las antípodas del que se deduce de su contenido declarado e inmanente (esencial) alegando la presencia de un riesgo a todas luces inexistente.

La jurisprudencia del TEDH relativa al art. 15 CEDH suele comenzar analizando la justificación que sobre el cumplimiento del presupuesto de hecho da el Estado para activar el mecanismo derogatorio de la vigencia de algunos de los derechos reconocidos en el Convenio. El sentido de la expresión "guerra u otro peligro que amenace la vida de la nación" se interpreta como una situación de crisis o peligro excepcional e inminente que afecta al conjunto de la población y que constituye una amenaza para la vida organizada de la comunidad que integra el Estado[8]. Corresponde al Estado, responsable de la vida de la nación, la determinación de la existencia del peligro y, en la afirmativa, decidir hasta dónde hay que llegar en la adopción de las medidas excepcionales necesarias para conjurarlo. En contacto directo y constante con la realidad, es al Estado a quién compete en primera instancia adoptar las decisiones referidas, contando para ello con un amplio margen de actuación. Sin embargo, el TEDH se arroga la competencia para decidir si la actuación estatal ha podido desbordar tanto en una como en otra decisión la "estricta medida" que estas decisiones deben respetar[9].

En cuanto a los requisitos formales para la desactivación de la vigencia del Convenio, de conformidad con lo dispuesto en el apartado tercero del citado art. 15CEDH, los Estados parte están obligados a informar en tiempo y forma al Secretario General del Consejo de Europa de las medidas adoptadas y de los motivos que las han motivado. Igualmente, deben informar al Secretario General del Consejo de Europa de la fecha en la que estas medidas han dejado de estar en vigor y desde la cual las disposiciones del Convenio recobran de nuevo plena vigencia. Este requisito formal deviene sustantivo desde el momento en que se admite como elementos consustanciales a la excepción el de la temporalidad y el de la finalidad, que no es otra que la de resucitar la normalidad de los derechos una vez superada la grave crisis que pudo poner en riesgo la existencia de la comunidad jurídica.

---

[8]　　STEDH Lawless (nº 3), de 1 de julio de 1961, pár. 28.

[9]　　Vid., especialmente, STEDH Dinamarca, Noruega, Suecia y Países Bajos vs. Grecia, de 5 de noviembre de 1969, único caso en el que el Tribunal consideró que no se reunían las condiciones para la aplicación del art. 15 CEDH (se enfrentaba a la derogación del Convenio declarada por el gobierno surgido tras el golpe de estado de "los coroneles"). Asimismo, el TEDH va a admitir el riesgo potencial como causa legítima de activación del art. 15 CEDH, pues no hacerlo significaría tener que aceptar que la calamidad deba ocurrir, lo que sería una condición irrazonable. Vid., en este sentido, STEDH A. y otros vs. Reino Unido, de 19 de febrero de 2009, Gran Sala.

El incumplimiento de este requisito formal y material conlleva que el art. 15 CEDH no pueda ser aplicado, restando vigentes y con plena virtualidad los derechos convencionales[10].

Por último, los Estados parte no son libres a la hora de determinar los derechos cuya vigencia decaen una vez informado el Secretario de las medidas adoptadas. Contando con un amplio margen de apreciación, pues son los poderes públicos del Estado los mejor situados para hacer un balance entre el grave riesgo constatado y las medidas que deberían adoptarse para hacerle frente, el TEDH no esquiva su competencia para valorar si esa ponderación entre riesgo y medidas se ha realizado de forma proporcional y razonable, pues un Estado no puede adoptar medidas que deroguen las obligaciones previstas por el Convenio salvo en la estricta medida que la situación lo exija. Los estados de excepción quedan sujetos al principio de proporcionalidad respecto de su contenido, de modo que debe existir una conexión de sentido, de razonabilidad, entre las medidas adoptadas y la emergencia que las reclama. El art. 15 CEDH no es un cheque en blanco que confiera poderes ilimitados a los Estados[11].

Este control exhaustivo de la legitimidad convencional de la suspensión de la vigencia del Convenio se ve acompañada de un elemento de alto interés para nuestro estudio. El TEDH, antes de dar por válido el derecho a la suspensión de la vigencia del Convenio, explora si las medidas incriminadas son susceptibles de encontrar amparo

---

[10]	Véanse, entre otras, informe de la ComEDH en el caso Grecia vs. Reino Unido, de 26 septiembre de 1958 (caso en el que la información al Secretario General del COE se realiza con retraso inexplicable), informe de la ComEDH en el caso Chipre vs. Turquía, de 4 de octubre de 1983 (caso en el que hubo ausencia de acto formal y público de comunicación de la derogación) y, por último, la STEDH Sakik y otros vs. Turquía, de 26 de noviembre de 1997 (donde se excluye la aplicación del art. 15 CEDH a una zona del territorio sobre la que no recaían en principio las medidas excepcionales).

[11]	Vid., STEDH Aksoy vs. Turquía, de 18 de diciembre de 1996 (caso donde el TEDH termina concluyendo que el Estado turco no había dado suficientes razones que permitiesen explicar la ausencia de todo control judicial en las detenciones practicadas de sospechosos de pertenencia a bandas terroristas en el sudoeste de Turquía). Asimismo, STEDH A y otros vs. Reino Unido, de 19 de febrero de 2009, Gran Sala (un caso en el que el régimen de la detención era distinto para presuntos miembros de la organización terrorista Al-Qaida dependiendo de si tenían nacionalidad británica o no).

en la normalidad convencional, es decir, si pudieran ser entendidas sencillamente como límites admisibles al contenido de los derechos. Así pues, antes de admitir la perdida de vigencia del Convenio, su Tribunal agota las posibilidades interpretativas para, con la finalidad de mantener la plena virtualidad del Convenio, decidir si las medidas adoptadas pueden ser abordadas desde el contenido de los derechos afectados. Si fuese posible, el TEDH renunciaría a escrutar la legitimidad de la declaración del situación excepcional, pero siempre que dichas medidas, insistimos, puedan ser conciliadas con el contenido vigente de los derechos convencionales. En caso contrario, la validez de las medidas suspensivas tendrán que ser escrutadas para ver si se ajustan a los requisitos formales y materiales del art. 15 CEDH[12].

5.   COVID-19: ¿ERA NECESARIA LA SUSPENSIÓN DE LA VIGENCIA DEL CONVENIO?

Frente a la mayor pandemia que hayamos vivido como generación viva, ¿cuál ha debido ser la respuesta de los Estados? Como en la lógica que aplica el TEDH cuando se enfrenta a un caso de suspensión de la vigencia de derechos convencionales y que acabamos de mencionar, los Estados se han dividido entre los que han tenido conciencia de estar suspendiendo derechos, activando para ello sus mecanismos de excepción, y aquellos otros que, por el contrario, han optado por considerar que la situación no requería de suspensión alguna de derechos y libertades y sí de la imposición de límites a los mismos a través de las leyes de salud pública de naturaleza ordinaria.

Únicamente diez Estados de cuarenta y siete que integran el Consejo de Europa han informado al Secretario General de esta organización internacional de las medidas adoptadas ante la crisis sanitaria provocada por la Covid-19 a los efectos de activar el art. 15 CEDH,

---

12   STEDH A y otros vs. Reino Unido, de 19 de febrero de 2009, FJ. 161: "La Cour doit d'abord rechercher si la détention infligée aux intéressés était régulière au regard de l'alinéa f) de l'article 5 § 1. En effet, s'il apparaît que cette disposition peut être utilement invoquée comme moyen de défense contre les griefs formulés sur le terrain de l'article 5 § 1, la Cour n'aura pas à statuer sur la validité de la dérogation (*Irlande c. Royaume-Uni*, 18 janvier 1978, § 191, série A no 25)".

siempre que de esas medidas pudiera deducirse que se ha producido una suspensión de los derechos convencionales afectados[13]. El resto de Estados, treinta y siete, pese a haber adoptado medidas de idéntica factura han preferido no hacerlo de modo consciente. La libertad de circulación, la libertad a secas, el derecho de reunión, el de asociación, la libertad de profesar el culto y el derecho a la educación se han visto fuertemente afectados en prácticamente todos los Estados miembros del Consejo de Europa tras la común decisión de decretar el confinamiento de la población como remedio más eficaz para evitar la propagación del virus. El dato de solo diez Estados es elocuente, pues dice mucho de ese estado de conciencia de urgencia en la normalidad, aunque puede que a algunos llegue a sorprender.

Para la mayoría de los Estados del Consejo de Europa las medidas adoptadas para combatir la propagación del virus pueden bien soportar el test de proporcionalidad que, desde cada derecho, pueda en su día realizar el TEDH, tribunal al que a buen seguro irán llegando las demandas planteadas respectos de los mismos una vez se agoten las vías procesales preceptivas a nivel interno. No hay otra forma de explicarlo si se mira desde este ultimo escalón de la garantía colectiva de derechos que se implanta con el Convenio. También pudiera explicarse en términos políticos, bien es verdad. Si los Estados no han querido dar muestras de hallarse ante una situación que reclamaba necesariamente la suspensión de sus sistemas constitucionales, carecería de sentido que manifestasen ante el Secretario General del Consejo de Europa lo que a nivel interno se negaba. En el fondo se actuaba con cierta coherencia: mantener vigente las Constituciones y sus derechos y también la vigencia del Convenio Europeo de Derechos Humanos. Es cierto, por otra parte, como venimos de explicar, que la comunicación al Secretario General del Consejo de Europa pudiera haberse hecho de manera precautoria. Lo que soporten las Constituciones no tiene por qué soportarlo el CEDH, una expresión que a la inversa también tendría validez. Es decir, una forma como cualquier otra de curarse en salud. Si la Constitución aguanta la fuerte limitación de los

---

[13]　Concretamente: Letonia, Rumania, Armenia, República de Moldavia, Estonia, Georgia, Albania, Macedonia del Norte, Serbia y San Marino. Las declaraciones de cada uno de ellos se encuentran en la página web del Bureau des Traités du Conseil de l'Europe.

derechos en aras de proteger la salud y la vida de los ciudadanos, pudiera ser inteligente desplazar al Convenio y dejarlo desarmado ante el grave desafío planteado. De esta manera solo quedaría la voz de la constitucionalidad, una vez orillada la de la convencionalidad ex art. 15 CEDH. Pero aún así el problema no estaría resuelto. El Convenio Europeo es resistente y pegajoso, no es fácil de soslayar.

De entrada porque, como acabamos de ver, llegado el caso, su razonamiento empezaría con la ficción de que la vigencia del Convenio no ha decaído. Ante un caso concreto el TEDH, como vimos más arriba, empieza por analizar si las medidas incriminadas resisten el test de la normalidad convencional. De salida porque el TEDH pudiera convenir que no se da el presupuesto de hecho que habilita para su derogación, un hecho que ponga en riesgo real e inminente la vida de la nación (algo que puede llegar a hacer si se acredita que con el derecho no excepcional se puede combatir el riesgo declarado). Pero hay algo más y acaso mucho más importante. En el propio Consejo de Europa no se tenía claro que debían hacer los Estados al respecto, si activar el art. 15 CEDH o no hacerlo. Bien mirado, la cuestión que nos ocupa es la de buscar y encontrar una mayor garantía en situaciones como las que nos tocan vivir, nunca menos. Un Convenio suspendido, permítaseme la expresión, no tendría voz plena y contundente ante las potentes medidas adoptadas por los Estados ante el riesgo de colapso sanitario y la elevada mortalidad ocasionada por la Covid-19. A nuestro modo de ver no hay mayor garantía en la suspensión que en la normalidad, más bien sería lo contrario[14]. Otra cuestión es que los derechos no resistiesen en estas condiciones de pandemia los límites impuestos, pero esto es precisamente lo que hay que demostrar.

En buena lid tal vez haya que observar todo esto como se merece. A pesar de la gravedad de la situación la mayor parte de los Estados miembros del Consejo de Europa no han observado la necesidad de suspender el régimen de ordinario y completo de los derechos. Tratándose de una limitación intensa de los derechos pero justificada en aras de preservar otros bienes y valores de igual entidad, la operación solo

---

[14]   Por más que se quieran ver las bondades de declarar el estado de excepción en detrimento del estado de alarma por su mayor control parlamentario no alcanzamos a ver dónde se encuentra esa mayor protección. Entre derechos vigentes y derechos suspendidos, los primero llevan juez aparejado.

requería que se aquilatase mucho la proporcionalidad de las medidas que era debido se adoptasen. Y esta juicio ponderativo solo era posible con la Constitución y el Convenio vigentes.

Resulta cuando menos paradójico que de las primeras demandas de las que ha conocido el TEDH una de ellas haya versado sobre la protección del derecho a la vida y la salud ante la supuesta ineficiencia de las medidas adoptadas por los Estados para proteger a sus ciudadanos de la Covid-19. Para un ciudadano las medidas no eran suficientes. La demanda fue inadmitida por encerrar, según el Tribunal, una acción popular contra el conjunto de medidas adoptadas en Francia al comienzo de la declaración de la pandemia y no ofrecer el actor pruebas de qué medidas hubiesen debido activarse para mejor proteger su derecho a la salud o la vida. Pero en el grueso del resto de demandas se detecta un contenido similar, pues son muchas las provenientes de personas detenidas o privadas de libertad (extranjeros en procesos de expulsión) a las que se ponía en contacto con posibles portadores del virus. El derecho no convencional a la salud, pero por extensión el del derecho a la vida, surge como asunto prioritario, cuestionándose en todos ellos la inacción de los Estados para preservar el que es valor sagrado y presupuesto del resto de los derechos, el derecho a la vida en su vertiente positiva, el Estado como garante de la misma[15]. Quien tiene esta categoría de asuntos ante sí, es probable que deba empezar a plantearse que los asuntos relativos a la pandemia encierran, todos ellos, una colisión entre derechos que solo podrá ser resuelta ponderando adecuadamente los intereses y bienes jurídicos enfrentados, sin necesidad en principio de sacrificar por entero al resto de derechos que puedan entrar en colisión.

La lógica de la limitación de los derechos y no la de su suspensión es la que va a permitir abordar al TEDH el resto de casos que hasta la fecha han llegado a su sede y que tienen como objeto central de preocupación, entre otros, el derecho a la vida privada y familiar (mantenimiento de los lazos familiares durante el confinamiento[16] y

---

[15]   En estos casos, el TEDH tomó como parámetro principal el derecho a no ser sometido a tortura o tratos inhumanos o degradantes.

[16]   Asunto D.C. vs. Italia, de 15 de octubre de 2020, retirado.

la obligación de la vacunación para ciertas profesiones[17]), la libertad de culto (prohibición de prácticas colectivas de profesión religiosa[18]), la libertad de expresión (negacionismo y Covid-19[19]), la libertad de reunión y asociación (prohibición de manifestación[20]) y el derecho de propiedad (cierre de centros deportivos[21]). Toda vez que la mayor parte de los Estados no han activado el mecanismo suspensivo del art. 15 CEDH y que los pocos que lo hicieron levantaron sus declaraciones entre junio y julio de 2020, al TEDH le corresponderá enjuiciar todos estos supuestos con los parámetros de control en plenitud de virtualidad. Cuando no sea el caso, porque el supuesto entre en el periodo en el que el Estado había formalmente anunciado la activación de las medidas excepcionales, el TEDH, pensamos, no va a perder de vista esta realidad, la de que el Convenio ha sido suspendido casi de forma excepcional, en diez ocasiones de cuarenta y siete posibles.

El primer caso que abordó sobre la gran cuestión de fondo (la medida de confinamiento[22]) fue inadmitido a trámite no por causa de estar activado el art. 15 CEDH, que lo estaba, sino por considerar que la ponderación realizada por los tribunales internos había sido la adecuada, pues no se apreciaba lesión concreta y actual del derecho a la libertad y a libre circulación invocado por el recurrente. En el caso Terhes vs. Rumanía[23], el TEDH afirma que la medida de confinamiento que el eurodiputado contestaba no puede ser asimilada a un

---

[17] Asunto Thevenon vs. Francia, demanda comunicada el 7 de octubre de 2021, asunto n° 46061/21.

[18] Asunto Spînu vs. Rumanía, comunicada el 1 de octubre de 2020, demanda n° 29443/20; Asunto Asociación de obediencia eclesiástica ortodoxa vs. Grecia, comunicada el 25 de febrero de 2021, demanda n° 52104/20; Madgic vs. Croacia, comunicada el 31 de mayo de 2021, demanda n° 17578/20.

[19] Asunto Avagyan vs. Rusia, comunicada el 4 de noviembre de 2020, demanda n° 36911/20.

[20] Asunto Communauté genevoise d'action syndicale (CGAS) vs. Suiza, comunicada el 11 de septiembre de 2020, demanda n° 21881/20.

[21] Asunto Toromag s.r.o. vs. Eslovaquia y cuatro demandas más, comunicadas el 7 de octubre de 2021, demandas n° 41217/20, 41253/20, 41263/20, 41271/20 y 49716/20.

[22] Pugh, J., "The United Kingdom's Coronavirus Act, deprivations of liberty, and the right to liberty and security of the person", Journal of Law and the Biosciences, 1-14, 2020.

[23] Decisión de inadmisión TEDH, Terhes vs. Rumania, de 20 de mayo de 2021.

arresto domiciliario (*assignation à résidence*) y añade que el nivel de restricciones impuestas a la libertad de circulación del recurrente no permite considerar que el confinamiento general impuesto por los autoridades rumanas haya provocado privación alguna de esta libertad. Entre otras razones porque la presunta víctima no explicaba de manera convincente y concreta qué efectos había tenido la medida sobre su libertad, máxime teniendo presente que, como quedaba acreditado, durante el periodo en el que estuvo activo el estado de emergencia el recurrente no fue obligado a permanecer encerrado en su domicilio y pudo realizar algunas de las actividades esenciales que forman parte de la vida ordinaria.

Esta forma de razonar del Tribunal le lleva a no tener que ocuparse la declaración efectuada por Rumanía meses antes y mediante la cual advertía de la suspensión de la vigencia de ciertos derechos del Convenio. A juicio del TEDH el caso podía ser resuelto desde los derechos y sus límites, sin necesidad de apreciar la validez de dicha suspensión. De este modo se adelanta a las demandas que casi con toda probabilidad le puedan acabar llegando desde esos otros Estados que, mayoritariamente, han decidido adoptar medidas de urgencia para hacer frente a la pandemia, con clara afectación en el disfrute de los derechos, pero sin conciencia de estar suspendiendo la virtualidad de los mismos. A esta conciencia de "normalidad" su suma, parece, el TEDH, pues en este primer caso sobre la extraordinaria medida de confinamiento prefiere resolver la cuestión desde el contenido del derecho a la libertad y sus posibles límites cuando se trata de preservar el derecho a la vida o la salud de las personas.

Hay que recordar, no obstante, que la actividad del TEDH se alimenta de casos individuales y que no realiza un control abstracto de normas. Sin embargo, no son pocas las ocasiones en que el TEDH ha advertido, a partir de un caso concreto, de deficiencias estructurales y recomendado la adopción de medidas al Estado encausado que puedan paliarlas. Pero siendo esto verdad, la jurisprudencia que hasta ahora vamos conociendo del Tribunal de Estrasburgo y que tienen como causa la pandemia generada por la COVID-19 no apunta a que desde el TEDH se vaya a realizar un juicio global de las medidas urgentes adoptadas por los Estados, sino más bien un estudio pegado a la realidad de cada caso que se le plantee.

El TEDH se ve compelido a enjuiciar todas las medidas adoptadas por los Estados sin el Convenio suspendido en la mayor parte de los casos. Pero, aunque minoritarias, con diez declaraciones de suspensión de la vigencia de ciertos derechos del Convenio sobre la mesa. Este *hiato*, como lo ha denominado el profesor Sudre[24], demuestra lo anómalo de la situación en la que el Tribunal tendrá que desempeñar su trabajo. Porque o bien las medidas adoptadas por los Estados eran de tanta intensidad que hubiesen requerido la activación del art. 15 CEDH, o bien puede ocurrir que, validadas las limitaciones de los derechos desde un Convenio plenamente vigente, se produzca la sensación de que estos pueden ser fuertemente reducidos en su contenido ante la eventualidad de una crisis sanitaria como la que nos ha tocado vivir. La coherencia del ordenamiento jurídico entendido como sistema exige que lo que se haga en el orden jurídico interno debe acompasarse con lo que deba hacerse en el orden internacional, salvo que lo que se quiera sea, y este no debe ser nunca la pretensión, ignorar las obligaciones que los Estados parte en el Convenio Europeo de Derechos Humanos han contraído con su ratificación (en el caso español tengo claro que tras la Sentencia del TC sobre el primer estado de alarma, España debería activar el mecanismo del art. 15 CEDH). Además de que hay otra razón de la necesidad de coherencia. Suspender la vigencia del Convenio, que es un derecho de los Estados, no es una carta blanca para estos. Como hemos visto, aunque ciertamente de

---

[24] Sudre, F., "La Convention EDH face au Covid-19: dépasser les apparences", Le club des Juristes, Blog du Coronavirus, 27 de abril de 2020. En este mismo sentido, Costa, J.-P., "Le recours à l'article 15 de la CEDH", Le club des Juristes, Blog du Coronavirus, de 27 abril de 2020; Gonzalez, G., "L'article 15 de la CEDH à l'épreuve du Covid-19 ou l'ombre de la doute", RDLF, 2020, n° 43; Afroukh, M., "Covid-19 et droit de dérogation: les reponses du droit international des droits de l'homme", RDLF, 2020, n° 40; Gudzenko, M., "Quelle immunité des droits de l'homme face à la pandemie? À propos de la valeur ajoutée de a derogation prévue à l'article 15 de la CEDH", Confluence des Droits _La Revue, n° 07, 2020; Nivard, C., "Le respect de la CEDH en temps de crise sanitaire mondiale", La Revue des Droits de l'Homme, Actualités Droits-Libertés, 2020; Greene, A., "Derogating from the ECHR in response to the coronavirus pandemic: if not now, whem?", Forthcoming, European Human Rights Law Review, 2020; Panov, S., "To derogate (and Notify), that is the question! An analysis of the legal framework of the Covid-19 State of Emergency in the Republic of Bugaria and ECHR practice", re:constitution Working Paper, Forum Transregionale Studien 1/2000;

forma muy resumida, el control al que quedan sometido las declaraciones suspensivas del Convenio por parte del TEDH demuestra que los estados de excepción, adopten la forma que adopten, están sujetos al orden constitucional y convencional que los soporta. El poder excepcional es también un poder sujeto al derecho, controlable por lo tanto. La Constitución de la excepción es derecho constitucional, eso es todo. Y siempre corremos el riesgo vivir como normal lo que por su propia naturaleza pertenece al mundo de lo excepcional.

6. BIBLIOGRAFIA

Afroukh, M., "Covid-19 et droit de dérogation: les reponses du droit international des droits de l´homme", RDLF, n° 40, 2020.

Alvarez-Ossorio Micheo, F., "Des traités internationaux et du contrôle de conventionnalité", en la obra colectiva, Alcaraz, H., y Lecucq, O., *40 ans d'application de la Constitution espagnole*, Institut Francophone pour la Justice et la Démocratie, Colloques & Essais, 2020.

Bernard, F., "Lutte contre le noveau coronavirus et respect des droits fondamentaux", Sécurité et Droit, n° 3, 2020.

Costa, J.-P., "Le recours à l'article 15 de la CEDH", Le club des Juristes, Blog du Coronavirus, de 27 abril de 2020.

Gonzalez, G., "L'article 15 de la CEDH à l'épreuve du Covid-19 ou l'ombre de la doute", RDLF, n° 43, 2020.

Greene, A., "Derogating from the ECHR in response to the coronavirus pandemic: if not now, whem?", Forthcoming, European Human Rights Law Review, 2020.

Gudzenko, M., "Quelle immunité des droits de l´homme face à la pandemie? À propos de la valeur ajoutée de a derogation prévue à l'article 15 de la CEDH", Confluence des Droits _La Revue, n° 07, 2020.

Hottelier, M., "Démocratie, État de droit et droits fondamentaux face à la pandemie de Covid-19. La situation en Suisse", Confluence des droits_La revue, n° 7, 2020.

Le Bris, C., "La crise sanitaire en France au regard du droit international des droits de l'homme ou les limitations des libertés en quête d'un juste équilibre", La Revue dese droits de l´homme", n° 19, 2021.

Nivard, C., "Le respect de la CEDH en temps de crise sanitaire mondiale", La Revue des Droits de l´Homme, Actualités Droits-Libertés, 2020.

Panov, S., "To derogate (and Notify), that is the question! An analysis of the legal framework of the Covid-19 State of Emergency in the Republic of Bugaria and ECHR practice", re:constitution Working Paper, Forum Transregionale Studien 1/2000.

Pugh, J., "The United Kingdom's Coronavirus Act, deprivations of liberty, and the right to liberty and security of the person", Journal of Law and the Biosciences, 1-14, 2020.

Sudre, F., "La Convention EDH face au Covid-19: dépasser les apparences", Le club des Juristes, Blog du Coronavirus, 27 de abril de 2020.